CIARA GERAGHTY

Trouw
aan mij

Karakter Uitgevers B.V.

Oorspronkelijke titel: Becoming Scarlett
Tekst © 2010 Ciara Geraghty
© 2011 Karakter Uitgevers B.V., Uithoorn
Vertaling: Kris Eikelenboom/Vitataal
Redactie en productie: Vitataal tekst & redactie, Feerwerd
Zetwerk: Erik Richèl, Winsum
Omslagontwerp: Mariska Cock
Omslagbeeld: © Philip Lee Harvey/cultura/Corbis

ISBN 978 90 6112 417 7
NUR 302

Voor Frank MacLochlainn,
die nog steeds mijn hand vasthoudt
als het vliegtuig opstijgt

'Ik zie er niks in,' zei Konijn.
'Nee,' zei Poeh met zijn ogen naar de grond,
'ik ook niet. En tóch zat er iets in toen ik begon.
Er moet onderweg iets mee gebeurd zijn.'

Het huis in het Poeh-Hoekje, A.A. Milne
(vertaling: Mies Bouhuys)

1

Op vrijdag ben ik over tijd. Het moet om 11.23 uur beginnen. Om 11.30 uur begin ik me zorgen te maken.

Nu is het 14.15 uur en nog steeds niks. De angst heeft me stevig in de greep, ik snak naar adem en vraag me af of ik aan het hyperventileren ben, net als Maureen.

'Gaat het wel, Scarlett?' Dat is Elliot, mijn baas en heimelijk een fan van Westlife, want daarvan vind je er in elk bedrijf wel een. Hij steekt zijn hoofd om het hoekje van de deur.

'Ik moet weg,' zeg ik en ik sta op.

'Je gedraagt je de laatste tijd als een juffershondje,' zegt Elliot.

Zijn bezorgdheid is als een warme deken en bijna neem ik hem in vertrouwen. Maar ik doe het niet. Natuurlijk doe ik dat niet. Hij zou de ernst van de situatie niet inzien. Hij zou me voorhouden dat een tijdspanne van – ik kijk op mijn horloge – 2 uur en 52 minuten niet omschreven kan worden als 'over tijd'.

'Je kunt trouwens niet weg. Het is tijd voor de maandelijkse vergadering.'

'Ik ga niet.'

'Je moet. Je weet dat ik er niet alleen heen kan.'

'Je bent verdorie 42. Natuurlijk kun je er wel alleen heen.'

'Ik word volgende maand pas 42. Dat weet je heel goed.'

Ik kan hem niet aankijken. Als ik hem aankijk, kan hij me overhalen toch te gaan. Ik staar naar mijn beeldscherm. 'Ik heb het veel te druk.'

'Niet waar. Je speelt backgammon. Ik zie de reflectie in het raam achter je.'

Verdomme. Ik had het zonnescherm moeten laten zakken.

'Goed,' zeg ik en ik klik het spelletje weg. 'Je moet me eigenlijk niet meenemen naar die vergaderingen. Dat maakt een slechte indruk.'

'Het geeft een uitstekende indruk als ik jou meeneem naar die vergaderingen,' houdt Elliot aan. 'Iedereen weet dat ik geen vraag van Simon kan beantwoorden als jij er niet bent.'

'Vertel nog eens waarom jij ook alweer mijn baas bent?'

'Omdat mijn moeder een mediamagnaat is naast wie Rupert Murdoch een krantenjongen lijkt,' declameert Elliot uit zijn hoofd. 'Om nog maar te zwijgen van het feit dat ze barst van de aandelen in het bedrijf.'

'Vind je dat niet vervelend?' Die vraag heb ik mezelf vaak gesteld, maar hem nog nooit. Tegelijk met mijn vriend lijkt ook mijn behoedzaamheid ervandoor te zijn gegaan.

Elliot geeft niet meteen antwoord. 'Nou,' zegt hij ten slotte, 'ik zou het misschien wel erg vinden als ze zou barsten van de aandelen in een begrafenisonderneming en ik lijken moest balsemen of zo.'

'Ik weet het niet,' zeg ik. 'Een begrafenisonderneming lijkt me een heerlijk rustige werkplek.'

'Wat ben je weer ad rem vandaag.'

'Waarom zou ik ad rem proberen te zijn?'

'Je hebt zeker een knuffel nodig, of niet soms?' Elliot komt al in mijn richting.

Ik houd hem tegen met mijn blik, die waarbij ik niet met mijn ogen knipper en mijn voorhoofd de vorm krijgt van London Bridge. 'Als je me omhelst, bijt ik in je oor tot je jankt als een meisje.'

'Wat een driftkikkertje.'

Elliot blijft staan en laat zijn armen zakken. 'Goed, goed, goed. Ik wilde je alleen maar opvrolijken.'

'Ik weet het,' zeg ik en ik doe mijn best om naar hem te lachen.

'Heb je kiespijn?' vraagt hij bezorgd.

'Nee, hoezo?'

'Het leek net even of je pijn had.'

Ik houd op met mijn pogingen te lachen en zucht maar eens diep. Ik ben uitgeput. Dat komt waarschijnlijk doordat ik ongesteld moet worden. Het kan nu elk moment komen.

'Goed. Ik kom al mee. Ik moet alleen eerst even naar het toilet.' Om te zien of het is gekomen zonder dat ik het merkte. Hoewel dat net zo waarschijnlijk is als Filly die een aflevering van *Home and Away* overslaat.

Elke laatste vrijdag van de maand is er een vergadering met het managementteam. Strikt genomen hoor ik niet tot het managementteam, maar Elliot staat erop dat ik met hem meega. Hij is een beetje bang voor Simon Kavanagh, onze manager, wat niet verwonderlijk is als je kijkt naar het eigenaardige buldogachtige gezicht van Simon en zijn neiging tot schreeuwen (hij is doof aan zijn linkeroor en weigert een gehoorapparaat aan te schaffen omdat hij bang is dat dat de aandacht zal vestigen op het haar in zijn oren, dat dik en donker is, in schril contrast met zijn hoofdhaar, dat grijs is en steeds dunner wordt). Dat weet ik omdat Simons arme, arme, arme persoonlijke assistente alles aan Filly vertelt en zij het op haar beurt doorbrieft aan mij.

Het feit dat Simon erop staat dat de maandelijkse vergaderingen gehouden worden op vrijdagmiddag, zegt eigenlijk al genoeg over de man. Ik heb er nooit zin in en deze vrijdag ben ik koppiger dan ooit. Van maandag tot en met donderdag heb ik leren leven met de afwezigheid van John, maar de weekeinden heb ik nog niet onder de knie. Vrijdagochtend krijg ik een zwaar gevoel in mijn buik (alsof ik een broodje worst heb gegeten, wat niet waar is, want ik ben vegetariër) en dat wordt eigenlijk pas minder op zondagavond door het vooruitzicht dat ik maandagochtend weer naar mijn werk kan.

Het lijkt onmogelijk dat ons laatste gesprek dríe weken geleden is. In Johns flat. Ik noem het nu al Johns flat.

'Ik ga weg,' zei hij.

'Nee, dat gedeelte had ik al gehoord, maar wat zei je daarna?'

'Dat gedeelte over...' Zijn stem sterft weg.

'Die zin die direct volgde op die ene waarin je zei: "Ik ga weg."'

'Ik zei... Ik zei... Wat ik zei was...' Hij werpt een blik op mijn gezicht. 'Dat ik had besloten me aan te sluiten bij die archeologische opgravingen in São Paulo. Nou ja, in de buurt van São Paulo. Ongeveer 75 kilometer ervandaan. Dat is in Brazilië.'

Ik weet dat São Paulo in Brazilië ligt. Ik ben een vrouw die dingen weet. Behalve dit. Ik ben – en ik heb een hekel aan dat woord, maar ik zal het toch gebruiken – perplex.

'Maar je spreekt helemaal geen Portugees,' zeg ik. Even wenste ik dat ik oudere broers had. Gróte broers. Harige. Dan zou ik die bellen – ze woonden allemaal in een verbouwde stal of zo – en dan zou ik ze over John vertellen en ze zouden niks zeggen, ze zouden alleen knikken door de telefoon (het is een zwijgzaam stelletje; sterke, stille types) en dan zouden ze hem wel eens een aframmeling geven. Maar er zijn geen broers. Of zusters. Ik ben helemaal alleen.

'Dat kan ik wel leren. Het is afgeleid van het Latijn, zoals de meeste moderne talen.'

'Maar je hebt nooit Latijn gehad,' werp ik tegen alsof dit een ruzie is die ik kan winnen.

Ergens diep vanbinnen weet ik dat dit geen normale manier is om een einde te maken aan een relatie. Mensen praten niet over talen als ze het uitmaken. Ze schreeuwen. Soms maken ze dingen stuk – borden of de grote teen van de ander als ze er een zwaar voorwerp op laten vallen, zoals een strijkijzer. Soms gaan ze gooien – zoals de kleren van de ander uit het raam, het liefst van de bovenste verdieping. Maar we doen geen van die dingen. Zo'n stel zijn we niet. Ik sta daar en kijk naar zijn gezicht, dat me zo vertrouwd is, en zie zijn mond bewegen en ik ken die mond zo goed. Zijn bovenlip die maar half zo breed is als zijn onderlip, de vlezige kleur, de manier waarop hij zijn tanden bedekt houdt als hij lacht omdat hij een beugel heeft die als een zwaarbewapend peloton over die tanden marcheert. Bijna glimlach ik naar hem, maar dan opent hij zijn mond en de zon weerspiegelt in het metaal en glinstert zo erg dat ik mijn ogen haast moet bedekken.

'We kunnen toch contact houden,' zegt hij.

'Nee, dat kunnen we niet,' zeg ik.

Daar heeft hij niets op te zeggen. Hij kijkt naar zijn schoenen. Het zijn degelijke, bruinleren schoenen met veters en aan niets is te zien dat hij me gaat verlaten om in Brazilië modder te zeven. Hij wiebelt van de ene voet op de andere.

En dan weet ik het. Dat hij weggaat.

Ik loop door de gang naar de directiekamer en concentreer me omdat ik mijn ene voet voor de andere moet zetten. Deze vrijdag is heel erg. De derde vrijdag. Het voelt als de dertigste vrijdag. De weken zijn weken als in de vastentijd als je acht bent en geen snoep en chips en repen eet.

2

De vergadering wordt gehouden in de directiekamer op de vierde verdieping. Simon is er al en zit aan het hoofd van de tafel met zijn vingers te trommelen, al hoort de vergadering pas over vijf minuten te beginnen. Het is een gezette man met kleine oogjes. Je kunt met geen mogelijkheid zeggen van welke kleur. Een bleke kleur. Maar ze missen niks. Ze volgen me als een radar de kamer door. Ik ga zitten op een stoel tussen Elliot en Duncan, onze goedmoedige accountant, omdat die het verst van Simons blikveld verwijderd is.

Gladys Montgomery komt aantikken op haar hoge hakken. Haar haar, zoals gewoonlijk hoog op haar hoofd, hangt zo scheef als de toren van Pisa. Met haar slungelige bouw, haar hoge hakken en het kapsel lijkt ze ongeveer twee meter lang. Ze gaat aan de andere kant van de kamer zitten, knikt ons toe en installeert zich: in leer gebonden agenda, notitieboek – een streng zwart cahier – Parkerpen, BlackBerry en brillenkoker.

Wat doet zij hier? schrijf ik op een papiertje dat ik naar Elliot toe schuif.

Hij krabbelt op het blaadje. Een reusachtig vraagteken omgeven door uitroeptekens. Elliot is haar baas en hij weet niet waarom ze bij de vergadering is. Er is iets aan de hand.

Simon Kavanagh schraapt zijn keel. 'Ah, Scarlett, fijn dat je er ook bij kon zijn. Ik heb gehoord dat je niet in orde bent. Ik ben weg geweest zodat ik geen gelegenheid had ernaar te vragen. Gaat het wel?' Als hij niet schreeuwt, heeft Simon een dun stemmetje, maar hij is trots op zijn articulatie en het kost hem geen moeite gehoord te worden.

Iedereen aan tafel buigt zich voorover om naar me te kijken.

Ik heb me ziek gemeld de dag nadat John zijn bom had laten vallen. En omdat ik niet meer ziek ben geweest sinds die maandag in 1998 toen ik per ambulance van kantoor ben gehaald – met hersenvliesontsteking, de niet-dodelijke variant – is het voorpaginanieuws in de wandelgangen van het kantoor. Deze keer had ik de nacht ervoor op de bank van Filly geslapen. Ik had pas ontdekt dat het een bank was en geen bed toen ik de volgende morgen wakker werd.

'Maar je bent niet ziek,' zei Filly toen ik tegen haar zei dat ik niet naar mijn werk ging. 'Je hebt een kater. Je kunt niet niet naar je werk gaan alleen omdat je een kater hebt. Als iedereen in Ierland dat zou doen, is er niemand meer om de boel draaiende te houden.'

'Nee,' zeg ik. 'Ik ben echt ziek. Mijn hoofd doet pijn en ik moet misschien wel overgeven. En ik zou zo weer kunnen slapen, ook al is het al na negenen.'

'Klassieke symptomen van een kater,' houdt Filly vol. 'Kijk naar mij.' Ze steekt haar tong uit en wijst ernaar. Hij heeft de kleur van spekvet en is verbazend lang en vlezig. Ik voel mijn maag protesteren.

'Ik ga vandaag niet naar mijn werk,' zeg ik nog eens. Mijn overtuiging is zo sterk als een bodybuilder.

'Maar de laatste keer dat je hebt verzuimd, was zo gerechtvaardigd. Ik bedoel, toen was je bijna dóód.'

'Dus? Ik mag heus wel eens ziek zijn, hoor.'

'Ja, dat zal wel,' geeft Filly schoorvoetend toe. 'Wat ga je doen?' vraagt ze en ze kijkt naar me of ik een interessant museumstuk ben. 'Ik bedoel, je mag hier blijven zo lang als je wilt.' Ze maakt een weids gebaar met haar hand door de kamer en ineens wil ik op een plek zijn die ik thuis kan noemen.

Filly trekt aan mijn mouw en ik besef dat ik met mijn jas aan heb geslapen. Ik kom overeind en laat mijn voeten naast de bank zakken tot ze op de grond staan. Ik duw ze tegen de planken en test hun vermogen om mijn gewicht te dragen. Met een hand op de leuning van de bank ga ik staan en buiten een stekende pijn in mijn rug, pijnlijk slapende benen, een misselijk gerommel in mijn maag en barstende koppijn, voel ik me uitstekend.

'Goed,' zeg ik. 'Ik heb een plan.'

Filly kijkt opgelucht en ik merk hoe bezorgd ze om me is. Ik glimlach haar toe op wat ik hoop dat een geruststellende manier is.

'Allereerst ga ik naar de wc om te kotsen,' zeg ik. 'En dan ga ik terug naar Johns flat om mijn spullen te pakken.'

In de directiekamer kijkt iedereen nog steeds naar mij en ik bedenk dat ik iets moet zeggen.

'Ik ben weer beter, dankjewel, Simon.'

Er hangt een verwachtingsvolle stilte in de kamer. Als een zwangere vrouw. Ik word gek van de hartelijkheid die ze uitstralen.

'Het is gelukt de Martello Tower te bespreken voor de trouwgeloftes van Smithson-Carling,' zeg ik. Er wordt om de tafel collectief naar adem gesnakt. Ik ben niet te stuiten: 'Morgen om twaalf uur heb ik een afspraak met Edward Smithson-Carling om de boel te bekijken.'

'Maar morgen is het zaterdag.' Duncan is ontzet. Hij ligt op zaterdag het liefst in zijn pyjama op de bank en eet gedroogde vijgen en abrikozen. Hij is gek op fruit, vooral gedroogd.

'Nou, je hebt deze maand een paar dagen gemist, of niet?' doet Gladys een duit in het zakje. 'Je hebt nog wat in te halen, dacht je ook niet?'

Ik kijk haar aan tot ze het fatsoen heeft de andere kant op te kijken. Ik doe mijn plan voor het hernieuwen van de trouwgeloftes uit de doeken.

'En hoe zit het met het budget, Scarlett?' vraagt Duncan en hij lacht van oor tot oor met zijn engelachtige gezicht. Hij stelt de vraag eenvoudig zodat zijn bijdrage aan deze vergadering in de notulen wordt opgenomen.

Ik stel hem op de hoogte van de verwachte kosten voor de gebeurtenis en vertel hem over het noodplan dat ik heb voor het geval de Martello Tower onverhoopt in zee stort, door Vikingen wordt overvallen of er iets anders mee gebeurt.

Als ik klaar ben, steekt Simon van wal en preekt vijf minuten over wat er allemaal kan gebeuren als we het evenement van de Smithson-Carling-trouwgeloftes, dat tevens een familiereünie is, onderschatten. Hij vindt het heerlijk open deuren in te trappen, waarschijnlijk omdat dat het gemakkelijkst is.

Nu heeft hij het weer over een jaarvergadering die het bedrijf in de planning heeft voor een supermarktketen waarvan de directeur vanmorgen in de krant stond met een foto waarop hij in zijn onderbroek op het balkon staat van een van de beste hotels in Dublin met zijn neus in een opgerold biljet van honderd euro.

Ik maak van de gelegenheid gebruik om in mijn agenda te kijken. Het had echt vandaag moeten komen. Maar heel veel mensen zijn toch wel eens te laat. Echt te laat, bedoel ik. Dagen te laat. Misschien zelfs wel weken. Kan stress de cyclus verstoren? En is dit niet de eerste keer dat ik ongesteld moet worden sinds John me verlaten heeft? Die gedachte druk ik meteen weg. Ik wil niet iemand zijn die verlaten is. Als een papieren zak op een plastic stoel op een vliegveld. Niet iets waarvoor je teruggaat.

Mijn buik doet ineens pijn en hoopvol grijp ik ernaar. Maar het is van de honger. Ik realiseer me dat ik de hele dag alleen nog maar een banaan heb gegeten.

Ik concentreer me weer op de vergadering. Simon is nog steeds aan het woord. Zijn eentonige stem heeft hetzelfde effect als de middagzon door de ramen en ik voel me wegzweven. Gedachten aan John sijpelen door, als bloed op een tissue, en omzeilen de stevige uitsmijters die ik op wacht had gezet bij de deur in mijn hoofd. Ik heb hun verteld dat gedachten aan John gelijkstaan aan puisterige pubers met witte sokken en onder geen beding toegelaten mogen worden.

Ik snap het gewoon niet en daar ga ik aan onderdoor. Ik heb alles volgens het boekje gedaan: ervoor gezorgd dat hij niet wist hoezeer ik hem nodig had; nooit gezeurd als hij moest overwerken of een conferentie had in het weekend; gezorgd dat het financieel in evenwicht was; nooit geklaagd als ik met Kerstmis precies kreeg waar ik om had gevraagd en hij me niet verraste met een sieraad of een weekend Parijs. Ik was braaf geweest.

Gladys hoest heel gemaakt (a-hém, a-hém), waardoor ik terugkeer naar de kamer. Ze werpt Simon een blik toe die ik alleen kan omschrijven als veelzeggend. Ik ga rechtop in mijn stoel zitten en heb mijn aandacht er weer helemaal bij.

Simon kijkt niet-begrijpend, maar dan klaart zijn gezicht op. 'O ja, dan is er nog iets anders.'

Stilte giert door de kamer als statische elektriciteit. Ik zie dat

Gladys zit te grijnzen als een tevreden kat. Simon krijgt de volle lading van haar lach, maar in plaats van zijn lichaam ertegen te beschermen, zoals ieder normaal mens zou doen, likt hij het op als een kat een kom room en lacht terug. Op dat moment raak ik er vast van overtuigd dat ze een affaire hebben. Ik herken de tekenen. Simon – vijftien jaar getrouwd, drie kinderen – maakt slippertjes zoals andere mensen naar de sportschool gaan; meestal in januari met het afgrijzen van de kerstdagen nog in zijn lijf, en meestal een maand of drie. Maar als het nieuwtje eraf is en hij er genoeg van krijgt, weet hij niet meer waarom hij er ook alweer aan is begonnen. Hij heeft ook een keer een aanvraag ingediend bij mijn sportschool.

'Ik zal het kort houden,' zegt Simon. 'Jullie willen allemaal vast vlug naar huis.' Hij draait zich om en glimlacht nu naar mij. 'We creëren een nieuwe positie in ons managementteam.' Hij zwijgt even om de betekenis van zijn woorden te laten doordringen. Dan pakt hij het uiteinde van zijn das en kijkt er aandachtig naar – misschien om te zien of hij vanmorgen niet in zijn gekookte ei heeft gehangen.

Mijn interne antenne staat rechtop en trilt. Ik heb niets gehoord over een nieuwe positie. En waarom is Gladys hier en lacht ze Simon toe? Ik wil hem bij zijn revers pakken en door elkaar schudden tot hij ons vertelt wat er aan de hand is. In plaats daarvan ga ik op mijn handen zitten en zeg niets. Simon – die geniet van de onverdeelde aandacht – neemt rustig de tijd, laat zijn smalle kin rusten op het bruggetje dat hij van zijn handen heeft gemaakt en lacht zelfgenoegzaam. Mijn mobiel kiest dat moment uit om te gaan piepen en omdat het zo stil is in de kamer, schrikt iedereen.

'Sorry,' zeg ik. Ik lees het berichtje. Het is Maureen maar, mijn moeder, die wil weten of ik haar tapdansschoenen wel heb opgehaald bij Dance World. Ze zitten in mijn tas. 'Sorry, Simon. Het is Edward Smithson-Carling die onze afspraak van morgen bevestigt. Ik ben zo klaar.'

Ik sms: *Heb schoenen. Ze zijn nu heel getapt. (smiley). Ben zo thuis.*

'Als jij dan ook zover bent, Scarlett,' zegt Simon. Het puntje van zijn lange, dunne neus is wit. Dat gebeurt als hij zich ergert, wat meestal het geval is. Hij schuift met de papieren die voor hem op tafel liggen en probeert de ernst van net terug te krijgen. 'Het bestuur constateert dat het weddingplannersdeel van Extraordinary Events International het laatste jaar exponentieel is gegroeid en we verwachten voor de toekomst een nog grotere toename.' Hij lacht samenzweerderig naar Gladys, die langs haar lippen likt en rechtop in haar stoel gaat zitten met haar borsten vooruit tegen de dunne stof van haar truitje.

De opwinding dreunt als een trom door mijn borstkas en ik houd mijn adem in, want als ik nu zou uitademen, zou het klinken als gehijg of zelfs gejank en dat is onder de omstandigheden moeilijk te verklaren. Ik dwing mezelf te blijven luisteren naar het monotone betoog van Simon.

'... aparte positie. Een eigen afdeling zelfs die zich geheel concentreert op huwelijken. We hebben voorlopig nog geen naam voor die positie...' weer een lachende blik op Gladys, 'maar aan het hoofd komt een manager te staan met alle pracht en praal die daarbij hoort.' Ik ken die pracht en praal. Daaronder valt een moordend werkschema, lange dagen op zaterdag, zon- en feestdagen, gespannen, hysterische cliënten die om vier uur 's nachts bellen om getroost te worden, onmogelijke targets en geen tijd voor een privéleven. Het is perféct. Mijn hoofd duizelt al van de plannen. Ik zal Filly promoveren tot weddingplanner en Mary-Lou – de assistente van Gladys – die na Filly met gemak de beste van de administratie is, pik ik zelf in. Als de Drie Musketiers veroveren we de wereld, we worden uniek en stralen een en al succes en efficiëntie uit over alle eilanden van Ierland. Wat zeg ik! De wereld!

'Zei je iets, Scarlett?'

Iedereen kijkt me verwachtingsvol aan. Heb ik dan toch gepiept of naar adem gesnakt? Ik weet eigenlijk zeker van niet. Maar evengoed. Ik hoest met een hand voor mijn mond. 'Het spijt me, Simon. Ik geloof dat ik een vlieg heb ingeslikt.'

'Een vlieg?' Hij fronst geërgerd over deze onderbreking zijn wenkbrauwen, vooral door de idiote reden. Elliot vertelt me later dat ik even snurkte.

'Een kleintje. Misschien alleen een vlo. Niets om je zorgen over te maken. Het spijt me van de interruptie.' Ik knik hem toe, glim-lachend om hem aan te moedigen vooral door te gaan.

'Nou ja, dat is het eigenlijk voor dit moment. Er zal zoals gewoonlijk in eerste instantie een interne sollicitatieprocedure wor-den opgestart en als we dan niemand kunnen vinden die geschikt is,' weer een bijna niet waarneembare blik op Gladys, 'gaan we op zoek naar een externe kandidaat.'

Ik tel een en een bij elkaar op. Gladys en ik zijn binnen het bedrijf de enige twee die voor die functie in aanmerking zouden komen. Gladys werkt hier al langer, heeft betere connecties en, als ik me niet vergis – en dat geloof ik niet – rotzooit ze met Simon in de flat die hij in de stad heeft voor het geval dat... Maar ik heb de beste cliënten. Denk maar aan de gezusters Marzoni. En ik genereer veel meer inkomsten voor het bedrijf dan welke andere wedding-planner ook. Dat zou toch de doorslag moeten geven. Ik voel mijn zelfvertrouwen afzakken op een manier die ik niet van mezelf gewend ben. Een aanval van minderwaardigheidsgevoelens is op dit moment het laatste wat ik kan gebruiken. Ik heb deze baan nodig. Die kan ik dan in het gat storten dat John heeft achtergelaten. Hij zal me genezen. Ik zal het in elk geval zo druk krijgen dat ik geen tijd meer heb om ergens anders aan te denken. Zoals het feit dat ik over tijd ben bijvoorbeeld. Ik kijk op mijn horloge. Ruim 3 uur: om precies te zijn 3 uur en 37 minuten over tijd. Ik moet een test doen. Een zwangerschapstest. Zo kan ik ophouden me druk te maken en me concentreren op deze promotie. Ik sta zo snel op van mijn stoel dat die achterovervalt en met veel geraas op de grond terechtkomt.

'Het spijt me, Simon. Ik moet ergens heen.' Het lukt me niet eens een aanvaardbare smoes te bedenken waarom ik ineens weg moet.

Omdat het ongehoord is dat iemand de vergadering verlaat voordat Simon heeft gezegd dat dat mag, weet hij niet wat hij moet zeggen en zegt dus maar niets.

Ik zwaai naar iedereen, wat heel gek is, want ik zwaai nooit. Ik onderdruk de neiging te gaan rennen en dwing mezelf te glimla-chen terwijl ik de kamer verlaat. Eenmaal buiten de kamer ren ik weg op mijn tenen zodat mijn hakken me niet verraden.

3

Ik loop naar de apotheek op de hoek. Ik weet dat het belachelijk is. Overbodig. Maar ik loop door en trek Blue, die niet gewend is zo ver te lopen, mee. Meestal noem ik hem Blue vanwege zijn vacht, die zo glanzend zwart is dat er een blauw schijnsel overheen ligt. En omdat hij de neiging heeft zich verongelijkt te voelen. Ik neem Blue elke ochtend mee naar kantoor. Sinds ik weer bij mijn ouders woon, is hij uit zijn doen en ik ben bang dat hij wegloopt als ik er niet ben. En als er nog iemand wegloopt, ben ik bang dat ik het niet kan verwerken. Die nieuwe routine bevalt Blue helemaal niet, want dat betekent dat ik hem om zes uur uit zijn bed (mijn bed) moet plukken. Het is geen nachtdier, al hoort dat wel zo te zijn. Hij is trouwens ook geen dagdier en is het liefst binnen, eet vis en chocola, likt zijn vacht en doezelt. Hij vermoeit zich niet met de kattenspeeltjes die ik voor hem heb gekocht en put zich niet uit met bolletjes wol of walnoten. Sommige mensen zouden zeggen dat hij lui is, maar ik noem hem liever scherpzinnig.

Met mijn vrije hand wrijf ik over mijn gezicht. Ik ga wat langzamer lopen. Dat ik toevallig vlak bij een apotheek ben, betekent nog niet dat ik een test moet kopen. Ik kan een herhalingsrecept halen voor de pil. Ik ben de laatste vier jaar aan de pil geweest. Nog steeds eigenlijk. De laatste paar weken was het inslikken van het kleine witte pilletje na het ontbijt meer symbolisch dan wat anders. Als een stille hoop, een woordeloos gebed dat alles weer zo mag worden als het was.

Ik zou ook iets anders kunnen kopen. Paracetamol tegen de pijn in mijn gezicht. Of wat lekkere, smeuïge vloeistof in felgroen of -blauw om in bad te doen. Of een tonicum. Veel mensen nemen in deze tijd van het jaar een tonicum. Iets om me op te peppen, de vermoeidheid van de afgelopen paar weken af te schudden. Niemand zegt dat ik die test moet kopen. Niemand weet dat ik hier ben. Ik kan me gewoon omdraaien en teruggaan naar kantoor. Ik kan zelfs Blue oppakken en hem terug dragen. Hij heeft genoeg gelopen voor één dag. Mijn benen voelen nu zwaar, alsof het onmogelijk is om te keren.

Ik sta voor de deur van de apotheek. Als ik tegen de deur duw, gaat er ergens een zoemer. Klanten en personeel draaien hun hoofd om en kijken naar me zodat ik bijna de benen neem. Maar dan keren ze terug naar hun eigen leven, negeren me en ik pak Blue op en loop naar de toonbank, een gewone klant in een gewone apotheek op een heel gewone vrijdagmiddag.

'En wat kan ik voor u doen, mevrouw?' De vrouw is zwaar opgemaakt en in het felle licht van de winkel, tegen de reflectie van haar witte jas, begint de bruine make-up – die ze waarschijnlijk vanmorgen met haar geoefende hand in zacht licht heeft aangebracht – langzaam naar beneden te glijden op zo'n trage, trieste manier dat ik erom zou kunnen huilen. In plaats daarvan geef ik haar mijn herhalingsrecept.

Ze knikt en wijst op een rij stoelen die allemaal leeg zijn. 'Je kunt daar gaan zitten wachten,' zegt ze en ze lacht me vriendelijk toe alsof ze alles weet.

Ik vouw me op in een van de stoelen en probeer me zo onzichtbaar mogelijk te maken. Blue doet hetzelfde en krult zich als een balletje op op mijn schoot.

Om niet ergens anders aan te hoeven denken, neem ik de tijd op die de apothekersassistente nodig heeft. Het kost haar precies 3 minuten en 45 seconden om het recept klaar te maken. Als ze terugkomt, kijkt ze naar me en dan naar het recept in haar hand. De gebruikelijke verwarring verschijnt op haar gezicht. Ze doet haar mond open en ik zie dat ze met haar mond mijn naam vormt. Ik spring overeind, maar het is al te laat.

'Scarlett O'Hara?' vraagt ze en ze schudt langzaam haar hoofd alsof het een vergissing moet zijn. Ze heeft een doordringende stem. Als de kerkklokken op zondagochtend.

De andere assistentes kijken naar haar en wachten tot ze zich herstelt. Tot ze zegt: 'O, nee, ik bedoel Soairse O'Hara. Of Scarlett O'Herlihy. Of Dymphna Gibbons.' Zoiets.

Maar het is geen vergissing.

'Het gekste is nog,' zegt de apothekersassistente midden in het gesprek, 'dat je als twee druppels water op Vivian Leigh lijkt.' Ze bekijkt me van alle kanten.

Ik haal een keer diep adem en knik. Wat kan ik anders doen? Het is namelijk waar. Ik heb alles. De donkere krullen. Het hartvormige gezicht. Dezelfde kleine, spitse neus. De groene ogen. Ik ben zelfs even lang. Precies 1,62 meter. Dat heeft mijn moeder me verteld en ik geloof haar. De kennis van Maureen op het gebied van films en filmsterren is legendarisch.

'Dank u wel,' zeg ik en ik pak het doosje pillen van haar aan en glimlach. Als ik glimlach, wordt de gelijkenis minder.

'Heb je nog iets anders nodig?' vraagt ze.

'Ja, graag...' Ik draai mijn hoofd van links naar rechts en kijk op de planken. Ik zie ze niet. Ik zal het moeten vragen. Ik kijk achter me om me ervan te overtuigen dat er niemand van kantoor staat. Er staat niemand.

Ik wend me weer tot haar en ze buigt zich verwachtingsvol naar me toe. 'Mag ik misschien...' In mijn ooghoek zie ik een mandje met kattenhalsbandjes, rode met belletjes. Blue kan wel een nieuw halsbandje gebruiken. Absoluut. '... een kattenhalsband alstublieft.'

'O. Ja. Natuurlijk.' De assistente lijkt op het verkeerde been gezet te zijn, maar ze pakt een halsbandje en geeft het me.

En dan zie ik ze. Rijen en rijen smalle doosjes in een kast pal voor de toonbank. Met toepasselijke namen als Clear Waters en To Be Sure (Engelse verpakking), To Be Sure (Ierse verpakking) en Testing, Testing 1, 2, 3 (Amerikaans). De vrouw staat bij de kassa en strijkt de barcode die aan de halsband hangt recht met lange, lichtroze nagels. Terwijl ze is afgeleid, grijp ik een van de doosjes en leg die naast de kassa op de toonbank. Ze kijkt niet eens op van wat ze aan het doen is.

'In de Clear Water zitten twee tests en die is goedkoper dan deze.' Ze tikt de barcode van de halsband met de hand in op het toetsenbord.

'O,' zeg ik. 'Goed. Oké. Dan neem ik die. Geef ze trouwens maar allebei. En die ook,' zeg ik en ik wijs op een test in een fluorescerend doosje waarop staat *It's a girl!!!!*

Uiteindelijk neem ik een doosje van alle tests die ze verkopen. Ze stapelt ze boven op elkaar. Het duurt even, maar ze zegt niets en daar ben ik haar dankbaar voor.

'Voor het beste resultaat moet je het stickje midden in de straal houden, goed?'

'Midden in de straal?'

'Ja, in het midden van je straal urine,' bevestigt ze met de stem van iemand die deze zin al net zo vaak heeft gezegd als Filly 'Ik ben over twee minuutjes klaar'.

En dan klinkt het geluid van de zoemer, die krijst als een zeemeeuw die zojuist een zak achtergelaten patat heeft ontdekt. Hoofden draaien naar de deur. Ook het mijne. Ik houd mijn adem in, maar het is niet iemand die ik ken. Ik wend me weer tot de assistente in de hoop dat ze nu snel zal afrekenen en alles in een bruine papieren zak zal stoppen waar niemand doorheen kan kijken.

Ze kijkt naar Blue en dan weer naar mij. 'Je weet hoe het zit met katten, hè?'

'Eh... ja.' Ik begrijp er even niets van en vraag me af of de assistente wel helemaal goed bij haar hoofd is. Misschien te lang blootgesteld aan de geur van Calvin Klein? Of misschien de alarmerende gewoonte troost te zoeken in een fles hoestdrank? 'Ik heb Blue al sinds hij een kitten was,' zeg ik, al weet ik niet zo goed waarom. 'Hij heeft al zijn entingen gehad, als u dat bedoelt.'

'Nee, schat, ik heb het over het gevaar dat een kat kan opleveren voor een zwangere vrouw.'

Mijn hoofd duizelt van de mogelijke antwoorden.

Dat de zwangerschapstests niet voor mij zijn. Dat ik ze moest kopen voor een vriendin.

Dat ik technisch gesproken wel over tijd ben, maar dat het niet echt lang is. Niet wat andere mensen verstaan onder over tijd. Een paar minuten over tijd, hooguit. Misschien een paar uur. Niets om je druk over te maken.

Dat ik niet zwanger kan zijn omdat mijn vriend me net in de steek heeft gelaten.

Dat ik onmogelijk zwanger kan zijn omdat het niet in de planning lag. En dat zou ook nooit zo worden. Op dit punt waren John en ik het eens.

Dat ik niet zwanger kan zijn omdat... als ik zwanger ben... als ik zwanger ben... dan...

Dan weet ik niet wie de vader is...

Ik kan me nauwelijks beheersen. Ik wil de tests pakken en terug naar kantoor rennen. Ik stik bijna, zo'n behoefte heb ik om over een staafje heen te plassen. Als er een toilet zou zijn in de apotheek, zat ik erop, ondanks mijn regel wat betreft openbare toiletten.

Ze praat nog steeds, zich niet bewust van de paniek die zich in mijn hoofd vastzet als cement. '... een ziekte die toxoplasmose heet. Je bent er waarschijnlijk allang immuun voor, maar als je het krijgt wanneer je zwanger bent, kan het een miskraam veroorzaken of achterlijkheid of blindheid bij de baby.' Ze glimlacht alsof ze me net heeft verteld dat je een Clinique-masker cadeau krijgt bij de test.

Blue blaast en ik merk dat ik hem tegen me aan klem alsof hij een rugbybal is. Ik zet hem op de grond.

De vrouw lacht hem toegeeflijk toe, buigt zich over de toonbank en zegt zacht: 'Ik kan het niet laten, ik moet je nog één ding vragen voor je gaat.'

Ik weet wat ze gaat vragen. Dat vraagt iedereen. Vroeg of laat. Ik wacht.

'Ben je toevallig familie van Declan O'Hara?'

'Ja, hij is mijn vader.'

'Ik wíst het,' zegt ze en ze slaat met haar vlakke hand op de toonbank. 'Ik vind hem zo geweldig in die ene film. Hoe heet hij ook weer? Daarin speelt hij een vegetarische slager.'

'*Meat and Two Veg*,' zeg ik automatisch.

'Ja, die bedoel ik. Hoor eens... maakt hij nog steeds films?'

'Nee, hij is... met pensioen.'

'Jammer.' Ze schudt haar hoofd. Dan gooit ze haar haren naar achteren en beheerst zich. 'Toch is het geweldig om iemand van ons helemaal daar in Hollywood te zien.'

'Hoeveel ben ik u schuldig?' vraag ik, want ik wil hier zo snel mogelijk weg.

'Eens kijken. Dat maakt totaal 67,45. De goede raad is natuurlijk gratis.' Ze permitteert zich een klein lachje. 'Serieus, schat,' ze buigt zich naar me toe, 'aarzel niet om binnen te stappen. Je weet wel,' nu knikt ze naar de tests die veilig in een bruine papieren zak zitten, 'als er dingen zijn die je wilt vragen of nodig hebt, je weet wel,' nu raakt ze even mijn hand aan, 'goede raad.'

De tweede keer die dag, of is het de derde of vierde keer, voel ik tranen branden achter mijn ogen. Misschien komt het door de hartelijkheid in de stem van de vrouw of door het feit dat Blue een ongeboren baby schade zou kunnen berokkenen. Maar ik huil niet. Ik pak de hartvormige lolly aan. 'Die geven we aan al onze klanten,' verzekert de apothekersassistente me, en ik verdwijn zo stilletjes mogelijk.

4

Op een staafje plassen, in het midden van de straal, blijkt gemakkelijker te zijn dan het klinkt. Het moeilijkste is de drie minuten wachttijd daarna. Ik ben in de damestoiletten op de derde verdieping, het laatste hokje rechts. Niet mijn normale toilet; ik gebruik altijd de toiletten op de tweede verdieping, het tweede hokje aan de rechterkant.

Nadat ik eroverheen heb geplast, kan ik het staafje nergens neerleggen, dus houd ik het tussen mijn vingers en wacht ik. De enige zitplaats is het toilet, dus doe ik de klep naar beneden en ga op het harde plastic zitten. Het is koud. Na een poosje trekt de kou door mijn billen. Ik kijk op mijn horloge. Er zijn 30 seconden voorbij, nog 150 te gaan. De deur van het toilet gaat open en ik hoor de metalige klank van hoge hakken. Twee paar. Dat moeten Eloise en Lucille van de boekhouding zijn. Die zijn altijd samen.

'... naar een kibboets of zoiets,' zegt Eloise. 'Dat heb ik tenminste gehoord.'

'Maar ik dacht dat het ergens in Zuid-Amerika was,' zegt Lucille.

'Ja, Peru of zo.'

'Waar Paddington vandaan komt.'

'Wie?'

'Sorry, ik vergeet altijd dat je jonger bent dan ik. Laat maar. Ik heb gehoord dat hij daar in een soort religieuze sekte gaat.'

'Dat vind ik helemaal niet bij hem passen.'

'Zo zie je maar weer.'

Het is even stil als het stel een hokje opzoekt: naast elkaar. Ik trek mijn voeten op en maak me zo klein mogelijk. Eloise en Lucille kiezen de hokjes die het dichtst bij de deur zijn.

Nog anderhalve minuut te gaan. Negentig seconden klinkt beter. Korter.

Ik hoor de tandjes van een rits en het ritselen van een panty over huid. Daarna het gekraak van billen op de bril en daar gaan ze weer, ze praten nog steeds, maar nu plassen ze erbij.

'Voor zover ik weet, vind je kibboetsen alleen in Israël. Die zijn nergens anders.' Zo te horen is Lucille een autoriteit op dit gebied.

'O.' Eloise moet die informatie even verwerken of is bezig met iets anders.

Zelfs met mijn beide handen over mijn oren kan ik ze horen, al klinkt het verder weg. Lange einden wc-papier worden afgerold. Ondanks alles bewonder ik hun samenspel.

'... niets aan haar te merken. Je zou denken dat er niets aan de hand was.' Eloise gaat staan. Ik hoor haar rok ritselen.

'Ja, maar ze is een káttenmens.'

'Dat is waar.'

Ik kijk op mijn horloge. Nog vijftig seconden te gaan.

'... absoluut een hondenmens.' Dat is Lucille.

'Ik ook,' zegt Eloise. Nu staan ze bij de wastafel en werken hun lippenstift bij. 'Niet dat ik nou per se een hond moet, maar als ik moest kiezen tussen een kat en een hond, zou ik zeker voor een hond kiezen.'

'Zo denk ik er nou ook over,' beaamt Lucille. 'Die zijn niet zo... Hoe zeg je dat ook weer?'

'Vals.'

'Ja, dat bedoel ik, vals. Ze zijn niet zo vals als katten.'

'Katten doden voor hun plezier, wist je dat?'

Door een spleet naast de deur zie ik hun hoofden – het ene honingblond en het andere karamelblond – synchroon knikken. Ik bal mijn vuisten. Katten doden níét voor hun plezier. Het zijn van nature jagers. Ik kijk op mijn horloge. Nog dertig seconden. Ik beheers me en kijk niet naar het staafje voor de drie minuten voorbij zijn. Dat is veel moeilijker dan ik had gedacht. Ik duw het staafje onder mijn manchet en ga op mijn hand zitten. Zelfs als mijn hand gaat prikken, haal ik hem niet uit zijn benige gevangenis onder mijn rechterbil vandaan.

Twintig seconden. Eloise en Lucille verlaten eindelijk de toiletten en hun stemmen zijn moeilijker te verstaan boven het klikken van hakken op de marmeren vloer uit. Voor zover ik het kan beoordelen, bespreken ze nu het nieuwe meisje van de IT-afdeling.

'... zou best heel mooi kunnen zijn.'

'Als ze haar haar verfde en mooie kleren aanschafte.'

'Denk je dat een pony mij zou staan?'

En dan godzijdank stilte als de deur achter hen in het slot valt en ik weer alleen ben.

Ik sta op van het toilet en vouw mijn benen uit. Kramp van boven tot beneden in mijn dijen. Ik ga weer zitten, leun tegen de stortbak en druk mijn voeten tegen de deur in een poging de bloedsomloop weer op gang te krijgen. Ik kijk nog een laatste keer op mijn horloge.

Nog vijf seconden.

Vier seconden.

Drie.

Twee.

Een.

De stilte is dik en zwaar, net als Maureens eerste en enige poging zelf soep te maken. Ik haal mijn hand onder mijn bil vandaan. Hij heeft een eigenaardige paarse kleur gekregen, alsof het de hand van iemand anders is. Met mijn andere – herkenbare, normale – hand trek ik het staafje uit mijn manchet en ik zie het meteen. Het kleine roze plusje. Ik hoef de instructies niet nog een keer te lezen om te weten wat dat betekent. Ik had ze trouwens al herlezen. Ik staar naar het roze plusje en probeer het te veranderen. Hoewel het wel een beetje vervaagt aan de randen, weerstaat het mijn poging om te veranderen van vorm, kleur en betékenis.

Ik ruk de tweede test uit de verpakking en doe het allemaal nog eens. Waar ik naar op zoek ben, is twijfel. Het kleinste kleine beetje onzekerheid. Het is niet te vinden.

Uiteindelijk doe ik alle tests. Zelfs die uit Kazachstan met de waarschuwing in de allerkleinste lettertjes die ik ooit heb gezien.

Het resultaat kan negatief worden beïnvloed als u de test doet op dag 7, 18 of 21 van de menstruatiecyclus.

Ik doe de test.

Het is de laatste.

Hij is positief.

5

Als ik bij het huis van mijn ouders ben, herinner ik me niet hoe ik er vanuit Dublin ben gekomen, wat zorgwekkend is, want het is een reis van anderhalf uur en er is op deze tijd van de dag veel verkeer op de weg. Ik stap uit en blijf even bibberend staan. Het is februari. Het ellendigste deel van februari. Het deel voor de narcissen zich een weg beginnen te zoeken door de bevroren grond. Het deel dat het meest weg heeft van een verkiezingsbelofte. Aan weerszijden van de oprijlaan naar het huis staan eindeloze rijen bomen met kale takken die zich als spataderen uitstrekken tegen het donkerblauw van de schemerige lucht.

Het huis is in duisternis gehuld en de dikke stenen muren glanzen als staal in de avondgloed. Ik kijk op mijn horloge. Het is drie minuten over zeven. Maureen zal in de keuken staan en schenkt haar tweede glas wijn in. Declan is waarschijnlijk bij Hugo. Pas wanneer de wind mijn rok in mijn gezicht blaast, realiseer ik me dat ik nog buiten sta. Ik zet me schrap en loop naar het huis waarin ik ben opgegroeid.

Het is een plaats van uitersten. Er zijn tijden geweest, lang geleden, dat je jezelf niet kon horen ademen door de mensenmassa in de grote woonkamer, pratend, etend en zingend en dansend. In andere tijden, zoals nu, echoën mijn voetstappen door de lange gang die van de voorkant van het huis naar de keuken aan de achterkant loopt. De echo ketst af op dikke muren vol met foto's van Maureen en Declan op de een of andere bijeenkomst waar ze prijzen in ontvangst nemen (Declan) of in de lucht kussen (Maureen).

Het is een huis dat moeilijk te verwarmen is. De keuken is de warmste ruimte, waar de hitte van de Aga – die in september wordt aangestoken en pas in mei wordt gedoofd – ons omvat als een omhelzing.

Maureen duikt in de gang op nog voor ik mijn jas heb uitgetrokken.

'O, jij bent het maar, Scarlett. Ik dacht dat het misschien Cyril Sweeney was.' Cyril Sweeney is een van de oprichters van het plaatselijke amateurtoneelgezelschap, wat betekent dat hij waarschijnlijk geboren is toen Shakespeare nog een klein jongetje was. Hij regisseert bijna alle voorstellingen zelf en mijn moeder is gek op hem.

Ik doe mijn mond open om iets te zeggen, maar het mechanisme voelt roestig aan en ik besef dat ik geen woord meer heb gesproken sinds ik de tests heb gedaan. Maureen bestudeert mijn reflectie in het glas van een van de fotolijstjes aan de muur.

'Waar heb jíj gezeten, Scarlett?' vraagt ze.

'Op mijn werk,' zeg ik.

'Op je werk?' vraagt Maureen alsof het iets is waarvan ze wel eens heeft gehoord, maar wat ze niet kan plaatsen. 'En dáár is Blue. Die heb ik overal gezocht.'

Blue zit in de reismand. Als ik rijd, moet ik hem gevangenzetten. Anders gaat hij op mijn stoel zitten met zijn pootjes op het stuur. Hij vindt het vreselijk om passagier te moeten zijn. Om het goed te maken zet ik hem in zijn favoriete kamer van het huis: de verwarmingsruimte. Ik geef hem zijn lievelingsdekentje, een afgekauwd, gerafeld, verkleurd lapje dat hij al had toen hij nog een kitten was. Dat werkt hij met zijn pootjes rond zijn kop als een bandana. Dan maakt hij een plekje op een stapel warme handdoeken en slaapt binnen een paar seconden.

Als ik weer in de keuken kom, staat Maureen bij het aanrecht en prikt met een lange vork in de zalmmoten die ik heb meegenomen.

Ze kijkt op. 'Wat hebben ze een rare kleur, Scarlett. Volgens mij zijn ze niet goed meer.'

'Nee hoor, ze zijn prima in orde.'

'Maar ze zijn oranje.' Maureen snuift in de lucht boven de vis en trekt haar neus op.

'Die kleur horen ze te hebben,' leg ik uit.

'Nou, alle andere keren dat ik ze heb gegeten, waren ze anders prachtig roze.'

'Ja, als ze gebakken zijn.'

'O.'

'Maak je geen zorgen, ze hoeven maar twintig minuten,' zeg ik. 'Waarom ga je niet even rustig zitten?' Ik leid haar naar de grote keukentafel waar met een beetje moeite veertien mensen omheen passen, wat in de hoogtijdagen geregeld gebeurde.

'Waar is Declan?'

'Die zit waarschijnlijk nog in zijn studeerkamer. Met Hugo. Daar zitten ze het grootste deel van de avond al,' zegt Maureen snuivend.

'Wat doen ze?' vraag ik, al weet ik dat ze waarschijnlijk tegenover elkaar op een bank liggen en herinneringen ophalen aan de goeie ouwe tijd toen een film nog een fillum heette en Declan zich de beste rollen van het lijf moest slaan.

'Nou,' zegt Maureen. 'Ze zeiden dat ze moesten repeteren.'

'Repeteren?'

'Ja, er is kennelijk vandaag een script gekomen,' zegt Maureen. 'Met de post,' voegt ze er op minachtende toon aan toe. Waarschijnlijk herinnert ze zich ineens de tijd dat scripts bezorgd werden door regisseurs met witte handschoenen die niets liever wilden dan dat Declan de hoofdrol speelde in hun nieuwste project.

'Een filmscript?' vraag ik.

'Ja.'

'Waarvan?'

'Van wie, Scarlett, van wie.' Ze neemt een lange hijs van haar sigaret en haar lippen verdwijnen helemaal door de inspanning. Als ze uitblaast, zwaait ze met haar handen voor haar gezicht en verdeelt de rook zo gelijk mogelijk door de keuken. Ik houd mijn adem in en wacht tot de rook verdwenen is. Theatraal wacht ze nog even met het antwoord. In plaats daarvan concentreert ze zich op het roken.

Ik kijk naar haar. Ze lijkt wel een hoorn des overvloeds van sieraden. Vandaag heeft ze twee lange sjaals om haar nek. Ik kan zien dat ze er vanmorgen een uur mee gehannest heeft om ze nonchalant te laten vallen. En dat ze de rimpels in haar decolleté, die ze diep betreurt, verbloemen. Door alle armbanden en prulletjes en kettingen en lange oorringen rinkelt ze als ze beweegt, als een kat met een belletje. Ook knakt haar rechterknie elke keer dat ze gaat zitten of staan of buigt, wat ze vaak doet als ze repeteert voor een toneelstuk. Een lange, wijde top boven een lange, wijde rok maakt de uitmonstering compleet en geeft haar een heel drúk aanzien. Je moet goed kijken om haar te ontdekken onder alle spullen die ze met zich meezeult. Haar haar is het drukst van alles. Het is zo druk dat het nog het meest doet denken aan Grand Central Station, zo druk. Hoog opgetast op haar hoofd als een hooiberg, vol met clipjes en klemmetjes en twee breinaalden die er als een antenne boven uitsteken. Nog steeds verdacht zwart, al ontkent ze in alle toonaarden dat ze het verft.

'O, een of andere schrijver van wie ik nog nooit heb gehoord.' Maureen is al niet meer geïnteresseerd in het gesprek en tikt haar as af in een pot met een halfdood vlijtig liesje. De plant is al weken, maanden misschien wel, halfdood. Ik zet een asbak op tafel en zet het vlijtig liesje buiten bereik van Maureen. Misschien kan George het weer tot leven wekken. Ik zal het hem morgen vragen.

'Herinner je je nog die keer dat Martin Scorsese voor de deur stond en Phyllis hem niet binnen wilde laten? Ze zei dat ze nog nooit van hem had gehoord.' Maureens ogen schitteren ineens.

'O ja,' zeg ik. 'Hoewel ik er die dag niet was. Phyllis heeft het me later verteld.'

'En zijn wenkbrauwen...' ratelt Maureen verder. 'Ze zei toch ook iets over zijn wenkbrauwen, of niet?'

'Ze zei dat zijn wenkbrauwen verdácht borstelig waren,' herinner ik me.

Maureen lacht haar prachtige, borrelende lach. 'Dat waren nog eens tijden, hè?'

'Eh, ja.'

'Ik kan me niet herinneren dat jij er die dag bij was.' Met een frons op haar gezicht wendt Maureen zich tot mij.

'Toen lag ik in het ziekenhuis, weet je nog? Mijn blindedarm moest eruit.'

'Is jouw blindedarm verwijderd? Waarom in vredesnaam?'

'Hij was gebarsten, weet je nog? De dag ervoor. Toen ik in de stad was met Phyllis. Ik geloof dat we schoenen moesten kopen voor bij mijn schooluniform.'

'O, mijn god, nu weet ik het weer,' zegt Maureen en de verbaasde blik verdwijnt uit haar ogen. 'Die herinnering heb ik zeker verdrongen.' Ze neemt een lange haal van haar sigaret en zegt dan: 'Dat was een heel moeilijke tijd voor me, moet je rekenen. Je was nog zo klein toen je op die operatietafel lag. Je was pas vijf jaar.'

'Ik was zevenenhalf.'

'Je zag eruit als vijf,' houdt ze vol. Haar stem bibbert en ik verander van onderwerp voor ze in tranen kan uitbarsten.

'Je had het over Declan. Hij is aan het repeteren?'

'O, ja,' zegt Maureen en ze gaapt. 'Hoewel... Ik heb hem niet meer zo opgetogen gezien over een rol sinds hij de cowboy speelde in die vechtfilm, hoe heette die ook weer?'

'*Cowboys en Ninja's*,' zeg ik.

Ik zet de oven aan, maak de vis klaar, bereid een salade en was de rijst.

'Ik ga ze even begroeten,' zeg ik. 'Kun jij het eten in de gaten houden?'

'Ik zal ervoor zorgen, Scarlett, schat,' zegt Maureen en ze steekt nog een sigaret op en neemt een grote slok wijn.

Ik hoor mijn vader voor ik hem zie. Hij verkracht een lied op de piano in zijn werkkamer. Hugo zingt mee op zijn kenmerkende toonloze manier. In gedachten zie ik ze voor me: Hugo staat achter Declan, één hand ligt op diens schouder en met de andere dirigeert hij een denkbeeldig orkest. Aan het eind van het lied zullen beide mannen een buiging maken voor een denkbeeldig publiek. Vast en zeker een uitverkochte zaal.

Hugo is Declans impresario. Hij is ouder dan Declan, ik schat zeventig. Officieus met pensioen. Dat kan niet anders, want mijn vader was zijn enige cliënt en Declan heeft al tien jaar geen werk van betekenis meer gehad. Hugo, oorspronkelijk uit New York, heeft zich in Ierland teruggetrokken. In Wicklow. Maureen beweert dat hij bij hen ingetrokken zou zijn als ze dat goed hadden gevonden, wat niet zo was. Hoewel hij hier zo veel tijd doorbrengt dat het niet onredelijk zou zijn hem huur te vragen.

Ik sta in de deuropening van de werkkamer en kijk naar hen.

Uit een ijsemmer steekt de onderkant van een champagnefles. Boven op de piano staat een melkkan met iets wat op rode wijn lijkt en de mannen nemen er om beurten een slok uit. Declan speelt maar met één hand als hij van de wijn drinkt, maar dat heeft geen invloed op de kwaliteit van de voorstelling.

Na een langgerekt en zeer dramatisch slotakkoord applaudisseer ik en ze kijken op en zien me staan. Hugo neemt met een buiginkje uit zijn nek het applaus in ontvangst. Declans reactie is flamboyant. Hij doet zijn best vanuit zijn middel te buigen en lange plukken van zijn antracietgrijze haar slepen over de vergeelde vloerplanken. Hij komt weer overeind en zoekt steun bij de klep van de piano.

'Scarlett!' Met twee passen is hij bij me en zijn armen concurreren met zijn brede glimlach. In plaats van de sigaret tussen zijn vingers vandaan te nemen en die in de asbak te leggen, zoals ik meestal doe, loop ik zo zijn armen in en verberg mijn gezicht in de plooien van zijn hals. Hij ruikt naar een bar op zondagochtend. Zijn huid is zacht en warm en ruw op plekken die het scheermes die ochtend heeft overgeslagen. Ik sluit mijn ogen en doe mijn best om niet aan de tests te denken. De positieve tests.

Hij duwt me van zich af en houdt me op een armlengte afstand. 'Lieve schat,' zegt hij en hij kijkt onderzoekend naar mijn gezicht. 'Wat is er in vredesnaam aan de hand?'

'Niks,' zeg ik en ik leg de papieren op de piano recht. 'Gewoon... geen lekker dagje op mijn werk vandaag.'

'Werk? Ben je daar al die tijd geweest?' Declan snapt al net zo weinig als Maureen van een maandag-tot-vrijdag, negen-tot-vijf-type bestaan.

Het is even stil als Declan naar Hugo kijkt voor een redelijke verklaring. Hugo heeft vaak een redelijke verklaring voor zaken waar Declan geen touw aan vast kan knopen.

'Je hoeft niet naar mij te kijken, beste man. Ik heb al jaren niet meer gewerkt,' zegt Hugo blijmoedig. Hugo is tien jaar hier en net als de meeste Amerikanen is hij dol op alles wat Engels is, voornamelijk het accent, dat hij zich na twee dagen Londen, waar hij Declan heeft leren kennen, al had aangemeten.

'Hallo, Scarlett, beste meid,' zegt Hugo, terwijl hij naast me komt staan. Zelfs ik moet me een stukje vooroverbuigen om Hugo te omhelzen. Je kunt hem beslist omschrijven als 'parmantig'.

'Laten we daarop proosten,' zegt Declan. In zijn wereld moet op de kleinste dingen geproost worden. Hij schenkt rode wijn in twee koffiekopjes, geeft het ene aan Hugo en het andere aan mij. Hij pakt het melkkannetje en houdt dat omhoog. 'Op Scarlett, die weer bij ons is teruggekomen.'

'Jezus, papa, ik was gewoon op kantoor. Wat ben je toch een drama queen.'

'Maar hij is juist zo'n geweldige drama queen,' doet Hugo een duit in het zakje. Hoewel hij gepensioneerd is, zal hij altijd de agent van Declan O'Hara blijven.

'Nou ja, geweldig. Ik zou nu niet meer zo geweldig durven zeggen.' Declan doet een poging bescheiden te zijn. 'Maar het heeft hier wel brood op de plank gebracht.'

'Dat mag je wel zeggen, beste man.' De mannen toosten en brullen precies tegelijk: 'Olé,' zoals ze sinds mensenheugenis doen, al weet niemand meer waarom.

Ik moet een reusachtige stapel papieren van de bank afhalen voor ik kan gaan zitten. Ik zoek een plek om ze neer te leggen, maar overal ligt iets; papieren en boeken en uitslagen, overvolle asbakken, vuile glazen en twee borden met de restanten van iets wat eruitziet als een lunch van gebakken eieren met spek. Uiteindelijk leg ik ze maar op de grond. Ik kijk op mijn horloge; de vis redt het nog wel vijf minuten.

'Ik moest maar eens gaan,' zegt Hugo en hij staat op.

'Blijf toch,' zeg ik. 'We hebben meer dan genoeg vis voor het eten.'

'Nee, ik moet echt gaan. Ik ben hier al de hele middag.' Hugo kijkt naar de deur alsof hij verwacht dat Maureen daar zal staan met zijn hoed, jas en stok om zijn vertrek te bespoedigen. Hij en Maureen hebben altijd gevochten om Declans tijd en aandacht en hoewel Hugo vaak wint, loopt hij met een grote boog om haar heen omdat hij niet triomfantelijk wil lijken.

Hij en Declan omhelzen elkaar als broers die de oorlog in gaan en elkaar wellicht nooit meer zien. Hij glimlacht naar mij en vertrekt terwijl hij iets mompelt over Sylvester (zijn geit), die hij los moet maken van het hek aan het begin van zijn oprit. Sylvester is het alternatief van Hugo voor een beveiligingssysteem en op de een of andere manier is het een effectief middel tegen inbraak gebleken, ondanks het feit dat hij er net zo gevaarlijk uitziet als een jong poesje op een kalender.

'Dus,' zegt Declan, die de klep van de piano dichtdoet zodat hij erop kan zitten, 'wat voor nieuws is er uit de buitenwereld?' Als zijn zachte groene ogen eindelijk tot rust komen op mij, lijkt het of hij het weet en ik voel de paniek als een roedel hongerige wolven die een aanval doen op de blokkade die ik inwendig heb opgericht.

Ik trek de mouwen van mijn jasje naar beneden zodat hij mijn handen, die ik tot vuisten heb gebald, niet kan zien. 'Niet zoveel,' zeg ik en ik verbaas me over de toon van mijn stem, die eigenlijk net zo klinkt als altijd. 'Ik hoor van Maureen dat je vandaag een script hebt gekregen.'

Declan stopt met waar hij mee bezig is; zo te zien het bestuderen van het *Brandenburgse Concert nr. 5* van Bach. 'Het zat bij de post,' zegt hij met een klein stemmetje. 'Van iemand van wie ik nog nooit heb gehoord.' Hij zucht. 'Vroeger kende ik iedereen in die wereld.' Zijn handen glijden over de bovenkant van de piano. Ik sta op, zoek zijn pakje sigaretten, pak er een sigaret uit, steek die aan en geef hem aan hem.

'Lijkt het wat?' vraag ik terwijl ik weer op de bank ga zitten.

'Lijkt wat wat?'

'Het script.'

'Het script?'

'Dat vandaag bij de post zat.'

'O, ja.' Declan krabt op zijn hoofd met de palm van de hand waarin hij de sigaret houdt. Het gloeiende puntje zit gevaarlijk dicht bij zijn haar en als ik goed kijk, zie ik een paar haren boven op zijn hoofd omkrullen door de hitte. Aan mijn linkerkant staat een vaas – verlepte – bloemen op de vensterbank met nog vijf centimeter groen water op de bodem. Dat kan ik altijd over zijn hoofd gooien als zijn haar weer eens in brand vliegt.

'Papa?' Declan maakt zijn ogen los van het raam en wendt zich glimlachend tot mij.

'Het is goed.'

'Goed?'

'Misschien wel erg goed.'

'O.'

Er was de laatste tien jaar maar heel weinig 'goed' en helemaal niets 'erg goed'. Dat gebruikt hij als excuus om niet te hoeven werken.

'Om eerlijk te zijn...'

'Ja?' Ik wacht tot hij verder praat.

'Het is fantastisch.' Declan ziet er ineens nuchter uit. Hij drukt zijn peuk uit op een stukje gebakken spek, springt overeind en kijkt om zich heen. 'Het moet hier ergens liggen. Ik zal het je laten zien.' Hij begint te zoeken in de stapels papieren die door de hele kamer liggen.

'Wie heeft het geschreven?'

'Donal nog iets. Volgens mij is hij acteur. Eentje die zonder werk zit natuurlijk.' Hij is bij de tweede stapel gekomen en gooit de rekeningen, enveloppen en iets wat op een kentekenbewijs deel III lijkt naast zich op de grond.

Ten slotte vind ik het op de vloer van het toilet, waar Declan zich graag terugtrekt om te lezen, te roken en naar Maxi op de radio te luisteren, ondanks het feit dat haar programma op het onchristelijke tijdstip van halfzes 's morgens begint. Hij is gek op Maxi. Hij noemt haar 'mijn meisje', waar Maureen zich vreselijk over opwindt.

Het script ziet eruit of het op een typemachine is geschreven. De titel staat halverwege het voorblad. Niet helemaal in het midden, maar ik kan het waarderen dat iemand heeft geprobeerd om het te centreren. Het heet *The Jou ney*.

'*The Jou ney*?' vraag ik. Ik begrijp er niets van. Volgens scrabbleireland.ie ben ik de op twee na beste scrabblespeler van het land en dit is een woord waar ik nog nooit van heb gehoord.

'Het heet *The Journey*,' zegt Declan. 'In het hele script komt geen r voor.'

'Helemaal geen r?'

'Niet een,' zegt Declan. Hij klinkt trots, alsof het iets is waar de scriptschrijver erg zijn best op heeft gedaan.

'En kon je het wel lezen?'

'Al twee keer.' Hij ziet er anders uit. Hij sprankelt. Ik zie het leven achter zijn ogen tintelen.

'Scarlett.' De stem van Maureen schiet uit de bocht, als een auto in de Grand Prix van Monte Carlo.

'Ja?'

'Ik denk dat de zalm nu wel klaar is.'

'Heb je ernaar gekeken?'

'Nee, maar er komt een soort visgeur uit de oven.' Ik hoor paniek in de stem van Maureen; ze raakt vaak in paniek als ze alleen in de keuken moet blijven.

'Rustig maar. Ik kom eraan,' zeg ik. Ik glimlach samenzweerderig naar Declan, maar hij lijkt zich zorgen te maken bij het vooruitzicht van een visgeur in de keuken.

'Wees eens lief en ga je moeder helpen.'

Dat is het eigenaardige als je weer thuis gaat wonen: je valt een beetje terug, het maakt niet uit hoe oud je bent of hoelang je weg bent geweest. Ik doe wat me wordt gezegd en vind het niet eens erg dat Declan zegt dat ik lief moet zijn. Ik vind het eigenlijk wel leuk.

Maureen staat in het raam van de keuken haar beroemde pruillip te oefenen. Dat is het mooie aan haar paniekaanvallen. Ze duren nooit lang. Ik zet de oven uit en dek voor drie mensen de tafel.

'Je zult ook wel voor Hugo moeten dekken,' zegt Maureen zuur.

'Hij is naar huis gegaan,' zeg ik.

'Hmm,' zegt Maureen en ze snuift. 'Het verbaast me dat hij geen bakje eten heeft gevraagd voor zichzelf en die belachelijke geit van hem.'

Ik ontdek een paar ovenwanten en trek de ovendeur open. Ik open een van de pakketjes vis en prik met een vork in het roze vlees. 'Declan lijkt wel geïnteresseerd in dat script.' Ik moet mijn stem verheffen om boven het lawaai van de afzuigkap uit te komen.

'Hugo zou hem niet moeten aanmoedigen.' Maureen drukt haar sigaret uit in de asbak en de vonken vliegen om haar hand.

'Waarom niet?' Ik draai me om met de vork in mijn hand. Er valt een stukje zalm op de grond.

'Waarom wat niet?' Maureen steekt alweer een nieuwe sigaret op.

'Waarom zou Hugo hem niet moeten aanmoedigen? Iemand moet het toch doen,' zeg ik. 'Hij heeft toch zeker talent. Hij heeft nota bene een Oscar gewonnen.'

'Ja, ongeveer honderd jaar geleden,' zegt Maureen en ze wuift die prestatie met een handgebaar weg. 'En wat heeft hij sindsdien gedaan? Niets.'

'Hij heeft een paar reclames gedaan,' zeg ik.

'Schei toch uit, Scarlett, bij de laatste reclame heeft hij godbetert een tomaat gespeeld.'

Het is waar. Beschamend, maar waar. Ik houd erover op, maar Maureen is niet meer te stuiten. Ze heeft het heel erg gevonden van die tomaat. Bijna net zo erg als het feit dat Declan hem speelde.

'En hij zou,' zegt Maureen, 'als hij auditie deed voor de rol van de ezel in het kerstspel, de rol niet krijgen. Ze zouden hem niet eens meer terugbellen.'

'Hebben ze hem een rol aangeboden in deze film? *The Jou ney*, of hoe hij ook mag heten?' Ik houd mijn adem in en wacht. Maureen laat het moment voortduren. Ze is gek op dramatische stiltes. Heel effectief, zegt ze. Ik merk nu dat ze daar gelijk in heeft.

'Hij moet auditie doen.' Ze fluistert het, maar evengoed hoor ik de verbittering in haar stem, zuur als een citroen. Het gaat niet om het geld; daar zwemmen ze in. Het is het buitengewone leven dat Maureen mist. De echtgenote zijn van een grote vis in een klein vijvertje. De bijschriften onder de foto's. 'De mooie mevrouw O'Hara.' En ze wás mooi. Op een onstuimige, reeënogen-, opgestoken-haren-manier.

'Misschien krijgt hij hem wel. De rol, bedoel ik,' zeg ik ten slotte.

Maureen kijkt naar me alsof die mogelijkheid nu pas in haar opkomt. 'Denk je dat het hem kan lukken?'

Ik denk na over die vraag. Het maakt niet uit wat ik denk of wat ik van plan ben, want al mijn zorgvuldig overwogen gedachten en plannen hebben me ergens heen gebracht waar niets meer is zoals het zou moeten zijn.

'Ik zal opscheppen,' zeg ik.

'Ik heb geen honger.' Maureen is zo tegendraads als een zevenjarig meisje dat voor Kerstmis een pony heeft gevraagd en in plaats daarvan een woestijnratje krijgt.

'Ik zal van alles een paar kleine hapjes op je bord leggen, goed?'

Maureen vult haar wijnglas bij en slaakt een diepe zucht, wat haar versie is van een instemmend antwoord.

We gaan op onze eigen plaats om de eettafel zitten: Declan aan het hoofd, Maureen aan het andere hoofd en ik aan de lange kant, van allebei even ver verwijderd.

Declan pakt het vleesmes uit de tweede la en slijpt dat aan een vuursteen die hij in de garage bewaart.

'We eten vis vanavond, schat,' zegt Maureen.

'Die moet toch ook gesneden worden, of niet?' merkt Declan op. Hij heeft de messenset een paar jaar geleden met Kerstmis van Hugo gekregen en is er stapelgek op. Hij beschouwt het aansnijden van de vis als een soort klus. Hij is erg slecht in klussen, maar vis snijden kan hij wel. Het is zijn manier om toch goed te zijn in klussen.

'Ach,' zegt Maureen, 'het zijn filets. Die hoeven niet echt gesneden te worden.'

'O,' zegt Declan en hij prikt in een stuk vis op zijn bord. Het roze vlees valt van de graat en maakt korte metten met zijn hoop op een snijklus.

Een oorverdovend gekerm klinkt door het huis.

'Dat is Blue,' zeg ik. 'Hij is zeker wakker geworden.'

'Zit hij in de verwarmingsruimte?'

'Ja. Ik zal hem even halen.'

'Ik ga wel. Dan kun jij eten.' Maureen is gek op katten en vooral op Blue. Hij is zo excentriek, misschien doet hij haar wel aan zichzelf denken.

'Nee, eet jij nu maar,' zeg ik. 'Ik ga wel.' Ik ren weg uit de keuken voor ze ertegenin kan gaan. Ik moet aan de gang blijven. In beweging. Geen ruimte laten voor willekeurige gedachten, die allemaal uitkomen op de tests. De positieve tests.

'Geef hem eens hier, Scarlett. Ik heb hem vandaag gemist.'

Ik zet Blue op tafel naast het bord van mijn vader. Declan snijdt de zalm in tweeën en schuift de helft – de grootste helft – naar Blue. De kat buigt zijn kop naar het bord en snuift aan het offer, daarna schuift hij het met zijn poot over het bord als een kind een stronkje bloemkool.

'Declan!' Maureen is ontzet. 'Die arme Blue kan wel stikken in een graatje. Je moet zorgen dat de vis helemaal gefileerd is voor je die aan hem geeft.'

'Jezus, je hebt gelijk. Het spijt me, Blue.' Declan buigt zich diep over het stuk vis en ontleedt het in minuscule stukjes. Hij stopt pas als hij zeker weet dat er geen gevaar meer dreigt. Dan schuift hij het bord terug naar Blue en samen buigen ze hun hoofd en eten. Blue is binnen een paar seconden klaar.

'Ik zal hem buiten zetten,' zeg ik.

'Maar schat, straks wordt hij nog verkouden.' Maureen benadrukt elk woord door haar sjaals strakker om haar hals te trekken.

'Ja, maar het is kwart voor acht,' zeg ik veelbetekenend.

'Bij Scott, moet hij nog steeds elke dag op dezelfde tijd?' Declan klinkt bijna eerbiedig. Sinds hij Blue mee naar huis heeft genomen – een kitten van nog maar vier dagen oud waarvoor een plaatselijke boer plannen had waar een zak, een touw, een paar zware stenen en de snelstromende rivier die door het dorp loopt, een rol in zouden spelen – heeft Blue er een gewoonte van gemaakt zich terug te trekken in de tuin – of op het balkon van Johns flat – om daar om precies kwart voor acht 's avonds zijn behoefte te doen, elke dag, zelfs in het weekend en als het vakantie is.

Als ik weer aan tafel kom, is iedereen aan het eten en de stilte is zo oorverdovend dat ik er bijna in stik.

'Je had eigenlijk helemaal niet hoeven koken, Scarlett. Ik had kookplannen voor vanavond.' Maureen ziet altijd heel charmant een beetje roze op de wangen.

'Dat weet ik wel,' zeg ik. 'Maar ik wist niet wat je van plan was, dus heb ik toch maar iets meegenomen... voor het geval dat, snap je?' Ik voeg er niet aan toe dat ik wist dat ze, nu Phyllis weg is, buiten de deur zouden eten of iets uit de vriezer zouden pakken.

Ook raakt Maureen een beetje in paniek als ze voor mij moet koken, gezien het feit dat ik vegetariër ben. Ik werd vegetariër toen ik twaalf was – nadat ik een documentaire over legbatterijen had gezien – en Maureen is er nooit overheen gekomen. Ze vindt het idee fantastisch. De excentriciteit van een twaalfjarige vegetariër in de jaren tachtig in Ierland appelleert aan haar gevoel voor rebellie. Ze heeft voornamelijk bezwaar tegen de logistiek van het geheel. Eigenlijk heeft ze, om eerlijk te zijn, bezwaar tegen koken in het algemeen. Toen ik nog thuis woonde, zadelde Maureen Phyllis op met de verantwoordelijkheid voor mijn voeding. Phyllis – die denkt dat vegetarisme een cultverschijnsel is, te vergelijken met scientology – probeerde bij elke gelegenheid vlees in mijn eten te stoppen tot ik, onafwendbaar, mijn eigen maaltijden begon klaar te maken.

'Phyllis maakt bijna nooit vis klaar,' zegt Maureen. 'Ze kookt sowieso niet zoveel meer, maar ze weigert met pensioen te gaan. Je weet hoe ze is.' Phyllis woont nog steeds in een zelfstandige woning boven de garage, noemt zichzelf nog steeds huishoudster en zegt nog steeds als ze de telefoon opneemt: 'Met het huis van de familie O'Hara, wat kan ik voor u doen?' Ze is inmiddels in de zestig en slijt haar dagen met bingo spelen op haar laptop en wat in het rond slaan met haar plumeau. Ze is echter net zozeer deel van de familie als wij allemaal, inclusief Ozzie, de Oscar die Declan in 1995 heeft gewonnen en die nu tevens dienstdoet als deurstopper om te voorkomen dat de deur van de badkamer op stormachtige avonden tegen de muur bonkt.

'Wanneer komt ze terug uit Lourdes?' vraag ik. Phyllis gaat elk jaar naar Lourdes. Overdag bidt ze en 's avonds drinkt ze te veel sherry, waarna ze soms uitbarst in een spontane versie van de filmmuziek van *Watership Down*, zonder dat iemand daarom vraagt en met een stem die net zo zoet is als de sherry die ze drinkt.

Zonder Phyllis is het huis mijn huis niet.

'Eind volgende week, geloof ik,' zegt Maureen.

Ik stel het naar bed gaan zo lang mogelijk uit. Als je aan slapeloosheid lijdt, is naar bed gaan net zoiets als het drinken van levertraan. Je doet het omdat je weet dat het goed voor je is, maar dat maakt het nog niet gemakkelijker om door te slikken.

Sinds John weg is, is mijn slapeloosheid verergerd. Mijn bed is als een boksring, ik zit in de ene hoek en mijn gedachten in de andere. Ze raken me als vuistslagen. Voor John wegging, concentreerden mijn nachtelijke gedachten zich op mijn vijfjarenplan. Daarna, toen ik net weer bij mijn ouders thuis woonde, draaiden mijn nachtelijke gedachten rond het feit dat ik een vrouw van 35 ben die bij haar ouders woont. Een alleenstaande vrouw van 35 die met haar kat bij haar ouders woont. Het maakt niet uit dat Blue een soort superkat is en dat hij meer intuïtie heeft dan veel mensen die ik ken. Mensen kijken naar hem en denken: kat. Punt. Dat gepieker brengt me een heel eind de nacht in en zet de tijd in slow motion zodat het, wanneer ik op mijn wekker kijk, onmogelijk lijkt dat er pas drie kwartier verstreken zijn.

Vanavond zal het nog moeilijker zijn de slaap te vatten. Ik doe alles zo langzaam als ik maar kan en was af met de hand in plaats van de spullen in de vaatwasser te stoppen. Ik richt de provisiekast opnieuw in met alle etiketten van de blikken en de pakken met de tekst naar voren, zoals ze zouden moeten staan. Ik verander de tekst op het antwoordapparaat zodat onze namen in alfabetische volgorde staan ('Declan, George, Maureen, Phyllis en Scarlett kunnen de telefoon niet opnemen...'). Ik kijk op mijn horloge. Het is pas vier minuten over halftwaalf. Wanhopig dring ik aan op een spelletje scrabble voor het naar bed gaan. Dat kost toch weer gauw drie kwartier. Maureen is gek op scrabble, zolang ze wint. Declan mag meestal niet meedoen omdat hij woorden verzint en dan blijft volhouden dat ze werkelijk bestaan, wat weer resulteert in nieuwe woorden – geen aardige – tussen hem en Maureen, wat weer kan leiden tot het smijten met aardewerk (Declan) en het trekken aan haren (Maureen).

Daarna maak ik een beker Ovomaltine voor mezelf en loop een rondje door de tuin. Dat helpt soms. Ik kijk op mijn horloge.

Het is negentien minuten over twaalf. Ik controleer mezelf op tekenen van vermoeidheid. Niets. En dan bel ik Bryan.

'Kun je niet slapen?' vraagt hij.

'Het spijt me,' zeg ik. 'Ik probeerde je vanavond niet te bellen, maar...'

'Geeft niet, ik slaap toch niet. Wat is er?'

'Niets. Gewoon... ik had een slechte dag, meer niet.'

'Zal ik naar je toe komen? Op dit tijdstip kost het me maar drie kwartier.' De verleiding is groot en ik heb de neiging eraan toe te geven. Bryan is mijn neef, al is hij voor mij meer wat ik me voorstel bij een broer. Of een zus. Mensen zeggen dat we op elkaar lijken, maar dat heeft meer te maken met onze teint. Of het gebrek daaraan. We hebben allebei de melkwitte huid van mensen die nooit buiten komen. Dezelfde groene ogen. Identieke lippen, die veel te groot zijn voor ons gezicht, met dank aan onze oom Colin, een beetje het zwarte schaap van de familie omdat hij niet ophoudt met het schrijven van biografieën over Declan, die overal ter wereld als warme broodjes over de toonbank gaan. We hebben hetzelfde haar: weerbarstig en dik. Ik houd het mijne in toom door elke zes weken naar de kapper te gaan, het wekelijks te laten ontkroezen en elke dag in te smeren met een middeltje dat ik online in Nieuw-Zeeland bestel. Dat van Bryan doet nog het meest denken aan de wildernis van Alaska: woest en vrij, niet aangeraakt door mensenhanden. In plaats van naar beneden te hangen, groeit het omhoog en zijwaarts en weerstaat het de zwaartekracht en alle middelen die bedoeld zijn om haren te temmen, zoals borstels en kammen. Zelfs ik heb opgegeven het te organiseren.

'Nee,' zeg ik ten slotte. 'Ik wilde gewoon...'

'Zal ik een paar bladzijden uit het woordenboek voorlezen?'

'Je zult wel moe zijn.'

'Nee, met mij gaat het prima.'

'Nou ja, als je het echt niet erg vindt...'

'Ik zal het even pakken. Volgens mij waren we bij de m gebleven.'

'Nee, we waren bij de n,' zeg ik. 'Bij Nubisch, weet je nog?'

Als we halverwege de o zijn gekomen (orde: 1. regelmatige plaatsing of schikking van iets; het regelen, beschikken, opknappen), stopt hij.

'Weet je, Scarlett, het blijft echt niet altijd zo,' zegt hij.

'Hoe bedoel je?'

'Ik bedoel dat het gemakkelijker gaat worden. Uiteindelijk. Het komt wel goed.'

'Er is iets verschrikkelijks gebeurd,' gooi ik eruit en ik laat mijn stem dalen.

'Ik weet het. Maar je komt er wel overheen. Je komt wel over John heen en dan leer je iemand anders kennen en... Ik weet dat het nu nog niet zo voelt, maar je zult het zien. Ik bedoel, kijk maar naar mij. Hoe vaak heb ik nu al niet de bons gekregen?'

Het is waar. Bryan wordt net zo regelmatig gedumpt als ik naar de kapper ga. Filly zegt dat het komt doordat hij te aardig is. Bryan zegt dat hij het niet kan helpen. Hij heeft het ook geprobeerd met onenightstands, maar dan voelt hij zich zo gebruikt, zegt hij. Hij heeft geprobeerd vrouwen niet op te bellen de dag nadat hij uiteindelijk met hen naar bed is geweest. Hij heeft geprobeerd te laat op afspraken te komen. Vroeg weg te gaan. Hij heeft zelfs net gedaan of hij van de films van David Lynch houdt. Niets werkt. Uiteindelijk komen ze er altijd achter hoe aardig hij is en net als in de films van David Lynch is het dan voorbij en is hij er niets wijzer van geworden.

'Organisatie, uniformiteit, regelmatigheid, systeem, patroon, symmetrie...'

'Het is goed, Bryan. Je mag nu wel stoppen,' zeg ik.

'Waarom? Ben je al moe?'

'Nee, maar jij wel. Ik kan horen dat je eigenlijk moet gapen.'

'Ik kan nog wel een paar bladzijden, hoor,' biedt hij aan. Zijn stem is als een warme deken om me heen.

'Nee,' zeg ik. 'Ga maar. Ga maar slapen.'

'Oké dan. Als je zeker weet...'

'Welterusten, Bryan.'

'Welterusten, Scarlett.'

'Bryan?'

'Ja?'

'Gewoon... je weet wel...'

'Ik weet het,' zegt hij. 'Ga nu maar naar bed. Probeer wat te slapen.'

Als ik ten slotte niets anders meer kan verzinnen, loop ik met Blue de trap op. Hij nestelt zich in het holletje van mijn benen, net achter mijn knieën. Zijn ademhaling kietelt op mijn huid, maar hij is warm en biedt troost, als een kom rijstepap. Ik zet de wekker op mijn telefoon op vijf uur, geef een stomp tegen mijn kussen en laat mijn hoofd vallen in het kuiltje dat ik heb gemaakt. Ik vul mijn geest met schapen in een hok en begin te tellen. Niet dat het helpt. Het is een gewoonte geworden. Trouwens, ik houd van schapen. Zeker de schapen die ik zelf bedenk. Ze zijn als een kinderliedje, Schaapje schaapje, heb je witte wol?

Maar de schapen ontsnappen door een gat in het hek en voor ik ze weer bij elkaar kan drijven, denk ik aan de tests. De positieve tests. Eén ding weet ik heel zeker. Dat heb ik altijd geweten. Ik kan niet iemands moeder zijn. Ik zou niet weten hoe. Ik weet niet wat een moeder doet. Wat een moeder geacht wordt te doen.

Beneden hoor ik Declan en Maureen ruziën. Ik wacht tot de ruzie vanzelf verwatert, zoals een ruzie over het ontkurken van een fles wijn zou moeten verwateren. Als dat niet gebeurt, stap ik uit bed, loop de trap af, ga naar de keuken, maak een fles wijn open – er zit trouwens een draaidop op – en zet die voor hen op tafel. Dan is de ruzie voorbij en Maureen pakt de fles en biedt aan Declans glas nog eens bij te vullen.

'Ik zou het eigenlijk niet meer moeten doen. Het wordt morgen een drukke dag,' zegt Declan.

'Kom op, schat, het is nog vroeg,' zegt Maureen. Het is vier minuten over halftwee 's nachts.

'Dankjewel, schat,' zegt Declan. 'Een half glaasje dan, denk erom.'

Als ik weer boven kom, zie ik dat Blue het midden van het bed in bezit heeft genomen en ik genoegen moet nemen met de rand, waar het koud is en gevaarlijk gezien de afstand van het bed tot de vloer. Ik ga op de rand van het bed zitten en druk mijn handen tegen mijn buik. Pas wanneer ik bloed proef, zoet en warm in mijn mond, besef ik dat ik op mijn lip zit te bijten. Voorzichtig, om Blue niet wakker te maken, ga ik aan de rand van het bed liggen. Ik knijp mijn ogen stijf dicht en maak in gedachten een lijst van al mijn bruiden, op leeftijd gerangschikt. Dat zal wel wat tijd kosten. En daarna bedenk ik wel weer iets anders. Ik steek mijn hand uit en leg die op de zachte vacht van Blue. Hij trekt een beetje met zijn kop, maar laat mijn hand liggen. Ik adem heel diep, alsof ik slaap. Mijn dag was uitputtend, maar evengoed is de slaap als de bus naar Clonee: die laat nog wel even op zich wachten.

6

Mensen zeggen: 'Ze ontkent het,' alsof dat verkeerd is, maar de eerste paar dagen is het ontkennen mijn reddingsboei en die grijp ik met beide handen vast. De ontkenning sleurt me 's morgens uit bed. Ze duwt me onder de douche en schuift het eten mijn mond in. De ontkenning staat me toe mijn borsten te negeren, die zo hard als steen zijn en niet meer passen in mijn tot nog toe ruim voldoende B-cup. De ontkenning is mijn vriendin. Die vertrouw ik volkomen en op de een of andere manier sleept ze me erdoorheen.

De deur van mijn kantoor gaat open en ik kijk op. Het is Filly, mijn assistente. Natuurlijk heet ze niet zo. Haar echte naam is Felicity, maar ze is Australisch – thuishaven voor kangoeroes en afkortingen – en trouwens, de verkorte versie past veel beter bij haar dan de officiële.

Filly kwam twee jaar geleden tijdens haar wereldreis met Brendan, een slager uit Marino, voor vijf dagen naar Dublin en dat was dat.

Ze komt zoals gewoonlijk binnen met 'goedemorgenhetspijtme-datiktelaatben', twee latte met magere melk, saucijzenbroodjes (voor haar) en een fruitsalade (voor mij). Ik wijs haar erop dat het technisch gesproken middag is, maar dat pareert ze door me voor te houden dat het, waar zij vandaan komt, midden in de nacht is, wat je eigenlijk niet van haar kunt vragen gezien het armetierige loon dat we haar betalen.

'Het is niet midden in de nacht. Het is in Sydney pas negen uur.' Ik kan het niet laten haar daarop te wijzen. Ze negeert me, pakt het eerste van de drie saucijzenbroodjes uit het vettige papier en slikt het in twee happen weg.

Haar haar is kort en springerig en heeft nog steeds de kleuren van de vlag aangezien het vorige maand Australië-dag was. Ze gaat zitten en trekt haar benen op de stoel, de punten van haar Doc Martens komen net onder de zoom van haar lange, met kwastjes versierde rok vandaan. Ze slaat haar magere armpjes om haar tengere lijf en leunt naar voren. Ze ziet eruit of ze een jaar of dertien is.

'Zul je het me vergeven als ik je een interessant nieuwtje vertel?' vraagt ze terwijl ze haar ontbijt wegspoelt met het grootste deel van haar koffie.

'Misschien.' Ik strooi twee zakjes suiker in mijn koffie en ze kijkt op. Ik doe nooit suiker in mijn koffie en dat weet ze, maar ze zegt er niets van. Ik zet de beker aan mijn mond en het is zo zoet dat ik me afvraag hoe ik ooit koffie zonder suiker heb kunnen drinken.

'Nou,' zegt ze en ze gaat eens uitgebreid op de stoel zitten en haalt het tweede saucijzenbroodje uit de zak. 'Er stond vanmorgen een interessant nieuwtje in de column van Anna Barlow in de *Herald AM*. Heb je die gelezen?'

'Nee.'

Filly kijkt naar me, maar zegt niets. Ze weet dat er iets aan de hand is. 'Sofia Marzoni heeft haar verloving bekendgemaakt.'

'Sofia? Weet je het zeker? Ze heeft, voor zover ik het me herinner, nooit een vriend meegenomen naar een bruiloft.'

'Ik weet het zeker. Ze is de enige die nog over is. De rest heb jij allemaal getrouwd.'

'Met wie gaat ze trouwen?'

'Een of andere kunstenaar. Ronan Butler, geloof ik. Of Donald. Zoiets. Ik had nog nooit van hem gehoord.'

Het kan me niet schelen met wie ze gaat trouwen. Ik weet niet eens waarom ik het vroeg. Een Marzonibruiloft. Dat is precies wat ik nodig heb. Net als toen John die elektrische deken met twee thermostaten had meegenomen voor ons – zijn – bed. Er gebeurt iets geks met mijn gezicht en ik merk dat ik glimlach.

'Je weet wat dit betekent, of niet?' De glimlach van Filly lijkt op een grimas.

Ik knik langzaam. Ik heb de bruiloften van de vier zusters van Sofia uit naam van Extraordinary Events International georganiseerd. De vijf vrouwen zijn de oogappels van hun vader. Erfgenamen van een fortuin in de vorm van een stuk of honderd fish-and-chips-zaken in Ierland en Engeland. Haar moeder heeft hen verlaten toen ze nog klein waren. Als je de verhalen mag geloven, is ze weggelopen met de man die de olie bezorgde voor de frituurpan in hun allereerste winkel in Finglas.

Ik was de belangrijkste weddingplanner bij alle vier bruiloften van Marzoni, de een nog buitenissiger dan de ander. De vierde – van Maria en Riccardo – werd nota bene onder water gevierd in Howth, waar de eerste kabeljauw die in de eerste winkel van haar vader werd geserveerd, was gevangen en schoongemaakt (toen je nog kabeljauw mocht vangen en schoonmaken). Er had zich nog een ernstig incident voorgedaan met twee zeeleeuwen, veel te zwaar en zo nieuwsgierig dat het bijna agressief was. De Aston Martin-bruiloft, had ik hem gedoopt, want ik had de auto meteen na de bruiloft gekocht. Een cadeautje aan mezelf.

'Ik wed om een pond gebakken spek dat Sofia morgen belt om je te boeken.'

Hoewel ik geen gebakken spek eet, neem ik de weddenschap aan. Als je dat niet doet, vindt Filly het onsportief. Er valt een stilte terwijl ik wacht tot ze weggaat zodat ik weer terug kan naar mijn ontkenning.

Ze kijkt me zijdelings aan. 'En,' zegt ze en ze leunt tegen de archiefkast in plaats van weg te gaan, 'hoe gaat het met je?' De vraag heeft de lading van een pistool.

'Prima. Uitstekend. Kan niet beter,' zeg ik en ik draai me om en loop naar de bank. Met veel vertoon aai ik de slapende Blue.

'Ik ga wel even met hem wandelen als hij wakker wordt,' biedt Filly aan en haar stem is zo vriendelijk dat ik mijn hele lichaam moet aanspannen om te voorkomen dat ik me omdraai en haar alles vertel.

'Misschien moeten we ophouden met die wandelingen,' zeg ik als ik mezelf weer onder controle heb. 'Hij raakt in de war. Gisteren snuffelde hij aan een lantaarnpaal voor het gebouw. Nog even en hij tilt zijn poot op.'

'Dus?'

'Het is wel een kat, Filly,' zeg ik.

'Hij heeft toch zeker vier poten. Waarom mogen alleen honden lol hebben?'

'Ik kan trouwens zijn riempje niet vinden,' zeg ik.

Filly steekt een hand in de zak van haar rok en haalt een lang geel lint tevoorschijn. 'Ik gebruik dit wel,' zegt ze. Het lint is ongeveer dertig centimeter lang. Je kunt het onmogelijk gebruiken als kattenriem. Maar toch. Blue lijkt rustiger te worden door het lopen, minder geneigd om naar cliënten te blazen of gaten te maken in mijn panty's.

Als Filly weg is, google ik: 'Marzoni, Ierland, fish-and-chips' in de hoop dat Sofia voor het eind van de week zal bellen. Er staat een artikel over de familie in *OK!*

'Van kabeljauw tot kaviaar' vertelt tot in detail over de eindeloze klim van Valentino Marzoni, schoenlapper in een steegje in Sicilië. Valentino kreeg ruzie met zijn vader toen hij zeventien was en liep weg van huis. Hij liep door tot hij in het noorden van Frankrijk was, waar hij een boot nam naar Cork, naar Dublin liftte en toevallig in Finglas terechtkwam. Daar speelde hij poker met drie mannen die allemaal op de een of andere manier Patrick heetten (Paddy, Pat en PJ, wat stond voor Padric James). Valentino – die handig was met kaarten door zijn grootvader, die hem zich op schooldagen in het kolenhok liet verstoppen en hem leerde pokeren – versloeg de drie Patricks met twee vingers in zijn neus en was na een spel dat vier dagen duurde de trotse eigenaar van een vervallen fish-and-chips-zaak op de hoek, die toen nog Clarkes heette, maar dan zonder de e. Met het eerste beetje winst dat hij maakte, veranderde hij het bord in Marzoni's en hij heeft nooit meer achteromgekeken.

Ik lees verder. Als er nu iemand mijn kantoor in komt, zie ik er heel gewoon uit. Druk. Productief. Alsof ik nadenk over belangrijke beslissingen voor bruiloften. Ze zouden nooit kunnen bedenken dat ik in mijn persoonlijke geheugen zit te wroeten. Het is gek, maar sinds de tests – de positieve tests – sta ik mezelf toe meer aan John te denken. In de steek gelaten zijn door een actuaris voor een archeologische opgraving in Brazilië is sinds de andere dingen die er zijn gebeurd op de een of andere manier niet meer hetzelfde.

In gedachten ga ik terug naar dat gesprek. Het laatste. Ik was zo kalm. Waarom had ik hem niet in zijn gezicht geslagen? Hem geduwd zelfs? Hem laten struikelen over zijn bruine leren veterschoenen? En later in de flat. Inpakken. Niets onredelijks. Heb ik een kopje of bord of glas gepakt en het op de koude tegels van de keukenvloer aan diggelen gegooid? Nee. Heb ik de inhoud van een vuilnisemmer over het bed gegooid? Nee. Heb ik de kranen laten lopen? De batterijen uit de rookmelder gehaald? Zijn originele Jack Yeats uit de lijst getrokken en in kleine stukjes gesneden? Nee, nee en nog eens nee. Ik heb verdomme zelfs het inbraakalarm aangezet toen ik wegging. Dat redelijke gedrag steekt me nu als een brandnetel. Het vreet aan me omdat het allemaal zo oneerlijk is. Ik blijf irrationele gedachten houden en ik vervloek John omdat hij me veranderd heeft in deze irrationele persoon die ik amper herken. Ik wil hem nooit meer zien. Maar tegelijkertijd wil ik hem liever dan wat ook zien. Ik wil hem kwetsen, misschien wel het telraam dat zijn moeder voor hem heeft gekocht toen hij vijf was afpakken en kapotmaken. Nou ja, misschien niet kapotmaken. Misschien ergens verstoppen. Ik wil dat hij me midden op O'Connell Street op handen en knieën om vergeving smeekt. Dan zal ik naar hem kijken en hem mijn rug toekeren en weglopen. Ik wil niet dat hij bij mij weg wil. Ik wil genoeg zijn voor hem.

Naast deze gedachten is er geen plaats voor roze plusjes en blauwe lijntjes en lachende gezichtjes (de test uit Kazachstan) die in de voorsteden van mijn brein rondwandelen en alleen in het weekend toegelaten worden tot mijn gedachten terwijl de taxi al besproken is om ze om één uur 's nachts terug te brengen naar waar ze vandaan zijn gekomen. Verder weg, op het platteland, staat de man uit de bar. Ik weet niet eens meer hoe hij heet. Hoewel ik het wel heb gevraagd. Dat benul had ik dan nog wel.

Ik stond bij de bar en probeerde me te herinneren hoe de drankjes die we kregen ook alweer heetten.

'Heb je iets?' De stem klinkt ergens boven mijn hoofd. Een gin-en-sigaretten-stem. Sommige mensen zouden hem sexy noemen.

'Nee, natuurlijk heb ik niets. Waarom zou ik iets hebben?' Ik klonk kattig.

'Nee, ik bedoel niet of er iets met je is. Ik bedoel, heb je nog iets? Als in kan ik je iets te drinken aanbieden? Ik ben namelijk de barkeeper. In deze gelegenheid.'

'Wat?' Ik moest schreeuwen om boven de muziek uit te komen.

'Wil? Je? Iets? Drinken?'

'O,' zeg ik. De man staat aan de andere kant van de bar, zoals het een goede barkeeper betaamt. Ik pak mijn portemonnee en kijk naar hem. Hij is erg lang. Mijn hoofd gaat omhoog en verder omhoog tot mijn ogen bij zijn gezicht zijn gekomen. Het lijkt een eeuw te duren.

'Nog een keer hetzelfde?' stelt hij voor en hij wijst naar de tafel waar Filly zit te wachten.

Hij moet nodig naar de kapper. Zeker vijf centimeter van de pony en de zijkanten af. Maar het is vooral de kleur die mijn aandacht trekt. Zelfs in de duistere bar is het vlammend rood, als een boze zonsondergang. Of de brandweer bij een schroeiende vlammenzee.

'Je haar...' zeg ik. Ik ben ontzet over mijn eigen onbeschoftheid.

'Ja, ik weet het. Schokkend, vind je niet?'

'Hoe heet je?' Ik weet niet waarom ik het hem vraag. Misschien zou alles anders zijn als ik het hem niet had gevraagd.

'Iedereen noemt me Red,' had hij gezegd. Hij kijkt een beetje gelaten en verontschuldigend over de voorspelbare bijnaam.

'Red.' Ik herhaal het en probeer het uit. 'Red wat?'

'Butler. Red Butler,' zegt hij, 'maar dat slaat op mijn haar, niet op die vent uit die film. Trouwens, die heette niet Red. Die heette Rhett.'

'Ja, ik weet het,' zeg ik zacht en ik zet het cocktailmenu rechtop zodat je het weer kunt lezen.

'O. Dat weten niet veel mensen.' Dan grinnikt hij naar me en ik herinner me zijn grijns. Breed en een beetje vragend. Het soort glimlach waardoor je terug gaat glimlachen. En dat doe ik dan ook. Dat weet ik nog. Hoewel ik normaal gesproken niet veel grinnik, grinnik ik terug.

Elke keer dat Red Butler in de hoofdstad van mijn gedachten opduikt, dompel ik hem onder door een heel lastig Frans werkwoord te vervoegen. Zoals *mettre* of *vouloir*. Ik concentreer me op de Marzoni's en zoek zo veel informatie over Sofia als ik kan vinden. Dat blijkt niet veel te zijn. Van de Marzonivrouwen lijkt Sofia de meest ongrijpbare te zijn. Wat ik heb verzameld, mail ik naar Filly met het verzoek een dossier te openen van de bruiloft van Sofia Marzoni. Ik ben er 97,5 procent zeker van dat ze zal bellen. Dat percentage schrijf ik op en ik omcirkel het tot de punt van mijn pen een gat in het papier heeft gemaakt. Als ik de bruiloft krijg, hoezeer vergroot dat dan mijn kans op promotie? Niet met 97,5 procent natuurlijk. Met Gladys Montgomery in de buurt lijkt het daar niet op. Maar evengoed. Ik concentreer me op de telefoon in de hoop dat die gaat rinkelen.

Als dat niet werkt, loop ik naar de foto die ingelijst aan de achterste muur van het kantoor hangt. Het is een foto van de gezusters Marzoni op de bruiloft van Maria Marzoni, augustus jongstleden. Nu is het mijn beurt om te bidden. Mijn *Mission Impossible*-verklaring. Een monument voor brute kracht en koppigheid gekoppeld aan het domweg weigeren een nederlaag te aanvaarden, zelfs wanneer een nederlaag niet alleen onvermijdelijk lijkt, maar zelfs bijna welkom is.

De foto was genomen na het diner. Het diner waar Isabella Marzoni – de oudste van de zusters – verklaarde dat haar echtgenoot, met wie ze twee jaar was getrouwd, een leugenachtige, bedrieglijke rokkenjager en een klootzak was en dat ze bij hem weg zou gaan. Dezelfde dag nog. Ze legde een verklaring af aan de tafel waar het bruidspaar zat, wachtend tot ze het diner ophad en het grootste deel van de fles prosecco, die haar vader importeert, had opgedronken. Ze gebruikte de microfoon die ik, te laat, uit haar handen probeerde te grissen, haar ogen als flitsende messen die ze me toewierp of ík de stinkende, overspelige zuiplap was en niet Paul, die aan tafel nummer zes zat, onderuitgezakt in zijn stoel met een maanzaadbolletje tegen zijn hart alsof hij zich wilde beschermen tegen de slagen en pijlen van de razende Isabella.

Op de foto staat Isabella met een dunne sigaret en zelfs een klein lachje, niet in de laatste plaats te danken aan de twee valiumpillen die ik haar had gegeven nadat ik haar had meegetroond de eetzaal uit, weg van de verbijsterde Ierse gasten die het met open mond hadden aangehoord; de Italianen bleken zich niets van het drama aan te trekken. Integendeel, ze leken ervan te genieten.

De Marzoni's staan op volgorde van leeftijd. Sofia staat erop, in het midden, de ogen weggedraaid van haar zusters met een blik die mensen krijgen als ze ergens anders zijn. Ze zijn zo Italiaans als macaroni met kaas, deze zusters, met grote bossen haar en grote tanden. Een gezond stel vrouwen, glanzend als een modetijdschrift. Hun huid heeft de kleur van Italiaanse koffie met een scheutje melk. Maria is de jongste, al zit er tussen allemaal niet veel meer dan negen maanden. Zijn 'traptreden', noemt hun vader ze. Sofia is de op twee na oudste of de op twee na jongste. Hoe dan ook, ze is het middelste kind.

Ik dwing mezelf achter mijn bureau te gaan zitten en mijn e-mail door te nemen. Er is een van Bryan met een recept voor pavlovaschuimtaart ter gelegenheid van een scheiding. Ik schrijf de ingrediënten op een geel Post-it-briefje en gebruik daarvoor mijn linkerhand zodat het langer duurt. Ik leer de bereidingswijze uit mijn hoofd en sla de e-mail op in mijn map Recepten, maar niet onder de gehele naam. Ik noem het gewoon 'Pavlova', voor het geval hackers inbreken in mijn systeem. Ze hoeven tenslotte niet alles van me te weten. Als ik op mijn horloge kijk, zijn er vier minuten voorbij.

'Heeft Sofia al gebeld?' vraagt Filly me even later in de keuken.
    'Nee.'
    'Hoe laat is het?'
    'Vijf over vijf.'
    'Het is nog vroeg,' zegt Filly. 'Voor een fish-and-chips-zaak.'
    'Ze kunnen de boom in. Ik ga naar huis.'
    'Nu al, Scarlett? Werk je tegenwoordig parttime? Hè, hè, hè.'
    Filly en ik draaien ons om, al weet ik wie het is. Ik herken de hoge, hijgerige stem. Het is Gladys Montgomery.
    'Je ziet er moe uit, echt.' Gladys pakt een Rennie uit haar tasje en stopt die in haar mond. Ze komt naar ons toe. 'Wil je er een?' vraagt ze en ze schudt het doosje onder onze neus. Haar adem ruikt naar kalk, dat komt door de vier Rennies die ze vandaag al opheeft. Ze leeft op Rennies omdat ze zo'n galspuger is. We schudden ons hoofd. Ik kijk op mijn horloge en sluit een weddenschap af met

mezelf dat ze binnen vijftien seconden over de bruiloft van Tanya Forsythe zal beginnen.

'Ongelooflijk dat Sofia Marzoni je nog niet heeft gebeld,' zegt Gladys, die probeert er niet triomfantelijk uit te zien.

'Dat komt nog wel,' zegt Filly en ik zie dat ze haar handen tot vuisten balt. 'Ze heeft haar verloving pas vandaag bekendgemaakt.'

'Hoe dan ook, ik heb geen tijd. Ik zit tot over mijn oren in de plannen voor Tanya Forsythe.'

Ik kijk op mijn horloge. Twaalf seconden. Niet slecht.

'Hoe heet die meidengroep ook al weer?' vraagt Filly zich hardop af. 'Eight, of niet? Of Nine? Ik kan het nooit onthouden.'

'Het is Ten,' zegt Gladys en ze kijkt aandachtig naar Filly omdat ze niet weet of ze voor de gek gehouden wordt of niet. 'In Ierland zijn ze misschien nog niet zo bekend, maar in Noorwegen hebben ze het helemaal gemaakt.' Ze beent de keuken uit en laat ons kokhalzend achter, bedwelmd door haar geur, een eigenaardige mengeling van Rennies en haarspray.

'Je kunt Sofia altijd bellen,' stelt Filly voor terwijl ze een beetje langs me heen kijkt.

'Haar bellen? Geen sprake van. Dat lijkt veel te wanhopig,' zeg ik.

'Maar je hebt haar toch ook nodig,' zegt Filly.

'Helemaal niet. Ik heb zat te doen. Ik ben nu bezig met de bruiloft van Jane Browne en heb ook nog de hernieuwing van de geloftes van Smithson-Carling. Ik heb het druk.'

'Maar niet druk genoeg,' zegt Filly. 'Je hebt iets nodig wat je helemaal opeist. Iets wat je van binnenuit uitholt, als een made. Je hebt Sofia Marzoni nodig.'

Filly heeft gelijk. Ondanks de ontkenning weet ik dat mijn leven aan een draadje hangt, een zijden draadje. Als ik niet elke ochtend mijn bed uit moest komen om Blue zijn ontbijt te geven (sardientjes op volkorentoast), was de kans groot dat ik helemaal niet op zou staan.

Maar ik kan onmogelijk een cliënt bellen met een bedelnap in mijn hand. Zeker niet een van de Marzonizusters. Zo beroerd staan de zaken er niet voor. Nog niet in elk geval.

7

De ontkenning blijft nog een paar dagen en vertrekt dan, zoals alle goede huisgasten, voor ik dat heb gevraagd. Het is nu zes dagen geleden dat ik de tests – de positieve tests – heb gedaan, maar met de ontkenning uitgestrekt op de bank in de voorkamer van mijn hoofd is het me tot nu toe gelukt de dagen door te komen.

Angst neemt haar plaats in. Enorme porties. Angst is het soort huisgast die je geen seconde laat vergeten dat hij er is. Hij laat overal rommel liggen. Ruimt niets achter zich op. Loopt de badkamer binnen als jij net je teennagels zit te knippen. Het is vreselijk, bang zijn. Het verteert je. Het graaft door je ingewanden als een lintworm. Angst nestelt zich, maakt het zich gemakkelijk. Ik voel dat de façade waarachter ik me verborgen heb gehouden, begint te breken als een dun laagje ijs onder de felle winterzon.

Ik pak mijn agenda en sla hem open op de plek van het vijfjarenplan. Het huidige jaar is zo uit koers geraakt dat ik het niet meer goed kan krijgen. Het moet volledig herschreven worden.

De beslissing die ik neem, voelt niet als een beslissing, want ik heb niet het gevoel dat ik een keus hebt. Trouwens, het is nog vroeg. Het is bijna zoiets als de morning-afterpil nemen. Of niet? En ik ben altijd erg voor vrije keuze. Toch? Maar het is altijd gemakkelijker om voor vrije keuze te zijn als jij niet degene bent die die keuze moet maken. Ik kauw op de bovenkant van mijn pen tot hij versplintert in mijn mond. Dan pak ik de telefoon. Sinds de bruiloft van Charlotte Crosby heb ik het telefoonnummer van de kliniek in mijn BlackBerry staan. We noemden haar BrideZuki. Net zo eng als een BrideZilla maar dan heel, heel klein. Nog geen 1,50 meter. Charlotte raakte zes weken voor de bruiloft zwanger. Ik herinner het me nog zoals je je herinnert dat een van je ledematen zonder verdoving werd geamputeerd. Het maakte haar niet uit wie het wist. Ze wilde gewoon dat het werd opgelost. En ik heb het opgelost. De kliniek was heel discreet

(BrideZuki trouwde met een van de bekendste jockeys van Ierland), efficiënt (we maakten de afspraak op vrijdag voor de maandag daarop) en geruststellend duur (Charlotte was Splinternieuw Geld en stond erop overal te veel voor te betalen).

'Goedemorgen, Davenportkliniek. Kan ik u helpen?' Aan de stem te horen was het dezelfde receptioniste als toen met Charlotte.

'Eh, ja, alstublieft, ik wil graag... een afspraak maken.' Mijn stem trilt. Ik schraap mijn keel.

'Zeker, mevrouw. Heeft u voorkeur voor een arts?'

'Is dokter Ashcroft beschikbaar?'

Het is zo'n kliniek waar je eerder om een naam vraagt dan om een product. Dokter Ashcroft is de man die ik moet hebben. De receptioniste weet wat ik wil zonder dat ik het hoef te zeggen.

'Ja, hij is er. Ik zal even zijn agenda pakken.'

Ik hoor papieren ritselen. Mijn handen omklemmen de telefoon. Ik wacht.

'Wanneer schikt het u?' Daar is de receptioniste weer. Ze klinkt vriendelijk, als iemands oma.

Wanneer schikt het mij? Nu meteen. Onmiddellijk. Vandaag. Angst en paniek vechten om voorrang. Ze vechten voor een plekje achter in mijn keel zodat het moeilijk is om adem te halen.

'Eh, morgen?' Ik probeer de trilling uit mijn stem te houden, maar de dagen die voor me liggen, lijken zo lang als een begrafenisstoet en ik weet dat ik niet nog een weekend door kan komen.

'O, het spijt me, dokter Ashcroft is er vanmiddag niet en hij werkt nooit op vrijdag.'

De paniek ligt nu op kop en dendert over een baan in mijn hoofd.

'Is er niemand anders?'

'Bent u hier al eerder geweest, mevrouw?' vraagt de receptioniste.

'Ik niet, nee, maar misschien herinnert u zich dat ik een paar maanden geleden een afspraak met u heb gemaakt. Voor een van mijn cliënten? Mijn naam is Scarlett O'Hara.'

'Ach, ja, natuurlijk, mevrouw O'Hara. Ik dacht al dat ik uw

stem herkende. Ik zal even zien wat ik voor u kan doen en dan bel ik u terug, is dat goed?'

Misschien denkt de receptioniste dat ik een hele stal met cliënten heb die staan te springen om de diensten van de kliniek of misschien is het gewoon een vriendelijk mens dat mijn wanhoop kan voelen. Ik bedank haar uitvoerig ('dankudankudankudanku'), hang op en ga verder met het bijten op de nagels van mijn linkerhand, een gewoonte waar ik mezelf van heb genezen toen ik elf was met behulp van mosterdpoeder, levertraan en een houten lollystokje dat ik helemaal aan splinters beet nadat ik de mosterd en levertraan op mijn duimnagel had aangebracht.

De telefoon op mijn bureau zoemt. Ik duik erbovenop en pak de hoorn met twee handen vast. Het is Filly maar.

'Wie had je aan de telefoon?' Meestal pleegt Filly al mijn telefoontjes, voornamelijk omdat ze van alles op de hoogte wil blijven.

Ik heb het gevoel of ik het al heb gedaan. Het schuldgevoel brandt als zweet op mijn huid.

'Eh... niemand... ik was alleen...'

'Was het Sofia?' Ik hoor dat Filly haar adem inhoudt en wacht tot ik haar zal vertellen dat de bruiloft van Sofia Marzoni in de pocket zit.

'Nee,' zeg ik tegen haar. 'Maar het is pas drie dagen...' Mijn stem valt weg, ik weet hoe onnozel het klinkt. Drie dagen is veel te lang, zeker voor een Marzonibruiloft. Lucia Marzoni – de één na oudste van de Marzonimeisjes – belde me zodra haar vriend, Giovanni, haar had gevraagd. Nog voor ze antwoord had gegeven, bedoel ik. Om zeker te weten dat ik beschikbaar was. Pas toen ik ja had gezegd, zei zij ja. Met mij nog aan de lijn.

'Wie dan wel?' vraagt Filly.

'Wie wie?'

'Wie had je aan de telefoon?'

'O... eh... Bryan,' zeg ik.

'Nee,' wijst Filly me terecht. 'Die belde terwijl jij aan de telefoon was. We hebben het zelfs nog even over je gehad.'

Daar weet ik niets op te zeggen.

'Hij zegt dat je je de hele week al eigenaardig gedraagt. Je belt niet terug, beantwoordt zijn sms'jes niet. Hij zegt dat hij je zelfs een e-mail heeft gestuurd over een potentiële cliënt en dat je daar niet op hebt gereageerd.'

'Ik was het wel van plan. Ik... ik ben het zeker vergeten.' Ik vergeet nooit iets over potentiële cliënten. 'Wie is de cliënt?'

'Niemand,' moet Filly toegeven. 'Hij had het verzonnen. Hij wilde gewoon dat je hem terugbelde.'

'O,' zeg ik. Ik wil iets anders zeggen – het maakt niet uit wat eigenlijk – maar ik kan niets bedenken.

'Dus?' dringt Filly aan. 'Wat is er aan de hand?'

'Eigenlijk niks,' zeg ik. 'Alleen dat mijn vriend, die ik al vier jaar had, me heeft verlaten om ergens in Brazilië in een zandbak te gaan zitten spelen.'

'En behalve dat?' Filly is in elk geval buitengewoon opmerkzaam.

'Het spijt me, Filly, ik moet ophangen. Ik moet Maureen bellen. Haar horoscoop zei vanmorgen dat ze sterk moet zijn en dingen onder ogen moet zien en ze is helemaal van slag.' Ik hang op voor Filly daar iets op kan zeggen. Ik vind het vreselijk om zo tegen haar te doen. Hoewel het wel waar is van die horoscoop.

Ik kan niet met Filly praten. Ik kan met niemand praten. Vandaag niet. Later misschien. Daarna. Maar nu niet.

De telefoon gaat weer en deze keer kijk ik eerst naar het nummer voor ik opneem.

Het is de kliniek.

8

Het is druk op het vliegveld. Allemaal lachende, lawaaierige mensen met veel te grote tassen en breedgerande hoeden; drukke, belangrijke mensen met een laptop en een aktetas en een mobiele telefoon aan hun oor; bleke, uitgeputte mensen die met glazige ogen en ongekamde haren voor de monitoren met vluchtinformatie staan.

Ik sta even stil. De menigte zwermt om me heen en ik heb het gevoel dat ik er niet echt bij ben. Ik zet mijn weekendtas op de grond en pak een tissue uit mijn handtas. Ik veeg het zweet weg dat zich op mijn voorhoofd en bovenlip heeft verzameld.

Als ik me buk om mijn tas op te pakken, dansen er witte vlekjes langs de rand van mijn blikveld en ik hurk op de grond, doe net of ik een riem vastmaak en sluit mijn ogen. Dit is de laatste paar dagen al een paar keer gebeurd en omdat het voor mij nieuw is, weet ik dat het met de baby te maken heeft. Ik schud mijn hoofd. Het is geen baby. Nog niet. Het is een klontje cellen. Met het blote oog niet te zien. Nauwelijks aanwezig.

'Gaat het wel, lieffie?' Een hand pakt de zachte vlezige huid van mijn bovenarm. Ik voel hem door de dunne stof van mijn jas. Hij verwarmt me.

Mijn ogen vliegen open en ik sta op. 'Ja prima, dank u,' zeg ik, maar ik sta een beetje te zwaaien en de vrouw voor me pakt me weer beet, deze keer met beide handen op mijn armen.

'Je ziet zo wit als een vaatdoek,' zegt ze.

Het eerste wat ik van haar zie, is haar mond, dan haar neus, wangen, ogen en voorhoofd, als een camera die uitzoomt.

'Ik ben een beetje te snel opgestaan, dat is alles,' zeg ik en ik doe een stap naar achteren.

De vrouw is ouder dan haar stem doet denken. Haar blik maakt me onrustig. Alsof ze het weet.

'Marmite,' verklaart de vrouw.

'Pardon?'

'Dat werkt heel goed bij een shock.'

'Maar ik ben helemaal niet in shock. Gewoon... alleen een beetje duizelig.'

'Het werkt geweldig bij duizeligheid en shock en allerlei andere dingen.' De vrouw steekt haar hand in een levensgrote schoudertas tot haar hele arm is verdwenen. Ik vraag me af of ze daar een potje Marmite in heeft zitten, maar als de hand weer verschijnt, heeft ze alleen een mobiele telefoon gepakt.

'Nou,' zeg ik en ik zorg dat ik mijn knieën buig als ik mijn tas pak, 'dan ga ik maar. Mijn vlucht is...'

'Ik zeg het je, lieffie. Marmite. Met twee schepjes suiker. Dat heb je nodig.'

'Je moet geen suiker in de Marmite doen,' zeg ik. 'Tenminste voor zover ik weet,' voeg ik eraan toe omdat de vrouw zo aardig is. Vreemd. Maar aardig.

'Er zijn zo veel dingen die je niet moet doen, lieffie,' zegt de vrouw en ze drukt op nummer één op haar telefoon. 'Maar dat betekent nog niet dat de mensen het niet doen, of wel soms?'

Voor ik iets kan bedenken om daarop te zeggen, begint de vrouw te praten – te schreeuwen eigenlijk – in haar mobiel. 'Ellen? Ben jij dat? Ellen? Kun je me horen? Ellen?'

Ik blijf staan, niet wetend wat ik moet doen. Misschien is het onbeschoft als ik zomaar wegloop zonder deze vrouw te bedanken voor haar hulp en haar advies over Marmite.

'Kun je me horen? Ja, ik kan je horen. Ellen? Ellen?'

Ik pak mijn spullen bij elkaar. Ik besluit te wachten tot de vrouw naar me kijkt. Dan zal ik haar dankbaar aankijken, glimlachen en vertrekken.

'Nee, Ellen, blijf even hangen. Er staat hier een schriel meisje naast me dat op het punt staat flauw te vallen. Ja, natuurlijk heb ik haar verteld van Marmite. Ja. En suiker. Wacht even...' De vrouw laat de telefoon zakken en kijkt naar mij.

'Eh... het gaat weer goed hoor. Bedankt.'

'En vergeet niet de...'

'Nee, ik zal het niet vergeten. Bedankt.'

De vrouw, in een beige regenjas met een riem die zeker twee

maten te klein is, zwaait naar me, zegt geluidloos 'Marmite' en richt zich weer op haar telefoon. 'Ellen? Ellen? Ben je er nog? Kun je me horen? Ellen...'

Ik loop door tot ik haar niet meer kan horen. Ik kijk naar het scherm met de vluchtgegevens. Over een kwartier vertrekt er een vlucht naar São Paulo. De gate gaat dicht en een stem door de luidspreker kondigt de laatste oproep aan voor vlucht EI231. Heel even stel ik me voor dat ik een ticket koop. Dat ik vooraan ga staan in de rij. Dat ik ren. Bij de gate kom, buiten adem, met een rood gezicht. Maar zelfs als ik de hele weg ren, zal ik het niet halen. En zelfs als ik het wel haal, wat heeft het dan voor zin?

Ik controleer de vlucht naar Londen. Die is op tijd en zal over een uur vertrekken van gate 32. Er is nog tijd voor een kop koffie. Of Marmite? Nee, koffie. Ik heb online al ingecheckt. Ik controleer nog een keer mijn papieren: paspoort, instapkaart en een uitdraai van de route die ik van de website van de kliniek heb gehaald. Mijn maag trekt samen en ik wijt het aan de zenuwen, al voelt het meer als kramp. Ik wacht tot de pijn voorbij is en loop dan naar het café.

De koffie is lauw en het gemberkoekmannetje oudbakken, een van zijn Smartie-ogen is verdwenen zodat hij er scheef en verwaarloosd uitziet. Hij ligt op een schoteltje met zijn goede oog naar me te kijken. Uiteindelijk draai ik hem op zijn buik en schuif het schoteltje weg.

Ik kijk op mijn telefoon. Drie gemiste oproepen. Twee van Bryan en een van Filly. Ik heb hun verteld dat ik naar Newry moest, naar de tandarts.

'Maar je hebt een perfect gebit,' zegt Filly wantrouwig.

'Ik... er moet een kies worden gevuld.'

'Maar je hebt een tandarts. Op Morehampton Road.'

'Die is met pensioen gegaan. Vorige week.' Ik vraag me af wanneer ik zo goed heb leren liegen.

'Als je wilt, ga ik met je mee. Om je gezelschap te houden,' zegt Bryan. 'Ik ben trouwens op zoek naar een filmlocatie. Ergens in de bergen. Er zijn niet zoveel bergen in Noord-Ierland, of wel?'

Bryan werkt voor een filmproductiemaatschappij en hoewel hij een titel heeft – ik geloof dat het postproductie-assistentmanager is. Of preproductie. Of zoiets – doet hij van alles wat. Locaties zoeken is een van zijn werkzaamheden.

Ik ratel de namen van alle bergketens in de zes provincies, wat Filly en Bryan het licht geruststellende gevoel geeft dat het toch wel goed met me gaat.

'Dankjewel, Bryan, maar ik moet ook nog winkelen en je hebt geen zin om achter me aan te hobbelen.'

'Moet je kleren kopen?' Bryan is gek op kleren kopen. En accessoires. Hij is de enige man die ik ken die een handtas heeft, maar omdat hij breed en klein is, komt hij ermee weg.

'Nee, ik heb een magnetron nodig.'

'Voor Blue?' Blue is een kat die zijn eten graag warm opgediend krijgt. En zijn melk. En de room, die hij alleen als traktatie op zondag krijgt vanwege zijn cholesterolgehalte, dat bij zijn laatste controle een beetje te hoog was.

'Ja.'

'Dus je hebt kiespijn?' Filly blijft doordrammen.

'Eh, ja,' zeg ik en om dat te benadrukken leg ik een hand tegen mijn wang.

'Daar heb je niets over gezegd.'

'Wel waar. Dan heb je zeker niet geluisterd.' Daar kan Filly niks van zeggen, want het kan waar zijn. Ze schakelt zichzelf uit als mensen over bepaalde dingen praten – zoals kiespijn, de As van het Kwaad en tuinieren – en denkt dan aan dingen als kokosballetjes, de billen van Brendan – weelderig en zacht als een hotelkussen heeft ze me verteld – en *Countdown*.

Een volgende kramp brengt me terug in het café. Daar zit ik en ik tel terug van tien tot een, wachtend tot het verdwijnt. Het is als een vuist in mijn buik, drukkend. Ik stop als ik bij vijf ben gekomen, de vuist ontspant zich en de pijn trekt weg. Ik wuif het weg, wijt het aan het feit dat ik de laatste paar dagen niet veel heb gegeten of geslapen, wat normaal is voor mij maar misschien, in deze gespannen toestand, een belangrijker rol speelt dan normaal.

Ik probeer aan mijn werk te denken. Lobbyen voor een nieuwe

positie. De voortdurende stilte van Sofia Marzoni. Dan sluit ik mijn ogen en wens dat de dingen weer zijn zoals ze vroeger waren. Toen ik wist wat er ging gebeuren. En wanneer. Toen ik plannen maakte die uitkwamen. Mijn oude leven. Ik wil het zo graag dat het op een lichamelijke pijn begint te lijken, rugpijn of pijn in mijn liezen.

Ik denk aan de eerste keer dat ik John ontmoette. Niets theatraals. Geen vuurwerk of gedoe. Een rustige ontmoeting van geesten. Het was bij een golfuitje dat ik had georganiseerd voor een van onze belangrijkste cliënten, een verzekeringsmaatschappij. Normaal gesproken werk ik exclusief als weddingplanner. Het organiseren van een golfuitje is in de wereld van de evenementen een eitje. Dat kan iedereen. Maar Elliot had me erom gesmeekt.

'Help me, Obi-Wan Kenobi, je bent mijn enige hoop,' zegt hij en hij vouwt zijn lange vingers samen alsof hij wil gaan bidden. Hij is ook een fan van *Star Wars* en maakt daar geen geheim van. Hij buigt zich over mijn bureau met smekende ogen die te groot zijn voor zijn smalle gezicht.

'Waarom kan Cecile het niet doen?' Al onze golfevenementen worden georganiseerd door Cecile. Ik heb meteen spijt dat ik het heb gevraagd, want er zit een verhaal aan vast. Natuurlijk zit er een verhaal aan vast. En omdat het een verhaal is van Elliot Friel is het een langdradig en bedenkelijk verhaal. Elliot is niet in staat iets te vertellen in vijf woorden of minder. Op zijn naam na en die luidt Elliot Frances Columbanus Friel, ik zweer het je. Elliot vertelt het verhaal van Cecile maar in plaats van te luisteren, gebruik ik de tijd om een aanvaardbare smoes te bedenken waarom ik het niet kan doen.

'Het is verdomme een gólfuitje. Dat kan zelfs een zwerfhond nog organiseren.'

'Maar je bent thuis in golf. Daar ben je geweldig in.'

'Ik heb nog nooit van mijn leven gegolfd,' zeg ik.

'Maar dat betekent niet dat je er niks van weet.' Elliot is nu gaan staan, steekt zijn armen naar me uit met de handpalmen naar boven in een traditioneel smekende pose. 'Je bent de enige persoon die ik ken die alles kan.'

'Elliot, ik...' Ik snap het. Ik sta op het punt om die stomme klus aan te nemen om hem tot zwijgen te brengen, maar ook vanwege mijn verlammende plichtsgetrouwheid, maar hij is net lekker op dreef en negeert me.

Hij geeft me een kartonnen map. 'Dit is wat Cecile tot nu toe heeft gedaan.' De map is zo plat als een golfscorekaart.

'Maar hier zit niks in,' zeg ik.

'Nee, wacht, er moet ergens een telefoonnummer in zitten, dat weet ik zeker.' Elliot pakt de map weer terug, doet hem open, keert hem ondersteboven en schudt ermee. Er valt een gescheurd en vies stukje papier uit dat neerdwarrelt op mijn bureau. Elliot geeft het aan mij. Hij heeft gelijk. Het is een telefoonnummer.

'Goed, goed, ik zal het doen. Als je maar van me afblijft.' Ik kruis mijn armen voor mijn borst, maar het is al te laat. Hij is opgesprongen uit zijn stoel en rent om het bureau heen om me te omhelzen.

'Blijvammaf.' Mijn stem klinkt gedempt tegen zijn schouder, waar hij mijn hoofd in een ijzeren greep tegenaan drukt.

'Dit zou wel eens heel goed voor je kunnen uitpakken,' zegt Elliot als hij me eindelijk loslaat. Ik strijk mijn haar glad en leg mijn jasje weer recht op mijn schouders. 'De directeur van de verzekeringsmaatschappij heeft een dochter die volgend jaar gaat trouwen. Als je dit goed regelt, vraagt hij jou misschien wel om dat te organiseren.' Ik kijk op om te controleren of hij de waarheid spreekt. Elliot is niks te goed om, zoals hij dat noemt, een 'leugentje om bestwil' te vertellen als hij met zijn rug tegen de muur staat. Hij maakt meteen gebruik van dit voordeel. 'Ze is zijn enige dochter. Het kon wel eens een societybruiloft worden.'

'Waarom denk je dat?' Elliot denkt dat elke bruiloft een societybruiloft kan worden.

'Ze kent Bono.' Hij legt die zin zorgvuldig op het bureau, zoals een kaartspeler een full house.

'Bono?'

'Of Edge. Een van de twee in elk geval. Die kleine.'

'Dat is Bono,' zeg ik. 'Hoewel het ook Edge kan zijn. Ze zijn geen van beiden bepaald lang te noemen.'

Elliot geeft me een klap op mijn schouder die hij waarschijnlijk kameraadschappelijk vindt en vertrekt voor ik me kan bedenken.

John was actuaris bij de verzekeringsmaatschappij en als zodanig had hij weinig met cliënten te maken. Maar die dag was hij erbij.

Sommige mensen zouden het het lot noemen. John Smith. Zo heet hij. Het is een van de miljoenen dingen die ik zo leuk aan hem vind. John Smith. De fantastische eenvoud. Niet eens een y in het midden van Smith om de naam te onttrekken aan de vergetelheid. Alleen de geweldige voorspelbaarheid van de onopvallende i. De banaliteit. Een naam om zo weer te vergeten. Behalve dat mensen hem niet vergeten omdat het zo'n doodnormale naam is. Maar heerlijk. Als rijstpudding.

Het eerste wat me aan hem opvalt, is het boek dat hij onder zijn arm heeft, *Golf van A-Z*. Dan voel ik het. Het eerste teken van herkenning. Ik kijk nog eens naar hem, aandachtiger nu. Als je niet zou weten dat hij actuaris is, zou je dat niet denken, al knippert hij wel veel, alsof zijn ogen niet gewend zijn aan daglicht.

'Heb je dat boek gelezen?' vraag ik, me nauwelijks bewust van de kokette toon die in mijn stem is geslopen.

'Ik heb het alleen maar even snel kunnen doorlezen in de auto op weg hierheen,' zegt hij. 'Al was het een reis van twintig minuten met vijf stoplichten die op rood stonden,' voegt hij eraan toe.

'Hoeveel heb je er dan van kunnen lezen?' vraag ik.

'Ik ben gekomen tot "een birdie in de hand",' zegt John.

'Hoeveel bladzijden?' Ik houd mijn adem in en durf bijna niet te hopen.

'124,' zegt hij. 'O ja, en ik heb nog het overzicht van golftermen achter in het boek gelezen. Maar dat heb ik alleen vluchtig bekeken.'

Daar is het. De ontmoeting van geesten. Het klikje waarmee het laatste stukje van mijn puzzel van duizend stukjes op zijn plek valt. En hoewel er geen vuurwerk is, straalt er een geweldige gloed aan mijn hemel, alsof de zon na een lange, sombere dag doorbreekt.

John is niet klein maar ook niet lang. Hij is niet dik ook niet dun. Gemiddeld, zouden sommige mensen zeggen. Als mijn ogen naar beneden glijden, besluit ik dat het kontje in de bruine katoenen broek me wel bevalt. Rond en gezellig. Ik merk dat ik me afvraag of hij haren op zijn achterwerk heeft of dat dat glad is. Ik hoop op het laatste. Het bevalt me dat hij zuinig is met woorden. Dat hij alleen praat als hij iets zinnigs te zeggen heeft.

Als hij me mee uit eten vraagt, neem ik zijn aanbod aan.

Zijn redenen om vegetariër te zijn, zijn dezelfde als de mijne. We houden allebei van dieren en hebben samen drieënhalve kat – een van zijn katten is zwanger – maar we zijn geen van beiden fanatiek.

Hoewel zijn muzieksmaak niet inspirerend is (voornamelijk jazz en klassiek), houden we van non-fictie en drinken graag kleine hoeveelheden volle rode wijn uit grote glazen.

Als hij zegt dat hij van me houdt – op de eerste verjaardag van het golfuitje – zeg ik dat ik ook van hem houd. Dat leek me een adequate reactie. Op de avond van de tweede verjaardag vraagt hij me bij hem te komen wonen en ik zeg ja. Ik zou niet weten waarom niet.

Geen van beiden willen we trouwen. Geen van beiden willen we kinderen. Geen van beiden willen we investeren in een huis van ons samen tot de huizenmarkt weer een beetje genormaliseerd is.

Die beslissingen maken ons gelukkig. Ik neem John in mijn leven op zoals sommige mensen een sofa. Dat betekent niet dat ik niet van hem houd. Ik hield wel van hem.

En hoewel bleek dat hij haren op zijn billen had in plaats van dat ze glad zijn, raakte ik eraan gewend tot ik ze, na een poosje, helemaal niet meer zag.

9

'Zit hier al iemand?' Ik kijk op en de ruis van het vliegveld raast op me af als een sneltrein. Een vrouw met een twee-tweelingbuggy buigt zich naar me toe.

'Nee,' zeg ik en ik sta op. 'Ik ging net weg.'

'Maar je hebt je broodje helemaal niet aangeraakt. En je drinken ook niet. Latte, of niet?'

'Eh... ik...'

'God zegene de dagen toen we nog Maxwell House dronken en daar tevreden mee waren,' zegt ze en ze haalt een kind uit haar rugzak. 'En dan de prijs. Schokkend is het.' Ze maakt een riem los en haalt twee kinderen, kennelijk een tweeling, uit de wagen.

'Wat... schattig,' zeg ik en ik kijk naar de kinderen. Pas als de vrouw rechtop gaat staan, zie ik de draagzak. Tegen haar borst gedrukt. De zuigeling ziet er splinternieuw uit en heeft een streepje donker haar over het midden van zijn – of haar – hoofd, als een minihanenkam.

'Addergebroed, stuk voor stuk,' zegt de vrouw en ze legt plastic bekers en tupperwarebakjes op de tafel.

Ik glimlach om te laten merken dat ik weet dat ze een grapje maakt, al ben ik niet helemaal zeker van mijn zaak.

Het volgende op mijn lijstje is langs de beveiliging zien te komen. Zo ben ik de laatste tijd te werk gegaan. Ik geef mezelf één opdracht tegelijk. Niet te moeilijk. Ik weet dat de beveiliging op het vliegveld van Dublin bepaalde uitdagingen kent, maar het moet lukken. Moeilijk, ja. Maar niet onmogelijk. En terwijl ik daarmee bezig ben, heb ik geen tijd om na te denken. Over de afspraak in de kliniek om één uur die middag. Over de cellen. Het klontje cellen. Dat zich deelt en deelt en groter en groter wordt tot het een baby is. En daar is het. Dat woord. Dat woord van vier letters. Ik kom deze dag niet door als ik aan dat woord denk. Ik versnel mijn pas en sluit aan in de rij voor de beveiligingsbalie.

'Scarlah! Scarlah O'Hara! Hier!'

Ik kijk – net als iedereen in de lange rij voor de beveiligingsbalie – in de richting van het geschreeuw. Het is Sofia Marzoni. Zonder haar zusters lijkt ze langer. Opvallender. Tanden wit als van een Amerikaanse actrice. Een grote bos zwart haar. Lange, rode nagels. Vandaag draagt ze een mantelpak. Het is zachtgeel, een beetje de kleur van ongebakken patat.

'Hallo, Sofia. Hoe gaat het met je?' zeg ik.

'Kom eens bij me.' Sofia grijpt me en drukt me als een Canadese beer tegen haar borst zodat ik bijna word geplet. De geur van Chanel No. 5 maakt me kotsmisselijk en ik geef bijna over op Sofia's schouder. De mensen in de rij staan echter te dichtbij, allemaal tegen elkaar gedrukt. Op het moment dat ik werkelijk denk flauw te vallen door de hitte en de geur, duwt Sofia me van zich af, al ben ik nog dichtbij genoeg om het gaatje in Sofia's neus te zien waar ze jaren geleden een ringetje doorheen droeg.

'Je ziet er vreselijk uit, Scarlah. Wat is er met je?'

Iedereen in de rij probeert een glimp op te vangen van mijn gezicht. Verbeeld ik het me of staan er mensen instemmend te knikken?

'Niks... er is niks,' zeg ik en ik hijs mijn jasje dat tijdens de woeste omhelzing is afgezakt weer over mijn schouders. 'Een beetje moe, meer niet.' Ik praat zacht in de hoop dat Sofia mijn voorbeeld zal volgen en het volume van haar stem terugdraait. Dat doet ze niet.

'Ik ga trouwen, Scarlah. Heb je het gehoord?'

'Volgens mij heeft Filly het ergens gelezen,' zeg ik. Ik mag haar niet laten merken hoe wanhopig ik ben.

'Het spijt me dat ik je nog niet heb gebeld. Ik zit op het moment tot aan mijn tieten in het werk. Er is een crisis over de prijs van olie of zoiets. Ik ben op weg naar een bestuursvergadering. In Londen. Het zijn net baby's, die directeuren. Hebben nog altijd iemand nodig om hun piemeltje vast te houden bij het plassen, wat jij?'

Ik kijk om me heen om te zien wie er allemaal meeluisteren. Iedereen. Aan de andere kant, het is stierlijk vervelend om in de rij te staan voor een beveiligingsbalie. Zeker op het vliegveld van Dublin, waar de rijen net zo lang duren als Goede Vrijdag.

'Ik dacht dat je vandaag naar de tandarts moest. In Newry.'

'Hoe kom je daarbij?'

'Dat heeft Filly me verteld. Toen ik belde. Vanmorgen.'

Vanmorgen? Ik kijk op mijn horloge. Jezus, het is pas acht voor halftien. Hoe laat heeft ze dan verdomme naar kantoor gebeld? En hoe is het haar in vredesnaam gelukt een gesprek te voeren met Filly, die sinds ze niet meer naar Skippy, die achterlijke bush-kangoeroe kijkt, nooit voor negen uur 's morgens haar bed uit komt?

Het lijkt wel of Sofia mijn gedachten kan lezen. 'Ik heb haar op haar mobiel gebeld. Ik heb tegen Brendan gezegd dat het een noodgeval was en toen mocht ik haar wel uit bed bellen.' Sofia schiet in de lach, een volle, aanstekelijke lach.

Een enorme groep Japanse toeristen gaat aan het eind van de rij staan. Een van hen filmt met een klein cameraatje de snoepvoorraad van de kiosk.

'Hoor eens, Sofia, ik kan beter in de rij gaan staan, anders kom ik nooit door de beveiliging. Waarom kom je na het weekend niet naar kantoor, dan kunnen we het er uitgebreid over hebben.'

'Wanneer?'

'Wat vind je van vrijdag?' Ik moet mezelf zoveel mogelijk tijd gunnen om met een geschikt en indrukwekkend plan te komen.

'Wat vind je van woensdag?'

'Ook goed,' zeg ik en ik deins achteruit. De pijn is terug. Laag in mijn buik. Twee vuisten deze keer.

'Hoe laat?' Sofia houdt vol.

'Zullen we zeggen na de lunch? Een uur of twee?'

'Zullen we zeggen na het ontbijt? Een uur of halftien?'

'Prima,' zeg ik en ik spijker een glimlach, hoop ik, op mijn gezicht. Het voelt meer als een grimas. Ik buk me om mijn tas op te pakken, maar Sofia is nog niet klaar met me.

'Ik wil een show. Niet gewoon een bruiloft. Het moet groots worden. Spectaculair.'

Dat is goed nieuws; dat betekent dat het budget ook spectaculair zal zijn.

'Maar het budget zal krap zijn. Die verdomde oliecrisis, weet je.'

Het eind van de zin krijg ik nauwelijks nog mee. Weer een pijnscheut, sterker deze keer, en ik sla dubbel. Zonder erbij na te denken grijp ik Sofia's arm en leun erop, wachtend tot de pijn wegtrekt, tot ik weer op adem ben gekomen.

'Jezusmina, Scarlah, wat is er aan de hand?'

Als ik mezelf dwing om op te kijken, gebeuren er een paar dingen tegelijkertijd. Ik zie Sofia's mond bewegen, maar ik kan haar niet horen, wat tamelijk zorgwekkend is als je het volume van haar stem in aanmerking neemt. En Sofia lijkt – net als iedereen in de rij – verder weg, vager. De geluiden van het vliegveld vallen weg en in de stilte hoor ik het lage kreunen van iemand die pijn heeft. Iemand die huilt. Iemand die struikelt. Er stroomt iets warms en kleverigs langs mijn benen. Braaksel op de gepoetste lakschoenen van de lange, dunne man in een rij achter Sofia. En dan de vloer. Die schiet omhoog op mij af. Hard, maar gelukkig koel. Hij is smerig, de vloer. Ik zie kauwgom. Uitgekauwde, uitgespuugde kauwgom. En schoenen van mensen. Laarzen en pumps en sandalen en een – zielig – paar Hush Puppies, voor het laatst gezien in het Ierland van 1982. Het is vredig hier beneden in de stilte en ik laat me aan de hand voorttrekken tot de wereld vervaagt en donker wordt en ik niets meer voel.

10

De wereld komt eerst maar langzaam terug. Schaduwen en vormen. Geluiden zoals je die hoort als je onder water bent. Gefluister in slow motion, zacht als een warm briesje. Even sta ik mezelf toe in het rustige landschap te zweven.

'Ik geloof dat ze wakker wordt.'

'Hoe weet je dat?'

'Ik zag haar ogen bewegen.'

'Maar die zijn dicht.'

'Toch zag ik ze bewegen. Je weet hoe opmerkzaam ik ben.'

'Jezus, ik hoop dat het wel goed komt. Deze bruiloft gaat niet zichzelf plannen.' Een ijzige stilte begroet dit juweeltje en dan: 'Ik maak een grapje. Natuurlijk maak ik een grapje. Ik probeer gewoon de stemming een beetje luchtig te houden. Allemachtig, één bijna-doodervaring en niemand heeft nog gevoel voor humor.'

'Ze is niet bijna dood.'

'Jawel. Jij was er niet bij.'

'Houd toch op.' Een derde stem. 'Filly, wil je iemand halen en zeggen dat Scarlett wakker wordt.'

Zodra ik me realiseer dat Bryan er is, doe ik mijn ogen open. Op een kiertje. Mijn ergste angst wordt bewaarheid: Sofia Marzoni staat daar met een woest beschermende uitdrukking op haar gezicht, als een leeuwin die haar pasgeboren welpen verdedigt.

Ik wil weten waar ik ben, maar ik wil niet vragen: 'Waar ben ik?' als een soort C-actrice in een film op een commerciële tv-zender. In plaats daarvan vraag ik: 'Wat doen jullie allemaal hier?' Mijn mond is droog en het kost me moeite de woorden te zeggen.

Bryan geeft me een glas water. 'Filly heeft me gebeld,' zegt hij.

'En ik heb Filly gebeld.' Dat is Sofia. 'Meteen nadat ik een ambulance had gebeld.' Sofia glimlacht ons toe en haar borst steekt nog verder naar voren dan anders.

Filly komt naar ons toe lopen en dan merk ik pas dat ik in een gang lig. Ik til mijn hoofd op. Ik ben niet de enige. Er liggen heel veel mensen in deze gang. Omgeven door groepjes vermoeide, zenuwachtige mensen die van de ene op de andere voet wiebelen en elk moment de gang door kijken, alsof ze bij een bushalte staan te wachten op een bus die niet komt. En dan begrijp ik waar ik ben.

'Ik ben in het ziekenhuis, of niet?' vraag ik.

Gedrieën staan ze te knikken.

'Op een brancard.'

Opnieuw drie knikkende hoofden.

'O, shit.'

Ik fluister het en Bryan buigt zich voorover en knijpt in mijn hand. 'Maak je geen zorgen,' zegt hij. 'Het is dinsdag en een verpleegster zei dat het op dinsdag meestal erg rustig is.' Hij moet schreeuwen om gehoord te worden boven het gejammer en gekreun en de doodsrochels die om ons heen klinken van de – ik tel snel even – 57 mensen die op een brancard in de gang liggen.

'Aha, we zijn wakker, of niet?' We schrikken alle vier als er onaangekondigd een verpleegster naast mijn brancard verschijnt. Haar stem klinkt opgewekt en lijkt niet op zijn plek in het oorlogsgebied dat deze gang is. We zijn allemaal wakker, dus knikken we allemaal en wachten tot ze iets anders zegt met een stem als een warm haardvuur op een koude novemberavond. Het eerste wat me aan haar opvalt, is haar naamplaatje (Dymphna, een sterke en geruststellende naam) en het feit dat ze een klembord heeft met een pen die aan een stevig koord hangt. Ik glimlach tegen haar. Ze ziet eruit als een vrouw die dingen weet, een vrouw die dingen gedaan kan krijgen.

Dymphna kijkt naar haar aantekeningen en houdt de pen tussen haar vingers zonder erop te kauwen. 'Nou, het goede nieuws is dat je niet meer vloeit...'

'Vloeit?'

Dymphna laat haar klembord zakken en kijkt me aan. 'Had je pijn voor je flauwviel?'

'Ik ben niet echt flauwgevallen,' zeg ik. 'Ik voelde me gewoon een beetje flauw.'

'Je bent wel flauwgevallen,' doet Sofia een duit in het zakje. 'Ze is wel flauwgevallen,' zegt ze nog eens, deze keer tegen Filly, Bryan en Dymphna omdat ze niet wil dat iemand denkt dat ze een ambulance heeft laten komen voor een vrouw die zich alleen een beetje flauw voelde.

Dymphna negeert Sofia en buigt zich dichter naar mij toe. 'Nou? Ben je flauwgevallen?'

Het lijkt inmiddels heel lang geleden dat ik opstond. Dan weet ik het weer. 'Ja,' zeg ik. 'Een soort kramp.'

'In je buik?'

'Ja.'

'Helemaal beneden? Hier?' Dymphna legt haar handen net boven mijn schaambeen en ik knik. 'Zou het kunnen dat je zwanger bent?' Dymphna schrijft kordaat iets op haar klembord.

'NEE!' Filly en Bryan zeggen het tegelijk, allebei even fanatiek, en dan kijken ze elkaar een beetje schaapachtig lachend aan, zoals mensen doen als ze de aandacht trekken in een openbare gelegenheid. Het kan nergens meer openbaar zijn dan op dinsdagmorgen op de eerstehulpafdeling van het ziekenhuis.

'Eh, nou...' zeg ik, maar ik heb geen flauw benul wat daarna komt. Je kunt niet liegen tegen een medische beroepskracht. Dat heeft geen zin. Maar de waarheid is een zooitje en ingewikkeld en niet iets wat ik zomaar aan de openbaarheid wil prijsgeven. Zeker niet met publiek erbij.

Ik word gered door een straal kots die – geheel onverwachts – uit mijn mond komt. Dymphna vangt het op in een bakje dat ze uit de zak aan de voorkant van haar uniform tevoorschijn tovert. Je kunt zien dat ze dat vaker heeft gedaan, maar zelfs zij kan bij dit staaltje van efficiëntie een triomfantelijk lachje niet onderdrukken. Ze zet het bakje naast me op de brancard omdat zij weet – nog voor ik het weet – dat er meer komt.

Als ik begin te kokhalzen, fluistert Filly hard tegen de verpleegster. 'Haar vriend heeft haar verlaten. Een paar weken geleden.'

Dymphna kijkt verbaasd. 'En...?' Ze wacht.

'Scarlett zou nooit ongepland zwanger worden, snapt u. Ze doet niets ongepland,' voegt Bryan eraan toe.

'Ze is weddingplanner.' Ook Sofia laat zich niet onbetuigd. 'Mijn weddingplanner trouwens.'

'O,' zegt Dymphna. 'Ik dacht dat jullie allemaal familie waren van Scarlett.'

'Dat zijn we ook,' zegt Filly, harder dan nodig is aangezien ze bang is dat ze eruit gegooid worden.

'Ik ben haar neef,' verklaart Bryan. Dymphna kijkt hem aan van onder een paar borstelige wenkbrauwen die erom vragen geëpileerd te worden. Dymphna ziet er niet uit of ze vaak naar de schoonheidsspecialiste gaat. 'Een volle neef,' voegt hij eraan toe.

'En ik ben zo goed als haar zusje,' zegt Filly en ze steekt haar kin naar voren. Bij haar betekent dat dat ze niet van plan is zich met een kluitje in het riet te laten sturen.

'En zoals ik al zei, is ze mijn weddingplanner,' zegt Sofia, al moet ze toegeven dat deze band – in elk geval in de ogen van een buitenstaander – wat zwak genoemd mag worden.

Dymphna zet een punt achter wat het ook was dat ze op haar klembord heeft geschreven. Ze ziet eruit als iemand die een besluit heeft genomen en we steken allemaal ons hoofd vooruit om te horen wat ze gaat zeggen.

'Goed, Scarlett, ik ga een bed voor je zoeken en dan zullen we wat tests toen, oké?' Voor iemand tijd heeft om te vragen wat voor tests of bewondering kan uiten voor het optimisme van Dymphna – een bed vinden in een Iers ziekenhuis staat gelijk aan het zoeken van een dodo of een lege stoel in de trein in Dublin vol forenzen, maandag om acht uur 's ochtends – verschijnen er twee magere, wat oudere vrijwilligers aan weerszijden van de brancard en rijden die zwijgend door de gang.

'Bryan, ga jij maar met Scarlett mee,' zegt Dymphna en ze glimlacht – vriendelijk doch streng – tegen Filly, die achter de brancard aan huppelt.

'Kom,' zegt Sofia en ze legt haar hand op Filly's schouder. 'Zullen we naar de kantine gaan en Russische roulette spelen met het ziekenhuiseten?'

Filly laat de brancard los en werpt me een glimlach toe, al verbleekt die als Sofia eraan toevoegt: 'We kunnen het over de bruiloft hebben. Om je gedachten te verzetten.' Sofia krult een arm om Filly's elleboog en marcheert met haar de gang door.

Ik hoor het geluid van hun hakken vervagen en moet bijna lachen om het lot van Filly. Ik lig op mijn rug, nu met mijn ogen open, en tel buizen boven mijn hoofd. Bryan legt zijn heerlijk warme hand in mijn koude, klamme hand terwijl hij naast de brancard loopt. Hij heeft het helemaal niet over Newry en dat ik daar zou zijn om in mijn kiezen te laten boren.

De pijn is weg. Waarschijnlijk is de baby ook weg.

Ik leg de hand die Bryan niet vast heeft op mijn buik. Ik ben moe. Ik voel me leeg. Dit is wat ik wilde. Wat ik van plan was. Die gedachte brengt geen troost en ik sluit mijn ogen en probeer helemaal nergens aan te denken.

11

De dag sleept zich voort als een jazzconcert. Zonder het te willen, verslaap ik het grootste deel. Bryan zit naast mijn bed en stelt geen vragen. Hij is net een leunstoel: groot en zacht en troostrijk. Mensen komen en gaan, nemen mijn bloeddruk op, mijn temperatuur, tappen bloed af en urine.

'Wanneer heb je voor het laatst gegeten?' vraagt Dymphna als ze een infuus bij me aanbrengt.

Ik denk aan het gemberkoekmannetje met het ene oog dat ik op het bord op het vliegveld heb laten liggen. 'Gisteren. Denk ik. Tonijn.' Ik heb rechtstreeks uit het blikje gegeten en het grootste deel in het bakje van Blue gegooid. Dan denk ik aan Blue, die op de rug van de bank in de woonkamer ligt en zo nu en dan zijn kop optilt om naar de oprit te kijken, wachtend tot ik thuiskom. Ik denk aan dokter Ashcroft die op zijn horloge kijkt, zucht en zijn hoofd schudt als hij beseft dat zijn cliënt van één uur niet zal komen. Denkend aan de negen holes die hij in plaats daarvan had kunnen spelen. Ik had de kliniek willen bellen, maar doordat ik steeds in bed lig, is het er niet van gekomen.

Even na drie uur komt Dymphna de zaal op en loopt naar mijn bed. Het bed bij het raam. 'Waar we de dochters van bekende mensen leggen,' had Dymphna lachend gezegd. Ik weet wat ze gaat zeggen. Ik zie het aan haar pas. Langzaam nu. Behoedzaam. Ik zie het aan de glimlach op haar gezicht, een halve glimlach, de glimlach die een glimlach probeert te worden. Ik zie het aan de manier waarop ze haar klembord vasthoudt: niet langer tegen haar borst gedrukt maar losjes in een hand, de onderkant tegen haar knie, de pen sleept op de grond achter haar aan, nog steeds vast aan het touw maar hij houdt haar met moeite bij. Tenminste zo zie ik het. Als Dymphna bij me is, trekt ze het gordijn om mijn bed helemaal dicht en gaat op de rand zitten. De veren piepen en kraken onder haar gewicht. Ze kijkt eerst naar Bryan.

'Ik wil graag eerst even met Scarlett praten,' zegt ze.

Bryan knikt en staat op van de stoel.

'Nee. Wacht,' roep ik en ik steek mijn armen uit als de handen van de klok in een soort tien-voor-twee-formatie.

Dymphna en Bryan kijken eerst elkaar aan en dan naar mij.

'Ik... ik bedoel... ik vind het niet erg als hij blijft,' zeg ik. 'Ik... ik heb liever dat hij... wil je alsjeblieft blijven, Bryan?'

Bryan knikt en gaat weer zitten. Dymphna kijkt naar hem en wendt zich dan weer tot mij.

'Ik heb een miskraam gehad, of niet?' vraag ik plotseling, want ik wil dat dit gesprek voorbij is zodat ik me kan aankleden en zo snel mogelijk terug kan naar mijn leven. Mijn handen grijpen de hekjes aan de zijkant van het bed en mijn knokkels worden wit door de kracht die ik zet.

'Dat is een mogelijkheid, ja,' zegt Dymphna.

'Een mogelijkheid?'

'Nou ja, het kan ook iets zijn wat wij een dreigende abortus noemen,' legt Dymphna uit nadat ze haar aantekeningen heeft geraadpleegd.

Het woord is als een klap in mijn gezicht. Dymphna praat snel verder. 'De zwangerschapstest is nog steeds positief, maar de kramp en het vloeien zijn duidelijke symptomen van een miskraam.'

'Ik was vandaag op weg naar Londen,' fluister ik tegen haar, 'voor een abortus.'

'Hoor eens, Scarlett,' zegt Dymphna, die haar klembord op het bed legt, 'je moet nu eerst aan jezelf denken. We maken een echo en dan weten we precies wat er aan de hand is. Daarna kijken we weer verder, goed?' In de stem van de verpleegster klinkt alleen maar vriendelijkheid en medeleven, wat ik voor mijn gevoel niet verdien.

Er is in elk geval een plan gemaakt. Het is als een reling waar ik me aan vast kan houden. Ik grijp hem met beide handen beet.

De kamer waar de echo wordt gemaakt, is stil en donker, als een kerk in de winter. Mijn ademhaling dendert door de stilte, ondanks mijn pogingen die rustig te houden.

'Dus, Scarlett...' De radioloog – 'Noem me maar Pete' – is een dunne, beweeglijke man die op hoge, opgewonden toon praat als een tiener die de baard in zijn keel krijgt.

Bryan, die er nog steeds is, verstevigt zijn greep op mijn hand. De dokter knijpt gel uit een tube en smeert die op mijn buik. Ik schrik van de kou en bijt op mijn tanden om geen geluid te geven.

'Dus je vader is Declan O'Hara, of niet?' vraagt Pete. Hij laat de hand boven mijn buik zakken en beweegt er met het doppler-apparaat overheen, zo te voelen maakt hij de vorm van een acht. Er verschijnt een beeld op de monitor. Een korrelig beeld. Alsof je op een maanverlichte nacht een grot in kijkt.

'Eh, ja,' zeg ik. Ik heb dit gesprek al vaker gevoerd, maar nu voelt het anders, ineens lijkt het verkeerd, om het hier te voeren, in deze kamer, op dit moment.

'Ik vond hem geweldig in die film. Hoe heet hij ook weer? Waarin hij een soldaat speelt die wegloopt.'

'*Absent without Steve*,' zeg ik.

'O, ja, die bedoel ik. Daarin vond ik hem fantastisch. En...' Pete houdt op met praten en buigt zijn hoofd naar de monitor. 'Aha!' zegt hij.

Ik rek me uit om te zien wat hij ziet. Ik zie niks.

'Wat?' vraagt Bryan. Het doet me goed dat hij ook niks ziet. 'Wat zie je?'

Pete kijkt ons allebei aan of we niet goed wijs zijn.

'Is het een...' begint Bryan.

'Ja, natuurlijk is het dat,' zegt Pete en ik kijk naar de monitor.

'Maar de verpleegster zei...'

'Verpleegsters hebben het niet altijd bij het rechte eind,' zegt Pete met gekwetste blik. 'Dat denken ze alleen maar.'

'Maar ik...'

'Ja, Scarlett?' vraagt Pete.

'Ik zie niks. Er zit niks.'

Pete zucht diep en gelaten als een genie dat is omgeven door debielen. 'Even wachten,' zegt hij. 'Ik zal inzoomen.' Pete draait aan een paar knoppen op de machine en het beeld springt naar ons toe.

Ik buig naar voren. En dan denk ik dat ik iets zie. Een kloppend klontje gelei met een veel te groot hoofd. Schokkerig. Een beetje als een mini Michael Jackson in de clip van *Thriller*.

Ik wijs ernaar. 'Is dat...'

'Dat is het embryo, ja,' zegt Pete. 'Ongeveer tweeënhalve centimeter lang, zou ik zeggen. Wanneer ben je voor het laatst ongesteld geweest?'

'Op 14 januari.'

'Dat dacht ik al,' zegt Pete, nogal zelfgenoegzaam. 'Ik zou zeggen dat de bevruchting ongeveer vier weken geleden heeft plaatsgevonden.'

Ik verricht wat rekenwerk, al is dat niet echt nodig. Ik weet het al. John is vier weken geleden weggegaan. Ik ben die stomme, stomme avond vier weken geleden met Filly uit geweest. Vier weken geleden had ik een leven. Een heerlijk leven. Vier weken geleden waren er in het echte leven geen mannen die Red Butler heten.

'Gaat het wel?' vraagt Pete, die naar mijn gezicht kijkt.

'Ja. Hoezo?'

'Je piept een beetje.'

'Piept?' Vier weken geleden was ik niet het soort vrouw dat in het openbaar piept. Of waar dan ook. 'Het gaat prima,' zeg ik.

Ik veeg de smurrie van mijn buik met de tissue die Pete me geeft. Hij drukt op een knop op de scanner en het beeld vervaagt tot er niets anders overblijft dan het zwarte scherm.

'Dus,' zeg ik, 'je denkt dat het... het embryo... is...'

'Je mag het wel een baby noemen als je dat liever hebt,' biedt Pete aan. 'Ik noem het een embryo omdat het mijn werk is. Zo heet het nu eenmaal in dit vroege stadium.'

Daar weet ik niets op te zeggen.

'Is alles in orde met de baby?' vraagt Bryan, en dat is wat ik had willen vragen.

'Het ziet er precies zo uit als in deze fase hoort,' zegt Pete.

'En hoe zit het dan met de kramp en het vloeien?' vraagt Bryan zacht, alsof hij bang is dat de baby hem kan horen.

'Ik zou van alles kunnen verzinnen,' begint Pete, die nu achter zijn bureau is gaan zitten en een piramide maakt van zijn handen. 'Dat zou ik kunnen doen. Maar ik heb liever dat Scarlett het er met haar arts over heeft.' Pete buigt zijn hoofd en schrijft iets op een stuk papier.

Bryan en ik kijken elkaar aan en dan weer terug naar Pete. Als hij opkijkt, lijkt hij verbaasd dat we nog steeds in de kamer zijn.

'Jullie kunnen wel gaan,' zegt hij. 'Als je dat wilt,' voegt hij eraan toe, waarschijnlijk omdat hij zijn toon zelf ook een beetje abrupt vond.

'Ja, natuurlijk,' zegt Bryan en hij begint mijn bed in de richting van de deur te duwen.

'Je moet wel even wachten op een vrijwilliger,' zegt Pete en hij wijst met zijn pen in Bryans richting.

'Oké, ik zal...' begint Bryan.

'Parkeer haar maar even in de gang,' zegt Pete, alsof ik een auto ben die een beurt heeft gehad.

'Breng me terug naar de afdeling,' sis ik tegen Bryan als we in de gang zijn en de deur van Petes kamer achter ons is dichtgegaan.

'Maar we moeten wachten op een...' begint Bryan. Na een ochtend in het gezondheidscircuit is hij al helemaal geïnstitutionaliseerd, wil hij zich niet bemoeien met de hiërarchie die in het ziekenhuis heerst en waar we bij elke stap tegenaan botsen.

'Die vrijwilligers zijn verdomme net als een zonsverduistering, zo zeldzaam,' zeg ik tegen hem.

Bryan trekt de rem van het bed aan en kijkt op me neer. 'Je ziet er verschrikkelijk uit,' zegt hij na een poosje. Er straalt zo veel tederheid uit zijn gezicht dat ik bang ben dat ik in tranen uit zal barsten.

'Dat komt alleen doordat alle make-up van mijn gezicht is verdampt door de hitte hier,' zeg ik.

'We moeten praten,' zegt hij ten slotte.

Ik knik. Ik weet dat het waar is, maar ik weet niet waar ik moet beginnen.

'Zeg iets.'

'Niets is gegaan zoals ik dacht dat het zou gaan,' zeg ik ten slotte.

'Soms gaan de dingen zo,' zegt Bryan. 'En dat is niet altijd verkeerd.'

'Waarom is dat niet altijd verkeerd?' Ik begrijp het niet, het is net of Bryan heeft gezegd dat de pest ook positieve kanten had.

Maar Bryans antwoord zal moeten wachten. Twee vrijwilligers, stokoud en mager, waarschijnlijk dezelfde als daarnet, verschijnen uit het niets aan weerszijden van mijn bed en duwen me de gang door, zwijgend en zwaar ademend door de inspanning die het vergt. Bryan volgt en ik hoor dat hij zijn mobiele telefoon heeft gepakt.

'Je mag in het ziekenhuis niet mobiel bellen,' zeg ik tegen hem. Hij negeert me. 'Wie wil je trouwens bellen?' vraag ik en ik duw mezelf omhoog tot ik zit en draai mijn hoofd naar hem toe.

'Maureen en Declan,' zegt Bryan.

'Waarom in vredesnaam?' Ik geloof mijn oren niet.

'Het zijn je ouders. Ze zouden moeten weten dat je hier bent. Voor het geval dat... je weet wel...'

'Wat? Voor het geval ik doodga?'

'Nou ja, nee, niet omdat je doodgaat, maar... kom op, Scarlett. Je weet dat dat het beste is.'

'Nou ja, onder normale omstandigheden zou ik het met je eens zijn. Maar we hebben het hier wel over Maureen en Declan.'

Daar denkt Bryan even over na. Waarschijnlijk stelt hij zich mijn ouders voor op de ziekenhuiszaal: Declan die handtekeningen uitdeelt en een monoloog speelt uit *Hamlet* ook al heeft niemand erom gevraagd; Maureen die haar handen wringt en jammert als een geest en iedereen die het maar wil horen vertelt over die keer dat ze een breuk had en in grote haast naar het ziekenhuis werd gebracht, waar ze haar nog 48 uur te leven gaven en ze alle doktoren voor gek heeft gezet door het niet alleen te overleven maar ook nog de sterren van de hemel te spelen bij een amateur-toneelgezelschap in de productie van *At Death's Door*, dat ze zelf had geschreven met haar goede vriend en mentor Cyril Sweeney.

'Goed dan,' zegt Bryan en hij laat zijn telefoon weer in zijn zak glijden. 'Maar we moeten wel praten.'

12

De dokter is zo iemand die barst van opgewektheid en jovialiteit en straalt van algehele vriendelijkheid. Alles aan hem is rond, tot zijn ellebogen en zijn neus aan toe. Zijn gezicht is als een voetbal zo rond, en zijn glimlach strekt zich uit van oor tot oor. Zelfs zijn lach is rond, een vette grinnik zonder begin of einde. Hij grinnikt veel, zelfs met zijn hoofd tussen mijn benen, waar het zich nu bevindt.

Vanonder het laken dat mijn benen bedekt, hoor ik hem iets zeggen.

'Sorry. Wat zei u? Ik... ik kan u niet zo goed horen.'

Het ronde gezicht van dokter Goodman – helemaal rood omdat hij voorovergebogen zit – verschijnt tussen mijn knieën en hij glimlacht zijn ronde glimlach. 'Ik merkte alleen op dat je een prachtige baarmoedermond hebt,' zegt hij een beetje buiten adem.

'O,' zeg ik. 'Eh... bedankt.'

'En het goede nieuws is dat je prachtige baarmoedermond is gestopt met oprekken.'

'En wat is het slechte nieuws?' vraag ik met ingehouden adem.

'O ja, daar kom ik zo op.' Dokter Goodman is een man die zich niet laat haasten. Hij trekt zijn latex handschoenen uit, legt ze in de wastafel en wast zijn handen zeker twee minuten waarna hij ze afdroogt tot ze op de Sahara lijken, zo droog. Hoewel ik waardering heb voor zijn toewijding als het op hygiëne aankomt, moet ik op mijn lippen bijten om hem niet nog een keer te vragen wat dan het slechte nieuws is. Uiteindelijk is hij klaar en zelfs ik moet toegeven dat je zou kunnen eten uit zijn hand, zo schoon. Hij opent de gordijnen rondom mijn bed. Bryan is er nog. Ik geloof niet dat hij zich heeft bewogen sinds dokter Goodman de gordijnen heeft dichtgetrokken. Hij knikt naar Bryan en kijkt op me neer met zijn ronde, bruine ogen.

'Scarlett...' Hij wacht.

'Gaat u verder,' zeg ik, want ik heb begrepen dat dokter Goodman een man is die misschien toch veel aanmoediging nodig heeft.

'Nou, het geval doet zich voor...' Weer een pauze.

'Ja?' Dit is moordend, net als de bruiloft van Clare Coleman, toen iedereen in de kerk was verschenen, behalve de bruidegom.

'We denken dat je zwanger was van een tweeling.' Dokter Goodman doet een stap naar achteren en legt een van zijn perfect ronde vingernagels tegen zijn mond.

'Een tweeling?'

'Eh ja. Een tweeling. Twee baby's.'

Hij wacht tot ik iets zeg en als ik dat niet doe, stelt hij me een vraag.

'Zijn er veel tweelingen in de familie?'

'Ik was een tweeling,' zeg ik dan bijna fluisterend.

Dat heb ik nog nooit aan iemand verteld. Dat hoeft ook niet met Maureen in de buurt. 'Mijn moeder kreeg een miskraam van mijn tweelingzus toen ze acht weken zwanger was van ons.' Vóór vandaag had ik dit feit over mezelf geaccepteerd zoals je accepteert dat je linkshandig bent of een slangenmens. Gewoon een feit. Maar nu was het ineens een heel verdrietig verhaal. Ik had er nooit over nagedacht hoe ik me gevoeld kon hebben in de onveilige baarmoeder van mijn moeder, toen ik ineens in mijn eentje in het donker zat. Als dit een heel gewone dag was, zou ik deze gedachte laten varen en me op andere dingen richten. Maar omdat het vandaag is en niet een heel gewone dag, denk ik aan de baby in mijn buik, helemaal alleen in een ruimte die plotseling veel groter lijkt. Leger. Mijn gedachten tollen door elkaar en ik ervaar een gevoel dat ik niet ken, alsof ik iets heb verloren en tegelijkertijd iets heb gekregen.

Dokter Goodman praat nog steeds en ik moet moeite doen om mijn aandacht bij zijn woorden te houden.

'... aangeboren afwijking. Het is niet ongebruikelijk.'

'Kan er nog een andere reden zijn dat dit is gebeurd?' vraag ik.

'We weten het niet,' zegt hij en dan, of hij mijn gedachten kan lezen, 'het heeft niets te maken met iets wat je wel of niet hebt gedaan. Dat weet ik wel. Soms gebeuren die dingen gewoon.'

Ik knik.

'En hoe zit het met de baby?' vraagt Bryan zacht. 'De andere, bedoel ik.'

Dokter Goodman haalt adem en glimlacht zijn brede ronde glimlach tegen Bryan, opgelucht dat er iemand anders is met wie hij kan praten. Hij raadpleegt zijn aantekeningen en ritselt indrukwekkend met zijn papieren.

'Alle tekenen zijn goed,' zegt hij en hij glijdt met zijn vinger langs zijn papier. 'Er is geen reden tot pessimisme. Deze baby is een vechtertje, zou ik zeggen.'

'Een vechtertje?'

'Nou ja, ik bedoel, dit soort miskramen komt vaker voor, maar het is gebruikelijk dat de moeder beide baby's verliest. Als deze het volhoudt, lijkt het mij een vechtertje.' Dokter Goodman wordt rood terwijl hij praat, misschien is hij bang dat hij al te veel heeft gezegd.

En dan gebeurt het. Er verschuift iets in mij, als zacht zand onder blote voeten. Ik kan het niet zien, maar ik kan het voelen. Ik buig me naar voren en leg mijn handen over mijn buik.

'Gaat het goed, Scarlett?' vraagt de dokter.

'Kan de baby... Is ze zich bewust... van... van... de situatie?' Ik voel me een beetje dom terwijl ik het vraag, maar dokter Goodman reageert alsof het een heel redelijke veronderstelling is.

'Nee. Absoluut niet. Daar hoef je je geen zorgen over te maken.' Hij krabbelt iets op een stukje papier. 'En we weten ook nog niet wat voor geslacht de baby heeft.'

'Het is een meisje,' zeg ik tegen niemand in het bijzonder.

'Vrouwelijke intuïtie?' vraagt dokter Goodman met een lachje en hij kijkt naar Bryan.

'Ik noem haar Ellen,' ga ik verder en deze keer kijk ik de dokter recht aan.

'Ellen?' vraagt Bryan.

'Naar de vrouw van de Marmite en de twee schepjes suiker,' zeg ik. 'Ze was heel aardig voor me.'

'Heb je Ellen ontmoet op het vliegveld?' vraagt Bryan, die er duidelijk niets van begrijpt.

'Nee, ik weet niet hoe ze heette.'

'Waarom noem je de baby dan Ellen? Tenminste als het een meisje is.'

'Omdat haar vriendin Ellen heette. En het is een meisje. Op dit moment weet ik niets zeker, maar ik weet wel dat de baby een meisje is.'

Dokter Goodman grinnikt. 'Nou ja, je hebt een kans van één op twee dat je gelijk hebt, zullen we maar zeggen.'

De pieper aan de riem van dokter Goodman gaat af. De dokter negeert het en blijft op mijn kaart schrijven. Zijn handschrift is groot en kinderlijk met lussen aan de onderkant van de J en een krulletje aan de bovenkant van de H. Ik weet me een halve minuut te beheersen voor ik zeg: 'Uw pieper ging net af.' Misschien heeft hij het niet gehoord.

'O, ja, ik weet het. Die gaat altijd af,' zegt hij zonder zijn hoofd te heffen.

'Moet u daar niet op reageren?' Ik voel dat het zweet me uitbreekt. Ik word altijd onrustig van een onbeantwoorde pieper. Zelfs van de onbeantwoorde pieper van iemand anders.

'Dat doe ik zo,' zegt dokter Goodman en het puntje van zijn tong verschijnt tussen zijn tanden terwijl hij doorgaat met schrijven.

'Misschien is het wel ernstig.' Ik kan het niet loslaten.

'Misschien moet u maar reageren,' stelt Bryan voor. Waarschijnlijk denkt hij aan de keer dat hij zijn pieper in mijn kantoor had laten liggen. Ik kon hem niet laten piepen en uiteindelijk beantwoordde ik Bryans oproepen, ontsloeg een actrice omdat ze coke snoof op de set van een remake van *Het kleine huis op de prairie*, vond een hond die kon blaffen op het thema *Don't worry, be happy* voor een advertentie voor Caribische rum en de perfecte locatie voor de nieuwe Ierse film *Two Pee or Not Two Pee*, die speelt rond de tijd van de overgang naar de euro. Ik weet dat ik het allemaal niet had moeten doen, maar ik kon er echt, oprecht, niets aan doen. Een onbeantwoorde pieper is net zo erg als een poster met een weggelopen jong poesje op een lantaarnpaal. Ik raak ervan over mijn toeren.

'O,' zegt dokter Goodman, die eindelijk naar zijn pieper kijkt.

'Een van de buitenpatiënten heeft een hartstilstand.' Hij hangt de pieper weer aan zijn riem en glimlacht zijn fantastische glimlach.

'Dus... moet u daar waarschijnlijk naartoe,' zeg ik tegen hem en ik zwaai mijn benen naast het bed.

'Ja, ik denk dat dat het beste is,' zegt de dokter, die de dop op zijn pen doet en die in zijn zak laat glijden.

Ik moet mezelf bedwingen de dokter niet in een rolstoel te zetten en hem helemaal naar de buitenpatiënten toe te duwen, hem de trap af te laten bonken als het nodig is.

'Om te beginnen, wil ik je zeggen...'

'Ik zal het kalm aan doen, maakt u zich geen zorgen,' zeg ik.

'En je moet echt...'

'Ja, ik zal een verloskundige zoeken. Dat staat boven aan de lijst van dingen die ik moet doen als ik hier ontslagen ben.'

'En vergeet niet om ook...'

'Foliumzuur, ja, ik zal het niet vergeten,' zeg ik. 'Te kopen, bedoel ik. Om het te kopen.'

'Juist, nou ja, het lijkt of je alles onder controle hebt, Scarlett.' Dokter Goodman staat eindelijk op om te gaan en ik ben duizelig van opluchting. 'Je moet nog wel een poosje in bed blijven.'

'Hoelang?'

'Dat is een beetje moeilijk te zeggen. Misschien een week. Geen opwinding, geen activiteit en natuurlijk geen geslachtsgemeenschap.'

'Dat zal geen probleem zijn,' zeg ik, vooral tegen mezelf.

'Nou ja, voor jou misschien niet, maar voor de vader hier...' Dokter Goodman glimlacht over het bed naar Bryan.

'O... nee... nee... Bryan is mijn neef,' zeg ik snel.

Het gezicht van de dokter betrekt. 'Je neef?'

'Ja... Maar, nee... ik bedoel, hij is niet de vader van de baby. Hij is gewoon... mijn neef.'

'Haar volle neef,' voegt Bryan eraan toe voor het geval de dokter hem vraagt te vertrekken omdat hij a) niet de vader is en b) niet voldoende aan mij verwant is om hier te mogen zijn.

Dokter Goodman kijkt opgelucht. 'Wat zei ik ook al weer?'

'U zei tegen Scarlett dat ze geen geslachtsgemeenschap mocht hebben,' helpt Bryan hem op zijn geheel eigen, behulpzame manier herinneren.

'O ja,' zegt dokter Goodman en hij krabt aan zijn oorlelletje met de punt van zijn potlood. 'Er is medisch bewijs waaruit blijkt dat de samentrekkingen van de vagina tijdens een orgasme...'

Ik moet hem tegenhouden. 'Het is al goed, dokter. Er komt geen geslachtsgemeenschap.' Dokter Goodman opent zijn mond om nog iets te zeggen, maar ik kap hem af met een kort: 'Absoluut niet.'

'Goed dan, Scarlett,' zegt de dokter en ik kan merken dat hij een beetje gepikeerd is dat hij zijn verhandeling over de orgastische en verraderlijke eigenschappen van de vagina niet kan afmaken. Misschien heeft hij er wel een proefschrift over geschreven. Een thesis misschien.

'En als ik dat allemaal doe?' vraag ik.

'Ik zal niet tegen je liegen, Scarlett, er zijn geen garanties wat deze zwangerschap betreft. We weten gewoon niet zo goed waarom zoiets gebeurt. De baarmoedermond is opgerekt en nu is het weer gestopt. Maar het zou weer kunnen beginnen. Of niet.' Als antwoord is het buitengewoon onbevredigend. 'Soms gebeuren deze dingen gewoon.' Als dokter Goodman niet meer glimlacht – zoals nu – ziet zijn gezicht er leeg uit, als een dichtgetimmerd huis. 'Alle vitale tekenen zijn positief en de baby is, op dit moment,' hij wacht even voor het effect, 'intact.'

13

Bryan vraagt me niet hem alles te vertellen, maar ik doe het toch. In de auto op weg naar Tara. Het is een opluchting. Het iemand te vertellen. Ik weet niet waarom ik dat niet eerder heb gedaan.

'Je had het tegen me moeten zeggen,' zegt hij als ik klaar ben.

'Ik weet het,' fluister ik en hij haalt een hand van het stuur, zoekt de mijne en knijpt er stevig in.

Het is niet zo gemakkelijk om het aan Maureen te vertellen. Uiteindelijk zeg ik het gewoon.

'Ik word... oma?' Het laatste woord fluistert ze en de ontzetting staat op Maureens gezicht – meestal onbeweeglijk door de botox – gegrift en maakt haar jaren en jaren ouder. Even ziet ze eruit alsof ze al oma is. Ik ben blij dat we in de gang staan, waar maar één spiegel hangt, een kleintje onder een ongemakkelijke hoek waarin Maureen alleen kan kijken als ze haar nek verdraait.

Maureen laat zich in een stoel zakken die toevallig naast de voordeur staat, waar ik haar het nieuws heb verteld. Ze rommelt in de zak die als een buidel aan de voorkant van haar jurk hangt.

'Hier.' Ik steek mijn hand in de zak en haal er het reukzout uit dat ze altijd bij zich heeft voor noodgevallen. Al moet ik toegeven dat de noodgevallen meestal minder dramatisch zijn: het feit dat Declan geen uitnodiging heeft ontvangen om acte de présence te geven bij de plaatselijke monumentenzorg; het feit dat Maureens favoriete kapper door een onverwachte aanval van roodvonk niet beschikbaar is in de kapsalon. Maureen houdt het flesje onder haar neus en inhaleert lang en luidruchtig. De geur van het reukzout komt op me af en omvat me als tentakels.

'Ik moet overgeven,' zeg ik plotseling tegen niemand in het bijzonder.

'Ik zal even een papieren zak uit de keuken halen,' zegt Bryan.

'Ik heb geen papieren zak nodig, ik ga wel naar het toilet.'

'Nee, ik bedoel voor je moeder. Volgens mij is ze aan het hyperventileren.'

'O.' Dan ren ik en ik buig me net op tijd over het toilet.

Daarna ga ik op de koude vloer zitten, druk mijn voorhoofd tegen de muur en sluit mijn ogen. Ik denk aan de baby die ik heb verloren, die op het vliegveld in bloederige klonten langs mijn benen gleed. Ik wilde die baby niet, maar nu hij weg is – ik weet bijna zeker dat het een jongen was – voelt het verlies als een messteek. Ik denk ook aan de baby die ik – helemaal onverwachts – heb gehouden. Ellen. Een vechtertje noemde de dokter haar. In de koude stilte van het toilet, zittend op de grond in het donker, leg ik mijn handen over mijn buik en fluister haar naam als een gebed.

Uiteindelijk komt Bryan me halen. Hij klopt zo zachtjes op de deur dat ik hem niet hoor. Als hij de deur opendoet en mij op de grond ziet zitten, knielt hij naast me, pakt een van mijn handen van mijn buik en koestert die tussen zijn beide handen.

'Het komt wel goed, hoor,' zegt hij.

'Ik weet niet eens wie de vader is.'

'Daar komen we wel achter. Er zijn tests...'

'Ik word een alleenstaande moeder.'

'Ja, maar denk eens aan alle uitkeringen waar je recht op hebt: een toelage voor alleenstaande moeders en huursubsidie en voedselpakketten. Er is van alles.' Bryan glimlacht tegen me en probeert me op te beuren. Ik ben er nog niet aan toe om opgebeurd te worden.

'Je krijgt geen voedselpakket omdat je een alleenstaande moeder bent,' zeg ik.

'Natuurlijk wel. En een huis. Je hoort altijd over alleenstaande moeders die huizen krijgen.'

Een glimlach trekt aan mijn mondhoeken en duwt ze omhoog. 'Ik had het jaren geleden al moeten doen,' zeg ik en de glimlach voelt goed. Echt.

'Nou,' zegt Bryan en hij staat op en trekt me met zich mee. 'Hoe voel je je nu?'

Ik denk er even over na. 'Uitgehongerd,' zeg ik verbaasd.

'Holadiee,' zegt Bryan meteen. Hij is de enige man die ik ken die 'holadiee' zegt. Hij is ook gek op een woord als 'oeps'.

'Waar heb je trek in?'

Er loopt water in mijn mond. 'Een biefstuk,' zeg ik. 'Een enorme biefstuk die over de rand van je bord hangt. Zo groot dat je hem moet opdienen op een plank. Knapperig vanbuiten, roze vanbinnen. O god.'

'Maar je eet geen vlees,' zegt Bryan verbaasd.

'Ik weet het.' Ik bijt op mijn lip en dwing mezelf te denken aan het kalfje – een lief klein kalfje – met een glanzend zwarte vacht en een bel om zijn nek. En een neusje – zoekend – helemaal roze en vochtig.

'Goed dan, ik neem wel een burger. Een quarterpounder. Met kaas. En een chocolademilkshake.' Ik kan de woorden nauwelijks zeggen, zoveel speeksel heb ik in mijn mond. Ik slik en kijk naar Bryan, die naar me staart alsof hij geen idee heeft wie ik ben. 'Er zit nauwelijks vlees in die burgers,' zeg ik op een soort smekende, jammerende toon.

'Ga je bed in. Ik breng wel wat, goed?'

Bryan gaat de keuken in en ik loop door de gang. Ik ben zwaar van vermoeidheid. Ik ga op een stoel in de gang zitten voor ik de trap aandurf.

Gelukkig is er geen vezeltje vlees in huis. Er is trouwens überhaupt bijna geen eten in de koelkast omdat Phyllis nog niet terug is.

'Je kunt onmogelijk op zo'n moment honger hebben,' gilt Maureen tegen Bryan als hij in de verwaarloosd ogende koelkast rommelt. Ze hangt over haar favoriete leunstoel, een hand slapjes tegen haar hoofd en de andere met het reukzout onder haar neus alsof dat het enige is wat haar scheidt van een naderende dood.

Bryan komt uit de koelkast tevoorschijn gewapend met een slappe rode peper, twee gespikkelde eieren, een bosje verdrietig ogende bosuitjes en wat restanten kaas die aan de randen is uitgedroogd.

'Scarlett moet wat eten,' zegt hij.

'Ik moet iets drinken. Volgens mij ben ik in shock.' Maureen loopt op haar laatste benen naar de koelkast en pakt een fles witte wijn.

'Ik zal een omelet voor haar maken. Ze houdt van omelet.'

'Ik hoef niet,' zegt Maureen, die een poging doet de fles, die ze tussen haar knieën houdt, te ontkurken.

Bryan pakt de fles, trekt de kurk eruit, schenkt een glas wijn in en geeft dat aan haar.

'Waar is Declan?' vraagt hij.

Maureen gunt zichzelf een flinke slok wijn voor ze antwoord geeft. 'Hij is weg. Met Hugo.' Ze spuugt de woorden uit. 'Hij is er nooit als ik hem nodig heb.'

Bryan, die merkt dat de tranen op de loer liggen, is zo wijs daar niet op in te gaan.

'Ik breng dit even naar boven naar Scarlett,' zegt hij in plaats daarvan en hij knikt naar de pan waarin de betrouwbaarste stukjes peper en bosuitjes ligt te bakken in de boter.

Ik sta op van de stoel en loop naar de trap, maar ik blijf staan als ik de volgende vraag van Maureen hoor.

'Ik vraag me af wat John zal doen als hij het hoort,' zegt Maureen, die een sigaret in haar lange, slanke sigarettenpijpje stopt.

'John?'

'Ja. Als Scarlett hem vertelt dat hij vader wordt.'

De trede waar ik op sta, kraakt als een schuurdeur en ik ga op de volgende staan en wacht. Ze praten door; ze hebben me niet gehoord.

'O... ja,' zegt Bryan. Ik wens uit alle macht dat Bryan ook vindt dat Maureen voldoende opwinding heeft gehad voor één avond. Dat het verhaal van Red Butler wel kan wachten. Tot een rustiger dag.

Dat vindt hij ook en de opluchting overspoelt me als regen na een periode van droogte.

'Ik zal ook nog wat thee zetten,' zegt Bryan, vooral tegen zichzelf. 'Met suiker.'

'Scarlett drinkt geen thee. En ze gebruikt geen suiker,' zegt Maureen en ik hoor haar aansteker aangaan en de diepe zucht waarmee ze de rook naar binnen zuigt.

'Vandaag wel. Ze heeft een zware dag achter de rug.'

'Geldt dat niet voor ons allemaal?' vraagt Maureen, die wolken rook tegelijk uit haar neus en mond laat komen.

'En, tante Maureen?'

Iets aan de rustige toon van Bryan doet Maureen opkijken van haar nagels naar zijn gezicht.

'Ja?'

'Ik... ik weet niet of je nog wel moet roken als Scarlett in de buurt is. Volgens mij kan dat slecht zijn voor de baby.'

Ik sta weer stil op de trap. Het antwoord daarop wil ik horen.

'O god,' zegt ze en ze drukt haar sigaret meteen uit op een leeg schoteltje. 'Ik word oma en ik mag ook niet meer roken.'

'Je mag buiten roken,' zegt Bryan. Ik merk dat hij opgelucht is – en verbaasd – dat ze geen punt heeft gemaakt van haar recht om te roken. 'En je wordt vast een fantastische oma. Een bekoorlijke oma.'

'Denk je dat?' Maureen doet de keukendeur open met een weifelende blik op haar gezicht.

'Ik weet het zeker,' zegt Bryan, die met een geoefend gebaar de omelet in de pan omdraait tot hij aan beide kanten schuimend goudbruin is geworden.

'Breng nu in godsnaam Helen Mirren te berde,' fluister ik zachtjes.

'Kijk dan in godsnaam naar Helen Mirren.'

'Is zij oma?' Maureen is ineens geïnteresseerd.

'Natuurlijk is ze oma.' Bryan weet niets van de familieomstandigheden van Helen Mirren. Net zomin als ik trouwens. 'En zij is fantastisch, of niet?'

'Nou ja...' Maureen is bijna om.

'En bekoorlijk,' voegt Bryan, die de overwinning ruikt, er vol vertrouwen aan toe.

Maureen kijkt naar een punt in de verte en ik weet dat ze zichzelf nu voorstelt met kort blond haar en een keurig Engels accent.

'Zeg dat ze als twee druppels water op Helen Mirren lijkt,' fluister ik en ik staar naar de achterkant van Bryans hoofd om hem te dwingen dat te zeggen.

'Weet je,' begint Bryan en ik voel dat hij het heeft opgepikt, 'jullie lijken wel op elkaar, jij en Helen. Zeker de ogen.'

Maureen zegt dat hij niet zo raar moet doen en zeilt de keuken uit naar de achtertuin om te roken. Ik weet zeker dat ze in het raam van de garage naar haar eigen spiegelbeeld staat te kijken, met speciale aandacht voor haar ogen.

Ik loop verder naar boven, waar Blue op de overloop al op me zit te wachten. Ik kniel voor hem. 'Blue,' fluister ik, 'het spijt me dat ik je vandaag alleen heb gelaten. Het kon niet anders.'

Blue toont geen interesse in mijn verzoeningspoging. Hij draait me zijn rug toe, steekt zijn staart in de lucht en laat me de lichtroze wangen van zijn achterwerk zien. Dat is zijn kattenmanier om te zeggen: 'Bekijk het maar.' Ik denk aan wat de apothekersassistente heeft gezegd over katten. In plaats van op de grond naast hem te gaan liggen en mijn neus te begraven in de zachte haren van zijn nek – zoals ik meestal doe als hij zo chagrijnig doet – til ik hem op, houd hem op armlengte en ren mijn kamer in, waar ik hem in de oude klerenkast stop. Ik draai de sleutel om, doe de kast op slot. Blue is daar zo verbaasd over dat hij pas begin te jammeren als ik met mijn pyjama aan in bed lig.

'Wat heb je met Blue gedaan?' vraagt Bryan als hij het blad op mijn bed zet.

Ik ben afgeleid door de aanblik van het eten. Ik pak een vork en prik ermee in de omelet. 'Zit er vlees in?' vraag ik.

'Het spijt me. Ik kon geen vlees vinden,' moet Bryan bekennen en hij stopt een servet in de hals van mijn pyjamajasje.

Een jammerklacht van Blue klinkt door de kamer.

'Ik moest hem daar wel in stoppen,' zeg ik. 'Hij zou mij of Ellen toxoplasmose kunnen bezorgen en dan kan ik een miskraam krijgen of zij kan achterlijk worden of blind of nog erger.'

Bryan geeft me een beker thee. 'Drink dat maar op.'

'God, dat is lekker. Hoeveel suikerklontjes heb je erin gedaan?'

'Drie.'

'O.' Ik buig mijn hoofd over de beker en drink hem leeg. Ik zeg pas iets als de omelet verdwenen is. Het bord veeg ik schoon met een stukje brood tot het zo weer terug de kast in kan.

'Bryan,' zeg ik als er niets meer te eten of te drinken is, 'wat moet ik doen?'

'Niets,' zegt hij en hij tilt het blad van mijn schoot en zet het voorzichtig op de grond.

'Maar...'

'Vanavond doe je in elk geval niets,' zegt hij en hij stopt de dekens zo strak om me heen dat ik nauwelijks adem kan halen.

'Maar... maar ik weet helemaal niets over baby's. Ik weet niet eens wat ze eten of hoe oud ze zijn als ze beginnen te kruipen. Of te lopen. Of wat dan ook.'

'Ze drinken melk,' zegt Bryan, alsof het zo eenvoudig is.

'Ja, maar dat blijven ze niet doen. Ik bedoel, er komt toch een moment waarop ze andere dingen gaan eten? Maar daar weet ik niks van. Of wanneer. Of...'

'Sst,' zegt Bryan. 'Dat zoeken we morgen wel uit. Dat kunnen we googelen.'

'Maar... maar ik moet mijn vijfjarenplan bijstellen... alweer... Er is bijna geen plek meer op het papier.'

'Dan pak je een nieuw stuk papier,' zegt hij en hij draait het lampje naast mijn bed uit. 'Nu moet je rusten. Dat heeft de dokter gezegd, weet je nog?'

'Ik wilde... haar aborteren.' Ik moet mezelf dwingen het woord te zeggen.

'Maar dat heb je niet gedaan,' zegt Bryan en hij strijkt een haarlok achter mijn oor.

'Alleen omdat ik in plaats daarvan een miskraam kreeg.'

Bryan weet dat het geen zin heeft om tegen me in te gaan. Zeker niet omdat ik gelijk heb. Hij wacht tot ik verderga.

'Vanmorgen wilde ik geen baby,' zeg ik, vooral tegen mezelf. 'Nu is alles anders en ik weet niet waarom. Nu maak ik me er zorgen over of de baby blind wordt. Of achterlijk. Het is niet logisch, of wel soms?' Er steekt een zakje Smarties uit Bryans borstzak en ik pak het en eet er een handvol van op voor ik bedenk dat ik er Bryan ook een paar kan aanbieden. Ik kan me niet herinneren dat ik ooit zo'n honger heb gehad. 'Je mag tegenwoordig zeker niet meer "achterlijk" zeggen, hè? Ik bedoel, je noemt blinde mensen toch ook niet meer "blind", of wel? Die zijn visueel gehandicapt voor zover ik weet.'

'Zullen we ons nog even geen zorgen maken over politieke correctheid of wat dan ook met betrekking tot erfelijke afwijkingen?' vraagt Bryan, die Blue bevrijdt uit de gevangeniskast. De kat springt naar buiten, kijkt ons allebei indringend en ijzig aan, slaat een keer met zijn lange heerszuchtige staart en vertrekt, ongetwijfeld naar de veiligheid van de verwarmingsruimte. 'Trouwens, je bent waarschijnlijk allang immuun voor toxoplasmose. En voor zover ik weet, hoef je alleen maar uit de buurt te blijven van de kattenbak en Blue niet in je gezicht te laten likken, dan is alles in orde.'

We glimlachen allebei bij de gedachte dat Blue iemand in zijn gezicht zou likken. Krabben misschien. Of sissen. Maar geen publiek vertoon van genegenheid. Privé trouwens ook niet, als je erover nadenkt.

'Ik wou dat je het niet aan Sofia had verteld.'

'Dat kon niet anders. Ze was nog steeds in de kantine toen ik naar beneden ging om het aan Filly te vertellen. Ze maakte zich zorgen over jou. Ik kon niet om haar heen.'

'Ik zal het John moeten vertellen.'

'En Red... eh... Butler.'

'Hij kan de vader niet zijn.'

'Dat kan wel.'

'O, jezus, wat een zooitje.'

Bryan legt zijn handen op mijn schouders en wacht tot ik naar hem kijk. 'Het komt heus wel goed, Scarlett.'

Ik doe mijn best om tegen hem te glimlachen. Zijn psoriasis wordt altijd erger als hij zich zorgen maakt.

'Natuurlijk komt het goed,' zeg ik. Maar op dit moment ben ik nergens zeker van, het is een gevoel als een buitenland. Als een buitenland waar ik nog nooit ben geweest. Het voelt als Kazachstan.

14

De volgende morgen voel ik me een beetje meer mezelf. Een beetje minder Kazachstan. Een beetje dichter bij huis. Jersey misschien. Ik omvat mijn buik met mijn handen. Gisteren waren we met zijn drieën. Nu zijn we met zijn tweeën. En als de dingen volgens plan waren verlopen, zoals gewoonlijk, zou er maar één zijn. Alleen ik. Ik denk aan de baby van wie ik niets wist. De baby die ik nu nooit zal kennen. Ik wil een belofte afleggen. Aan Ellen.

'Ik beloof je, Ellen...' fluister ik en dan stop ik. Ik weet niet wat ik wil beloven. Ik wantrouw beloftes. Ze zijn fragiel, beloftes. Worden gemakkelijk verbroken. In plaats daarvan denk ik aan haar en ik glimlach, onbewust. Ik heb zeker 54 andere dingen om over na te denken, maar ik denk aan Ellen. En ik glimlach. En in het halflicht van de wereld tussen slapen en waken stel ik me voor hoe Ellen eruit zal zien en hoe ze zal ruiken en wat haar eerste woordje zal zijn en voel ik het gewicht van haar warme babyarmpjes om mijn nek.

Dan stelt de wereld zich weer scherp in de vorm van Maureen, die met een blad de slaapkamer in komt.

'Goedemorgen, lieveling. Hoe voelen we ons vandaag?' Maureen draagt iets wat zowaar op een verpleegstersuniform lijkt: een witte jurk met een marineblauw vest en verstandige, lage schoenen. Ze is geheel in haar rol.

'Ik ben bij de slager geweest,' verklaart ze als ze het blad op het bed voor me zet.

'De slager?' Op een enorm groot rond bord ligt het grootste deel van een varken in de vorm van zijden spek, worstjes, bloedworst in twee kleuren en karbonaadjes. Ik voel mijn maag samentrekken en pas als ik de andere kant op kijk, zakt het weer weg.

'Dankjewel, Maureen. Maar... ik ben vegetariër, weet je nog?'

'Ja, maar gisteren...'

'Dat was... Een tijdelijke terugval. Ik weet niet wat me bezielde.'

'O. Ik dacht dat het misschien met de zwangerschap te maken had, dat de dokter je had aangeraden vlees te eten.'

'Nee.'

Maureen maakt zich op om iets te zeggen. Voor mij is ze als een open boek met plaatjes.

'Scarlett, ik…'

'O, sorry, ik moet overgeven.' Ondanks het feit dat mijn maag leeg is, ren ik naar het toilet en verplaats een halve liter gal naar de gapende mond van de toiletpot.

'Volgens mij noemen ze dat ochtendmisselijkheid,' zeg ik als ik weer terug ben in de slaapkamer, stralend, alsof ik zojuist het timemanagement heb uitgevonden.

Maureen zet het blad op de grond en duwt het met de punt van haar schoen onder het bed. 'Volgens mij heb ik last van een meelevende ochtendmisselijkheid,' verklaart ze en ze legt een hand over haar voorhoofd.

'Waarom ga je niet in mijn bed liggen, dan zal ik thee zetten,' bied ik aan.

'Kamille?' vraagt Maureen en haar stem is niet meer dan een ziekelijke fluistering.

'Natuurlijk.'

'Met een zoetje?'

'Twee.'

'Dankjewel, Scarlett,' zegt Maureen en ze laat zich in de kussens zakken, haar korte experiment als verzorgende is nu officieel voorbij. 'Ik overweeg rode highlights in mijn haar te laten zetten, Scarlett. Wat denk je?'

'Nou, ik...'

'Cyril Sweeney zegt dat het me goed zou staan. Hij zegt dat het de natuurlijke bleekheid van mijn huid goed zou laten uitkomen. Die ouwe Dibbus. Maar goed, het is de moeite waard om erover na te denken, vind je niet?'

'Wat vindt papa ervan?'

'Die? Die zou het niet eens merken als ik al mijn haar afschoor en boven op de tafel een zonnedans zou uitvoeren.'

Ik vraag me af wat een zonnedans is.

Ik kniel op de vloer, steek mijn hand onder het bed en haal het blad tevoorschijn. Ik houd mijn adem in als ik het optil. Het is zwaar; er moet zeker een kilo vlees op het bord liggen. Vanuit het bed klinkt een zacht gejammer.

'Wat zei je?' vraag ik en ik houd het blad zo ver mogelijk bij me vandaan.

'Ik... ik weet niet of ik er al aan toe ben om oma te zijn,' zegt Maureen en haar gezicht is nauwelijks terug te vinden tussen de kussens en de dekens die ze hoog heeft opgetrokken.

Die bekentenis verbaast me niet. Voor zover ik weet, is Maureen er niet eens aan toe om moeder te zijn. Ik zet het blad weer op de grond en ga op de rand van het bed zitten. Ik zoek Maureens hand onder de dekens en houd die vast. Ik ben blij dat ik heb besloten haar niet te vertellen dat er nog een baby was. De baby die ik ben verloren.

'Heb je het aan papa verteld?' vraag ik.

'Nee, ik... au, Scarlett. Je knijpt in mijn hand.'

'Sorry.'

Maureen brengt haar gewonde hand naar haar gezicht, blaast ertegen en buigt haar vingers langzaam alsof ze bang is dat er een is gebroken. Ik blijf zitten en wacht tot de scène voorbij is. Het heeft geen zin er bij Maureen op aan te dringen me meer te vertellen voor ze daar klaar voor is. Maureen pakt een kussen, schudt het met haar goede hand op en legt de gewonde hand er voorzichtig op voor ze zich weer met een diepe zucht achterover laat zakken.

'Ik heb het je vader nog niet verteld,' zegt ze ten slotte. 'Hij is gisteravond bij Hugo gebleven.'

'Ik vertel het hem wel zelf,' zeg ik en ik vraag me af hoe Declan op het nieuws zal reageren.

Dan gaat de telefoon. Een ouderwets gerinkel dat net zo goed deel van het huis is als de Aga en de schuiframen.

'Ik pak hem wel,' zeg ik en ik til het blad weer op en loop de kamer uit. 'De thee is zo klaar.'

'Misschien ook nog een geroosterde boterham? Ik denk dat ik er wel twee lust. Met honing. En misschien nog wat gesneden avocado...'

'Wat een ongebruikelijke combinatie,' zeg ik terwijl ik voorzichtig de trap afloop.

'Ik vermoed dat ik uit medeleven ook last heb van vreemde neigingen,' roept Maureen me na, en ik moet erom lachen. Hoewel, nu ik erover nadenk, klinkt avocado en geroosterd brood met honing als een fantastische combinatie en ik vraag me af waarom ik daar nooit eerder aan heb gedacht. Als de telefoon zeven keer is overgegaan, ben ik erbij. Het is Filly.

'Hoe heeft ze het opgenomen?' Filly bespringt het onderwerp als een kat een muis.

'Heel goed, als je alles in aanmerking neemt. Ze heeft allemaal symptomen uit medeleven en die leiden haar godzijdank af.'

'Wat voor symptomen?'

'O, je weet wel, misselijkheid, rare neigingen, uitputting, dat soort dingen.'

'Jezus,' zegt Filly en ze blaast luidruchtig uit. Zelfs Filly, wier moeder zichzelf omschrijft als 'witte heks' als ze ergens haar beroep moet invullen, weet dat Maureen niet een doorsnee huis-tuin-en-keukenmoeder is.

'En jij? Hoe voel je je?'

Ik ga op de onderste tree van de trap zitten en sla mijn ochtendjas om me heen. Het is koud in de hal. Ik denk na over Filly's vraag.

'Ik moet steeds overgeven, zelfs als ik niets heb gegeten.'

'Dat zal de ochtendmisselijkheid zijn,' zegt Filly, die een autoriteit is op elk gebied, van de regels van het vlooienspel tot recepten met kikkererwten, fluctuerende rentetarieven en de relatie daarvan met de prijs van een jurk in de etalage van de Coastshop, al winkelt ze zelden bij Coast en besteedt ze haar geld liever bij tweedehands-winkels en het Leger des Heils om 'iets terug te geven', al kan ze beter de kleren die ze in deze zaken koopt, teruggeven.

'Verder voel ik me eigenlijk wel goed. Veel beter dan gisteren.' Ineens voel ik me schuldig en ik sluit mijn ogen om het uit te bannen.

'Weet je,' zegt Filly, 'wat er is gebeurd, zou sowieso gebeurd zijn. Dat heeft niets te maken met... met andere dingen.' Filly heeft wat betreft mijn plannen van gisteren een en een opgeteld. Maar ze begint er niet over. Ik weet niet wat ik daarvan vind. Ik ben haar dankbaar, denk ik.

'Zou Red Butler de vader kunnen zijn?' vraagt Filly.

'Ja.' Het heeft geen zin om er nog langer omheen te draaien. Niet bij Filly.

'Of John?'

'Ja.'

'Hoe is dit in godsnaam gebeurd?' vraagt Filly, voornamelijk aan zichzelf.

'Ik weet het niet. Ik ben altijd zo...'

'Voorzichtig geweest,' vult Filly aan en daar ben ik het mee eens. 'Ik bedoel, je hebt toch een condoom gebruikt,' zegt ze. Het is eerder een bewering dan een vraag.

'Ik ben aan de pil. Dat weet je toch.'

'Met Red, bedoel ik,' zegt ze. 'Toen moet je een condoom hebben gebruikt.'

Het blijft stil. 'Ja, nou, het was gewoon... het gebeurde allemaal een beetje snel.'

'Het lijkt wel of je het over iemand anders hebt,' zegt Filly en haar stem is een mengeling van ongeloof en iets wat nog het meest lijkt op bewondering.

'Ik weet het,' is het enige wat ik kan uitbrengen. En dan: 'O, jezus,' als ik probeer – opnieuw zonder resultaat – een plan op te stellen dat de dingen minder gecompliceerd zal maken.

'We verzinnen wel iets.' Bryan gebruikte dat woord ook. 'We.' Hun zorg is als een warme deken die ik dankbaar om me heen sla.

'Hoe heeft Sofia het opgenomen?' Daar ben ik heel nieuwsgierig naar.

Filly denkt na over de vraag. 'Melodramatisch,' zegt ze ten slotte. Ik denk dat dat een adequaat antwoord is gezien het gevoel voor drama van de Marzonivrouwen.

'Wil ze nog steeds dat ik haar bruiloft regel?' Ik knijp mijn ogen stijf dicht en wacht op het antwoord van Filly.

'Ze had het erover die uit te stellen. Misschien wel tot je terug bent van zwangerschapsverlof...'

'Haar eigen bruiloft uitstellen? Jezus, nee, dat kunnen we niet toelaten.'

Ik heb deze Marzonibruiloft nodig. Ik heb deze promotie nodig. Het is mijn landing op D-day. Het enige wat volgens plan verloopt. En als ik Sofia Marzoni kwijtraak, kan ik net zo goed met een witte vlag in mijn hand uit de loopgraven tevoorschijn komen en Gladys de baan op een presenteerblaadje aanbieden, en dat kan ik absoluut niet laten gebeuren. Ik heb het gewoon niet in me om me zo makkelijk over te geven.

Ik raak in paniek. 'Ik moet haar bellen. Vandaag. Nu. Haar overhalen de bruiloft door te laten gaan. Ellen komt pas in oktober. We kunnen het in augustus doen. De wereld ziet er in augustus fantastisch uit.' Als ik het zo zeg, klinkt het gemakkelijk. Maar ik weet maar al te goed hoe traumatisch een Marzonibruiloft kan zijn. Hoe het je vanbinnen uitholt tot je nog maar een schim van een vrouw bent met idioot haar en nagels die tot op het bot zijn afgebeten. Filly is nu aan het woord en ik dwing mezelf me te concentreren.

'... moet rusten. Ik zal contact met haar opnemen. Maar niet vandaag. Ze is naar die bestuursvergadering in Londen.'

'Maar het is zaterdag.' Nu klink ik als Duncan.

'Ze heeft de andere directeuren opgebeld en het verplaatst naar vandaag.'

'Jezus,' zeg ik en ik denk aan alle ophef die dat veroorzaakt moet hebben.

'Ja, er waren directeuren helemaal uit Sicilië en die moesten de nacht in Londen doorbrengen.'

'Ik weet niet waarom ze mee is gekomen naar het ziekenhuis. Dat had toch niet gehoeven.'

'Ze maakte zich zorgen over je. Dat deden we allemaal.'

'Ik zal haar toch opbellen. Een dringende boodschap achterlaten op haar mobiel. We moeten dit regelen. Zonder die bruiloft krijg ik die promotie nooit.'

'Je krijgt die promotie omdat je de beste kandidaat bent.'

Godlof voor Filly en haar gevoel voor rechtvaardigheid. Die doet een beetje ouderwets aan, als een porseleinen theekopje.

'Hoe zit het dan met Gladys Montgomery?'

'Die krijgt die baan nooit,' zegt Filly, trouw als een labrador.

'Ze deelt het bed met Simon Kavanagh,' sis ik in de telefoon. 'Elliot zegt dat ze geweldig is in bed en Simon kickt op buitenechtelijke seks. Dat weet je.'

'Ze is naar bed geweest met Elliot?' Ik kan niet geloven dat Filly dat niet weet.

'Jaren geleden. Hij had drie dagen niet geslapen. Het was onze eerste Marzonibruiloft en hij had twee glazen wijn gedronken op een lege maag. Je weet dat hij niet tegen drank kan.'

'Gatver,' is de reactie van Filly. 'Die Gladys, die laat zich ook door iedereen pakken, wat jij?'

Ik kan het alleen maar met haar eens zijn. De combinatie van Elliot en Gladys lijkt nog het meest op een anaconda die zich om een pasgeboren lammetje wikkelt en Elliot was daarna boordevol geweest, vol van spijt, berouw en afkeer van zichzelf.

'De bijzonderheden van de baan zijn op intranet gezet,' zegt Filly. De woorden knellen als een hand om mijn hart.

'Jezus. Wanneer?'

'Gisteren.'

'Waarom heb je me dat niet verteld?'

'Jij had andere dingen aan je hoofd,' zegt ze.

Ik ga staan en pak de trapleuning vast. Ik ben buiten adem, alsof ik meedoe aan een race en alle deelnemers zo ver vooruit zijn dat ik ze niet meer kan zien. Alsof ik met twee linkervoeten moet rennen. Op slippers.

'Mooi, dat is dan geregeld. Ik ben maandag weer op mijn werk.'

'Dat kun je niet maken.'

'Ik moet wel. Ik moet die baan krijgen, een plek vinden om te wonen, contact opnemen met de verloskundige, Sofia's bruiloft organiseren en mijn vijfjarenplan aanpassen. Alweer.'

'Nou ja, als dat alles is wat op je lijst staat, denk ik dat je wel een halve dag kunt komen,' zegt Filly.

'Je lacht me uit, of niet?' vraag ik.

'Een beetje,' geeft Filly toe voor ze van onderwerp verandert.

'Als thema voor de bruiloft van Sofia denk ik aan een bal. Wat vind je daarvan?'

Ik denk na over het idee. 'Heb je het er al met Sofia over gehad?'

'Ja, ik heb het genoemd als mogelijkheid. Het leek haar wel te bevallen.'

De opluchting stroomt door me heen alsof er een dam is doorgebroken. De bruiloft is Onder Controle.

'En de locatie?'

'Sofia wil een kasteel. Met een slotgracht en een ophaalbrug en misschien een vuurspuwende draak. Ze zegt dat ze maar één keer gaat trouwen en ze wil dat het een sprookjesachtige bruiloft wordt.'

'Nou, dan zullen we haar die geven,' zeg ik. Ik neem me voor Sofia Marzoni de bruiloft van haar leven te geven. Het zal de meest sprookjesachtige bruiloft van alle sprookjesachtige bruiloften worden. Zo zoet als schuimtaart.

'Ik zal Milly en Billy opbellen om te vragen of ze nog plek hebben,' zeg ik en ik pak mijn mobiel uit de zak van mijn ochtendjas. Lady Margaret en Lord William Wright-Armstrong – Milly en Billy voor het gemak – zijn de eigenaren van Clemantine Castle. Daar heb ik al vaker gebruik van gemaakt en het kasteel heeft alles wat Sofia wil. Ik voel iets wat een verre verwant is van optimisme. Dan denk ik weer aan Simon.

'Je weet hoe hij denkt over werkende moeders,' zeg ik.

Het zwijgen van Filly is als een instemmend knikje. Werkende moeders staan in de top drie van Simons lijst van 'Dingen waar hij een hekel aan heeft', de andere twee zijn buitenlandse nationaliteiten – uitzuigers, luilakken, parasieten, zijn een paar van zijn kwalificaties – en aannemers; hij heeft zijn huis in Dalkey onlangs gerenoveerd en niet in de twee maanden die de aannemer hem had beloofd maar gedurende een lang, lang jaar waarin hij zich gedroeg als Margaret Thatcher met PMS.

'Ik moet ophangen,' zeg ik. 'Ik geloof dat ik weer moet overgeven.' Ook denk ik dat ik boven Maureen hoor roepen. Met haar zwak-van-de-honger-stem.

'Ik heb een vriendin die stewardess is,' zegt Filly plotseling.

'Dus?' zeg ik en ik vraag me af of ik een belangrijk deel van het gesprek heb gemist.

'Ik zal vragen of ze een stapel papieren zakjes wil meenemen. Die zijn zo handig, echt waar. Die kun je in je handtas stoppen en dan kun je overgeven wanneer je maar wilt.' Filly klinkt heel tevreden met zichzelf.

Dan gaat de bel en ik schrik van het snerpende geluid dat door de gang weerklinkt. Het kan Declan wel zijn.

'Filly, ik moet ophangen. Ik spreek je nog, goed?'

'Pas goed op jezelf, Letty.' Filly noemt me Letty en ik laat haar maar. Om eerlijk te zijn, kan ik er niets tegen doen. Ze kort alles af.

'Dat zal ik doen. O, en Filly...' Ik zwijg want ik weet niet hoe ik moet zeggen wat ik wil zeggen.

'Ik zou... ik wou... je bedanken, weet je wel? Voor gisteren en... en alles.'

'Jezus, zijn je hormonen op hol geslagen? Nog even en je vertelt me hoeveel je van me houdt,' zegt Filly.

Ik voel iets achter in mijn keel. Een gevoel alsof ik bijna ga huilen. Het is een raar gevoel, want je moet weten dat ik niet meer heb gehuild sinds ik zesenhalf was, toen mijn eerste melktand eruit viel. Die heb ik onder mijn kussen gelegd en ik ben meteen na het eten naar bed gegaan. Ik kon niet wachten tot het ochtend was. Ik werd bij het krieken van de dag wakker en tilde met ingehouden adem het puntje van mijn kussen op, maar er lag geen glanzend muntje. De stomp van mijn tandje had een roze vlek gemaakt op het laken. De tand zelf was onberispelijk wit. Ik was trots op dat tandje. Niemand had tegen me gezegd dat je het tegen je ouders moest zeggen als je een tand onder je kussen legde. En mijn ouders waren weg, voor zover ik me herinner naar een filmfestival. Ik was alleen met George en Phyllis en mijn ingebeelde vriendinnetje Anne. Ik liet de tand vier nachten onder mijn kussen liggen. Op de ochtend van de vijfde dag pakte ik de tand en hield die tussen duim en wijsvinger boven de toiletpot. Ik wachtte even voor ik hem liet vallen, misschien hoopte ik nog steeds dat er iets zou gebeuren. Hij zakte naar de bodem van de pot, een wit stipje tegen het porselein. Ik trok aan de ketting en zag hem in het water ronddraaien voor hij verdween. Ik ging op de rand van het bad zitten. Tegen de tijd dat Phyllis me naar beneden riep voor het ontbijt, wist ik het. Dat de tandenfee helemaal niet bestond. En de Kerstman ook niet. Net zomin als de paashaas. Of beschermengelen. Ik wist dat magie niet bestond.

Ik zeg niet: ik hou van je. Dat is niet iets wat ik zeg. Niet hardop. Ik knipper hard met mijn ogen en knijp in het puntje van mijn neus. Het werkt; ik huil niet.

Filly is als eerste in staat om te praten. 'Houd op met dat kleffe gedoe, breng dat magere lijf van je naar bed en zorg dat je wat slaap krijgt.' Ze hangt op en dan wordt er weer gebeld. Ik zie het flamboyante silhouet van ene Cyril Sweeney, adelborst, door het gespikkelde glas. Ik herken hem aan zijn hoed – een bolhoed – en de wijde cape die hij altijd draagt. Zodra ik de deur opendoe, stapt hij de hal binnen als een puppy die los mag van de riem.

'Goedemorgen, Scarlett, lieveling.' Hij begroet me met een diepe buiging vanuit zijn middel en ik hoor de botten in zijn heupen knakken als hij weer rechtop gaat staan. 'Ik moet eenvoudigweg even met Maureen praten. Ik heb nieuws.'

'Opzienbarend nieuws?' Ik kan het niet laten.

'Nou ja, niet bepaald opzienbarend. Nee. Eigenlijk niet.' Hij laat zijn stem dalen tot een toneelfluistering en buigt zich naar me toe. 'Het gaat over Olwyn Burke,' siste hij. 'Ze is ziek geworden.'

Er klinkt een gil van boven en Maureen verschijnt aan de bovenkant van de trap, nog steeds in haar ochtendjas maar nu volledig opgemaakt. 'Hoe erg ziek?' schreeuwt ze langs de trap naar beneden.

De belangrijkste productie van dit jaar van het amateurtoneelgezelschap is *Romeo en Julia: de musical*, of *Romeo en Julia Light*, zo je wilt. Maureen heeft de uitgelezen rol van vervanger voor de verzorgster van Julia in de wacht weten te slepen. Olwyn heeft de rol zelf, maar Olwyn is, zoals Phyllis dat noemt, een zenuwpees en Maureen koestert grote hoop dat ze de rol mag spelen. Ze is een optimist, net zo veerkrachtig als een rubberen bal.

'O, lieveling, het is vreselijk. Werkelijk vreselijk.' Cyril trekt het terneergeslagen gezicht dat hierbij hoort. 'Je weet toch dat het tijdschrift *Country Homes and Garden Gnomes* een item zou brengen over haar jaarlijkse tuinfeest?'

'Ja, natuurlijk weet ik dat,' zegt Maureen ongeduldig.

'Nou,' zegt Cyril, die zich tot zijn volle lengte uitstrekt, 1,70 meter op zijn cowboylaarzen, die stiekem een hakje hebben. 'Ze hebben het afgezegd.' Hij pauzeert voor het dramatische effect. Maureen en ik wachten tot hij verdergaat. We weten dat het verhaal nog niet is afgelopen. Ik merk dat zelfs ik mijn adem inhoud, hoewel ik moet toegeven dat Cyril een uitstekend verhalenverteller is. 'Ze heeft het zich erg aangetrokken,' zegt Cyril.

'Hoe erg?' wil Maureen weten.

Cyril kijkt om zich heen voor hij antwoord geeft. 'Ze is naar St. John of Gods. "Om bij te komen," zegt Maurice.' Maurice is de al lang lijdende echtgenoot van Olwyn Burke. Een broodmagere, ooit-was-ik-een-man, man. Een heilige als je het mij vraagt.

Maureen slaat haar handen voor haar gezicht – ongetwijfeld om een brede glimlach te verbergen – en geeft een gilletje van pure vreugde, met moeite verhuld als ontzetting. 'Hoelang willen ze haar houden?'

'Maurice wist het niet, maar zeker een paar weken, denkt hij. Eerlijk gezegd leek hij opgelucht. Ze is de laatste tijd erg nerveus en kan wel wat rust gebruiken.'

Als ik dat hoor, wil ik bulderen – zoals Cyril zou zeggen – van het lachen. Als iemand wel wat rust kan gebruiken, is het Maurice en ik stel me hem voor: zittend op de bank in de salon, zoals Olwyn dat noemt, met zijn voeten – de schoenen nog aan – voor zich op een poef, voetbal op de tv, blikje bier in de ene – niet eens in een glas geschonken – afstandsbediening in de andere hand en een vette bruine papieren zak vol patat balancerend op zijn buik.

'We moeten dus aan het werk, schat,' zegt Cyril tegen Maureen. 'Kleed je nu als een braaf meisje aan, dan gaan we in de studeerkamer aan het werk. Declan is er niet, of wel?' Hij kijkt achter de gordijnen van de voordeur alsof Declan zich daar verborgen houdt.

'Nee, hij is bij Hugo, denk ik,' zegt Maureen. 'Repeteren voor die auditie en zo. We hebben het hele huis voor onszelf.' Verbeeld ik het me nou of is er een kokette ondertoon in Maureens stem gekropen? Ik kijk naar boven om mijn moeder eraan te herinneren dat haar dochter – dat wil zeggen ik – er ook nog is, maar Maureen is al weg en ik hoor haar in de slaapkamer waar ze laden opentrekt, de inhoud van haar juwelenkist omkeert, schoenendozen onder het bed vandaan trekt en er kort gezegd een rommeltje van maakt om een passende outfit bij elkaar te rapen.

'Ga je uit, Scarlett, lieveling?' vraagt Cyril met een onfatsoenlijke dosis hoop in zijn stem.

'Nee, maar ik blijf waarschijnlijk boven,' zeg ik tegen hem.

'O, mooi,' zegt Cyril en hij gaat op weg naar de studeerkamer. 'Ik bedoel dat het goed is dat je het advies van de dokter opvolgt en zorgt voor voldoende rust. Maureen heeft me verteld over je... eh... toestand.' Zoals hij het zegt lijkt het of ik een fatale aanval van herpes heb opgelopen en ik wens – en niet voor het eerst – dat Maureen een beetje discreter was. Een beetje meer als Bryans moeder en minder... nou ja, minder zichzelf.

Ik maakt geroosterd brood – er is noch een avocado noch honing in de keuken – en loop de trap weer op. Maureen staat op de overloop.

'O, dankjewel, lieverd, ik ben echt uitgehongerd. Het zal wel door de stress komen, met jou en nu ook nog die arme Olwyn.' Ze schuift een stuk van de geroosterde boterham – die ik in reepjes heb gesneden – in haar mond en wacht tot ze het heeft doorgeslikt voor ze verder praat. 'Scarlett, lieveling, kun jij er misschien voor zorgen dat er een bos bloemen voor Olwyn naar het ziekenhuis wordt gestuurd? Zet er maar op: "Voor mijn lieve Olwyn, met de beste wensen voor een spoedig herstel. Veel liefs, je toegenegen vriendin Maureen O'Hara. Kus kus kus." Goed?'

Mijn moeder is al halverwege de trap en wordt gevolgd door een lange sliert zijde met de kleur van een felle zonsondergang die ze om haar hals heeft gewikkeld. Tijdens het lopen neuriet ze het slotnummer van de musical: 'Love Is All Around Us', nu en dan onderbroken door grote hap geroosterd brood of een slok thee.

Ik overweeg terug te gaan naar de keuken om nog meer geroosterd brood met thee te maken, maar het walgelijke spoor van parfum van Maureen – het zo typerende Femme Fatale – heeft me van mijn eetlust beroofd en me een licht gevoel in mijn hoofd bezorgd. In plaats daarvan ga ik dus naar mijn slaapkamer, maar ik kijk eerst even of Blue nog steeds in de verwarmingsruimte zit, wat het geval is. Hij draait zijn hoofd van me weg als ik de deur opendoe en kijkt niet eens om als ik drie van zijn favoriete kattenkoekjes op een stapel handdoeken naast hem leg. Ik weet dat hij zich zal verwaardigen ze op te eten zodra ik de deur heb gesloten. In mijn slaapkamer pak ik de telefoon en bel de plaatselijke bloemist om de bloemen voor Olwyn te regelen. Ik vul een kruik, kijk op mijn telefoon of er boodschappen zijn – die zijn er niet – ga op de rand van het bed zitten en vraag me af wat ik zal doen. Ik weet dat ik niet kan slapen, maar misschien moet ik toch maar een paar minuten gaan liggen. Om mijn ogen te laten rusten. Ik trek de dekens over mijn hoofd zoals Blue dat doet. En dan gebeurt er iets vreemds. Misschien komt het door Ellen. Of door de warmte van de kruik die ik tegen mijn buik heb gedrukt. Of misschien is het omdat het klaarlichte dag is en geen nacht, wanneer ik meestal verstoppertje speel met de ongrijpbare slaap. Wat het ook is, binnen een paar seconden val ik in slaap en voor het eerst in lange tijd slaap ik diep en zonder te dromen en ik word niet eens wakker als Cyril en Maureen in de gang hun versie van de cancan beginnen te oefenen en een vreselijk lelijke, staande lamp omvergooien en kapotmaken.

15

Tegen de tijd dat ik eraan toe kom om het aan Declan te vertellen is het etenstijd een dag later, als Declan bij Hugo vandaan komt voor schone kleren, een hete douche en eten dat niet bestaat uit of een afhaalmaaltijd uit een Indiaas restaurant of uit boterhammen (Hugo maakt een heerlijke kaas-uitosti maar de smakelijkheid daarvan is in de loop der jaren, recht evenredig met de regelmaat waarmee Hugo hem serveert, afgenomen). Ook heeft Hugo de afschuwelijke gewoonte te vergeten dat hij zijn elektriciteitsrekening moet betalen – en de gasrekening en de telefoonrekening – dus is het vaak koud, donker en stil in het huis als alle nutsbedrijven hem uiteindelijk toch afsluiten.

'Ik heb het bad voor je laten vollopen,' zeg ik tegen Declan, die staat te rillen naast de Aga. 'En hier is een glas cognac om mee te nemen. Daar zul je wel warm van worden. O, en ik heb groentelasagne gemaakt. Die is over twintig minuten klaar.' Als Declan niet reageert, houd ik op met waar ik mee bezig ben – de vaatwasser uitruimen, de tafel dekken en het bericht van de voicemail op mijn mobiel veranderen – en kijk ik naar mijn vader.

'Zouden we nu niet voor jou moeten zorgen?' vraagt hij. 'Voor de verandering?'

Hij kijkt me recht aan, beweegt niet en spreekt niet, hij kijkt me alleen aan met een tederheid waardoor hij ouder lijkt, een beetje verwelkt. Ik weet meteen dat hij het weet.

'Wie heeft het je verteld?'

'Harry Fields.'

'Van wie weet hij het?'

'Sally-Anne Campbell.'

'Van wie weet zij het?'

'Michelle Wellington-Smythe.'

'En wie heeft het haar verteld?'

'Angelica Sweeney.'

'Tjee-sus,' zeg ik en ik laat me in een stoel zakken. Ik weet wel hoe de lijntjes lopen. Cyril Sweeney wasemt roddels alsof het zweet is. En wat Maureen betreft, nou ja, ze noemen haar niet voor niets Loslippige O'Hara.

'Maak je geen zorgen, morgen heeft niemand het er meer over.'

We weten allebei dat dat niet waar is. Roskerry is afhankelijk van de O'Hara's voor vermaak. Wat dat betreft zijn we de persoonlijke PlayStation van Roskerry.

'Wat zei John?'

'Die heb ik het nog niet verteld.'

Declan komt naar me toe en wacht even voor hij zijn hand uitsteekt en me op de schouder klopt. Het is een onhandig gebaar van Declan, die zich nog niet zeker voelt in zijn nieuwe rol. 'Het zal allemaal wel goed komen,' zegt hij alsof dit een van de honderd films is waarin hij heeft gespeeld en waarvan je mag verwachten dat hij goed afloopt, ondanks alle gebeurtenissen in het echte leven die wijzen op het tegendeel.

'Wat vind je ervan dat je... opa wordt?' Daar ben ik nieuwsgierig naar.

Declan denkt er zorgvuldig over na. 'Eigenlijk,' zegt hij, 'vind ik het wel leuk. Heel leuk zelfs.' Hij kijkt een beetje in de verte en ik weet dat hij zichzelf ziet zitten in een schommelstoel met een pijp en een horloge dat aan een gouden ketting hangt en verblijft tussen de zijden plooien van de borstzak van zijn huisjasje. 'Ik zal een sterilisator moeten kopen,' zegt hij, voornamelijk tegen zichzelf.

'O... juist,' zeg ik en ik vraag me af waar hij een sterilisator voor nodig heeft. Maar goed, hij bekijkt het van de praktische kant. En in die stilte krijg ik het gevoel dat ik mijn vader misschien kan vertellen over de andere baby. Die ik ben kwijtgeraakt. En misschien ook over Red Butler. En over de litanie van rampen die me hebben gevolgd als een nest jonge katten sinds John bij me is weggegaan. Ik ga zelfs zover dat ik me voorstel dat hij een oplossing te bieden heeft. Een vaderlijke oplossing waaraan ik me kan vasthouden, als aan een reddingsboei.

Maar dan steekt Declan het gasfornuis aan om een sigaret op te steken, buigt zich over het blauwe vlammetje en zet zijn haar in brand. Omdat het niet de eerste keer is dat hij dit doet, weet ik precies wat ik moet doen. Ik gooi de plaid die over de achterkant van de bank in de hoek van de keuken hangt over zijn hoofd en duw hem in de richting van de gootsteen, waar ik koud water over hem heen gooi en zijn onderdrukte kreten en gejammer negeer. Dan duw ik hem in een stoel en knip de verschroeide uiteinden van zijn haar af. Uiteindelijk moet ik het grootste deel van zijn pony afknippen. Zijn voorhoofd ziet er naakt en kwetsbaar uit zonder de bescherming van de pony, maar verder is hij ongedeerd.

Het moment is echter voorbij. Net zo compleet verdwenen als de pony van Declan, maar anders dan Declans haar, betwijfel ik of het ooit terug zal keren. Ik vraag me zelfs af of het er ooit is geweest.

'Schiet nu maar op,' zeg ik. 'Neem snel een bad. We eten over een kwartier, goed?'

Ik moet er eerlijk bij zeggen dat Declan in elk geval het fatsoen heeft om een beetje beschaamd te kijken. Hij drukt het zakje met ijs dat ik hem heb gegeven tegen zijn voorhoofd en loopt langzaam de keuken uit. 'Waar is je moeder?'

'Die is even gaan liggen. Ze heeft een paar uur geoefend met Cyril en ze is moe.' De woorden die Maureen heeft gebruikt zijn 'dodelijk uitgeput' en ik heb haar de trap op moeten helpen. Het kostte ons samen tien minuten om alle accessoires op te ruimen en de stapels afgekeurde kleren van haar bed af te halen om de ooglap te vinden die Maureen per se op wil als ze overdag gaat liggen.

Die avond komt Declan niet terug naar de keuken en ik neem aan dat hij het eten vergeten is en in plaats daarvan naar bed is gegaan. Het is niet de eerste keer dat dit gebeurt. Ik schep twee borden lasagne op: een voor mezelf en een voor Blue, die de trap af komt dalen als hij het eten ruikt. We gaan in een relatief kameraadschappelijke stilte op de bank in de woonkamer zitten. Blue heeft me het incident met de kledingkast nog niet helemaal vergeven, maar hij is er de kat niet naar om zichzelf in zijn vingers te snijden.

Bovendien is hij gek op mijn lasagne.

Ook al zit er geen vlees in.

Het zijn de geroosterde paprika's die het hem doen.

Hij is gek op geroosterde paprika's.

16

Ik houd het twee dagen uit in het huis van mijn ouders, voor ik ten slotte breek en vlucht naar de relatieve veiligheid van mijn kantoor.

'Maar je moet toch rusten,' heeft Bryan de avond tevoren gezegd als ik hem vertel dat ik van plan ben weer aan het werk te gaan.

Ik leg mijn telefoon tegen het andere oor en kijk om me heen voor ik iets zeg. 'Ik heb verdomme meer rust op kantoor dan hier,' zeg ik.

'Je moet harder praten,' zegt Bryan. 'Ik kan je niet verstaan. Wat is dat voor lawaai?'

Ik heb geen zin om hem te vertellen dat Declan en Maureen in het verdiepte bad direct naast hun slaapkamer liggen. Declan helpt Maureen met haar tekst voor *Romeo en Julia: de musical* en in de scène die ze oefenen, wordt veel geschreeuwd en gevloekt en dat, gecombineerd met het zoemen van de jacuzziwaterstralen en het rinkelen van glaswerk – ze drinken champagne – zorgt vanavond voor een kakofonie aan geluiden op de bovenverdieping van dit huis. De situatie wordt er niet beter op door Blue, die voor de deur van de badkamer zit te jammeren. Hij is gek op de hitte van de jacuzzi en lijkt zich niets aan te trekken van het effect dat de stoom op zijn vacht heeft, waardoor hij op een van de Three Degrees gaat lijken.

'O, dat is de televisie. Ik zal hem uitzetten.' Ik strek een been en doe de deur van mijn slaapkamer dicht. 'Het is trouwens het beste als ik aan de gang blijf,' zeg ik en ik ga weer op het bed zitten. Het enige wat ik hier heb te doen, is Maureen en Declan organiseren en hoewel dat een tijdrovende taak is, is het niet tijdrovend genoeg en laat het ruimte in mijn hoofd om over andere dingen te piekeren.

'Maar je moet jezelf tijd geven,' dringt Bryan aan. 'Om te verwerken wat er allemaal is gebeurd.'

'Ik ben... ik heb... ik... dit is mijn manier van verwerken, Bryan. Dat weet je.'

'Ja,' zegt hij. 'Maar hoe voel je je? Lichamelijk, bedoel ik?'

Ik denk over de vraag na. 'Behalve de misselijkheid en het overgeven en de vermoeidheid voel ik me eigenlijk wel goed.'

Het gesprek wordt onderbroken door Maureen. 'Scarlett, lieverd, de champagne is op en we zijn nog steeds aan het werk hier in bad. Zou je misschien...'

'Ik moet ophangen, Bryan. Bedankt voor het bellen.'

'Ik bel je morgen,' zegt hij voor hij de verbinding verbreekt.

In de keuken ontkurk ik een fles champagne, was een paar aardbeien, snijd die in plakjes en besmeer een pakje toastjes met brie. Tegen het zacht worden.

'Hoe laat eten we?' vraag ik en ik houd mijn ogen afgewend als ik het blad op de vloer van de badkamer zet. Ik ben benieuwd wat ze gaan zeggen.

Er heerst een geschokte stilte.

'O... nou... ik...' Maureen is te verbaasd om een volledige zin uit te kunnen brengen.

'We gaan uit,' schreeuwt Declan over het lawaai van het water in de badkamer. Dat is zijn standaardantwoord op de meeste vragen.

'Gaan jullie je gang maar. Ik maak wel een broodje en ga vroeg naar bed,' zeg ik tegen hen. 'Morgen ga ik weer aan het werk.'

'Dat is fijn, lieverd,' zegt Maureen.

'Je moet niet overdrijven, hoor,' zegt Declan voor hij zich weer tot het script wendt. 'Nou, wat denk je dat de motivatie van jouw karakter is? In deze scène?'

'Declan, wat heerlijk dat je dat te berde brengt, want ik...' enzovoort, enzovoort, en zo gaat het verder, allebei opgetogen over de rol die ze kunnen spelen, een script waaruit ze kunnen lezen, een regisseur die hun vertelt waar ze moeten staan en wanneer ze moeten zitten en hoe ze moeten kijken. Dat is veel gemakkelijker dan het echte leven en ze omarmen het als een oude vriend.

17

Weer aan het werk gaan is net als de eerste schooldag. Ik loop de hele ochtend over te geven, net als al die jaren geleden. Hoewel ik nu Phyllis en George niet vraag om net te doen of ze mijn ouders zijn, net als al die jaren geleden. Mijn ouders waren weg – een of ander filmfestival – en zowel Phyllis als George ging die dag met me mee naar school.

Ik ben nog vroeger dan gebruikelijk, zelfs de mannen van de beveiliging zijn er nog niet.

Maar ik heb geen rekening gehouden met Elliot, die ook lijdt aan slapeloosheid en soms naar kantoor gaat als hij alle andere wegen heeft geprobeerd, zoals het tellen van kippen – hij zegt dat schapen bij hem gewoon niet werken –, onbekende feiten uit het *Guinness Book of Records* lezen, oude afleveringen van *Het kleine huis op de prairie* kijken en een halve liter cranberrysap met schijfjes citroen drinken.

Hij is in de keuken, waar hij chocoladepoeder door een beker warme melk roert en 'You Raise Me Up' neuriet. Hij slaat zijn handen voor zijn mond en zijn ogen worden groot. Als hij me ziet, laat hij met veel gekletter de lepel in de gootsteen vallen. Hij slaat zijn handen voor zijn gezicht en zijn ogen worden groot. 'Scarlett, godzijdank gaat het goed met je.' Dan gooit hij zich op me en nog voor ik kan zeggen: 'Lamelos,' drukt hij me zo strak tegen zijn graatmagere lijf aan dat het pijn doet. Bovendien is hij zo lang dat mijn gezicht wordt platgedrukt tegen een van de knopen van zijn overhemd en ik weet dat ik de rest van de ochtend zal rondlopen met een rode vlek op mijn voorhoofd. Het is net als omhelsd worden door een stekend insect. Dat weerhoudt Elliot er niet van iedereen te omhelzen. Zelfs het mannelijke deel van de populatie, als ze het tenminste niet weten te voorkomen, wat meestal wel lukt.

Nu duwt Elliot me van zich af en houdt me op een armlengte afstand. Hij bekijkt mijn gezicht met de ongerustheid van een ouder die kijkt of zijn kind niet onder de bulten en blauwe plekken zit nadat hij van een pogostick is gevallen.

'Filly heeft ons verteld wat er is gebeurd.'

Ik kan mezelf wel voor mijn kop slaan dat ik Filly geen instructies heb gegeven voor een specifieke ziekte en haar aldus carte blanche heb gegeven om te verzinnen wat ze wil. Ik was even vergeten dat Filly beschikt over een levendige fantasie en een zwak heeft voor een prachtig verhaal.

'Nou ja, het gaat al veel beter, dankjewel,' zeg ik en ik tover de gezondste glimlach die ik heb op mijn gezicht.

'Hoe bedoel je, het gaat nu veel beter?' Elliots ogen worden groot van ontzetting. 'Ga zitten, ga zitten. Ik zal een fatsoenlijke kop thee voor je zetten. Vandaag niet van dat bloemengedoe.' Hij duwt me naar de minst comfortabele stoel in de keuken. Ik laat het toe. Dat is gemakkelijker. Hij laat twee theezakjes in mijn kopje vallen en gooit er kokend water overheen. Zijn haar, dat net zo is geknipt als dat van Cian van Westlife, is zo wit als cocaïne. 'Wees nu een braaf meisje en drink dat op,' zegt hij alsof ik zes ben. 'Ik heb er vier suikerklontjes in gedaan en ik wil er niets over horen. Dat heb je nodig na de shock die je hebt gehad, hoor je me goed?'

Ik knik. Ik heb meer nodig dan thee met veel suiker, maar het zal wel een goed begin zijn.

'Heeft de dokter je toestemming gegeven?'

'Toestemming?'

'Natuurlijk niet. Waar heb ik het over?' Zijn gezicht loopt over van medeleven.

Mijn gedachten tuimelen over elkaar heen.

Griep. Waarom heeft Filly hun niet verteld dat ik een doodgewone griep had. Of de mazelen. Of dat ik tijdelijk blind was. Een aanval van 24 uur. Of acute duizeligheid veroorzaakt door een virusinfectie in mijn oor. Iets aannemelijks. Iets waar ik wat mee kan.

Elliot zet het kopje voor me op tafel. Hij heeft zo hard geroerd dat het lepeltje nog een heel rondje draait voor het eindelijk stilligt.

'Dankjewel,' zeg ik. Ik sla mijn handen om het kopje en wacht tot hij me vertelt wat mij mankeert.

'Een vriend van mij is het ook overkomen. Pas na een halfjaar kreeg hij toestemming van de dokter.' Hij schudt zijn hoofd omdat het allemaal zo oneerlijk is.

'Ach, ja, de prognose lijkt goed, dus is de dokter erg optimistisch,' zeg ik.

Dat lijkt een juist antwoord, want Elliot knikt een paar keer. 'Ja, natuurlijk. Ik weet zeker dat je je nergens zorgen over hoeft te maken. En je bent zo dapper geweest, je hebt jezelf zo fantastisch verdedigd. Stom natuurlijk. Maar ook dapper. Hoewel, jou kennende, zul je wel de zwarte band hebben.'

Jezus christus, ik draai Filly haar nek om. En ik heb geen zwarte band. Ik ben nooit verder gekomen dan rood en dat was lang geleden.

'Vind je het erg als we er nu niet meer over praten, Elliot?' Ik vind het vervelend dat ik het hem niet kan vertellen. Ik zal het hem nog wel vertellen. Alleen niet nu. Nog niet.

Elliot, zo zoet als de thee in mijn kopje, verontschuldigt zich en verandert van gespreksonderwerp. 'Je zult het wel over werk willen hebben?'

Ik knik.

Hij zucht gelaten. 'Nou, hoe gaat het met Sofia Marzoni?' vraagt hij.

'Die is binnen. Eind van de week komt ze hier voor een bespreking.'

Elliot slaat een kruis. 'God sta ons bij,' zegt hij met gesloten ogen.

'Luister nou eens,' zeg ik en ik buig me naar hem toe en geef hem een klopje op zijn knie. 'We hebben er al vier gedaan, of niet soms? Ik bedoel, hoeveel erger kan deze zijn?'

Elliot kijkt me bezorgd aan. 'Jezus,' zegt hij en hij staat op. 'Misschien heb je een klap op je hoofd gehad,' zegt hij. 'In het strijdgewoel, bedoel ik.'

Het strijdgewoel?

'Ik probeer gewoon optimistisch te blijven,' zeg ik en ik sta op.

Elliot schudt zijn hoofd, bezorgder dan ooit. 'Zie je wel?' zegt hij. 'Dat is niets voor jou. Voorzichtig realistisch, misschien. Maar optimistisch? Je lijkt wel niet goed bij je hoofd.'

'Ik zei niet dat ik zelf optimistisch was,' spring ik in de verdediging. 'Ik zei dat ik probeerde optimistisch te blijven. Dat is absoluut niet hetzelfde.'

'Je zult wel gelijk hebben,' zegt Elliot en hij bestudeert mijn gezicht alsof het het menu is van het Kashmiri Indian Food Emporium, volgens Elliot het beste restaurant ter wereld.

Ik glimlach naar hem. Geen brede glimlach. Een discrete, bijna niet aanwezige glimlach. Ik wil hem niet helemaal overstuur maken.

'Nou,' zeg ik, 'laten we het eens hebben over de Wedding Fair Roadshow.'

'O, goed,' zegt Elliot, die nu eerder verveeld kijkt dan bezorgd. 'Hoever waren we met de uitnodigingen?'

'Verstuurd. O ja, en je moeder heeft beloofd dat ze Matt Henshaw van *The Independent* mee zal nemen naar de opening. Ze zegt dat hij haar nog iets schuldig is sinds ze hem een uitnodiging heeft bezorgd voor het kasteel van Enya. Hij heeft ook beloofd dat hij er uitgebreid over zal schrijven.' Ik neem nog een grote slok thee en sta op, ik voel me al veel zekerder. 'En morgen is Simon jarig. Ik heb twee flessen van zijn favoriete wijn voor je gekocht. Die moet je niet inpakken en je hoeft er ook geen kaart bij te doen. Geef hem de drank maar gewoon.'

'Zodat het lijkt of ik attent ben, maar geen hielenlikker?'

'Precies.'

'Wat zou ik toch zonder jou moeten?'

'Zonder mij?'

'Als je wordt gepromoveerd. Of als je je eigen toko hebt geopend. Of wanneer je wordt weggekaapt door de Amerikanen. Die verdomde Yankee Doodles.' Elliot heeft een grondige hekel aan Amerika en Amerikanen. Vooral de namen die ze aan hun eten hebben gegeven. Zoals Twinkies. En Tatter Tots. En Herseyrepen. Hij weigert het woord Snickers in de mond te nemen, al is hij gek op die repen. Hij blijft ze stug Marathons noemen, al heeft de Poolse twintiger achter de toonbank op de hoek geen idee wat hij bedoelt. Hij moet altijd wijzen.

'Ik ga nergens heen,' zeg ik. Ik heb heus wel eens een aanbod gehad. Maar ik vind de plek waar ik werk fijn. Ik weet hoe alles gaat en waar alles is. Ik hoef nooit iets te vragen. Dat bevalt me wel.

'Beloofd?' Elliot kijkt scherp naar mijn vingers als ik het beloof. Om te zien of ik ze niet heb gekruist. Als je ze kruist, is de belofte niet geldig, beweert hij. Daar heb ik nog nooit van gehoord, maar hij zweert dat het waar is. Ik houd mijn handen met gespreide vingers voor me uit. Nog voor hij het kan vragen, haal ik mijn voeten uit mijn schoenen zodat hij kan zien dat ik ook mijn tenen niet heb gekruist (kennelijk werkt het ongeldig of geldig maken van een belofte net zo goed met gekruiste tenen).

'Is al bekend wanneer de gesprekken voor de nieuwe baan worden gehouden?' vraag ik.

'Daar hoef je je geen zorgen over te maken. Je krijgt die baan wel. Dat weet je zelf ook.' Elliot zucht omdat het allemaal zo onvermijdelijk is. Behalve dat het helemaal niet onvermijdelijk is.

'En hoe zit het dan met Gladys? Die gaat toch nog steeds met Simon naar bed, of niet?'

'Ja, natuurlijk. Het is toch zeker pas begin maart. Maar Simon heeft het heel druk met het pan-Europese gedoe waar hij op dit moment aan werkt. Volgens mij worden de gesprekken pas in april gehouden en tegen die tijd is die affaire allang overgewaaid. Dat weet je zelf ook wel.'

Ik knik langzaam. In theorie zou de affaire eind maart een natuurlijke dood moeten sterven, ondanks de pogingen van Gladys die nieuw leven in te blazen, op een eerlijke of oneerlijke manier. Maar ik herinner me de blik die ze wisselden tijdens die bespreking. Aan die blik was nog niet te merken dat de affaire op zijn laatste benen liep, of zelfs maar een ziekte onder de leden had.

Ik drink mijn laatste slok thee. 'Kan ik nu weer aan het werk gaan?' vraag ik.

'Wat zal ik doen?' vraagt hij.

'Je zou wat kunnen doen aan een vooruitblik op de begroting

van de afdeling voor het volgende kwartaal,' zeg ik. 'Die wil Simon bij de volgende bestuursvergadering hebben.'

Elliot lijkt er spijt van te hebben dat hij de vraag heeft gesteld.

'Het klinkt veel erger dan het is,' zeg ik.

'Dat zeg je altijd,' zegt hij.

'Dat zeg ik omdat het zo is.'

'Kunnen we niet hier blijven zitten en het over Simons flaporen hebben?' vraagt hij in een laatste poging om uit te komen onder de vooruitblik op de begroting, die hij verfoeit hoewel hij er erg goed in is. Bovendien praat hij graag over Simons oren en hoewel ik moet toegeven dat je er inderdaad een jas en een paraplu aan zou kunnen hangen, is het geen onderwerp waar ik veel over heb nagedacht.

'Zullen we het daar morgen over hebben?' zeg ik en ik loop de keuken uit.

'En over wat er met jou is gebeurd?' vraagt hij.

'Ja,' zeg ik.

'Beloof je me dat je me alles zult vertellen?'

Ik knik.

'Ook over de achtervolging van de politie?'

De achtervolging van de politie?

Ik knik en glimlach en blijft achteruitlopen. Ik kan glimlachen omdat ik bedenk wat ik allemaal tegen Filly ga zeggen als ik haar zie. Ik heb de laatste tijd naar *The Tudors* gekeken. Hoewel, haar in een vat kokende olie laten zakken geeft een hoop rommel en is een heidens karwei.

18

Filly komt binnen met haar gebruikelijke 'goedemorgen-hetspijtmedatiktelaatben', twee latte met magere melk, een eieren-met-spek-McMuffin (voor haar) en een rodebessensmoothie (voor mij).

Ik leun voorover in mijn stoel. 'Wat heb je tegen Elliot gezegd?'

'Tegen Elliot? Wat? Wanneer?' Ze probeert tijd te rekken en we weten het allebei. Ik kijk haar strak aan. Filly doet haar best, maar ze houdt het niet lang vol. Niemand kan tegen mij op als het om staren gaat.

'O, je bedoelt...' zegt ze ten slotte.

'Ja, dat.'

'Alleen omdat je het me hebt gevraagd, weet je nog?'

'Ik heb je gevraagd of je tegen hem wilde zeggen dat ik ziek was,' zeg ik. Blue trappelt in zijn slaap en we kijken allebei naar hem tot we er zeker van zijn dat hij rustig is. Ik laat mijn stem zakken. 'Waarom heb je niet tegen hem gezegd dat ik bijna was bezweken aan de cholera, of een aanval van 24 uur van malaria, zoals normale mensen zouden doen? Hoe zit het verdomme met die politieachtervolging?' Opnieuw kijken we allebei naar Blue, maar deze keer beweegt hij niet. Hij ligt zelfs te snurken.

'Nou, ik...'

'Wat heb je verdomme tegen hem gezegd?'

'Alleen dat je bent overvallen en dat een junk je met een injectienaald heeft geprikt en dat je naar het ziekenhuis moest om getest te worden op hiv en hepatitis en nou ja, je weet wel, andere ziektes.'

'Grote god.'

'Wat wel weer positief is, is dat de politie de overvaller te pakken heeft gekregen,' voegt Filly eraan toe met een klein lachje waarvan ze denkt dat het helpt. Niet dus.

'Waar ben ik overvallen?'

'Voor de flat. In Clontarf. Op vrijdagochtend.'

Op klaarlichte dag overvallen door een junk voor een van de meest exclusieve appartementencomplexen in Clontarf? De vereniging van eigenaren zou staan te steigeren.

Filly heeft in elk geval het fatsoen om schaapachtig te kijken. 'Het spijt me, Scarlett. Het was onder de omstandigheden het beste wat ik kon verzinnen.' Als ze niet glimlacht, ziet Filly er minder Australisch uit dan anders, al draagt ze een T-shirt met een foto van twee koalabeertjes in een boom die – ik kijk nog eens beter – aan het paren zijn, geloof ik. Met gebogen hoofd en haar kleine handen om de koffiebeker is het onmogelijk boos op haar te blijven.

'Wie weet er nog meer van?' vraag ik met ingehouden adem.

Filly staat wat te wriemelen voor ze antwoord geeft en mijn schouders zakken naar beneden. 'Nou ja, we moesten Simon...'

'Simon?'

'Ja, hij zocht je. Het had iets te maken met de promotie...'

'De promotie?'

'Rustig nou. Hij zei dat het wel kon wachten tot je terug was en hij verwacht je pas eind volgende week weer. Dat hebben we hem verteld.'

'O, jezus,' zeg ik en ik trek aan een losse draad in de zoom van mijn rok. 'Dus Gladys weet het ook?'

'Ik denk dat je daar wel van uit mag gaan, ja,' zegt Filly.

'Ik neem aan dat het nog veel erger had kunnen zijn,' zeg ik in een ijdele poging ergens troost uit te putten. 'Stel je voor dat Eloise en Lucille het wisten. Dan zou het als een lopend vuurtje door de bush gaan.'

Filly staat niet te kijken en te lachen, wat ze normaal gesproken doet als iemand een Australisch woord gebruikt. In plaats daarvan kauwt ze op haar duimnagel en ontwijkt mijn blik.

'Filly...?'

'Nou...' begint ze en ze buigt haar gezicht diep over de rand van haar koffiebeker.

'Er zit geen koffie meer in die beker,' meld ik haar.

Ze zet de beker op het bureau. 'Eloise en Lucille weten het ook,' fluistert ze.

Ik denk na over de implicaties.

'Het spijt me, Scarlett, maar ze zochten je. Je hebt de declaraties van vorige maand nog niet ingeleverd en je reageerde niet op hun e-mails en dat vonden ze zo vreemd dat ze je kwamen zoeken.'

'Je had toch gewoon kunnen zeggen dat ik ziek was,' zei ik.

'Dat heb ik gedaan. Maar ze konden niet geloven dat je alweer ziek was, zo snel na... je weet wel... de dag na de nacht met Red Butler... Hoe dan ook, ze zijn naar het kantoor van Elliot gegaan om naar je te vragen en daar was Gladys toevallig en die heeft het hun verteld.'

'Ik kan me niet voorstellen dat ze dat onzinverhaal van jou geloofden.'

'Toch wel. Allemaal,' verzekert Filly me. 'En ze gingen er zelf van uit dat je een zwarte band van karate hebt en ik moest ze zeggen dat je niet verder bent gekomen dan rood. Het spijt me.'

Ze geloven het inderdaad. Elke keer dat iemand me aanhoudt om te vragen hoe het met me gaat, pakken ze met de palm van hun hand mijn elleboog en buigen ze zich naar me toe en het enige wat ik kan ontdekken, is bezorgdheid en die is zo oprecht dat zelfs ik begin te geloven dat het waar kan zijn. Het enige wat problemen oplevert, is de gevangenneming van de overvaller door de Garda Síochána.

'En de politie heeft die vent te pakken gekregen?' vraagt Terri van marketing.

'Dus je wilt zeggen dat de politie de overvaller daadwerkelijk heeft gearresteerd?' informeert Magda van financiën.

Zelfs Hailey, de receptioniste, heeft iets te zeggen. 'Welkom terug, Scarlett,' zegt ze de eerste keer dat ze me weer opbelt. Ik ben te verbaasd om te reageren. Hailey maakt nooit een praatje. Behalve dat ze dingen zegt als: 'Eamon MacLochlainn voor jou op lijn vier' hoor je haar nooit praten. Ze komt oorspronkelijk uit Hertfordshire, maar behalve dat weet niemand iets over haar, hoewel ze al tien jaar voor het bedrijf werkt.

'Ik kan niet geloven dat ze de dader te pakken hebben,' gaat ze verder. 'Moest je hem aanwijzen in een rij mannen?'

Een rij mannen? Jezus. Daar had ik nog niet aan gedacht. 'Eh, ik...' begin ik.

'Sorry, Scarlett, het is mijn zaak niet.'

'Nee, het is alleen...'

'Eamon MacLochlainn voor jou op lijn vier.' Hailey vervalt weer in haar afgebeten manier van praten en het gesprek is abrupt voorbij.

Maar, zoals dat gaat met kantoorroddels, is het onderwerp tegen lunchtijd volledig uitgeput en hervatten mijn collega's de normale gesprekken over tandartsen in souterrains in Noord-Ierland, facelifts zonder operatie, gratis parkeerruimte die iemand heeft ontdekt achter Christchurch Cathedral, hoeveel calorieën een stukje chocola met sinaasappel bevat en het luie oog van Duncan.

Als Filly mijn kantoor binnenkomt om – ik kijk op mijn horloge – zeven minuten over halfvijf, heb ik al 2 vergaderingen achter de rug, een conference call voorgezeten, 105 van mijn 197 e-mails beantwoord, 2 telefoontjes gehad van Hysterische Hilda – een vrouw die over vier maanden gaat trouwen met een voetballer die tien jaar jonger is dan zij, waar ze tamelijk hysterisch over doet – en heb ik de boeken op een plank geschikt op alfabetische volgorde naar auteur in plaats van op de datum van publicatie, zoals ik ze eerder had.

Filly legt een pakje fruitpastilles op het bureau. 'Ik heb ze op kleur gelegd,' zegt ze, 'zoals je ze het liefst hebt.'

Ik haal het plastic van de snoepjes. De gele liggen bovenop, gevolgd door de oranje, de rode, groene en dan de zwarte, die ik het liefst heb. Ik duw het pakje van me af.

'Wat moet ik nou, Filly?' zeg ik bijna fluisterend, de woorden gevangen tussen mijn vingers, die ik tegen mijn gezicht druk.

Elliot kiest dat moment uit om mijn kantoor binnen te zeilen en op de rand van mijn bureau te gaan zitten. Daar zit hij altijd, nooit op een stoel of de bank. Dat is zijn manier van actief werken.

'Waarom hijg je?' vraagt Filly hem.

'Ik ben helemaal van mijn kantoor hierheen gerend,' zegt hij en hij legt zijn handen op zijn knieën en buigt zich voorover alsof hij net een marathon heeft gelopen. Een echte mannenmarathon. Het is exact 12 meter en 25 centimeter van Elliots kantoor naar het mijne. Hij is geen voorstander van lichamelijke inspanning en kijkt in plaats daarvan liever naar yogavideo's – het liefst met een fles wijn, die hij na veel oefening op zijn hoofd kan laten balanceren – terwijl hij in kleermakerszit in een gestreepte pyjama op een stapel zachte kussens in zijn woonkamer zit.

'Nou,' zegt hij terwijl hij op adem komt. 'Ik dacht wel dat ik jullie twee hier zou vinden, dus heb ik van de gelegenheid gebruikgemaakt om een fles wijn en wat nootjes mee te nemen zodat we Scarletts veilige terugkeer op kantoor kunnen vieren.' Hij deelt papieren bekertjes uit, maakt een zakje nootjes open en kijkt me met zijn paardenglimlach strak aan. Als ik niet terug lach, kijkt hij op zijn horloge. 'Aah, Scarlett, het is bijna vijf uur. Tijd om het bijltje erbij neer te gooien en uit te klokken, of niet soms?'

De geur van de nootjes wolkt als rook over me heen. Het zit in mijn haar en op mijn gezicht en druipt langs mijn kleren. Mijn maag komt als een lift omhoog en het enige wat ik kan verzinnen, is de prullenbak. Ik kokhals. Ik kan niet stoppen, hoewel het de prullenbak is. Het braaksel heeft de kleur van een rodebessensmoothie.

'Jezus,' zegt Elliot als ik eindelijk klaar ben.

Filly geeft me een tissue, gooit het raam open en zet de nootjes op de vensterbank.

'Elliot, ik...' Mijn tong voelt gezwollen en het is moeilijk om te praten.

'O, lieve god, je bent stervende, of niet?' zegt hij en hij staat op, zijn lichaam volkomen verstijfd. 'Mijn god, het is toch niet de vogelgriep, of wel?'

'Nee, maar ik...'

'Als het wel zo is, Scarlett, kun je het me gerust vertellen. Ik kan ertegen.'

'Ze is niet stervende,' zegt Filly en ze geeft Elliot ook een tissue, die hij gebruikt om discreet zijn ogen, die blinken van de tranen, af te vegen. Filly kijkt me aan en stelt de vraag zonder iets te zeggen en ik knik. Ik ben te moe om iets anders te doen. 'Scarlett is zwanger,' zegt Filly.

Elliots ogen worden zo groot als schoteltjes.

'En ze weet niet wie de vader is,' zegt Filly, die ervan houdt alles open en transparant te houden.

'Maar... maar... maar...' begint Elliot en even lijkt het erop dat dat het enige is wat hij kan zeggen. 'Maar... je bent maar met drie-enhalve man naar bed geweest,' zegt Elliot. 'In je Hele Leven.'

Ik knik. Het is waar. Ik tel Jerry O'Rourke niet mee als hele man omdat halverwege zijn vader, die op zakenreis in Dubai zou zijn maar eerder naar huis was komen vliegen om zijn familie te verrassen, abrupt binnenkwam. Eerlijk gezegd kreeg Jerry die dag de grootste verrassing en ik schaamde me vooral voor Blue, die na een doosje After Eight vreselijk stinkende scheten liet die lang bleven hangen. Het was de eerste keer en ik was achttien en driekwart.

Elliot vult een van de papieren bekertjes met wijn en drinkt het leeg. Dan pakt hij de bak – de prullenbak – met één hand vast, houdt hem zo ver als hij kan bij zich vandaan en zet hem buiten in de gang. Hij doet de deur dicht en leunt ertegenaan, alsof hij elk moment in elkaar kan zakken.

'Begin bij het begin en vertel me alles,' zegt hij.

Ik haal diep adem en begin. 'Ik was dronken,' zeg ik.

Elliots mond valt open en hij wendt zich tot Filly, die knikt. 'Echt waar, Elliot. Behoorlijk dronken. Net zo dronken als Duncan tijdens het kerstfeest.'

'Jezus,' is alles wat Elliot uit kan brengen. Hij neemt even de tijd om dit te verwerken voor hij zich weer tot mij wendt. 'Ga verder,' zegt hij op zijn hoede en hij laat zich als een harmonica op de bank zakken. Het is de eerste keer dat ik hem op mijn kantoor ergens anders zie zitten dan op de rand van het bureau en ik kijk hoe hij kussens tussen zichzelf en Blue in legt zodat de kat deze invasie van wat hij als zijn territorium beschouwt, niet merkt. Natuurlijk merkt Blue het wel. Maar hij doet net alsof hij het niet merkt. Hij blijft stil liggen, zijn oren gespitst, alsof hij ook wil weten wat er is gebeurd. Een soort verklaring die alles duidelijk zal maken.

'Dus,' zeg ik. 'Ik was dronken.'

'Dat heb je al gezegd,' zegt Elliot.

Dat weet ik wel. Maar het is de enige verklaring die ik heb. De enige verdediging die hout snijdt. Want wat er is gebeurd, gebeurt nooit. Niet met mensen als ik. Het was nadat John had gebeld. Toen ik was opgehouden met wachten tot hij zou bellen. We waren in een club. Een nachtclub, bedoel ik. Ik wilde daar per se heen en Filly had geen bezwaar gemaakt.

'Waar ben je? Ik dacht dat je thuis zou komen.' John klonk ongerust.

'En ik dach tot je de resht van je leven bijme zou blijen.' Er is die nacht veel gebeurd waar ik spijt van heb en die zin is er een van.

'Kom naar huis,' zei John, alsof hij echt wilde dat ik dat deed. 'We moeten praten.' Ik herinner me nog dat de hoop in me opborrelde als een bron in de bergen. Later begreep ik dat wanneer je zo dronken bent, je vaak onredelijk optimistisch wordt.

'Waarover? Ben je van gedachten veranderd?'

'Nou, nee, maar evengoed wil ik nog wat dingen met je doorpraten. Ik wil dat je het begrijpt.'

'Als je mij niet had gezoend, zou dit allemaal niet zijn gebeurd,' zegt Filly en ze brengt me terug naar het hier en nu.

'Daar vroeg je om,' zeg ik.

'Je hebt Filly gezoend,' zegt Elliot en hij buigt zich zo ver naar voren dat ik bang ben dat hij van de bank af zal kukelen.

'Er waren twee mannen,' zeg ik. 'Ze vielen Filly lastig. En ik wist dat ze van hen af wilde. Haar neus trilde. Je weet wel, zoals altijd als ze zich ongemakkelijk voelt?' Ik kijk naar Elliot en hij knikt. Hij kent de bewegingen van haar neus.

'Ze hadden het over een triootje dat ze in Thailand hadden gehad,' zegt Filly en bij de herinnering begint haar neus heftig te trillen.

'Waarom heb je niet gewoon gezegd dat je niet geïnteresseerd was?' vraagt Elliot, al weet hij wel waarom.

'Je weet wel waarom,' zegt Filly tegen hem. 'Ik wilde niet onbeschoft tegen hen doen. Dat strookt niet met mijn Australische karakter. Dat weet je best.'

'Dus toen heb je haar gezoend?' vraagt Elliot aan mij, want hij wil terug naar de hoofdlijn.

'Ja.'

'Een... echte zoen?' vraagt Elliot.

'Bijna net zo goed als een zoen van Brendan,' zegt Filly. 'Volgens mij heb ik zelfs mijn ogen dichtgedaan.'

'Jeetje,' zegt Elliot na een poosje. 'Maar wat heeft dat te maken met... je weet wel... de rest?'

'De barman zag ons,' zeg ik.

'Red Butler,' zegt Filly, die er niets aan kan doen, behulpzaam.

'Maar dat is niet zijn echte naam,' voeg ik eraan toe alsof dat helpt.

'Hoe heet hij dan wel echt?'

'Dat weet ik niet,' moet ik toegeven en Elliot kijkt naar me alsof hij niet weet wie ik ben. 'Filly heeft hem verteld over het gesprek over het triootje en toen raakten we aan de praat en toen vroeg hij me 23,65 euro voor de drankjes en ik had geen geld meer en ik kon niet pinnen en toen zei ik dat ik in plaats daarvan wel met hem wilde dansen.'

'Je hebt met een barman gedanst om voor je drank te betalen?' vraagt Elliot en door de manier waarop hij het zegt – hardop – klinkt het veel erger dan het in werkelijkheid was.

Ik wend me tot Filly. 'Als je nu gewoon de drankjes had betaald...'

'Ik had ook geen geld, weet je dat niet meer?'

'Jawel. Jij had dat biljet van 20 euro. Je hebt de taxi naar jouw huis betaald, weet je dat niet meer?'

Filly doet net of ze me niet hoort.

'Maar goed, we hebben gedanst en daarna hebben we gezoend en van het een kwam het ander en...'

'Wacht, wacht. Stop even,' zegt Elliot en hij heft zijn handen alsof hij een moeilijk paard beteugelt. 'Wie heeft wie gezoend?' Elliot is er trots op dat hij altijd het naadje van de kous wil weten.

'Het gebeurde gewoon... ik weet het niet meer. Het ene moment waren we aan het dansen en het volgende zoenden we elkaar. Ik was dronken, dat zeg ik toch steeds.'

Maar ik weet het nog wel. En de herinnering is zo duidelijk dat het pijn doet om eraan te denken. Ik zie de ruimte tussen ons in voor me. Ongeveer dertig centimeter. Drie decimeter, misschien twee. Ik wil dat het minder is. Ik denk aan zijn adem. Die voel ik tegen mijn haar. Hij ruikt naar kokos: harig en zoet. Mijn hand-palmen zijn klam en ik vraag me af of hij de hitte door zijn T-shirt kan voelen. Ik concentreer me op de kroonluchter boven zijn rechterschouder. Ik tel achteruit, vanaf tien, in het Iers. Ik denk aan pensioenfondsen. In gedachten deel ik mijn kledingkast opnieuw in op seizoen, onderverdeeld in kleur en stofsoort. Maar ergens langs deze gedachtestroom brokkelt mijn vastberadenheid af en ik kijk op en het lawaai in de club valt weg en de ruimte tus-sen ons in is nog maar tien centimeter. Nee. Vijf centimeter. Ik sluit de kloof en kus hem. Ik, die van haar leven nog nooit de eerste aanzet heeft gegeven. Ik, die exact negen mensen heeft gezoend. Nou ja, tien als je Filly meerekent. Ik kus hem en ik herinner me elk detail. Ik herinner me de weerspiegeling in zijn ogen als hij zich terugtrekt. Ik ken mezelf bijna niet meer. En als ik zijn hand pak en van de dansvloer af loop, volgt hij me. Ik doe zonder te denken. Zonder voors en tegens tegen elkaar af te wegen. Zonder te bedenken dat dit niet in Het Plan past. En het voelt adembenemend en fantastisch en verschrikkelijk tegelijk.

Een ongeremd gevoel.

Ik heb er wel eens over gehoord. En het voelt zo echt. Alsof ik mijn vroegere zelf heb verlaten. Zelfs nu, in mijn geestesoog, kan ik haar zien, alleen op de dansvloer, en ze kijkt me verbijsterd aan. Haar armen in de lucht, in de vorm van Red Butler, die haar heeft laten staan, halverwege een dans. Haar mond vormt de letter 'O' en ze vraagt zich af hoe ze van de dansvloer af kan komen zonder aandacht te trekken.

Ongeremdheid is eigenlijk een geweldige vaardigheid en ik vraag me af, als ik doorloop en Red Butler aan zijn hand achter me aan sleep, hoe ik ooit zo ver ben gekomen zonder. Ik weet niet waar ik heen ga, maar mijn ongeremdheid staat me toe daar niet over na te denken. We lopen langs Filly, maar ik zie haar niet eens zitten aan de bar, met haar mond wijd open. Aan de andere kant van de bar is een deur. Een zware, zwarte deur. Met een bordje waarop staat 'Personeel'. Daar loop ik heen. Want ergens diep vanbinnen weet ik dat wanneer ik die deur door ben, er geen weg terug meer is. Ongeremdheid ontfermt zich over elke vorm van onzekerheid en ik stap door de deur en voel de kamer meer dan dat ik hem zie. De deur valt achter me in het slot en de muziek stompt als een vuist tegen de andere kant. Ik voel handen op mij en we lopen dieper de kamer in tot ik met mijn rug tegen de muur sta. Behalve dat het geen muur is. Het is een stapel kratten. Zelfs het feit dat het zo vulgair is, is niet genoeg om me tegen te houden.

Ik herinner me een liedje: 'We Are the Angry Mob', het ritme beukt tegen de zwarte deur alsof het naar binnen wil. Ik herinner me het gerammel van de lege flessen in de kratten, die schudden, elke keer dat we ons bewegen. Ik herinner me een plant op een tafel, lange verraderlijke punten die door het donker snijden.

Maar ik herinner me vooral de ongeremdheid. De smaak, exotisch en scherp, als limoenen. Hoe vreemd het voelt. Hoe opwindend. Het pulserende plezier. Ik geef me eraan over. Ik bijt erin als in een appel. Ik doe mijn ogen geen moment dicht. Ik wil niets missen.

Nu, staande in mijn kantoor en hoewel ik de meeste details weglaat en me houd aan de naakte feiten, klinkt het nog steeds als een ordinair verhaal en Elliot hangt gevaarlijk opzij, alsof hij op het punt staat te kapseizen.

Als hij eindelijk weer in staat is te spreken, zegt hij: 'Dus je bent niet overvallen?'

Ik schud mijn hoofd.

'Je bent ook niet geprikt met een naald?'

Ik schud mijn hoofd weer. Voorzichtiger deze keer.

'Ik snap ook eigenlijk niet waarom ik dat onzinverhaal heb geloofd,' zegt Elliot. 'Ik bedoel, toen Filly eenmaal het woord "aangehouden" had gebruikt, had ik moeten weten dat het allemaal gelogen was.'

'Ik heb niet gezegd "aangehouden",' zegt Filly beledigd. 'Dat is geen woord dat ik gebruik.'

'Welles,' houdt Elliot vol. 'Je hebt gezegd dat de politie de overvaller heeft aangehouden. Ik heb het zelf gehoord. Dat heb je wel gezegd.'

'Hoor eens,' onderbreek ik hen en ik ga staan in een poging hun aandacht te krijgen. 'Dat is het punt niet. Er was helemaal geen overvaller, aangehouden of niet. Filly heeft dat bedacht omdat ik in het ziekenhuis lag.'

Elliot springt overeind. 'Ik wist het,' zei hij. 'Je bent stervende, of niet soms? Jezus christus. Hoe moet het dan met de baby? Kan je wel bevallen voor je... O, Scarlett, ik...'

'IK. GA. NIET. DOOD.' Dat deel schreeuw ik, zo hard dat Duncan – die in de keuken aan het eind van de gang worstelt met een ananas – zich verstopt achter de koelkast met een mes dat druipt van het ananassap en dat hij als een dolk voor zich uit houdt.

Op het gezicht van Elliot staat een mengeling van opluchting en schrik te lezen. Ik schreeuw nooit. Pas wanneer ik ga zitten, besef ik dat mijn benen trillen. 'Elliot, het spijt me zo,' zeg ik en mijn stem is hees alsof ik al de hele middag aan het schreeuwen ben. 'Komt gewoon. Ik... ik... ik heb... Het waren er twee. Twee baby's. Ik ben er één verloren.'

'O, Scarlett.' Elliot komt naar me toe.

'Niet doen,' zeg ik en ik weer hem af met mijn handen. 'Zeg maar niets aardigs.' Ik krijg dat gevoel weer. Dat knijpende gevoel achter in mijn keel.

Elliot gaat terug naar de bank en pulkt aan de nagelriem van zijn duim. Filly drinkt haar papieren beker wijn leeg en vult hem bij. Ik doe net of ik iets zoek op mijn bureau, al weet ik precies waar alles ligt. Dat doe ik tot het knijpende gevoel achter in mijn keel afneemt.

'Dus,' zegt Elliot ten slotte. 'Wat is het plan?' Hij glimlacht me toe; hij weet dat dit een absoluut zekere manier is om mij op te beuren. Maar dat is nu juist het ergste.

'Ik heb geen plan,' fluister ik. Ik heb wel eens van een dieptepunt gehoord. Het voelt nog erger dan het klinkt.

'Je hebt nóg geen plan,' zegt Filly.

'Het is natuurlijk nog hartstikke vroeg,' kraait Elliot. 'Tijd genoeg om iets te verzinnen.' Maar zijn gezicht, betrokken en verward, spreekt boekdelen. Hij kan eenvoudigweg niet geloven dat ik geen plan heb. Net zomin als ik. En ondanks het optimistische gebruik van het woord 'nog' door Filly, kan zij het ook niet geloven.

'Je moet weten...' begin ik en de hoofden van Filly en Elliot schieten als elastiek omhoog.

'Ja?' zegt Filly met ingehouden adem.

'Ga verder,' zegt Elliot, die zijn duim uit zijn mond haalt.

'Nou, ik wil deze baby houden.' Dat is het enige wat ik zeker weet en ik grijp me eraan vast als aan een strohalm. 'Maar ik wil dat ze een behoorlijk gezin krijgt. Je weet wel wat ik bedoel. Een moeder. En een vader. Die heel veel thuis zijn. En een behoorlijk huis met een haardvuur op koude dagen en iets te eten als ze thuiskomt uit school. Iets wat al klaar is om te eten, bedoel ik. Soep misschien. Iets warms...'

'Je zou in een voorstad kunnen gaan wonen,' doet Filly een duit in het zakje. 'In een voorstad heb je een tuin. Kinderen houden van tuinen.'

'Ze kan het allemaal krijgen,' zegt Elliot, die is gaan staan en zijn denkhouding heeft aangenomen. Met zijn handen losjes op zijn rug ijsbeert hij door het kantoor.

'Hoe?'

'Het enige wat je moet doen, is John vertellen over de baby,' zegt Elliot, die nu lacht.

'Voor je *Indiana Jones and the Temple of Doom* kunt zeggen, is hij terug om je ten huwelijk te vragen en een gezinsauto uit te zoeken.'

Door de manier waarop Elliot het zegt, laait de hoop in me op. Hij klinkt zo overtuigd.

'Hoe kun je daar zo zeker van zijn?' vraag ik.

'Een paar dingen,' zegt Elliot, die erin begint te komen. 'Om te beginnen is hij overdreven plichtsgetrouw.'

Ik knik langzaam. Het is waar. Zijn plichtsbesef is gezwollen, als een overactieve schildklier. Tenminste, zo was hij.

'Ten tweede,' zegt Elliot, die nu helemaal op dreef is, 'is daar het niet onbelangrijke feit dat hij overduidelijk verstrikt is geraakt in een midlifecrisis. Hij is 45; zijn moeder is vorig jaar gestorven, hij werkt al 20 jaar voor hetzelfde bedrijf. Hij is het schoolvoorbeeld van een man in een midlifecrisis. Ik kan niet geloven dat je dat niet hebt ingezien.'

Daar denk ik even over na. Ik ben zo druk bezig geweest mijn leven op de rails te houden, dat ik geen tijd heb genomen om me af te vragen waarom. Maar misschien heeft Elliot gelijk. Misschien gaat het vertrek van John meer over hem en minder over mij.

'John Smith snakt naar een reden om terug te komen,' zegt Elliot, die zijn voordeel nu uitbuit. 'Daar durf ik het vermogen van Valentino Marzoni onder te verwedden. Ik zou zeggen dat hij elke avond in zijn zandbak zit te huilen, denkend aan jou en zijn baan en de schuimende glazen Guinness en de stewardessen van Aer Lingus met hun brede, verlegen glimlach en hun donkerbruine foundation.'

'Waarom heeft hij dat dan nog niet gedaan?' vraag ik.

'Waarom heeft hij wat nog niet gedaan?'

'Naar huis komen.'

'Omdat, mijn lieve Scarlett,' zegt Elliot en hij schudt goedmoedig zijn hoofd, 'hij niet kan toegeven – aan zichzelf of aan anderen – dat hij zich vreselijk heeft vergist. Zijn trots is een goede tweede achter zijn gigantische plichtsbesef. Dat weet je toch allemaal. Dat is de basis.'

Ik heb het gevoel dat ik al halverwege over een horde ben. Het enige wat ik moet doen, is mijn benen zo houden dat ik rennend de grond kan raken. John zou een geweldige vader zijn. Dat weet ik zeker. Hij zou iemand zijn op wie Ellen kan vertrouwen. Over een poosje lachen we om zijn korte verblijf in Brazilië. We kunnen een tijdje in relatietherapie om deze hobbel te nemen. Zijn gezicht zal rood worden van verlegenheid als hij de therapeut vertelt over zijn moeder en zijn baan en zijn leeftijd. En ik zal hem vergeven. Natuurlijk zal ik dat doen. En Ellen zal een moeder hebben. En een vader. En een huis in een van de voorsteden. En een kitten. Ze krijgt haar eigen kitten en Blue vindt het niet erg. Helemaal niet...

'Eh, vergeten we niet iets?'

Ik kijk op van mijn planner, die ik op een lege bladzijde heb geopend. Ik wilde juist een lijn trekken met de liniaal die ik van Filly heb gekregen en waarop staat: 'Er zijn geen regels.'

Filly staat op en loopt naar mijn bureau. 'En hoe zit het met Red Butler?' vraagt ze. Ik zet me schrap en voor het eerst in dagen ervaar ik hoop. Die grijp ik met beide handen vast. Die laat ik niet meer los.

'Dat was een vergissing,' zeg ik.

'Maar hij zou de vader van Ellen kunnen zijn.' Meestal bewonder ik de vasthoudendheid van Filly.

'Dat is hij niet,' zeg ik en plotseling ben ik ervan overtuigd dat ik gelijk heb. 'Ik ben heel voorzichtig geweest,' daar ben ik voor 96 procent zeker van, 'en alles ging zo... gehaast en... het was alleen maar die ene keer.'

'Maar...' begint Filly.

'John is de vader van Ellen,' zeg ik en mijn stem klinkt zo helder, zo zeker. Ik vraag me af waarom ik er ooit aan heb getwijfeld.

'Maar...' zegt Filly weer.

'En ik wil hem terug,' zeg ik en nu sta ik op en ga voor haar staan. 'Voor Ellen. Wil je me helpen?' Ik kijk haar aan en dwing haar met mijn wil mijn kant te kiezen. Onze kant, die van mij en van Ellen.

Filly opent haar mond om iets te zeggen en doet hem dan weer dicht. Ze schudt haar hoofd, maar dan kijkt ze naar me en knikt. Een klein knikje, maar het is genoeg. Ik sluit mijn ogen en voel de opluchting door me heen stromen tot ik er helemaal van vervuld ben. Ik sta weer op de rails. Het zijn iets andere rails dan waar ik aan gewend ben, maar het zijn en blijven rails. Het enige wat ik nu moet doen, is blijven lopen tot ik aan de finish ben gekomen.

19

Hoewel ik nu een plan heb, voelt het fragiel, als een porseleinen kopje dat op mijn hoofd balanceert. Eén verkeerde beweging en het zal vallen en in zo veel stukjes breken dat er geen superlijm genoeg is om ze weer aan elkaar te krijgen. Ik kan vanavond niet slapen. Maar de slapeloosheid is anders dan anders. Het is een diepere laag slapeloosheid waaraan ik gewend ben de avond voor een van mijn bruiloften of voor een van Maureens vele audities bij het plaatselijke amateurtoneelgezelschap. Ik moet wachten tot de volgende ochtend voor ik John kan bellen. 's Morgens is hij op zijn best. Ik kijk op mijn horloge. Nog vijf uur voor de wekker gaat. Ik pak mijn planner en zoek een lege bladzijde. Ik schrijf mogelijke dialogen op, verander bepaalde steekwoorden en zinnen, zodat ik overal op voorbereid ben. Ik reken uit hoelang hij al weg is – zes weken en drie dagen – en zie hem in gedachten voor me. Hij draagt een pak. Ik stel me hem voor terwijl hij aan het graven is. Hij draagt nog steeds een pak, wat belachelijk is, maar het lukt mijn geest niet hem een korte broek en een T-shirt aan te trekken. Ik stel me hem voor met de babydraagzak voor zijn buik. Het jasje van zijn pak kreukt door de draagbanden.

Ik kijk op mijn horloge. In Brazilië is het ook midden in de nacht, al zal het daar eerder ochtend zijn. John zal de hele nacht hebben geslapen, zoals hij altijd doet. Hij schrijft dat toe aan het feit dat hij zichzelf maar één kop koffie per dag toestaat, geen thee en geen cola. Hij heeft nooit iets begrepen van mijn slapeloosheid. Dat geef ik toe. Hij heeft het natuurlijk wel gegoogeld. En ontelbare remedies aangedragen, die ik allemaal al een keer had geprobeerd. Maar ik probeerde ze nog eens. Voor hem. Misschien heeft hij het wel persoonlijk opgevat dat geen van alle remedies ooit werkte.

Ik sla een bladzijde om en trek een streep door het midden. 'Dingen die ik mis aan John Smith,' schrijf ik boven een van de kolommen. Ik kauw op de achterkant van mijn pen en tel de

intervallen tussen het gesnurk van Maureen. Tien seconden. Ik streep het woord 'mis' door en vervang dat door 'leuk vind':
- ordelijk
- georganiseerd
- houdt van katten
- plichtsgetrouw
- verstandig
- kan geweldig dammen, sudoku, scrabble
- staat vroeg op

Ik stop de achterkant van mijn pen in mijn mond en bijt erop met mijn tanden. Ik denk aan de dingen die ik niet leuk vind aan John Smith. Ik kan echter maar één ding bedenken om in de rechterkolom te schrijven: 'Hij is bij me weggegaan.'

Ik herinner me het begin van ons laatste gesprek. Hij zei: 'Ben je gelukkig?' en ik zei: 'Ja.' Ik was gelukkig. Ik was zeker niet ongelukkig.

'Ik niet.' Hij sprak zacht, maar de woorden doorkliefden me als een zwaard.

'Waarom niet?'

'Ik ben 45.'

'Ik ben 35. Nou en?'

'We hebben geen kinderen.'

'We willen geen kinderen.'

'We zijn niet getrouwd.'

'Dat is omdat we niet geloven in het huwelijk. Het is een schijnvertoning die waarschijnlijk toch zal eindigen in de scheiding en/of ontrouw en/of een vreselijke sleur die rechtstreeks leidt tot het verlies van de wil om te leven.' Zo hadden we het altijd gezegd. Daar waren we het over eens.

'Ja, dat weet ik maar...' John sloeg zijn handen voor zijn gezicht en zuchtte zo diep dat hij de blaadjes ermee van de boom had kunnen blazen.

Ik ging naar hem toe. Zijn adem was warm en rook naar pepermunt. Hij was dichtbij genoeg om te kussen.

'Wat is er dan, John?'

'Alles lijkt zo negatief. We willen niet trouwen. We willen geen kinderen. Ik wil iets wel willen. Ik wil ergens in geloven.'

Nu sluit ik mijn aantekeningenboek en probeer te gaan liggen. Ik draai het kussen om en druk mijn wang tegen de zachte, koele stof. Ik kijk op mijn horloge, de wijzers lichten met een vreemde kleur groen op. John heeft het voor me gekocht voor mijn 33e verjaardag. Dan kun je in het donker zien hoe laat het is, had hij gezegd.

Nog vier uur. Ik sluit mijn ogen en denk aan Ellen. Ik kleur haar in als een kleurplaat. Blauwe ogen, zoals John. Blond haar. Haar huid die blank en zacht is. Roze nageltjes. Witte melktandjes, een fietsenrek als ze glimlacht.

Als ik mijn ogen weer opendoe, is het ochtend en gaat de wekker.

Op kantoor doe ik mijn deur dicht en trek ik de rolgordijnen naar beneden. Ik pak de telefoon en draai zijn nummer in Brazilië. Ik weet dat hij na vier keer zal opnemen. Dan neemt hij altijd op. Ik weet niet waarom, maar onder de omstandigheden stelt het me gerust. Iets waar ik op kan vertrouwen. Na drie keer neemt hij op en ik laat de telefoon bijna vallen.

'Ja?' zegt iemand. Niet iemand die op de John Smith lijkt. Een vrouwelijk iemand. Een vrouw.

'Eh...' zeg ik.

'Ja?' zegt ze nog eens en ik hoor een ongeduldige ondertoon. Een warmbloedige, zuidelijk ongeduldige ondertoon.

Ik schraap mijn keel. 'Eh... is John daar? John Smith?'

'Juan? Juan eh Smith?' vraagt ze.

'Dit is toch zijn telefoon, of niet?' zeg ik en nu klinkt in mijn stem een ongeduldige ondertoon. Een ziedend ongeduldige ondertoon.

'Juan ies onder does. Dies ies Lolita. Ik seg hij moet terugbellen, ja? Welke naam assublief?'

'Eh... Scarlett. Scarlett O'Hara.' Daar is de gebruikelijke stilte die altijd volgt op dit antwoord.

'As fillum?' vraagt ze en haar stem is laag en hees en lijkt rechtstreeks uit mijn nachtmerries te komen. 'Go wid-a zee wind?'

'Zeg nu maar dat Scarlett heeft gebeld,' zeg ik en ik hang op voor ze nog iets kan zeggen met die belachelijk sexy stem van haar.

Mijn telefoon gaat meteen over. 'Nou?' vraagt Filly.

'Hoe weet jij...'

'Ik ben op kantoor,' zegt ze alsof dat heel gewoon is.

Ik kijk op mijn horloge. Het is zeven minuten over acht. De enige keer dat Filly om deze tijd op kantoor was, was toen we in 2005 een nacht hebben doorgehaald omdat Nanny McFee – die in het echt Nancy heet maar helaas voor haar een pukkel op het puntje van haar neus heeft – ons slechts een week had gegeven om haar bruiloft te organiseren. Na jaren in de woestijn had ze eindelijk de ware gevonden en ze wilde hem strikken voor hij zich kon bedenken.

'Een vrouw die Lolita heet nam zijn telefoon op.'

Het blijft stil aan Filly's kant van de telefoon.

'O, nou ja, misschien is hij in een gat gevallen of zo. Je weet wel, toen hij aan het graven was of zo.'

'Hij stond onder de douche.'

'O.' Als zelfs Filly geen positieve draai aan de situatie kan geven, kan het eigenlijk niet erger worden.

20

John belt niet terug en ik zit in vergadering. Ik bel hem weer en laat een boodschap achter op zijn voicemail. Hij belt me terug en ik ben op kantoor Elliots haar aan het knippen en kom niet op tijd bij de telefoon. Er mag altijd maar een millimeter van Elliots haar af en zijn kapster weigert zo precies te werk te gaan, dus laat hij het mij altijd doen. Helaas blijk ik talent te hebben als kapster, dus moet ik het elke zes weken doen. Dat nieuws heeft zich verspreid en nu vraagt Duncan of ik hem snel even wil knippen als hij na het werk nog ergens heen moet en geen afspraak heeft gemaakt bij de kapper (een van de beste in de stad met een wachtlijst zo lang als de zonnewende in de zomer).

Ik bel John terug en er wordt niet opgenomen. Ik ben het bellen en terugbellen spuugzat. Ten slotte stuur ik hem een sms en ik vraag me af waarom ik daar niet eerder aan heb gedacht. Hoewel John en ik nooit veel hebben ge-sms't. We belden elkaar liever even kort en bondig, korte telefoongesprekken die nog geen halve minuut duurden: geen verwarring, geen smileys, geen blaren op je duim.

Dus ik sms: 'Ik moet met je praten. Kun je me laten weten wanneer (GMT) ik je kan bellen?'

En dan wacht ik.

Binnen een minuut heb ik antwoord.

'Bel je om elf uur (GMT) vanavond, als dat schikt.'

Ik ben stomverbaasd over de boodschap want daar, aan het eind, staat een smiley. Een echte, het mondje opgetrokken naar de ogen. De ogen gerimpeld door de kracht van de glimlach. Zo intens glimlacht zijn smiley.

Ik bel meteen Bryan.

'Nou?' vraagt hij.

'John belt me vanavond,' zeg ik. 'Om elf uur GMT.'

'Mooi zo,' zegt Bryan.

'Dat zal wel,' zeg ik.

'Er is nog iets, of niet?' zegt Bryan. 'Wat is er?'

'Hij heeft me een sms gestuurd.'

'Alleen omdat jij bent begonnen. Je moet wel eerlijk blijven.'

'Hij heeft een smiley aan het eind van het bericht gezet.'

'Een smiley?' Zijn stem gaat een octaaf omhoog, zoals altijd als hij zich verbaast.

'Ja.'

'Nou ja, moet je horen,' begint Bryan, 'het is in elk geval geen huilend gezichtje, of zo een die zijn tong uitsteekt, of een rood boos gezicht, toch?'

'Dat zal wel,' zeg ik nog eens.

'Zal ik vanavond naar je toe komen? Om je een beetje morele steun te verlenen?' vraagt hij.

'Ik dacht dat je vanavond met Grāinne uit zou gaan?'

'Ze heeft me gedumpt.'

'Ik dacht dat zo goed ging. Jullie zijn al drie keer uit geweest, of niet?'

'Ja, maar...'

'Wat is er gebeurd?'

'Volgens mij heeft ze zich laten wegjagen door mijn ringtone.'

'Heb je nog steeds...'

'Ja, nog steeds Phyllis die de titelsong zingt van *Watership Down*.'

'Wat zei ze dan?'

'Ze zei dat ze het wel aardig vond.'

'O.'

'Ik kan dus naar je toe komen als je dat wilt.'

'Bedankt, Bryan, maar het lukt wel. Ik red me wel. Ik maakte me gewoon een beetje zorgen, meer niet. Toen ik dat lachende gezichtje zag. Het past helemaal niet bij hem.'

'Misschien is hij veranderd,' oppert Bryan. 'In zijn voordeel, bedoel ik. Misschien is hij dichter bij zijn gevoel gekomen en zo.'

'Zullen we het ergens anders over hebben?' zeg ik.

'Hoe voel je je?' vraagt hij.

'Mijn symptomen van deze week zijn twee bloedneuzen, bloedend tandvlees en brandend maagzuur nadat ik Mexicaanse zoutjes had gegeten.'

'Allemaal volkomen normaal,' zegt Bryan en ik hoor de trots in zijn stem. Alsof ik zijn beste leerling ben. 'Hoewel ik niet wist dat je van Mexicaanse zoutjes hield.'

'Daar hield ik ook niet van,' zeg ik en ik open de bovenste la waarin ik een hele voorraad heb liggen. Ik pak er een zakje uit. 'En slapeloosheid,' voeg ik eraan toe.

'Maar daar heb je altijd last van gehad,' zegt Bryan.

'Ja, maar nu heb ik er een goede reden voor,' zeg ik. Ik vind het prettig als de dingen een goede reden hebben.

Ik beloof dat ik hem de volgende morgen zal bellen om verslag te doen van mijn gesprek met John. We nemen afscheid en verbreken de verbinding.

Ik kijk op mijn horloge. Het is 14.32 uur (GMT). Nog 8 uur en 28 minuten voor ik John spreek en hem kan vertellen over de baby. Zijn baby. Misschien. Waarschijnlijk.

21

De telefoon gaat om exact 23 uur (GMT). Ik zit in de keuken met mijn voeten op de Aga en probeer Blue op mijn schoot te lokken om me te verwarmen en te troosten. Hij weerstaat mijn pogingen en kruipt in plaats daarvan voor een klein holletje in de plint waar ooit, ongeveer vijftien jaar geleden, een muis is verschenen. Blue heeft die muis nooit gevangen en sinds die tijd nooit meer een muis uit het holletje zien komen, maar dat weerhoudt hem er niet van er te gaan liggen wachten. Hij is altijd hoopvol. Dat vind ik zo leuk aan hem.

Ik ben alleen in de keuken. Ik heb mijn moeder in bed gestopt met een kruik, een glas wijn, haar ooglapjes, schijfjes komkommer en de dvd-box van *Dallas*. Of *Dynasty*. Ik weet niet meer welke. Declan doet een poging tot doe-het-zelven in de garage. Tenminste ik denk dat hij dat doet. Ik hoor hem met een hamer slaan en af en toe hartgrondig brullen als de hamer zijn vinger raakt in plaats van een spijker. George is zoals altijd gezellig in het poortgebouw en droomt waarschijnlijk over Phyllis. Hij is al verliefd op haar zolang ik me kan herinneren, maar aangezien hij verlegen en bescheiden is, heeft hij haar dat nooit durven vertellen en Phyllis – die in de loop der jaren haar deel aan vrijers heeft gehad – is zich kennelijk nooit bewust geweest van George' gevoelens voor haar.

Ik laat de telefoon drie keer overgaan voor ik opneem. Ik wil niet dat hij denkt dat ik op het telefoontje zit te wachten. Hoewel dat precies is wat ik aan het doen ben.

Ik schraap mijn keel.

Ik pak de telefoon.

Ik haal diep adem.

En dan zeg ik: 'Hallo?'

'Hallo, Scarlett,' zegt hij en zijn stem is nog precies zoals ik me hem herinner en dat verbaast me, al weet ik dat dat onzin is. Even lijken, door zijn vertrouwde stem om me heen, de laatste weken weg te vallen en zit hij gewoon op kantoor, moet hij overwerken, belt hij me even om te laten weten dat hij over een halfuur thuis zal zijn en vraagt me zijn kant van de elektrische deken vast aan te zetten.

'John,' zeg ik. 'Fijn dat je terugbelt.'

'Natuurlijk,' zegt hij en ineens zijn we vreemden in een kamer die zomaar een gesprek voeren op een feestje waar we geen van beiden willen zijn. Ik pak met beide handen de telefoon vast en vraag me af waar ik zal beginnen. Hij zegt het eerst iets. 'Ik ben blij dat je hebt gebeld,' zegt hij.

'O ja?' Die mogelijkheid had ik nog niet overwogen.

'Ja. Ik... ik wilde je zelf al bellen maar... ik wist niet... ik wist niet zeker...'

'Hoe is het weer daar?' vraag ik en ik knijp in mijn bovenarm. Hard. Het kan me helemaal niet schelen hoe het weer in Brazilië is. John echter lijkt opgelucht dat hij wordt onderbroken. Hij praat over het weer. Eindeloos. Het komt erop neer dat het warm is.

Daarna wordt het stil, als een stilte voor de storm voor het gaat onweren. Vol van statische elektriciteit. John maakt er een einde aan. 'Waarom belde je?' vraagt hij met de abruptheid die hem zo eigen is. Dat betekent niet dat hij kortaf is, hij is gewoon niet zo goed in het voeren van telefoongesprekken.

'Er is iets gebeurd,' kan ik met moeite uitbrengen.

'Iets ergs?' vraagt hij achteloos en ik hoor bijna dat hij zich schrap zet.

'Nou...' Het lijkt wel of ik over elke hobbel van dit telefoonge-sprek struikel. Ik weet niet goed in welk hokje ik dit moet stop-pen. Als je de naakte feiten van de zaak kon opschrijven en het op een stuk wit papier aan hem kon overhandigen, zou het misschien erg lijken. Maar Ellen voelt niet aan als iets ergs. Ze voelt aan als iets goeds. Ik kijk naar de regels van de dialoog in mijn planner. Niets van wat ik gisteravond heb opgeschreven, komt me nu gepast voor.

Met een klap sluit ik het boek.

'Ik ben zwanger.'

In de stilte van de keuken klinken de woorden plompverloren en helder. Zelfs Blue kijkt op van het holletje in de plint en vestigt zijn alwetende blik op me voor hij zijn wake herneemt.

John zegt niks. Ik voel de kilometers tussen ons langer worden en langer worden, als een weg door de woestijn.

Ten slotte zegt hij wat. 'Dat had ik niet verwacht,' zegt hij.

'Wat verwachtte je dan?' Ik ben nieuwsgierig.

'Ik weet het niet. Ik dacht dat je misschien een uitstapje wilde organiseren voor Blue naar Pythagoras en Newton.'

Blue heeft inderdaad drieënhalf jaar een appartement gedeeld met Johns twee katten. Hij heeft ze voornamelijk genegeerd. Als hij niet om hun aanwezigheid heen kon, vertoonde hij eerder een wantrouwig soort tolerantie dan genegenheid. Misschien heeft zijn afwezigheid Johns herinnering aan Blue gekleurd.

'Waar zijn die eigenlijk?' Wat raar dat ik daar nu pas aan denk.

'Bij mijn broer en zijn vrouw in Kildare. Ze wonen op een zolder met twee koeien en een geit.' Even denk ik dat hij het over zijn broer en schoonzuster heeft, dat die op een zolder wonen met koeien en een geit.

'O,' zeg ik.

'Ik begrijp niet hoe dat heeft kunnen gebeuren,' zegt John na een poosje. 'We zijn altijd zo voorzichtig geweest.'

'Nou, het is toch gebeurd,' vertel ik hem en de spanning van de dag dringt door tot in mijn stem, als een barst in een ruit.

'Hoewel,' zegt hij, alsof ik helemaal niks heb gezegd, 'ik weet nog wel dat je ingewanden van slag waren kort voor ik... het vliegtuig vertrok.'

Nu weet ik het weer. Ik had vreselijke diarree, al is John te beleefd om dat te zeggen. Net zoals hij te beleefd is om te zeggen dat hij weg is gegaan. Zijn vliegtuig is vertrokken. En daar zat hij toevallig in.

'Diarree,' zeg ik en ik voel Johns afkeer door de telefoon. Dat doet me deugd, al heb ik er niks aan.

'Je ingewanden waren van slag,' zegt hij nogmaals. 'Dat kan invloed hebben gehad op de effectiviteit of iets dergelijks van de anticonceptiepil. Ik zal het googelen.' Opnieuw een stilte.

'Dus,' begin ik. 'Hoe... je weet wel... sta je daar tegenover?' Het is een nieuw vertrekpunt voor ons. We zijn geen stel dat dit soort gesprekken heeft. Tenminste, dat waren we niet.

'Ik zal naar huis komen, natuurlijk,' zegt hij.

'Meen je dat?' Ik kan niet geloven hoe gemakkelijk het gaat. Als John ooit zou bedenken mij te vragen hoe ik me voelde, zou ik niet weten wat ik moest zeggen.

'Natuurlijk,' zegt hij nog eens met die rustige zekerheid van hem. 'Maar ik moet hier tot eind juli blijven. Dat heb ik ze beloofd en...'

'Natuurlijk moet je blijven,' zeg ik tegen hem. 'De baby wordt pas in oktober verwacht.' Om de een of andere reden vertel ik hem niet hoe ze heet. Nog niet.

'Ik verwacht heus niet dat wij weer samen zullen zijn of zoiets,' zeg ik en in mijn haast vallen de woorden over elkaar heen. 'Ik wilde het je alleen laten weten. Ik wist dat je het zou willen weten.'

'Ik ben blij dat je het me hebt verteld,' zegt hij.

'Echt waar?'

'Ja.'

'Ik moet je nog meer vertellen,' zeg ik. Ik sluit mijn ogen als ik dit zeg en haal diep adem, niet wetende waar ik zal beginnen.

'Het spijt me, Scarlett, ik moet ophangen. Mijn telefoon is bijna leeg en ik moet aan het werk. Ik zou vanavond vrij hebben, maar Miguel en Lolita hebben vanmiddag burrito's gegeten die niet gaar waren en ze zijn allebei ziek...'

Lolita. Weer die naam. Ik vraag me af wat ik daarbij voel. Niets. Zelfs geen vreugde dat ze een voedselvergiftiging heeft opgelopen door een ongare burrito. John praat nog door.

'... dus ik moet invallen. Mijn dienst begint over vijf minuten. Ik wil niet te laat komen.' John is zijn hele leven nog nooit ergens te laat voor gekomen, behalve voor zijn geboorte. Daar was hij negentien dagen te laat voor.

'Nou ja, er is nog één dingetje...'

'En dat is?' Ik hoor dat hij op mijn antwoord wacht, wiebelend van ongeduld zoals hij doet als hij te laat dreigt te komen. Er valt een doek over datgene waar ik net de moed voor bij elkaar had geraapt om te vertellen. En ik weet dat er geen *encore* zal volgen. Dit is geen onderwerp om overhaast te behandelen. Het is waarschijnlijk een gesprek waarvoor we oog in oog moeten zitten, houd ik mezelf voor. Lafaard, fluistert mijn hoofd tegen mijn hart.

'Het doet er niet toe,' zeg ik. 'Dat komt nog wel.' Ik kruis mijn vingers en tenen als ik dit zeg. 'Pas goed op jezelf, John.'

'Dag, Scarlett.' Er klinkt een klik en dan is hij weg en ik stel me hem voor, zijn rug kaarsrecht en zijn gezicht gesloten en ondoorgrondelijk, lopend onder een hemel met duizend sterren en de hitte van de dag als een mantel om zich heen. Hij zal pas stoppen met lopen als hij zijn doel heeft bereikt en dan pakt hij een beitel of een hamer of een spade of een mes en vork of wat ze dan ook gebruiken voor wat ze aan het doen zijn en dan gaat hij aan het werk en hij stopt pas als hij geacht wordt te stoppen.

22

De volgende dag kom ik te laat op mijn werk omdat Maureen haar auto voor de deur van de garage heeft geparkeerd zodat ik de mijne er niet uit kan halen, wat nog niet zo erg zou zijn geweest als ze haar sleutels niet was kwijtgeraakt. Uiteindelijk vind ik ze, achter de wasmachine in de bijkeuken, maar de zoektocht duurt langer dan gewoonlijk.

Dus als ik aankom, zitten Filly en Elliot al in mijn kantoor. Ze staan op als ik de deur opendoe.

'Wat heeft hij gezegd?' vragen ze tegelijkertijd, alsof ze dat zo gerepeteerd hebben.

Blue schrikt zich rot, worstelt zich los uit mijn armen, rent naar de deur en verdwijnt door de gang, waarschijnlijk op weg naar de kantine om de dames daar te versieren en wat stukjes spek te scoren.

'Heeft hij gebeld?' vraagt Filly, die in vier van haar kleine stapjes bij me is.

'Ja.'

'Heb je hem over Ellen verteld?' vraagt Elliot, die eruitziet alsof hij nog minder heeft geslapen dan gewoonlijk, met grote wallen onder zijn ogen en zijn bleke huid strak gespannen over zijn gezicht.

'Ja.'

'En wat zei hij?'

'Hij zei dat hij thuis zou komen,' zeg ik en dan zwijg ik, want Elliot en Filly dansen triomfantelijk door het kantoor, schreeuwend en juichend en ze slaan elkaar op de rug. Ik hoor Elliot zingen: 'Heb ik het niet gezegd?' en hij stompt met zijn vuist in de lucht.

Niemand zegt een woord over Red Butler en nu er zo'n feestelijke stemming in het kantoor heerst, begin ik er ook niet over. Trouwens, wat zou ik moeten zeggen?

'Goed,' zeg ik ten slotte, als duidelijk wordt dat het zingen en dansen en stompen in de lucht eindeloos doorgaan. Elliot en Filly staan een beetje op hun benen te wankelen voor ze tot rust komen, als kinderen die te lang met uitgestrekte armen rondjes hebben gedraaid op het gras. Ze kijken me aan.

'Ik heb nog werk te doen,' zeg ik tegen hen.

Ze kijken elkaar aan. 'Ze is er weer,' zeggen ze.

Ik knik en glimlach terwijl ze hun spullen bij elkaar rapen en het kantoor verlaten met de belofte rond lunchtijd terug te komen.

Voor het eerst in lange tijd lukt het me om me op mijn werk te concentreren. Ik verwacht Sofia Marzoni die ochtend en ik moet klinken alsof ik haar aanstaande bruiloft de aandacht heb gegeven die ze verwacht.

Ik probeer niet te denken aan de laatste keer dat ik haar zag. Het lijkt wel of dat heel lang geleden is gebeurd, met iemand anders.

Ik ga zitten en buig mijn hoofd over mijn werk.

Ik ben er weer. Het is fijn om er weer te zijn.

23

'Sofia Marzoni is beneden bij de receptie.' Filly kijkt om de hoek van de deur van mijn kantoor.

Mijn hoofd schiet omhoog van tussen mijn knieën.

'Ze is vroeg,' kan ik nog net uitbrengen voor ik het tupperwarebakje uit de bovenste la van mijn bureau pak en er keurig in overgeef. De papieren zakjes van de stewardessvriendin van Filly zijn nog niet gearriveerd. Ik doe het deksel erop en zet het bakje terug op zijn plek in de la, schuif die dicht en veeg mijn mond af met een tissue.

'Dat ziet er gruwelijk uit, Letty,' zegt Filly.

'Ik weet het. Maar het gaat zo snel. Het is niet zoals gewoon overgeven. Ik kom nooit op tijd op het toilet en zelfs als dat lukt, weet iedereen tussen de middag wat er aan de hand is. Denk maar aan Eloise en Lucille. Die zijn altijd op het toilet te vinden. Komt zeker door de vijgen die ze in de pap stoppen of zoiets.'

'Het leidt wel af. Het idee dat er een bak met braaksel in de bovenste la staat. Vroeger lag daar de perforator die ik je heb gegeven.'

'Die heb ik nog,' zeg ik. 'Die heb ik alleen verplaatst naar de tweede la.' Ik schuif de la open om het haar te laten zien. De perforator heeft de vorm van het Sydney Opera House en de kleuren van de Australische vlag. Ik stop mijn hoofd weer tussen mijn knieën. Die houding heeft Filly me aangeraden. Aan de andere kant heeft ze me ook gember en antimisselijkheidarmbanden en cream crackers en brandnetelsoep aangeraden, waarvan ik alleen maar meer ben gaan overgeven.

Filly is er al gewend aan geraakt tegen de ronde bovenkant van mijn rug te praten.

'Zal ik ze naar boven sturen?'

'Ze?' Ik span mijn buikspieren aan en zie mezelf terwijl ik niet aan het overgeven ben. Dat heb ik de laatste paar dagen al vaker geprobeerd en ik heb gemerkt dat het net zoveel succes heeft als de gember en de armbandjes en de crackers en de brandnetelsoep.

'Hier,' zegt Filly en ze doopt mijn vingertoppen in een glas koud water. 'Dat zal wel helpen.'

'Het enige effect dat dat heeft, is dat ik moet plassen.' Ik haal mijn vingers uit het glas en lik ze af, waarbij ik vergeet dat water een van de dingen is die ik niet kan binnenhouden. Water en voor de rest alles. Behalve – opmerkelijk genoeg – broccoli. 'Nou, zal ik Sofia en meneer zelf boven brengen of niet?'

'Doe maar,' zeg ik met een stem die zo slap is als de thee in Frankrijk.

'Je moet wel rechtop gaan zitten,' zegt Filly. Ze gebruikt haar vastbesloten stem. Ze komt naar mijn kant van het bureau en ik steek mijn hand uit naar het tupperwarebakje.

'Ik heb toch gevraagd of je geen Persil meer wilt gebruiken,' zeg ik. 'De geur daarvan maakt me misselijk.'

'Maar elke geur maakt je misselijk,' zegt Filly, wat niet geheel onredelijk is.

'Ja, maar Persil helemaal. Alsjeblieft, Filly? Het duurt maar een paar weken. Daarna moet het over zijn.'

'Goed dan,' zegt Filly. 'Ik zal informeren bij Brendan. Eens horen welk merk hij gebruikt.' Brendan is volgens mij een soort wasfetisjist. Hij is altijd aan het wassen en trekt de kleren zo'n beetje van Filly's lijf zodra ze binnenkomt en stopt ze in de wasmachine, of ze gewassen moeten worden of niet.

'Bedankt,' kan ik nog net uitbrengen voor ik me weer over het bakje moet buigen. Het is nu bijna vol. Ik kijk naar Filly, met dezelfde uitdrukking als die Blue gebruikt als hij wil dat ik zijn kattenbak verschoon, wat George tegenwoordig doet. Volgens de dierenarts van Blue en onze huisarts komt alles met Ellen in orde zolang ik maar weg blijf bij de kattenbak.

'Geen sprake van.' Filly loopt achteruit met beide handen geheven alsof ik een pistool op haar richt in plaats van een tupperwarebakje vol met braaksel.

'Maar je bent haar peetmoeder,' jammer ik.

'Dat is gemeen,' zegt Filly.

'Ik weet het,' zeg ik instemmend.

Filly pakt het bakje en gruwelt van de warmte tegen haar vingers. 'Beloof me dat je hetzelfde voor mij doet als het zover is.'

Ik knik. Gelukkig is mijn maag nu eindelijk leeg en ik kan niets anders meer doen dan kokhalzen met een vreselijk hol geluid waarvan zelfs Filly een beetje verbleekt.

'Ik zal het legen en dan ga ik ze halen,' zegt Filly en ze stapt naar de deur. Ze houdt het bakje zo ver als ze kan zonder te morsen van zich af.

Ik laat mijn hoofd weer tussen mijn knieën zakken.

'Ga in hemelsnaam je tanden poetsen en doe iets aan het kantoor. Het ruikt hier als op een veerboot,' zegt Filly voor ze vertrekt.

Ik hef mijn hoofd, knik tegen Filly en als ze weg is, neem ik dezelfde houding weer aan.

'En doe in vredesnaam wat make-up op je snoet. Een lijk van drie dagen oud ziet er nog gezonder uit.' Filly komt nog even terug om deze opdracht te geven voor ze weer verdwijnt.

Ik red het net tot de toiletten voor ik het water dat ik anderhalve minuut geleden in mijn kantoor van mijn vingers heb gelikt, eruit gooi. Daarna voel ik me een beetje beter. Goed genoeg om mijn gezicht te bestuderen in de spiegel boven de wastafel. Alert genoeg om de braakselvlek op de revers van mijn jasje te ontdekken. Ik ben te moe om het braaksel weg te vegen. Mijn armen voelen als zware kettingen die ik niet kan optillen. Ik weet zeker dat als ik op de koude vloer met harde tegels ga liggen, ik binnen een paar seconden zal slapen.

Ik pak een poederdoos uit mijn tas, haal diep adem en maak hem open. Het ruikt naar dode slakken. In ontbinding. Op een warme dag. Maar goed, het is dat of iemand die toeschiet om me mond-op-mondbeademing te geven. Ik zie er niet eens uit als een lijk van drie dagen. Meer als een eeuwenoude mummie.

En alsof het allemaal nog niet erg genoeg is, komt op dat moment Gladys Montgomery het toilet binnen.

'Scarlett, je ziet er vreselijk uit. Ben je nog steeds ziek?' vraagt Gladys op een toon die suggereert dat ze hoopt dat ik nog steeds ziek ben en dat het niet meevalt.

Ze sluit zichzelf op in een van de hokjes voor ik antwoord kan geven en begint te plassen, lang en luidruchtig. Ze is een van die mensen die tegelijkertijd een gesprek kunnen voeren en plassen.

'Sofia Marzoni zit in je kantoor op je te wachten.'

'O ja?' Ik kijk op mijn horloge. Ik kan niet geloven dat ik hier al tien minuten ben.

'Ja. Je moet opschieten. De Marzoni's houden er niet van te moeten wachten, weet je.' Gladys praat heel hard zodat ik haar boven haar straal urine uit kan horen. Ze plast als een ezel. Dan begint ze winden te laten, met hoge piepgeluiden, en elke wind wordt gevolgd door een kreun van tevredenheid, alsof ze helemaal alleen is.

Hinkend ga ik door de gang terug naar mijn kantoor. Ik hink omdat ik mijn tenen heb gestoten tegen de onderkant van het toilet in mijn haast erbij te komen en over te geven. Ik heb het warm. Mijn jasje hangt over mijn arm, de vlek zorgvuldig uit het zicht. Ik hoor stemmen uit mijn kantoor komen. Sofia's stem, luid en keelachtig, Filly's stem, hoog en snel, en dan een derde stem. Een mannenstem. Een gin-en-sigaretten-stem. Sommige mensen zouden hem sexy noemen. Mijn schoenen komen zacht neer op het dikke tapijt in de gang en dan sta ik stil. Ik sta drie meter van de deur van het kantoor.

'Juist, Scarlett, daar ben je.' Filly's stem klinkt joviaal als ze de gang in stapt. Ze sluit de deur achter zich en voegt er, laag sissend, aan toe: 'Waar bleef je verdomme? Ga naar binnen met je kotskop. Sofia is er met haar verloofde – Daniel nog iets – en ze begint onrustig te worden.'

'Zijn stem... die klinkt bekend. Ik...'

'We hebben geen tijd voor kletspraatjes, Scarlett. Schiet op.'

Ik loop naar de deur. Filly volgt me.

24

'Hoe gaat het met je, Scarlah? Je ziet eruit als een bus mag-noliaverf, ik zweer het je.' Ik ben nog niet over de drempel van het kantoor als Sofia me omhelst als een pandabeer. Ik geef mezelf over aan de omhelzing, vooral omdat er niks anders op zit. Door haar dikke, zwarte haar kan ik verder niets zien.

'Gatver, je ruikt naar kots, Scarlah. Ochtendmisselijkheid of zo?'

'Ochtendmisselijkheid?' vraagt een stem.

Dan laat Sofia me los uit haar omklemming en draait zich om. 'Ik was bijna vergeten dat je er was, ik zweer het je. Scarlah, dit is Daniel Butler, mijn verloofde.' Ze gaat aan de kant zodat ik het volle zicht op hem heb, alsof ik een klap met een voorhamer krijg. Sofia's stem is een tank die over me heen dendert. 'Iedereen noemt hem Red,' zegt ze. 'Red, dit is Scarlah O'Hara, de weddingplanner. Scarlah verwacht een baby'tje.' Sofia brengt dit nieuwtje als een krantenjongen zijn kranten. Ze gooit het zonder te kijken. Het scheert door de lucht, draait een paar keer rond en tuimelt aan de voeten van Red Butler. Hij raapt het niet op. Eigenlijk doet hij niets anders dan daar met open mond blijven staan. Het enige wat ik kan doen, is naar hem staren.

'Ik dacht al dat je er bekend uitzag,' zegt Filly.

'Dus je heet echt Scarlett O'Hara?' vraagt Red en ik kan het niet geloven, maar hij glimlacht tegen me. Alsof er niets is gebeurd. Alsof zijn verloofde niet een halve meter bij hem vandaan staat en – ik kijk aandachtiger – zijn verraderlijke hand vasthoudt.

Sofia kijkt van mij naar hem en terug, als een umpire op Wimbledon. 'Jullie twee kennen elkaar?'

'Nee,' zeg ik.

'Ja,' zegt Red tegelijkertijd.

'Nou ja, ik bedoel... wat ik bedoel, is dat we elkaar als zodanig niet echt kennen,' zeg ik snel. 'Ik... dat wil zeggen, we... ik en Filly... hebben hem ontmoet... op de plek waar hij werkt... op een avond.'

'O, je bedoelt de Love Shack?' zegt Sofia gedienstig. 'Ja, daar werkt hij soms. Als vervanger, soort van. Maar eigenlijk is hij acteur. Heeft hij dat niet verteld?'

'Eh, nee, dat heeft hij niet verteld,' kan ik met moeite uitbrengen.

'Zo bescheiden, typisch iets voor hem,' zegt Sofia en ze kijkt stralend naar Red.

Hij lacht terug. Ik bestudeer de glimlach. Die is warm. Oprecht. Zonder een spoortje bezorgdheid. Alsof hij denkt – nee, weet – dat hij ermee weg is gekomen. Ik onderdruk de neiging hem op de grond te werken en hem tot moes te slaan met een van de naaldhakken van Filly. Als Blue hier was, zou hij me helpen zijn ogen uit te krabben. Maar Blue is in de receptieruimte met Hailey, die erop stond een winterjasje voor hem te breien; nu moet hij dat voor het eerst passen.

Sofia zegt weer wat en ik moet grote moeite doen om me los te rukken van mijn moorddadige gedachten en in elk geval de indruk te wekken dat ik naar haar luister.

'Jezus, Scarlah, ik hoop dat je het niet erg vindt dat ik het zeg,' zegt ze en ze knikt met haar naïeve glimlach in de richting van Red, 'maar hij is mijn verloofde; ik vertel hem alles, ik zweer het je.'

Ik weet dat ik iets zou moeten zeggen, maar ik kan helemaal niks bedenken.

Dan komt Filly me redden. 'Wie heeft er trek in een lekker kopje thee met froufrou?' Het is geniaal. Het geeft me de ruimte die ik nodig heb om mijn gedachten op een rijtje te zetten. Voor zover ik weet, heeft nog nooit iemand een froufrou geweigerd. Ik weet niet eens of het mogelijk is. Maar het plan werkt tegengesteld.

'Ik loop even met je mee, ik zweer het je,' zegt Sofia, die naar de ene plek van het kantoor gaat waar ik haar niet wil hebben: de deur.

'Nee. Wacht.' Ik steek mijn hand naar haar uit. 'Eh, Filly kan dat heel goed alleen, of niet soms, Filly?'

Filly knikt, maar Sofia kijkt bezorgd. 'Ik ben heel precies met mijn thee, ik zweer het je. Twee plus tweederde lepeltjes rietsuiker en het theezakje moet in het kopje blijven tot de melk erdoorheen is geroerd. En dan komt het belangrijkste.' Ze stopt zodat wij ernaar kunnen vragen.

Filly geeft haar haar zin. 'Wat is dan het belangrijkste?' vraagt ze.

'Je giet het water over het theezakje vlak voor het begint te koken.' Ze simuleert het opschenken van het water in een denkbeeldig kopje om het te demonstreren. 'De enige persoon buiten mijzelf die dat goed doet, is Red.'

Ik zoek naar strohalmen, want het laatste wat ik wil, is alleen in de kamer blijven met hem.

'Maar geen zorgen, Scarlah, ik blijf niet lang weg,' zegt Sofia. 'Maak jij het maar gezellig met Red terwijl we weg zijn. Hij is zo lief, ik zweer het je.' Ze woelt door zijn haar, glimlacht naar hem en is weg.

Filly trekt haar meest verontschuldigende gezicht en rent weg, achter Sofia aan. De deur valt in het slot en dan zijn we alleen. Ik kan niet snel genoeg achter mijn bureau komen en als ik eenmaal veilig zit, tik ik woest op het toetsenbord en open een nieuw dossier in de database.

'D-A-N-I-E-L B-U-T-L-E-R.' Ik spel de naam hardop terwijl ik met twee vingers de toetsen aansla. Misschien iets harder dan normaal en mijn vingers zijn misschien iets stijver. Maar verder niets opvallends. Niets onprofessioneels.

'Wat is je geboortedatum?' vraag ik zonder op te kijken en helemaal geconcentreerd op het computerscherm.

Red staat voor me, zijn handen plat op het bureau. Ik werp er een blik op. Ik herinner me zijn handen.

'Scarlett,' zegt hij en hij wacht.

Ik dubbelklik op zijn naam, delete die en begin de letters opnieuw in te toetsen.

'Ja?' Ik typ nog steeds. Willekeurige nummers nu.

Hij loopt naar het raam zodat er bijna geen licht meer binnenkomt. 'Hoor eens, Scarlett,' zegt hij en dan wordt het stil en hoor ik hem spelen met de rits van zijn jas. Hij trekt hem omhoog en

weer naar beneden en de metalen tanden werken op mijn zenuwen. 'Ik weet dat het heel ongemakkelijk voor je is en het spijt me
echt. Ik wil…'

Ik moet hem tegenhouden. De woede, tot nu toe onderdrukt,
laait ineens op. Ik houd op met typen en klap het deksel van mijn
laptop dicht. 'Ongemakkelijk voor mij?' zeg ik. 'En hoe zit het
dan met jou? En met je verlóófde?' Ik spuug het woord eruit. Ik
ben echt ongelooflijk kwaad. Ik ben er helemaal buiten adem van.

'Het spijt me,' zegt hij nogmaals. 'Ik wist niet dat je hier zou
zijn.'

'Hoe kun je in vredesnaam niet weten dat ik hier zou zijn? Dit
is verdomme mijn eigen kantoor.'

'Nou ja, ik weet het, het is gewoon…'

'Wat? Sofia heeft het je niet verteld? Ze vertelt iedereen alles.
Dat zou jij toch moeten weten, aangezien je haar verloofde bent.'

'Nee,' zegt Red. 'Ik bedoel, ja. Ze heeft het me wel verteld.
Maar ik nam aan… die avond in de bar… ik dacht gewoon… je
weet wel…' Zijn stem sterft weg. 'Het komt gewoon doordat ik
niet geloofde dat Scarlett O'Hara je echte naam was.'

Dan kijk ik naar hem. Alles is nog zoals in mijn herinnering.
Het rode haar, vlammend en eigenwijs, dat aan alle kanten uit-
steekt als een hooiberg. Het groen van zijn ogen als het groen op
Saint Patrick's Day. De algehele slordige indruk. De zorgeloosheid.

'Ik weet wat voor indruk dit moet maken,' zegt Red, die
gebruikmaakt van de stilte. 'Maar…' Dan zwijgt hij en ik zie dat
hij tevergeefs zoekt naar een verklaring die ervoor kan zorgen dat
de situatie minder… minder…

'Sjofel,' verklaart Sofia die de deur van het kantoor opengooit
en naar binnen marcheert. 'Dat moet het zijn, Filly. Vier verticaal.
Sjofel.'

Het theewagentje rammelt als Filly het met één hand over de
drempel rijdt. Met de andere hand houdt ze een opgevouwen
krant voor haar gezicht. 'O, ja, je hebt gelijk,' zegt ze en ze tuurt
in de krant.

'En dan "ontrouw", dat past precies in zeven verticaal,' zegt
Sofia en ze gaat op de bank zitten met een enorme beker thee en

drie froufrous. Ze glimlacht naar ieder van ons en haar mondhoeken raken bijna de hoeken van haar ogen als ze naar Red kijkt. Ze geeft hem twee koekjes.

'Eet jij die maar lekker op, schat,' zegt ze. 'Je moet nog een beetje vetgemest worden voor de bruiloft, ik zweer het je.' Ze kijkt naar mij en naar Filly. 'Ik bedoel, moet je die heupen zien.' Ze steekt haar hand uit en trekt zijn T-shirt op om het te laten zien. 'Na alle macaroni die ik hem in de loop der jaren heb gevoerd, steken de botten nog steeds uit. Het is niet eerlijk, of wel soms?'

Met stijf gesloten mond schud ik mijn hoofd. Het is waar. Ze steken uit. Dat weet ik nog.

Dan neemt Filly het roer van het gesprek in handen en stuurt ons naar veiliger water. 'Dus,' zegt ze in een imitatie van mijn meest officiële weddingplannerstoon. 'Allereerst gefeliciteerd.' Sofia en Red kijken elkaar aan, dan naar mij en dan naar Filly. Alsof ze geen idee hebben waar ze het over heeft. 'Met jullie verloving,' zegt ze behulpzaam.

'O ja, dat, natuurlijk,' zegt Sofia en dan grinnikt ze een beetje achter haar hand. Red zegt helemaal niks, voornamelijk omdat hij dat niet kan met zijn mond vol koekjes.

'Dus,' zeg ik en ik voel me iets zekerder, 'we hebben het over een bruiloft in augustus. Het thema van een vroege herfst met mooie herfstkleuren. Misschien goud en oker.'

'Oker?' vraagt Sofia met gefronste wenkbrauwen.

'Een soort gebrand oranje,' verklaart Red voor ik de kans krijg.

'Het lijkt een beetje op taupe,' voeg ik eraan toe.

'Dat is lichtbruin,' zegt hij tegen Sofia voor ze het kan vragen.

'Ik weet niet of ik wel een kleur wil die gebrand is,' zegt Sofia langzaam. 'Dat klinkt niet heel aantrekkelijk, of wel?'

'Het zou fantastisch kleuren bij je haar,' zegt Red en plotseling zitten zijn handen in Sofia's haar en duwen ertegen en fluffen het op tot Sofia er ineens heel anders uitziet: kwetsbaar en zachtmoedig. Red kijkt rond in het kantoor tot hij een van mijn mappen ontdekt die precies de okerkleur heeft waar ik aan denk. Hij kijkt naar me en ik knik en geef hem de map. Hij houdt die naast Sofia's gezicht.

'Perfect,' zegt hij. 'Ik vraag me af of er misschien...'

Ik trek de derde la open en pak een spiegel. Hij is groot genoeg om Sofia's haar, haar gezicht en de map te laten zien.

'Zie je wel?' vraagt Red als ik de spiegel omhooghoud.

'Nou...' zegt Sofia. Even voel ik dat ze weifelt en in gedachten pak ik een potlood en houd dat boven het hoofdstuk 'bruiloftskleuren', klaar om het af te strepen.

'Nee,' zegt Sofia en ik leg het potlood weer neer. Ik voel me een beetje belachelijk omdat ik even dacht dat er een aspect aan de Marzonibruiloft was dat zo gemakkelijk beslist kon worden.

Red legt de spiegel en de map op mijn bureau en pakt nog een koekje. Ik concentreer me op Sofia, maar ik zie hem in mijn ooghoeken. Uitgestrekt op een van mijn stoelen in mijn kantoor. Hij krabbelt met een oud potloodje iets op de achterkant van een envelop. Misschien schetst hij Sofia's gezicht wel. Wat een onbeschaamdheid.

'Ik wil roze,' zegt ze. 'Alles. De jurken, de taart, het kasteel, de bloemen, de kaarsen, het Delfts blauwe aardewerk, alles. En ik wil die zangeres, hoe heet ze ook al weer...'

'Pink,' oppert Red, zonder op te kijken van zijn tekening.

'Ja, die bedoel ik. Pink. Ik wil dat ze 's avonds komt optreden. Ik ken haar liedjes niet, maar ze heet Pink dus haar wil ik.' Sofia stopt even om op adem te komen. 'En alle vogels moeten roze zijn.'

'De vogels?'

'Maak je geen zorgen,' zegt ze. 'Ik heb het niet over zwanen. Niet na Carmella.' Sofia glimlacht naar me alsof ze me wil geruststellen, zodat ik niet denk dat ze net zo gek is als Carmella. Misschien is het waar, maar ze komt in de buurt.

Ze waren voor een dag gehuurd, de zwanen, met instructies rustig rondjes te zwemmen in de waterpartij in het midden van de eetzaal. Het mannetje wachtte tot het tijd was voor de speeches voor hij op de rug van het vrouwtje sprong en met zijn grote vleugels tegen de zware zomeravondlucht sloeg alsof hij wilde zeggen: 'Gaan we er vanavond nog tegenaan?' Kennelijk gingen ze er niet tegenaan, want het vrouwtje reageerde woest, maakte de afgrijselijkste geluiden door haar neus, sloeg met haar vleugels het mannetje de hele waterpartij door, probeerde met haar snavel zijn ogen uit te pikken en ging toen op hem staan en stampte met haar zwarte zwemvliezen op zijn sneeuwwitte rug.

'Ze blijven elkaar hun leven lang trouw, moet je weten,' had Carmella gefluisterd toen ze het idee van de twee zwemmende zwanen opperde.

'Dus, Sofia, wat voor... vogels had je in gedachten?' vraag ik nu alsof dit een heel normale vraag is.

'Roze vogels,' zegt ze. Ze kijkt naar Red en hij denkt erover na.

'We zouden flamingo's kunnen nemen,' zegt hij.

'Ach...' zegt Sofia.

'Die zijn roze,' zegt Red.

'Dat weet ik,' zegt ze. 'Maar zijn ze roze genoeg?'

'Absoluut,' zegt hij. 'Zalmroze, zou ik zeggen.'

Sofia glimlacht naar hem en schudt haar hoofd, alsof ze nauwelijks kan geloven dat hij bij haar hoort. Hij glimlacht terug en ik buig mijn hoofd en typ het woord 'flamingo's' in de database.

'Dus,' Sofia rukt haar blik los van die van Red en kijkt weer naar mij. 'Hoe zit het met het kasteel?'

'Ik heb er een.'

'Fantastisch,' zegt ze.

'Maar,' zeg ik en ze buigt zich afwachtend naar voren. 'Het is niet roze,' vertel ik haar.

'Mijn god, Scarlett. Dat weet ik toch,' zegt ze en ze kijkt naar me alsof ik gek ben en zij niet. 'Maar je kunt het roze maken, of niet soms?'

Daar denk ik over na. 'Nou, ik zou het een roze waas kunnen geven,' zeg ik ten slotte.

'Een roze waas is goed genoeg,' zegt ze glimlachend. 'Heeft het een slotgracht?'

'Ja.'

'En een ophaalbrug?'

'Natuurlijk,' zeg ik. 'Dat is de enige manier om er te komen.'

Ze kijkt dolgelukkig en voor het eerst sinds lange tijd weet ik weer waarom ik zo gek ben op mijn werk. Dit gedeelte tenminste. Het vervullen van de droom.

'En het heeft ook kantelen,' moet ik eraan toevoegen, al weet iedereen dat kantelen standaard zijn als het op kastelen aankomt.

'Is er een klein kamertje boven in een heel hoge toren?' Sofia houdt haar adem in terwijl ze op het antwoord wacht en ik weet dat ze denkt aan het kamertje waar Doornroosje haar vinger prikte aan het spinnewiel. Ook dat kan ik haar geven.

'Ja,' zeg ik, 'hoewel het voor ons te klein is om te kunnen gebruiken.'

'Dat geeft niet,' zegt Sofia en ze is ver weg. Waarschijnlijk wandelt ze in gedachten de wenteltrap op naar het kleinste kamertje in de hoogste toren, in haar roze trouwjurk die glinsterend achter haar aan sleept. Haar roze Assepoestersslippers maken een prachtig tinkelend geluid op de ruw uitgehouwen stenen treden.

Het gesprek gaat verder en verder en de uitdagingen stapelen zich op – roze champagne zal wel lukken, maar een roze koets getrokken door vier roze hengsten? – en ik doe mijn best de baby in mijn buik, wier vader al dan niet in dezelfde kamer is, te negeren en ik praat en praat en praat over de bruiloft tot alles in de wereld een beetje roze lijkt en mijn hoofd zich vult met dingen die ik moet doen.

Dit vind ik zo heerlijk aan mijn werk. Op een bepaald moment op deze ochtend zijn mijn woede en mijn schrik naar de achtergrond verdwenen en merk ik dat ik dingen ga aanpakken. In het geval van een Marzonibruiloft zit er niets anders op.

Ik moet toegeven dat Red Butler anders is dan alle andere bruidegoms die ik tot nu toe heb ontmoet. Hij zit niet onderuitgezakt te zwijgen. Hij bladert niet alsof hij heel belangrijk is door de stapel kranten op de tafel. Hij kijkt niet met gefronste wenkbrauwen naar de klok die aan de muur hangt. Hij gebruikt niet zijn iPhone om in te loggen op watisertochgebeurdmetsamanthafox.com zoals Jeffrey Summers in 1998, hoe hardnekkig hij dat ook ontkende tegenover Penelope Richardson, toen zijn verloofde en nu een van zijn vele ex-vrouwen. Ik moet toegeven dat hij werkelijk meedoet. Hij heeft ideeën. Ideeën die Sofia bevallen. Roze ideeën. Hij verbleekt zelfs niet wanneer Sofia het over zijn trouwpak heeft. Wat zorgwekkend is, zeker als je bedenkt hoezeer zijn uitmonstering – om maar te zwijgen van de rest van de bruiloft – vloekt bij zijn haar.

'Ik wist dat je hem aardig zou vinden,' zegt Sofia als Filly het kantoor uit loopt met Red. Nadat hij zich door de hele voorraad koekjes van het bedrijf heen heeft gewerkt, door twee bananen uit Sofia's handtas, ter grootte van een gootsteen, door een kokosmakroon – gedoneerd door Filly – en door een platgedrukte reep die hij nog in de achterzak van zijn spijkerbroek had zitten, onderbreekt hij de bespreking omdat hij 'een beetje flauw' is. Filly moet hem vertellen waar de kantine is zodat hij wat eten kan halen. Ik kijk op mijn horloge. Het is zeven minuten over elf.

'Ik bedoel, ik weet wel dat het niet jouw type is, maar ik had al het gevoel dat jullie twee het wel zouden kunnen vinden. En ik had gelijk.'

Mijn reactie klinkt als een gewurgde puppy en ik moet mijn keel schrapen. 'Je lijkt inderdaad heel erg... in je nopjes met hem.'

Sofia gooit haar hoofd naar achteren en schiet in de lach. 'Hij is verdomme geen meubelstuk, Scarlah,' zegt ze.

'Nee,' zeg ik en ik glimlach om te laten merken dat ik het grappig vind wat ze zegt.

'Maar het is waar,' zegt ze. 'Ik ben gelukkig. Moet je zien.' Ze trekt haar blouse omhoog en wijst op de band van haar broek die in het zachte vlees van haar buik drukt.

Een vreselijk moment ben ik bang dat ze me gaat vertellen dat ze zwanger is en ik stel me Ellen al voor met een Marzonistiefzusje.

'Zie je wel? Ik ben zwaarder geworden, ik zweer het je,' zegt ze en ze stopt de onderkant van haar blouse terug in haar broek. 'Ik word altijd een paar pond zwaarder als ik gelukkig ben. Je had me moeten zien nadat Italië wereldkampioen was geworden. Ik was enorm. En toen *Wham!* uit elkaar ging? Een wandelende tak zou eruit hebben gezien als John Candy, vergeleken met mij.' Ze slaat zich op de borst als ze dit zegt en buigt haar hoofd. Als ik later John Candy google, zie ik dat hij al in 1994 is gestorven en ik voel een ongewoon verdriet voor deze reusachtige man, wat ik maar wijt aan de zwangerschapshormonen.

Net als ik denk dat ze nooit weg zullen gaan, staan ze op. Sofia stelt voor elkaar tot juni om de veertien dagen te zien, met daarna een wekelijkse afspraak, behalve als de omstandigheden het noodzakelijk maken dat we elkaar vaker zien.

Mijn tegenvoorstel is eens in de maand telefonisch contact en e-mails over de voortgang als en wanneer dat nodig blijkt te zijn.

We komen uit op de belofte van een wekelijks rapport over de voortgang en regelmatig telefooncontact waarvan de frequentie en de tijdsduur niet worden besproken.

Sofia drukt mijn gezicht in haar decolleté en omhelst me voor ze weggaat. 'Zeg me dat het mooier wordt dan bij Isabella en Carmella en Maria en Lucia,' dringt ze aan. Met haar armen om mijn oren is het moeilijk om haar precies te verstaan, maar ik begrijp wat ze bedoelt.

'Ja,' zeg ik zo goed als ik kan tegen haar machtige borst.

Ze duwt me van zich af en kijkt me onheilspellend lang en strak aan. 'Ik ga maar één keer trouwen, Scarlah,' zegt ze en iets aan de manier waarop ze dat zegt, maakt dat ik haar onvoorwaardelijk geloof. Ze steekt haar hand uit naar Red als ze dit zegt en hij houdt haar stevig vast en knikt tegen haar alsof hij ook vast van plan is maar één keer 'ja' te zeggen, tegen haar. Hij ziet er zelfs uit alsof hij bereid is dat hier en nu te doen.

Ik slik moeizaam.

Red kijkt naar zijn pols op de plek waar een horloge zou moeten zitten en zegt: 'Dat schiet me nu te binnen. Ik had bij het Ierse filminstituut moeten zijn.'

'Dat zit hier om de hoek,' zegt Filly. 'Hoe laat moet je er zijn?'

'Twaalf uur,' zegt Red en hij beklopt zichzelf met zijn lange handen op zoek naar – dat neem ik aan – iets wat hem kan vertellen hoe laat het is.

'Je bent dertien minuten te laat,' zeg ik tegen hem en deze keer hoort zelfs Sofia de ijzige ondertoon en ze kijkt verbaasd naar me.

'Hij is altijd te laat, ik zweer het je,' zegt ze zacht, alsof dat een aanbeveling is.

'Schiet dan maar op,' zegt Filly en ze duwt hem bijna het kantoor uit op dezelfde manier als een brandweerman dat zou doen die iemand een brandend gebouw uit zou duwen. Vlak voor de balken het begeven.

Hoofden draaien zich om als hij door de gang loopt en hij begroet iedereen en glimlacht, als een versnelde versie van de koningin: 'Hallo, Marian. Tot ziens, Carmel. Veel geluk, Michael. Bedankt voor de tip, Gladys.' Het blijkt dat Gladys hem heeft laten zien waar de laatste chocoladekoekjes lagen (Duncan, die gek is op chocoladekoekjes, verbergt ze in de keuken achter de broodtrommel). Hij praat nog steeds als hij aan het eind van de gang uit het zicht verdwijnt – 'Hallo, Janine. Pas goed op jezelf, Harriet...' en we blijven staan tot we hem niet meer kunnen horen.

'Wat is hij aardig, hè?' zegt Sofia en ze staart de gang in alsof hij er nog is. Haar gezicht is zo open en eerlijk dat ik haar bijna niet aan kan kijken.

Ik verontschuldig mezelf om naar het toilet te gaan. Ik laat koud water over mijn handpalmen stromen en druk die tegen mijn verhitte gezicht. Ik ga in een hokje zitten waar ik meestal niet zit. Ik laat de toiletbril zakken en ga erop zitten. Ik wacht. Waarop weet ik niet. Ik oefen mijn ademhaling. Ik kijk op mijn horloge. Het is vijf voor halfeen. Ik bereken de wortel uit 1225. Dat is 35, mijn leeftijd.

Terug in het kantoor trekt Filly het gezicht dat ze haar wezenlijk Australische gezicht noemt – optimistisch ondanks de omstandigheden – en glimlacht er (zij het wrang) voor de goede orde ook nog bij.

'Nou, dat ging toch niet gek,' zegt ze, 'als je alles in aanmerking neemt.'

'Waarom heb je me niet gewaarschuwd?' vraag ik. 'Waarom heb je me niet verteld dat hij er was?'

'Ik had hem niet herkend,' zegt ze. 'Hij ziet er anders uit. Overdag...'

'Maar zijn haar,' zeg ik tegen haar. 'Dat kun je toch niet vergeten? Zulk haar heeft toch niemand.'

'Ik was dronken,' brengt ze me in herinnering en omdat dat ook mijn enige excuus is, kan ik alleen maar knikken.

Ik loop om mijn bureau heen en ga zitten. Ik leg mijn handen plat op het hout om ze te verwarmen. Ik zie mijn presse-papier in de vorm van Starship Enterprise – een verjaardagscadeautje van Elliot – en ik moet me beheersen om het niet te pakken en mezelf ermee voor mijn kop te slaan. Filly maakt zich al zoveel zorgen.

In plaats daarvan zeg ik: 'Mijn plan ligt aan diggelen. Alweer.'

Filly – die misschien mijn voornemen met betrekking tot mijn presse-papier heeft geraden – lijkt opgelucht. 'Je moet het alleen een beetje aanpassen,' zegt ze en ze klopt me op de schouder zoals je bij een onvoorspelbare hond zou doen.

Ze pakt de envelop die op mijn bureau ligt. 'Dat lijkt echt goed,' zegt ze, bijna tegen zichzelf.

'Wat een brutaliteit,' zeg ik en ik pak de envelop uit Filly's handen en kijk ernaar. 'Ik dacht dat hij Sofia tekende.' Ik stop de envelop in de prullenbak en loop achter Filly aan naar de kantine. Ze zegt dat ik me beter zal voelen als ik iets heb gegeten en hoewel ik weet dat het niet waar is, moet ik toegeven dat ik voor het eerst sinds lange tijd trek heb in iets anders dan brandnetelsoep of crackers of gemberkoek.

Later, als ik de envelop uit de prullenbak haal – om door de papierversnipperaar te halen – zie ik dat hij me heeft getekend met mijn haar los om mijn gezicht, ondanks het feit dat ik het in een knoet naar achteren heb gebonden. In de tekening kijk ik op, alsof ik op het punt sta antwoord te geven op een vraag die me is gesteld.

Ik vouw de envelop in tweeën en voer hem de versnipperaar in.

25

Er staat een mij onbekende auto op de oprit in Tara. Hij is gedeukt en beschadigd en ziet eruit of hij van grote hoogte is gevallen, in plaats van geparkeerd. Het is een Mini. Een oude. Ik denk dat hij roestrood is. Meer roest dan rood eigenlijk.

In de keuken staat Phyllis, die terug is uit Lourdes en iedereen die het maar wil horen, vertelt over het wonder waarvan ze getuige is geweest.

'Stekeblind was hij, Scarlett,' zegt ze en ze slaat met de plumeau naar een spinnenweb dat zich uitstrekt van de koelkast naar de vensterbank. 'Percy heette hij geloof ik. Of misschien wel James. Of Gordon. In elk geval was het een van de treinen uit *Thomas de Locomotief*,' zegt ze. Ze heft haar armen en stofdeeltjes dwarrelen boven haar hoofd door de lucht. 'Hoe dan ook,' gaat ze verder, 'na wat bidden en nog meer gedoe zegt hij: "Ben jij dat, mammie?" Hij was daar met zijn moeder,' verklaart Phyllis even. '"Wat zie je er goed uit, werkelijk waar. Dat blauw staat je geweldig."' Phyllis werpt een blik op mij om te zien of ik wel echt oplet. 'Hij had zijn moeder niet meer gezien sinds...' Ze pauzeert om de spanning op te voeren, ze heeft een geweldig gevoel voor dramatiek – wat maar goed is ook gezien de plek waar ze woont. '... 1975. Dat is toch ongelooflijk, Scarlett? Nou? Dat geloof je toch niet?'

Ik moet me beheersen om haar niet te omhelzen. Als ik dat doe, weet ze meteen dat er iets aan de hand is. Maar ik ben zo blij haar weer te zien, met haar vertrouwde, vriendelijke gezicht en haar heldere blauwe ogen en haar sneeuwwitte knotje, zo rond als Deense koffiekoeken.

Dus zij praat en ik luister, maar deze dag is me niet in de koude kleren gaan zitten. Ik probeer er niet aan te denken, maar de gedachten zijn net zwerfkatten: ze komen steeds weer terug.

'Scarlett, luister je eigenlijk wel?'

'Natuurlijk luister ik,' zeg ik tegen Phyllis. 'Je vertelde me net over dat kereltje dat kraanwater verkocht als wijwater voor vijf euro in een fles van Ballygowan.'

'Hoe dan ook, ik vond dat ik je vanavond maar eens moest trakteren. Op je lievelingskostje.' Ze zwijgt en wacht op mijn reactie.

'*Welsh rarebit*?' zeg ik en ik glimlach. Phyllis wil niet hebben dat je het geroosterd brood met gesmolten kaas noemt. Ik was gek op *Welsh rarebit* toen ik vijf was en Phyllis maakt het nog steeds voor me en houdt vol dat het mijn lievelingskostje is. Bovendien is het het enige vegetarische gerecht dat ze graag klaarmaakt. Ze heeft geen boodschap aan tofoe of linzen.

'Hier, ik doe het wel,' bied ik aan. Ik sta op uit de stoel en gebruik mijn armen om me op te duwen. Deze dag is vooral in mijn benen gaan zitten, die voelen zo zwaar als boomstammen.

Phyllis werpt me een veelbetekenende blik toe. 'Ik ben nog niet dood, Scarlett, liefje,' verklaart ze, hoewel dat niet nodig is.

'Dat weet ik. Ik wilde gewoon…'

'Er zit nog genoeg leven in dit oude karkas, als je dat maar weet.'

'Ik weet het, ik weet het. Ik wilde alleen…'

'Ik ben pas in de late zomer van mijn leven. Half augustus, verder niet,' declameert ze. 'Nou, schiet nu maar op, als een braaf meisje.' Ze stuurt me weg met een beweging van haar plumeau. 'Je vader is in de studeerkamer met een of andere schrijver. Ga maar kennismaken.'

Ik glimlach tegen Phyllis,. Ik kan niet tegen haar op. Ze valt naar me uit met een theedoek, maar ondanks de boomstammen van benen lukt het me haar te ontwijken en ik doe wat ze van me vraagt.

Het is stil in de studeerkamer als ik naar binnen ga. Het soort stilte dat je het best kunt omschrijven als 'ijverig'. Twee hoofden zijn gebogen over de papieren die het hele oppervlak bedekken van de tafel die volledig is uitgetrokken. Een van de hoofden is van Declan. Ik zie nog de geschroeide eindjes van zijn pony, al is die sinds het incident met het fornuis alweer gegroeid. Het andere hoofd is bedekt met een grote bos haar, tegendraads en rood.

Oranje eigenlijk. De kleur van een zak wortels. Het is net een ordinaire bureaulamp, zo fel. Het kwartje tuimelt door de lucht en komt draaiend naar beneden, maar het valt pas als hij zijn mond opendoet en ik de stem herken. Alweer. Gin en sigaretten. Sommige mensen zouden hem sexy noemen. Even overweeg ik of ik niet gewoon de kamer weer uit kan lopen zonder dat iemand het merkt. Als Declan alleen was geweest, zou me dat zijn gelukt. Maar Red Butler draait zijn hoofd naar me toe zodra ik een stap naar achteren doe.

'Scarlett O'Hara,' zegt hij alsof hij me al verwachtte. Hij heeft zo'n geleidelijke glimlach die zich langzaam over zijn gezicht verspreidt, als een klont boter in een warme koekenpan. Hij zit achterstevoren op een stoel, zijn armen rusten op de rugleuning en zijn kin ligt op zijn elleboog. Door hem lijkt de kamer kleiner dan hij is. Slordiger. Hij ziet eruit alsof hij hier altijd heeft gewoond.

Voor ik de kans heb om iets te zeggen, klinkt er een indringende, rauwe kreet en geschrokken draai ik me om naar de deur. Ik zie een zwarte veeg en dat kan Blue zijn die door de gang racet, achtervolgd door iets met een vacht wat een wolf zou kunnen zijn. Mijn instinct neemt het over en ik ren. De gang door, de trap op, de overloop over. Hun klauwen tikken scherp tegen het gelige hout van de plankenvloer. Blue is snel, maar het beest haalt hem in tot hij hem ten slotte in de erker van mijn slaapkamer in een hoek drijft. Blue is verstijfd van razernij, hij spuugt en sist en heeft zijn klauwen zo ver mogelijk uitgestoken, wat niet zo ver is als hij wel zou willen. Zelfs ik moet toegeven dat zijn pogingen er indrukwekkend uit te zien nogal in het niet vallen bij de machtige hoop vlees en haren die boven hem uittorent. Ik bal mijn handen tot vuisten en herinner me een artikel waarin ik heb gelezen dat dieren in staat zijn angst te ruiken in het zweet van je handpalmen. Mijn handpalmen druipen van het zweet. Langzaam loop ik naar ze toe en ik dwing me mijn ene voet voor de andere te zetten tot ik bij ze ben. Langzaam buig ik me voorover en til Blue op. Dat staat hij toe. Zo bang is hij. Met zijn tweeën staan we te bibberen. Blue verbergt zijn kop in de holte van mijn arm.

'Al Pacino, aan de voet, jongen. Had ik niet tegen jou gezegd dat je aardig moest zijn tegen Blue?' Red Butler rent mijn slaapkamer in en wordt meteen besprongen door de wolf, die op zijn achterpoten gaat staan met zijn voorpoten om Reds hals. Met een slobberig geluid worden Reds nek en gezicht en oren en hoofd als een ijsje afgelikt. 'Gaat het wel?' vraagt Red zo goed en zo kwaad als dat tussen het likken door gaat.

Centimeter voor centimeter hef ik mijn hoofd en ik doe mijn ogen een voor een open, voor ik beter naar het dier durf te kijken. Het blijkt om een hond te gaan. Hij is groter dan honden horen te zijn, maar evengoed een hond. Met lang grijs haar en een strik om zijn nek op de plek waar een halsband zou moeten zitten. Ondanks mijn angst voor honden – een incident met een collie die op een filmset Lassie speelde toen ik zeven was – moet zelfs ik toegeven dat deze hond niet bepaald wild is. Hij is voor Red gaan zitten en zijn staart bonkt als een hamer tegen de grond. Als hij zijn bek opendoet, komt zijn tong – lang en roze – naar buiten rollen. Er hangt speeksel aan zijn mondhoeken – dikke draden – en op de grond is een plasje ontstaan. Red trekt zachtmoedig aan de lange oren van de hond en hij buigt zich voorover en fluistert zacht en geruststellend ergens in de ruimte boven zijn kop.

'Wat voor hond is dat?' vraag ik. Mijn stem klinkt hoog en hijgerig, alsof ik weer zeven jaar ben en mijn arm gevangenzit tussen de kaken van Lassie.

'Het is een kruising,' bekent Red en hij gaat rechtop staan. 'Deels wolfshond, deels Duitse herder en misschien zit er ook nog iets van een poedel in.'

'Poedel?' ontsnapt me. Ik kan geen spoor van een poedel in deze hond ontdekken.

'Dat zeg ik alleen omdat hij zo ijdel is. Hij is gek op strikjes en hij vindt het heerlijk om zijn haar te laten wassen en borstelen. En hij bekijkt zichzelf in de spiegel. Hij is zo ijdel als wat.'

Veilig in mijn armen herneemt Blue zijn koninklijke houding en kijkt langs zijn neus naar dat monsterlijke geval van haar en kaken dat Al Pacino is.

Dan gebeurt er iets eigenaardigs.

Blue worstelt zich los en gaat op de grond naast de hond staan.

Zelfs als hij op zijn tenen staat – wat hij doet als hij majesteitelijk wil overkomen – ziet hij er klein en nietig uit. Al Pacino moet je per meter meten, zo groot is hij. Met zijn tong uit zijn bek loopt hij naar Blue toe. Als hij bij hem is, buigt hij zich voorover en likt de kat, helemaal van zijn kop tot het puntje van zijn staart. Niet alleen staat Blue dat toe, maar hij nestelt zich tussen de voorpoten van Al Pacino en begint te spinnen, iets wat hij zelden doet, al weet hij best dat het zo hoort.

En dan wordt het stil, op het geluid van de langzame vochtige tong van Al Pacino over de rug van Blue na. De stilte strekt zich uit als een dun elastiekje.

'Is dit de logeerkamer?' vraagt Red plotseling en hij kijkt om zich heen. 'Maureen – je moeder, bedoel ik – zei dat ik kon blijven slapen als ik dat wilde. Niet dat ik dat wil of zo. Natuurlijk niet.'

'Dit is geen logeerkamer,' zeg ik. 'Het is mijn slaapkamer.'

'O,' zegt hij en hij slaat zijn ogen neer. Ik volg zijn blik naar zijn schoenen, gympen die ooit wit zijn geweest en bij elkaar worden gehouden door verschillende veters. 'Hij is erg... opgeruimd,' zegt Red na een poosje.

'Wat doe jij hier?'

'Ik ben achter jou aan gerend. Ik dacht dat je misschien bang zou zijn voor Al Pacino. Sommige mensen zijn bang voor hem. Omdat hij zo groot is. Maar hij is eigenlijk heel lief. Veel geschreeuw en weinig wol, zo is hij.'

'Nee,' onderbreek ik hem. 'Ik bedoel niet: wat doe je in mijn slaapkamer. Ik bedoel: waarom ben je hier?' Ik gebaar door de kamer en bedoel het hele huis. Als schuilplaats stelt het niet veel voor, maar op dit moment is het het enige wat ik heb.

'O. Dat. Juist,' zegt Red en hij glimlacht breed en gaat op mijn bed zitten. Hij wipt een beetje op en neer, alsof hij wil kijken of de veren goed zijn.

Ik vouw mijn armen strak voor mijn borst en wacht.

'Ik werk met Declan, snap je,' zegt hij en dan zwijgt hij en wacht af of ik er misschien iets over te zeggen heb. Dat heb ik niet. 'Ik... ik wist niet dat hij een dochter had,' zegt hij. 'Ik bedoel... zo goed kennen we elkaar nou ook weer niet. Hoe had ik moeten weten...'

Ik vul de lijntjes in en er vormt zich een plaatje.

'Heb jij dat script geschreven?' vraag ik. 'Dat script zonder de letter r?' Ik heb mijn lippen getuit en mijn toon is afgebeten en daar ben ik blij om. Nu ben ik in staat naar hem op te kijken.

'Ja,' zegt hij. 'Er zit geen beweging meer in de toets van de r. Die zit vast. Maar het is mijn gelukstypemachine, dus ben ik maar doorgegaan.'

'Je bent een druk mannetje, of niet?' vraag ik en mijn stem klinkt zo zuur als een citroen. 'Scripts schrijven, je verloven, in een bar werken...' Daar stop ik.

'Ik weet wat je denkt...' begint hij.

'Je weet helemaal niets over mij,' zeg ik en mijn stem klinkt beheerst, maar nog maar net.

'Scarlett, wat er in de Love Shack is gebeurd. Dat was...'

'Dat was een vergissing.' Ik buk me om Blue te pakken, maar hij weerstaat me met een laag gesis en een halfhartige klap van zijn linkerklauw. Al Pacino wacht tot Blue weer rustig is voor hij verdergaat met zijn tongmassage. Ik recht mijn rug en loop naar de deur. Die lijkt plotseling heel ver weg. Ik ben er bijna als hij het zegt.

'De baby.' Zijn stem is zacht, alsof hij niet wil dat Ellen hem hoort. 'Bestaat de kans...? Zou het kunnen dat...'

'Dat is onwaarschijnlijk,' zeg ik, maar ik sta stil.

'Maar wel mogelijk,' zegt hij.

'Eventueel,' moet ik toegeven, maar ik houd mijn ogen gericht op de deur.

'Sofia heeft me verteld wat er is gebeurd,' zegt hij. En daar heb je het. Dat gevoel weer. Draaierig. Alsof je op de kermis net uit een draaimolen bent gestapt.

Ik kijk op. 'Sofia?' Als ik alleen maar haar naam zeg, span ik al mijn spieren aan. Ik zie haar open, gretige gezicht. Haar brede glimlach. Haar zekerheid dat alles goed zal komen. Haar vaste vertrouwen in mij. Het is net een muur, zo vast.

Hij hoeft niet eens na te denken over zijn antwoord. 'Maak je over Sofia maar geen zorgen. Zij begrijpt het wel.'

'Ze begrijpt het wel? Ze is verdomme je verloofde. Ze is mijn cliënt. Welk deel denk je dat ze gaat begrijpen? Hoe?'

'Sofia is mijn vriendin. Ik ken haar al jaren.'

'Ze is je verloofde, niet je vriendin.'

'Voor een weddingplanner heb je een eigenaardig idee van wat een relatie inhoudt.' Voor het eerst hoor ik in de toon van Red iets wat niet direct omschreven kan worden als woede, maar daar wel familie van is. Het doet me zeer.

'En wat moet dat betekenen?'

'Ik bedoel gewoon... Het spijt me... Gewoon... laat Sofia maar aan mij over. Dat komt wel goed.' Red heeft het hoofdeinde van mijn bed vastgepakt. Al Pacino, die voelt dat er iets niet in orde is, gaat naast hem staan en Red draait zijn vingers onder het lint om zijn hals. 'Hoor eens, ik weet dat het vreemd overkomt, maar... nou ja... er zijn dingen die je niet weet.'

'Wat voor dingen?'

'Scarrr-lett.' De stem van Phyllis kruipt als een lied langs de trap omhoog. 'Je *Welsh rarebit* staat op taaa-fel.'

'*Welsh rarebit*?' vraagt Red.

'Dat is geroosterd brood met kaas,' zeg ik en ik klik met mijn tong tegen Blue, die er schriel uitziet, ook zonder dat de machtige Al Pacino boven hem uittorent.

'Ik kan beter gaan,' zegt Red, die een riem uit zijn achterzak haalt en vasthaakt aan het lint om de nek van de hond.

'Ja,' zeg ik. 'Dat is beter.' Ik loop de kamer uit, maar in plaats van naar de trap te lopen, stap ik de dichtstbijzijnde kamer in, wat toevallig de slaapkamer is van mijn ouders. Ik sluit de deur en loop naar het bed, dat zoals gewoonlijk een grote rotzooi is. Maar vanavond kan ik het niet opbrengen om Maureens kralen en sjaals en haarstukjes op te ruimen. In plaats daarvan duw ik ze met beide armen weg tot er net genoeg ruimte vrij is voor mij. Ik ga zitten. De kamer lijkt enorm met alleen mij erin. Zelfs Blue heeft me verlaten. Weggehuppeld met die belachelijke hond alsof hij hem al zijn hele leven kent.

Ik leg mijn handen over mijn buik en denk aan Ellen. Zij is ook alleen. Die gedachte wekt een golf van beschermingsdrift op. Ik doe een belofte: dit kind zal een normale vader en een normale moeder hebben. Zonder complicaties. Die zal ik niet toestaan. Ze zal ouders hebben op wie ze kan vertrouwen. Mij bijvoorbeeld. En John Smith. Die was altijd heel betrouwbaar en ik weet zeker dat hij weer betrouwbaar kan worden.

Ze zal John Smith hebben. Ik zal hem voor haar regelen. 'Ik zal John Smith voor je regelen,' fluister ik haar toe.

Beneden in de keuken staat Declan iedereen in de weg en eet uit een doos die hij onder zijn arm geklemd houdt Rice Krispies. Met veel omhaal maakt Maureen haar sigaret uit en drukt hem zo hard tegen de zijkant van de asbak dat de vonken alle kanten op vliegen. Phyllis schept grote stukken geroosterd brood met kaas op vijf borden en Red zit naast Maureen. Hij kijkt op als ik binnenkom en haalt met een hulpeloos gebaar zijn schouders op, zijn gezicht is vertrokken en ik weet precies wat er is gebeurd. Maureen heeft erop aangedrongen dat hij moest blijven en hoewel ik weet dat ze kan aandringen met de koppigheid van het Russische leger, vind ik toch dat hij meer weerstand had kunnen bieden. Ik kijk de andere kant op en zie zijn hond en mijn kat diep in slaap in de hoek, de poten als jonggeliefden om elkaar heen geslagen.

Ik ga zitten.

Even lijken we een heel gewone groep mensen die geroosterd brood met kaas eten. Dan begint Maureen te praten.

'Dus, Red, je vertelde me net over die film van je. Sorry dat ik overhaast weg moest. Cyril zat in een crisis over zijn rol. Heb ik je al verteld welk toneelstuk we gaan spelen?' Ze kijkt hem stralend aan en strijkt met haar hand over zijn arm tot die op zijn schouder rust. Red lijkt zich niets van haar vertrouwelijkheid aan te trekken, maar is hij er aan de andere kant niet aan gewend dat de O'Haravrouwen zich op hem storten?

'Scarlett, voel je je wel goed?' informeert Phyllis. 'Je hebt een heel eigenaardig rode kleur gekregen.'

'Ze bloost gewoon,' zegt Maureen. 'Ze heeft altijd gebloosd, Red, al vanaf dat ze een baby was eigenlijk.' Maureen wendt zich tot Declan en moet Red met haar ogen loslaten. 'Weet je nog, Declan, die keer dat je in *The Late Late Show* zat en tegen Gaybo zei dat Scarlett twaalf was en naar de middelbare school zou gaan terwijl ze nog maar tien was en in de vijfde zat? Knalrood werd ze toen de camera naar haar toe draaide.'

'Dat kwam doordat hij ook tegen Gay Byrne had gezegd dat ik verliefd was op mijn leraar, meneer Campbell. Ik was trouwens elf,' zeg ik, maar Maureen is al aan een nieuwe zin begonnen en hoort me niet.

'We hebben nog steeds een video van die show, Red,' zegt ze en ze buigt zich zo ver naar voren dat haar decolleté openvalt en bijna in zijn bord ligt. 'Misschien wil je die wel zien.' Ze buigt haar hoofd naar haar eigen bord en prikt een driehoekje *Welsh rarebit* aan haar vork. Red hoeft geen antwoord te geven. Hij zal, als Maureen haar zin krijgt, die show moeten zien, of hij het nu leuk vindt of niet. Ze is gek op die ene show omdat ze een jurk droeg die later in de zondagskrant werd omschreven als 'sensueel en elegant en prachtig opgevuld door de schitterende mevrouw O'Hara'.

Red wendt zich tot mij. 'En was het waar?' vraagt hij.

'Was wat waar?'

'Was je verliefd op meneer Campbell?'

'Natuurlijk niet. Ik vond hem gewoon een... een fijne leraar.'

'Ze was pas tien,' brengt Maureen hem in herinnering.

'Ik was elf,' zeg ik tussen mijn opeengeklemde tanden door. Ik buig mijn hoofd – mijn gezicht nu heter dan chilipeper – over mijn bord.

'Trouwens, mevrouw O'Hara, om het nog even over dat toneelstuk te hebben, ja, u heeft me erover verteld,' zegt Red. Alle aandacht verplaatst zich van mij terug naar Maureen en de normale stand van zaken is hersteld.

Ik neem kleine slokjes thee uit het speciale porseleinen kopje van Phyllis, wat haar manier is om me te laten merken dat ze me heeft gemist. Over de rand lach ik naar haar en ze gebaart dat ik mijn bord leeg moet eten.

'Alsjeblieft, Red, noem me Maureen.' De hand die op zijn schouder lag, ligt nu in zijn haar en ze strijkt er met haar vingers doorheen. Ik kan het niet aanzien.

'Wil er nog iemand thee?' Red gaat staan als hij dit vraagt en ze moet haar hand laten zakken.

'Er ligt een fles wijn in de koelkast,' zegt Maureen. 'Daar wil ik wel een slokje van.'

'Ik ook!' schreeuwt Declan, die eindelijk opkijkt van het script dat voor hem op de tafel ligt.

'Anders ik wel,' zegt Phyllis zoals altijd en ze kijkt bewonderend naar het geroosterde brood op haar bord dat ze in ongeveer twintig kleine stukjes heeft gesneden. Ze besteedt eeuwen aan het herschikken van het voedsel op haar bord voor ze het gaat opeten.

'Trouwens, Red, wat zei ik ook al weer?' gaat Maureen verder. 'O ja, die arme Cyril. Hij was bang dat hij misschien een beetje te oud zou zijn voor de rol. Hij speelt Romeo, moet je weten.'

Cyril is niet een beetje oud voor de rol. Hij was heel lang geleden al een beetje oud voor de rol. Hij zou beter geschikt zijn als Romeo's grootvader als zo'n rol zou bestaan, wat niet het geval is voor zover ik me herinner.

'Ik weet zeker dat je hem op andere gedachten hebt kunnen brengen,' doet Phyllis een duit in het zakje en verbeeld ik het me nu of knijpt ze haar ogen zo samen naar mijn moeder dat Maureen niet meer weet wat ze moet zeggen? Dat zou op zijn zachtst gezegd ongebruikelijk zijn.

'Red gaat trouwen met Sofia Marzoni,' gooi ik in de groep in een poging het gesprek van het toneelstuk af te brengen. Ik voel heel erg oud zeer, en ruzies tussen Phyllis en Maureen kunnen heel akelig worden. Ik heb er in de loop der jaren al veel moeten onderbreken.

'Zijn er dan nog meer Marzonimeisjes?' Maureen is verbaasd. 'Geen wonder dat hun moeder ervandoor is gegaan.'

Onder tafel klinkt het geluid van een scheenbeen dat geschopt wordt door de teen van een schoen. 'Au!' schreeuwt Declan, die een lage pijngrens heeft.

Phyllis zegt verontschuldigend: 'Ik mikte op Maureen.'

'Ik zei alleen maar...' begint Maureen.

'Het geeft niet,' zegt Red. 'Sofia zegt het eerlijk gezegd zelf ook vaak.'

We weten niet of hij een grapje maakt of het meent en concentreren ons op het eten. Red Butler schrokt zijn eten naar binnen.

Lang voor alle anderen is hij klaar. Hij is gek op thee en drinkt er drie bekers van, gezoet met grote lepels suiker. Hij heeft lange handen; die gebruikt hij allebei om de beker op te tillen en ze liggen over elkaar heen.

'Dus,' zegt Maureen na 45 seconden stilte. Ze houdt niet zo van stiltes. Ze zegt dat het dan zo stil is. 'Hoe heb je Sofia Marzoni leren kennen?'

Phyllis maakt binnensmonds een klakkend geluid en begint de tafel af te ruimen.

'Wat nu weer?' zegt Maureen. 'Ik vraag alleen naar zijn vriendin. Zijn verloofde.'

Phyllis klakt weer en buigt zich over de vaatwasser. Elk gewricht in haar rug kraakt en kreunt als ze zich vooroverbuigt en ik sta op om haar te helpen.

'Het is bijna tijd voor Vincent Browne,' zeg ik. Phyllis is gek op Vincent Browne. Ze vindt zijn monotone manier van praten en zijn onbeweeglijke gezicht leuk. Ze zegt dat het haar ontspant. Ik vul de vaatwasser en maak daar meer lawaai bij dan ik normaal gesproken zou doen zodat Red Butler weet dat ik niet luister naar wat hij tegen mijn moeder zegt over zijn ontmoeting met Sofia Marzoni.

'Er is eigenlijk niet veel te vertellen,' zegt hij. 'Ze is mijn beste vriendin, denk ik. We zijn al jaren bevriend.'

'En toen,' zegt Maureen, die de teugels van het verhaal in handen neemt, 'keek je op een dag naar haar en was het net of je haar voor het eerst zag? De lijn van haar hals, de manier waarop het licht op haar haar valt, het zachte dansen van haar ogen en toen...' Hier klapt Maureen zo hard in haar handen dat ik een kom laat vallen. Ze kijkt niet op van het gekletter, maar zit daar met haar handpalmen tegen elkaar alsof ze bidt. 'En toen...' gaat ze verder. Red Butler buigt zich naar haar toe, alsof hij benieuwd is hoe het verhaal zal eindigen. 'Toen besefte je dat deze vrouw... deze vriendin... je zielsverwant is. Jouw droom van liefde.' Maureen sluit haar ogen als ze klaar is met haar speech en als ze ze weer opent, weet ik dat ze zullen glinsteren van de tranen.

Red Butler lacht niet en kijkt niet naar mijn moeder of ze niet goed wijs is. In plaats daarvan zet hij zijn beker op de tafel, legt zijn kin in zijn hand en zet zijn elleboog op tafel nu Phyllis er niet is om hem daar weg te slaan. Ten slotte antwoordt hij. Ik draai de hete kraan helemaal open om hem te laten merken dat ik niet luister.

'Ze nodigde me uit voor haar kerstfeest. Ze was net gedumpt door mijn flatgenoot Patricia en...'

'Patricia?' Het is eruit voor ik het in de gaten heb.

Even kijkt Red verbaasd. 'Zei ik Patricia?' vraagt hij en hij kijkt net zoals Filly doet als ze tijd wil rekken.

'Dat zei je, Red. Je zei Patricia,' bevestigt Maureen.

'Het spijt me. Ik bedoelde Patrick,' zegt Red. 'We noemen hem altijd Patricia vanwege zijn nagels. Hij heeft namelijk lange nagels. Hij speelt gitaar.'

'Dus, hoe dan ook.' Maureen wil zo snel mogelijk langs de onbelangrijke stukjes en zegt: 'Je bent met haar naar het kerstfeest gegaan, haar hart is gebroken omdat Patrick haar heeft afgewezen, en toen?'

'Nou, we... we raakten aan de praat... je weet wel, over relaties en de liefde in het algemeen en... dat soort dingen en... we, nou ja... je weet wel...'

'Werden verliefd?' zegt Maureen hoopvol.

'Nou ja...' Ik hoor Reds nek tegen de kraag van zijn shirt schuren. Hij kijkt om zich heen of iemand hem kan helpen, maar er is niemand. Phyllis kijkt in de woonkamer naar de televisie en Declan is terug naar de studeerkamer waar hij op de piano rammelt, wat hij altijd doet als hij probeert na te denken. 'Nou ja... dat zal wel... ik bedoel... ja. Zo mag je het eigenlijk wel zeggen.'

'Het klinkt alsof er nog veel meer te vertellen is,' houdt Maureen aan, hardnekkig als hoofdluis.

Red steekt een hand in zijn zak. Ik hoor lucifers rammelen. 'Als je me even wilt excuseren,' zegt hij. 'Dan ga ik naar buiten om te roken.'

'Een man die rookt,' zegt Maureen en ze slaat haar handen tegen haar borst. 'Ik ben gek op mannen met een sigaret.'

Ik gooi de deur van de vaatwasser te snel dicht en die rammelt tegen de la met vuile vaat. Maureen draait zich naar me om, ze kijkt een beetje verbaasd. Ik denk dat ze dacht dat ik al naar bed was gegaan.

'Scarlett vindt roken ongezond,' zegt ze en ze glimlacht met grote ogen schamper naar Red.

'Ze heeft wel een punt. Ik probeer op dit moment te stoppen,' zegt hij en hij haalt een sigaret achter zijn oor vandaan. 'Ik steek hem aan, neem een paar trekjes en maak hem weer uit.'

'Wat vreselijk zonde van een heerlijke sigaret,' zegt Maureen hoofdschuddend en duidelijk afkeurend.

'Ja, maar met deze methode denk ik dat ik maar één hele sigaret per dag rook,' zegt Red. 'Wat een grote verbetering is.'

'Briljant,' zegt Maureen. 'Wacht even tot ik de mijne heb gepakt, dan gaan we naar buiten.'

Ik blijf in mijn eentje in de keuken achter. Ik ruim de tafel af, maak het vullen van de vaatwasser af, veeg de vloer aan en bespuit elk beschikbaar oppervlak met Dettol, waarbij ik zorg dat ik niets inadem. Ik zie Red en Maureen buiten in de tuin. Ze heeft hem tegen de garagemuur vastgezet en hij kan er geen woord tussen krijgen. Dat weet ik omdat zijn mond helemaal niet beweegt. In plaats daarvan knikt hij en glimlacht. Dat weet ik omdat ik af en toe het wit van zijn tanden zie glinsteren.

Ik doe het grote licht uit en knip een lampje in de hoek aan. Ik ben moe maar ik wil nog niet naar bed. Als ik naar bed ga, ga ik nadenken en dat worden geen leuke gedachten. Ik pak een van mijn babyboeken (*Onverwachts zwanger*) en ga op de bank zitten onder het zachte licht van de lamp. Ik lees. Ellen krijgt armpjes. Ze groeien terwijl ik lees. Op dit moment. Ik vraag me af hoe dat voelt. De eerste keer armen laten groeien. Nog even en ze kan op haar duim zuigen, als haar duim gegroeid is. Ik vind het fijn om zo aan haar te denken, drijvend, met haar duim veilig in haar mond. Het voelt veilig haar zo diep binnen in me te hebben. Ze is iemand voor wie ik kan zorgen zolang ze zo is.

Als ik wakker word, is het donker in de keuken en iemand heeft een deken over me heen gelegd. Ik kijk op mijn horloge. Het is één uur 's nachts. Ik pak Blue van het eind van de bank, waar hij aan mijn voeten is gaan liggen. Aan de manier waarop hij me toestaat hem te dragen, merk ik dat hij net doet of hij slaapt.

In het donker loop ik door het huis. Dit huis is me zo vertrouwd, zelfs in het donker. Zeker in het donker. Blue, die gewend is aan mijn nachtelijke omzwervingen, drukt zijn neus in de plooi van mijn elleboog en het lukt hem warempel om te snurken. Maureen en Declan liggen in bed, maar slapen niet. Declan leest het script – misschien leert hij zijn tekst – en Maureen kijkt naar herhalingen van *Dynasty* of *Dallas*. Ik weet nooit welke serie.

'Bedankt dat je me hebt toegedekt,' zeg ik. 'Het vriest vannacht.'

Maureen kijkt op, verbaasd. 'Ik dacht dat je al naar bed was gegaan.'

'Ik ook,' zegt Declan, die heel even opkijkt voor hij zich weer op het script concentreert.

'Nee... ik was in slaap gevallen op de bank in de keuken. Dan was het zeker Phyllis.' Ik ga op de rand van een stoel zitten.

'Die is niet meer naar beneden gegaan na het eten,' zegt Maureen, die het volume van de televisie harder zet. 'Ze zegt dat ze uitgeput is na Lourdes met al dat laat naar bed gaan en het dansen en het drinken en zingen.'

'Wanneer zijn Red en Al Pacino weggegaan?' vraag ik en ik kijk van hen weg, naar de televisie.

'Ongeveer een halfuur geleden. We moesten hem de halve oprit duwen om de auto aan de praat te krijgen.'

'Moest hij ver?' Ik ben verbaasd over mijn eigen nieuwsgierigheid.

'Hij woont in een flat in Renelagh, geloof ik,' zegt Maureen. 'O, dit is zo'n leuk stukje, daarin gooit Sue-Ellen pure whisky over het nieuwe pak van JR. Het is een klassieker.'

Declan legt het script neer en kijkt naar mij. 'Het is eigenlijk tragisch,' zegt hij met een diepe zucht.

'Het is maar whisky, hoor,' zegt Maureen. 'Het is tenminste geen aardbeiendaiquiri. Aardbeienvlekken krijg je nooit meer uit een pak.'

'Ik heb het niet over *Dallas*,' zegt Declan. 'Ik heb het over Red.'

Ik wacht tot Maureen het vraagt.

'Het enige tragische aan Red Butler is dat hij verloofd is,' zegt ze alsof de man met wie ze al veertig jaar getrouwd is niet een paar centimeter bij haar vandaan in hun gezamenlijke bed ligt.

'Hij heeft eigenlijk helemaal geen familie,' zegt Declan terwijl Maureen zichzelf koelte toewuift met een bladzijde van het script. 'Zijn vader is weggegaan toen zijn moeder zwanger was van Red. Ze is een paar jaar later gestorven.'

'Gestorven aan een gebroken hart,' zegt Maureen en haar ogen worden helemaal glazig door deze romance.

'Nou ja,' zegt Declan, 'ongetwijfeld. Dat en borstkanker.'

'Wie heeft de jongen opgevoed?' vraagt Maureen, die haar blik losrukt van het scherm.

'Dat weet ik niet precies,' moet Declan toegeven en hij redt de bladzijde uit de vingers van Maureen. 'Ik moet nog veel doen.' Aan de manier waarop hij dit zegt, merk ik dat hij opgetogen is door deze onverwachte wending van het lot. Zo heb ik hem al jaren niet meer gezien. Het maakt hem veel jonger en veel... competenter op de een of andere manier. 'Ga maar naar bed, Scarlett,' zegt hij. 'Jij en Ellen hebben jullie slaap hard nodig.'

'Welterusten, Scarlett O'Hara,' zegt Maureen en ze zet de televisie uit. Ze gaat liggen en legt de dunne schijfjes komkommer op haar ogen. Dat zei ze altijd toen ik nog klein was. Zij vond het net zo fantastisch om te zeggen als ik het afschuwelijk vond om te horen. Nu glimlach ik erom. Het lijkt onnozel om je aan zoiets te ergeren. En het lijkt allemaal al zo lang geleden.

Ik loop de kamer uit maar ik ga nog niet naar bed. Doordat ik op de bank heb liggen slapen, weet ik dat het geen zin heeft. In plaats daarvan loop ik door het huis met Blue in mijn armen. Ik maak warme chocolademelk, lees in mijn babyboek, verpot de bijna dode aloë vera in de keuken en geef hem water, kijk of er e-mails zijn en maakt een lijst van de dingen die ik de volgende dag moet doen. Als ik niets anders meer kan bedenken en nog niet slaperig ben, zing ik een wiegeliedje voor Ellen. Ik zing nooit. Mijn stem klinkt oud en stoffig, alsof hij jaren in de kast onder de trap heeft gelegen. Het enige wiegeliedje dat ik ken, is 'Rock-a-

Bye Baby'. Na de eerste regel, die toevallig net zo lang is als de titel, herinner ik me de woorden niet meer. Daarna neurie ik verder en mijn ademhaling kietelt over mijn lippen. Als ik aan het eind gekomen ben, begin ik weer bij het begin, iets harder nu. Mijn stem klinkt door de donkere gang. Als ik het liedje voor de derde keer begin, kijkt Blue op en houdt zijn kopje scheef. Hij weet dat er iets aan de hand is. Hij weet alleen nog niet precies wat.

26

Er is geen tijd om een nieuw plan op te stellen met daarin Red Butler, die plotseling als een jeukende uitslag aan alle kanten in mijn leven is opgedoken. Dus manoeuvreer ik de volgende paar dagen voor het eerst van mijn leven zonder plan, als een stuurloze boot drijvend op het water terwijl aan de horizon de donderwolken zich samenpakken.

'Ik had net Simon aan de telefoon.' Elliot komt mijn kantoor binnenrennen. 'Donderdag komt hij terug uit Londen,' zegt hij als hij weer op adem is gekomen.

Ik wacht. Ik weet dat er meer komt, maar Elliot houdt er niet van opgejaagd te worden.

'Hij zegt dat zijn eerste prioriteit nu de gesprekken zijn voor de nieuwe functie.'

Dit is goed nieuws. Het betekent dat ik hem voor het gesprek niets over de baby hoef te vertellen.

Elliot fronst zijn wenkbrauwen als hij dat hoort. 'Maar, Scarlett, je moet het hem vertellen.'

'Als ik het hem vertel, krijg ik die functie niet. Hij heeft een hekel aan werkende moeders. Dat weet je.'

'En aan aannemers en buitenlanders,' voegt Elliot er, voornamelijk tegen zichzelf, aan toe.

'Maar hij heeft een nog grotere hekel aan werkende moeders,' zeg ik, al weet ik niet of het waar is. Dat gevoel heb ik gewoon.

'Maar als je het hem niet vertelt en hij je die functie geeft en daarna vertel je dat je zwanger bent, zal hij je dat de rest van je leven kwalijk nemen,' zegt Elliot met zijn geduldige ik-leg-het-uit-aan-een-zesjarige-stem.

'Dat weet ik, maar dan heb ik tenminste de functie, toch?'

'Nou, ja,' moet Elliot toegeven, maar hij kijkt bezorgd.

'Wat?' vraag ik. 'Wat weet jij?'

'Iets over Gladys Montgomery,' zegt hij zonder me nog echt aan te kijken.

'Wat dan?' vraag ik.

'Mijn bron heeft me verteld dat Simons interesse in haar maar niet wil afnemen.'

'Shit.' Ik sta op uit mijn stoel en begin te ijsberen. 'Waarom niet?' vraag ik, al weet ik het antwoord. 'Is ze echt zo goed in bed?'

Elliot kan geen antwoord geven. In plaats daarvan knikt hij langzaam. 'De beste seks die ik ooit heb gehad, godsamme,' voegt hij eraan toe terwijl hij zijn hoofd, terecht beschaamd, laat hangen.

'Jezus,' zeg ik en ik ga op de bank naast Blue zitten. 'Dan maak ik geen enkele kans op die baan.'

'Jij bent de beste kandidaat,' verzekert Elliot me. Ik werp hem een vernietigende blik toe en hij heeft het fatsoen om schaapachtig te kijken.

'Dan kan ik hem zeker niet over de zwangerschap vertellen.'

'Maar hij komt er toch wel achter en dan heeft hij werkelijk reden om je niet te vertrouwen,' zegt Elliot. 'Dan kom je nooit meer als weddingplanner hier in de stad aan het werk.' Dat is een beetje overdreven, maar niet meer dan een beetje.

'Als ik hem vertel dat ik zwanger ben, krijg ik de baan niet,' werp ik tegen.

'Maar dan heb je je oude baan nog,' zegt Elliot. 'Die zul je nodig hebben, met de baby en zo. Ik keek van de week naar de prijzen van luiers bij mijn plaatselijke supermarkt. Daar ben ik echt van geschrokken.'

De telefoon gaat en het is Hailey. Elliot vertrekt.

Vreemd genoeg is Hailey aan het giechelen en ik denk dat Filly misschien een van haar imitaties doet, dus stel ik een vraag waarop alleen Hailey het antwoord weet: 'Hoe laat heb je Sarah Johnson gisteren naar me toe gestuurd?'

Zonder aarzelen zegt ze: 'Om dertien voor elf 's morgens,' en dan weet ik zeker dat ze het is. Giechelend. Toch is ze het. Ze beheerst zich. 'Sofia Marzoni voor je op lijn vier.'

Ik moet het vragen. Ik kan er niets aan doen. 'En waar moest je zo hard om lachen?' vraag ik.

'O, Sofia vertelde me iets grappigs. Wat een komediante.' Dit is het langste telefoongesprek dat ik ooit met Hailey heb gevoerd.

Ik bedank haar en druk op lijn vier. 'Sofia,' zeg ik en ik probeer mijn stem enthousiast te laten klinken. Het is vandaag de vierde keer dat ze belt. Ze heeft gezegd dat ze regelmatig contact met me wil om synergie tussen ons te creëren.

'Ik heb gehoord dat je John over de baby hebt verteld,' zegt ze. Ze heeft me ook verteld dat ze mijn NBV (Nieuwe Beste Vriendin) is omdat ze intieme details van mijn leven weet, wat waar is, al was het niet de bedoeling. 'Filly heeft het me verteld. Ik vind het geweldig, ik zweer het je. En hij komt terug. Geweldig. Hij klinkt als het soort man op wie je je kunt verlaten. Zolang hij maar niet midden in de nacht plotseling vertrekt natuurlijk.' Een pauze, misschien om te kijken of ik er al om kan lachen. Als dat niet zo blijkt te zijn, herstelt ze zich bewonderenswaardig. 'Maar Filly denkt dat dat eenmalig was. Ze vermoedt dat hij je dat niet nog eens zal flikken. Dus dan kun je je zonder verdere afleiding concentreren op het organiseren van de bruiloft.' Sofia stopt om adem te halen en ik open mijn mond om iets te zeggen, maar ik ben te langzaam en daar gaat ze alweer. 'Ik heb nog eens nagedacht over Pink,' zegt ze. 'De zangeres,' voegt ze eraan toe alsof ze zich ineens herinnert dat alles van de bruiloft roze is, niet alleen de zangeres, die trouwens woest was toen haar werd gevraagd op te treden op een bruiloft. Haar agent tenminste. Dat heb ik Sofia nog niet verteld.

'Ja,' zeg ik en ik wacht.

'Nou, ik wil haar niet meer. Haar muziek is een beetje agressief voor een bruiloft, vind je niet?'

Dat is goed nieuws. Ik vind het vreselijk om mijn bruiden te moeten vertellen dat ze iets wat ze willen niet kunnen krijgen.

'Ik wil in plaats daarvan Chris de Burgh. Ik wil dat hij "Lady in Red" zingt, maar dan in plaats van 'Red' moet hij 'Pink' zingen. Dat moet het eerste liedje worden.'

'Ik zal zien wat ik kan doen,' zeg ik. In het geval van Chris de Burgh heb ik meer hoop voor de bruiloft. Hij heeft een enthousiast gezicht en het zou kunnen dat Elliots moeder Chris de Burgh kent, of iemand kent die hem kent. Zo gaat het meestal.

'Je moet wel tegen hem zeggen dat hij zijn wenkbrauwen moet laten epileren voor hij op de bruiloft verschijnt, goed?'

'Eh...'

'Ik maak een grapje, Scarlah. Ontspan alsjeblieft. Misschien moet ik Red maar naar je toe sturen zodat hij je rug en nek kan masseren. Daar is hij heel goed in, ik zweer het je. Hij heeft een fantastisch stel handen, als je begrijpt wat ik bedoel.' Sofia is zo subtiel als een bulldozer en het feit dat ik alles weet van Reds fantastische stel handen, maakt het nog erger.

'Ik bel je vanavond. Als ik meer tijd heb om te kletsen,' zegt ze voor ze ophangt.

Ik leg mijn hoofd op de tafel en sla een paar keer met de telefoon tegen het bureau.

'Wat is dat voor kabaal hier?' Mijn kantoor is net Times Square op oudejaarsavond. Meestal ben ik daar blij om, maar ik doe net – tegenover mezelf – of ik geërgerd ben. Ik kijk op.

Het is Filly maar. Ze begroet me met haar gebruikelijke 'goedemorgenhetspijtmedatiktelaatben', twee latte met magere melk, een donut met roze glazuur en gekleurde hageltjes (voor haar) en een Nutri-Grain met appel en kaneel (voor mij). Het is geen ochtend. Het is – ik kijk op mijn horloge – al zeven minuten middag.

'Hoe voel je je?' vraagt ze, zoals ze elke dag vraagt.

'Prima,' zeg ik, zoals ik elke dag zeg.

'Nog misselijk?'

'Ja.'

'Mooi.' Dat zegt ze altijd. 'Nog overgegeven?' vraagt ze dan.

'Ja, maar tot nu toe pas twee keer.'

'Mooi,' zegt ze nog eens. 'Hoe is het met je tandvlees?'

'Dat bloedt.'

'Uitstekend,' zegt ze tegen me. 'Alles volgens het boekje, Scarlett,' voegt ze eraan toe en ze is trots als een moederkloek met een donzig geel kuikentje.

'Eh, dankjewel,' zeg ik.

'*No problemos*, baas,' zegt Filly en ze valt op haar donut aan. Binnen tien seconden is hij weg en ik vraag me – niet voor de eerste keer – af waar ze het allemaal laat. Vandaag draagt ze het kortste korte rokje en haar lange, dunne benen zijn gevat in een geel met bruine maillot zodat ze eruitziet als een pasgeboren giraf. Ze is zich scherp bewust van de kou van de Ierse winter – en lente en zomer en herfst – en heeft een veelheid aan hoofddeksels. Dit exemplaar is van wol met een konijnenstaartje bovenop en flappen over haar oren, de enige lichaamsdelen die van gemiddelde grootte zijn. En die er daarom enorm uitzien, als de oren van een toneelelf, dus grijpt Filly elke gelegenheid aan om ze voor het oog te verstoppen. Deze muts is felrood en past bij geen enkel ander onderdeel van haar uitmonstering, maar omdat het Filly is, ziet ze er fantastisch uit.

'Simon komt donderdag terug,' zeg ik tegen haar. 'Volgende week houdt hij gesprekken voor de functie. Misschien begin volgende week.'

'Dat is geweldig nieuws,' zegt Filly, die altijd optimistisch is in geval van naderend onheil. Maar haar enthousiasme is toch een klein beetje aanstekelijk en ik merk dat ik rechtop ga zitten in mijn stoel.

'Waarom eigenlijk... fantastisch?' vraag ik.

'Dan hoef je niet te vertellen dat je zwanger bent.'

'Elliot vindt van wel.'

'Dat komt omdat hij een man is,' zegt Filly op een toon die je zou kunnen omschrijven als geringschattend. Hoewel ze in het bezit is van haar WJ (Ware Jakob), zoals ze dat noemt, beschikt ze nog steeds over een gezonde scepsis tegenover het andere geslacht.

'Dus jij vindt dat ik het niet moet zeggen,' zeg ik, om zeker te zijn.

'Niet als je die baan wilt,' zegt ze en ik weet dat het inderdaad zo eenvoudig ligt.

Mijn telefoon gaat weer en ik neem op.

'Red Butler voor jou,' zegt Hailey.

Mijn hand verstrakt om de telefoon.

'Scarlett?'

Ik raap mezelf bij elkaar. 'Op welke lijn?' vraag ik zoals ik normaal gesproken zou doen.

'Hij is hier,' zegt ze.

'Je bedoelt hier in het gebouw?' Het klinkt luider dan ik bedoel.

'Ja. Vlak voor me. Bij de receptie,' legt ze uit, langzaam nu.

'O.'

'Zal ik hem dan maar naar boven sturen? Hij zegt dat hij de weg kent.'

'Ik...'

'Scarlett?'

'Eh, bedankt. Ik bedoel, ja. Ja, stuur hem maar naar boven. Dat zou...' maar Hailey heeft opgehangen en het enige wat ik nog hoor, is de ingesprektoon in mijn oor.

Ik stuur Filly naar buiten en veeg de hageltjes van haar donut van mijn bureau.

Daarna kan ik alleen maar wachten.

27

'Wij hebben toch geen afspraak, of wel?' vraag ik, al weet ik heel goed dat we die niet hebben en ben ik me bewust van de toon van mijn stem, die omschreven zou kunnen worden als scherp.

'Nee, we hebben geen afspraak.'

Ik kijk naar hem om te zien of hij verontschuldigend oogt. Dat is niet het geval. Hij glimlacht naar me en wijst op een stoel en ik kalmeer mezelf door naar mijn planner te kijken, wat hij opvat als toestemming, al wil ik helemaal niet dat Red Butler in mijn kantoor op een stoel zit, met of zonder afspraak.

Het woord 'haveloos' komt in me op. Zijn kleren zijn versleten. Ik zie streepjes van een witte knie door de versleten stof van zijn spijkerbroek. Zijn sokken passen niet bij elkaar. Zijn schoenen zouden uit hun lijden verlost moeten worden. In plaats van een jas draagt hij twee vesten over een overhemd en een lange wollen sjaal die hij verschillende keren om zijn nek heeft gedraaid, als een brace, zodat hij eruitziet als iemand die geld komt eisen van de verzekering.

'En,' zeg ik met mijn dunne, ik-probeer-beleefd-te-blijven-stem, 'wat kan ik voor je doen?'

'Nou,' zegt hij terwijl hij zijn benen over elkaar slaat en er veel meer op zijn gemak uitziet dan een man die geen afspraak heeft eruit zou behoren te zien. 'Ik heb nagedacht over wat je me die avond hebt verteld.' Hij wacht voor het geval ik iets wil zeggen. Na een poosje gaat hij verder. 'Over de baby. Ellen. Over Ellen.' Hij trekt aan zijn oorlelletje. Zijn vingers lijken veel te lang voor zijn handen. 'Dat vind ik een mooie naam, trouwens.'

'O,' zeg ik. Ik kan me niet herinneren dat ik hem over Ellen heb verteld. Over haar naam, bedoel ik.

'Sofia heeft het me verteld,' zegt hij snel.

'O.'

'Ze heeft me ook verteld over John Smith.'

'Wat is er met hem?' Ik pak een pen en houd die met twee handen vast om iets te doen te hebben.

'Alleen dat je hem hebt opgebeld en dat hij terugkomt en denkt dat hij de vader is van Ellen.'

'Hij ís de vader van Ellen,' snauw ik. 'Naar alle waarschijnlijkheid,' voeg ik er iets zachter aan toe.

'Ja, natuurlijk. Ik wilde alleen...'

Ik kijk op mijn horloge. 'Hoor eens, ik moet nog...' begin ik.

Red staat op en de kamer lijkt te krimpen. 'Ik wilde alleen maar zeggen dat ik het prima vind met de baby en zo,' gooit hij eruit. 'Ik bedoel, als ze van mij is. Wat waarschijnlijk niet het geval is. Je weet wel, want... nou... we hebben maar... je weet wel... alleen die ene keer en...' Red schudt zijn hoofd alsof hij water in zijn oren heeft. 'Het spijt me, Scarlett, ik maak er een zooitje van. Ik wil alleen dat je weet dat ik je zal steunen als de baby... als Ellen... toch van mij blijkt te zijn.' Hij is helemaal buiten adem en ik besef dat hij niet zo kalm is als ik dacht.

'En dan nog iets,' zegt hij en hij loopt achteruit naar de deur alsof hij me wil geruststellen met het idee dat hij weg zal gaan. 'Ik zal tegen niemand iets zeggen. Over jou en mij of over de baby.'

'Er valt niets te zeggen over jou en mij,' zeg ik gedecideerd.

'Precies, precies,' zegt hij. 'En daarom zou ik nooit tegen iemand iets zeggen over die avond in de Love Shack of...'

'Waarom heb je het er dan steeds over?'

'Alleen om te zeggen dat ik het er niet over zal hebben, meer niet.'

'Ook niet met Sofia?'

'Alleen als je dat wilt.'

'Ik wil dat je helemaal niks doet. Wat je aan Sofia Marzoni vertelt, is jouw zaak. Jij bent degene die met haar trouwt.' De woorden steken, als pijlen.

Red neemt het goed op. 'Laat Sofia maar aan mij over,' zegt hij. 'Concentreer jij je nu maar op jezelf en op de baby en op John Smith, als dat is wat je wilt.'

'Dat is wat ik wil.'

'Prima,' zegt Red. 'Dat is uitstekend.' En hij glimlacht me toe alsof alles in orde is. Alles geregeld en afgehandeld.

Hij loopt naar de deur en legt een hand op de deurkruk voor hij stilstaat en zich weer omdraait naar mij. 'Dan is er nog een ander dingetje,' zegt hij.

'Ja?' Ik doe niet eens meer een poging het ongeduld uit mijn stem te houden.

'Als je bijvoorbeeld... hulp nodig hebt... iemand om met je mee te gaan naar een afspraak in het ziekenhuis of... wat dan ook ...' Zijn stem sterft weg.

Ik ga staan, maar ik kom niet achter het bureau vandaan. Als ik dat doe, zou hij misschien mijn benen zien, die trillen als een espenblad.

'Dat is niet nodig,' kan ik nog net uitbrengen. 'Als je me nu wilt excuseren...'

'Natuurlijk, ik ga. Je hoeft me niet uit te laten of zo. Of de beveiliging te bellen.' Hij schiet in de lach als hij dat zegt om te zorgen dat ik begrijp dat het een grap is.

Het lukt me niet eens om net te doen of ik lach. Dat komt door zijn medelijden. Daar kan ik niet tegen. Het tekent zijn gezicht als verf.

'Dag,' zeg ik, want wat valt er anders nog te zeggen?

'Als je van gedachten verandert over je afspraken in het ziekenhuis...'

'Dat zal ik niet doen.'

'Goed... maar als je het toch doet...'

'Dat zal ik niet doen. Maar... bedankt.'

Dan stopt hij met praten en in de stilte hoor ik iets. Het klinkt als het blaffen van een hond.

'O, shit, dat is Al Pacino. Ik kan beter opschieten,' zegt hij op verontschuldigende toon, alsof het hem spijt dat hij weg moet.

Als hij weg is, kijk ik uit het raam. Op het trottoir voor het gebouw trekt Al Pacino heel wat aandacht als hij aan de riem rukt die om een lantaarnpaal gewikkeld is, zijn kop naar achteren gooit en treurig jankt als een wolf. Dan stopt hij, kijkt naar boven en ik durf er een eed op te zweren dat hij me recht aankijkt, maar dan schud ik mijn hoofd en houd me voor dat ik niet zo belachelijk moet doen, half verborgen achter de jaloezieën. Even blijft hij zo staan, zonder met zijn ogen te knipperen, zonder te bewegen, starend naar mij. Hij kijkt me recht aan. Dan verschijnt Red Butler en Al Pacino onthoofdt zichzelf bijna in zijn enthousiasme om bij hem te komen. Red Butler knielt voor de hond neer en maakt de riem los als een lint om een kerstcadeau. Zodra hij los is, werpt Al Pacino zich als een raket op Red en even rollen ze samen op straat over de grond, alsof ze met zijn tweeën zijn, en het is niet te zeggen wie van de twee het gekst is op de ander. Ik steek mijn hand uit naar het koord en trek de jaloezieën dicht tot al het licht verdwenen is.

28

Op de een of andere manier ben ik aan het eind van het eerste trimester gekomen. Ik sta mezelf toe te ontspan. nen. Een beetje. Het voornaamste gevoel is opluchting. Dat Ellen er nog is. Ik voel haar op zoveel manieren. Ze is in de rode striemen die de band van mijn rok achterlaat in mijn dikker wordende taille. Ze is in de appelsnoepjes die ik per half pond koop in het winkeltje op de hoek in Roskerry. Ze is in het licht van de ogen van Filly en Bryan als ze naar haar vragen. Ze is in de aarzelende ondertoon van Johns stem als hij naar haar informeert. Hij belt elke vrijdagavond. Zoals hij had gezegd dat hij zou doen. Om acht uur. Zoals hij had gezegd dat hij zou doen. De gesprekken zijn vol van Ellen. Als we Ellen niet hadden om over te praten, vraag ik me af wat we elkaar te zeggen zouden hebben. Ik heb het nog niet over Red Butler gehad. Ik wacht nog steeds op het juiste moment. Hij heeft het nog steeds niet over de vlucht gehad waar hij toevallig in zat. Misschien wacht hij ook op het juiste moment.

Het tweede trimester van de zwangerschap is zowel beter als moeilijker dan het eerste. Beter vanwege heel veel dingen. De ochtend-, middag- en avondmisselijkheid zijn bijvoorbeeld afgenomen tot ochtendmisselijkheid en hoort inmiddels net zo bij mijn ochtendritueel als flossen en het lijstje met dingen die ik moet doen in mijn planner zetten. Mijn haar is ook een pluspunt, glanzend als een walnoot en nog zwarter dan normaal: ravenzwart met een blauwe gloed. Het lijkt of het sneller groeit en ik moet in plaats van elke zes weken nu elke vier weken naar de kapper. De dodelijke vermoeidheid is opgetrokken als een wolkendek van een bergtop en voor het eerst in weken ontdek ik het leven na tien uur 's avonds in plaats van na het eten in slaap te vallen en om één uur 's nachts wakker te worden. Niet dat het leven na tien uur 's avonds bijzonder interessant is. Meestal zit ik op de bank in de woonkamer, eet popcorn uit een puddingschaal met Blue op een kussen naast me en kijk naar herhalingen van *Inspector Morse* op de televisie. Evengoed is het prettig om een zekere graad van normaliteit te hervinden. Hoewel ik nog geen dikke buik heb, legt mijn lichaam op andere plekken vetvoorraden aan. Ineens heb ik heupen. Echte vrouwenheupen. Mijn gezicht is ronder en hoewel mijn huid nog steeds dodelijk bleek is, zeggen mensen dat ik er goed uitzie. Dat zeggen ze met hun hoofd een beetje scheef en op een licht verbaasde toon. Alsof ze er de vinger niet helemaal achter kunnen krijgen.

Het mooiste gebeurt aan het begin van het tweede trimester. Ik word geacht me voor te bereiden op een vergadering als ik iets voel wat me al het andere doet vergeten, al is het maar een moment. Het is niet echt een beweging. Meer een sensatie. Teder. Een zacht gefladder. Als een vlindertje, net uit de cocon, op zijn voorzichtige, eerste vlucht. Het is niet prettig en niet vervelend. Ik til mijn topje op en druk mijn handen tegen mijn buik, maar de sensatie of beweging of wat het ook was, is al weg en ik vraag me af of ik het me heb verbeeld.

'Scarlett, wil je alsjeblieft opschieten?' Filly komt mijn kantoor in stormen en blijft staan als ze me ziet. 'Waar ben je mee bezig met je topje tot aan je tieten?' En dan: 'Jee-zus! Je tieten zijn enorm,' op een toon die zowel bewonderend als jaloers klinkt.

'Ik... ik dacht dat ik de baby voelde bewegen,' zeg ik. 'Net voor je binnenkwam.'

'Hoe voelt dat?' wil Filly weten.

'Als... ik weet eigenlijk niet... als gelatine, bibberend op een bord. Een klein drilpuddinkje.'

'Nou ja, het is de dertiende week, een beetje vroeg voor beweging maar het komt voor.' Op dit moment leest Filly *Wat je mag verwachten als je baas zwanger is.*

'Ze is nu zo groot als een sperzieboon,' vertelt Filly me.

'Een sperzieboon?' Ik stel me een sperzieboon voor met twee ogen, een neus en een mond. En kleine uitstekende handjes en voetjes. Misschien een plukje haar aan de bovenkant.

'Ik ben gek op sperziebonen,' zegt Filly. 'Mijn opa deed ze altijd in de salade. Sperziebonensalade noemde hij dat.' Daar weet ik niets op te zeggen.

Het is ook moeilijker, het tweede trimester. Om verschillende redenen. Mijn baan, om maar eens wat te noemen. De promotie, bedoel ik. Simon is niet teruggekomen op de donderdag dat hij geacht werd terug te komen. In plaats daarvan werd hij naar Spanje geroepen, waar de staf van een klein bedrijf dat wordt overgenomen door Extraordinary Events International de deuren had gebarricadeerd, de ramen had dichtgespijkerd en een sit-in had georganiseerd om te protesteren tegen de vijandige overname. Omdat het in Spanje komkommertijd is, stond het verhaal met grote koppen in alle landelijke kranten en de Spaanse versie van Joe Duffy (Juan Dufino) had het op zich genomen om de campagne tegen de lelijke multinational, prachtig gepersonifieerd door Simon, aan te voeren. Het kostte Simon ruim een week om dat brandje te blussen, waarna hij moest 'herstellen' in een heel duur hotel met uitzicht over Las Ramblas in Barcelona, wat – toevallig – samenviel met het ziekteverlof van Gladys Montgomery, die jammerlijk een aanval had van aangezichtsverlamming, wat gelukkig over was op dezelfde dag dat Simon terugkwam uit Barcelona voor een periode van *quality time* met zijn vrouw en kinderen in een vakantiehuis op de Seychellen. Daarvandaan ging hij rechtstreeks naar een conferentie in Belfast, wat de aanzet werd voor een tour door Europa om het pan-Europese partnerschapproject waar we al jaren aan werken een boost te geven. Daarna had hij wat 'tijd voor zichzelf' nodig, wat – als ik mijn bronnen mag geloven, en meestal mag dat – iets te maken had met een chalet in de Zwitserse Alpen, een jonge ski-instructrice die Sasha heet en alle Moët die je maar op een avond kunt drinken.

Ik heb hem dus nog niet gezien. Of van hem gehoord. En ik weet niet wanneer hij terugkomt. En Gladys wordt met de dag zelfgenoegzamer. En het piepje dat Ellen was, begint een bult te worden die steeds moeilijker valt te verbergen.

Wat ook erger is aan dit tweede trimester, is Red Butler, die steeds vaker in Tara lijkt te zijn. Soms met, maar meestal zonder Sofia. Repeteren, noemen hij en Declan het. Dat betekent heel veel spelletjes vier-op-een-rij en uitgestrekt liggen op de levensgrote bank, de hoofden aan de zijkant en hun voeten – de schoenen op aandringen van Phyllis uit – tegen elkaar aan. Ik houd me gedeisd als hij in het huis is, maar zelfs van een afstand is het mij duidelijk hoe Declan verandert als Red in de buurt is. Levendiger, grappiger, geestiger. Maureen verwijt hem dat hij zich uitslooft en ik weet dat ze gelijk heeft, maar het is een opluchting te weten dat hij dat nog kan. En nog beter om te zien dat hij het nog wil.

Vandaag is de herdenking van Judge Judy. Ze is twee jaar geleden gestorven. Ik vraag me af of John voor de gelegenheid zal bellen. Hoewel het donderdag is en niet vrijdag. Hoewel het zeven over negen is en niet acht uur precies.

Judge Judy was onze kat. Onze gezamenlijke kat. Sommige mensen hebben een gezamenlijke bankrekening, een hypotheek en voogdij over de kinderen. Wij hadden een gezamenlijke kat. Ik vind haar halsbandje in de zak van de broek die ik droeg op de dag dat ik mijn spullen uit Johns flat haalde. We hadden haar bij een plaatselijk asiel gehaald. Ze was de enige kat die van ons samen was. We hebben haar opgehaald op de avond dat we drie jaar bij elkaar waren. Voor mij was dat mooier dan een verlovingsring. Daarmee legden we ons vast. Maar Judge liep steeds weg en dan zochten we haar en brachten haar terug. Tot ze uiteindelijk op de grote weg terechtkwam en werd overreden door een vrachtwagen. Een Kitekatvrachtwagen.

Ik wrijf met mijn vinger over het plaatje op de halsband, waar haar naam in is gegraveerd. John belt niet. Dat zou hij sentimenteel vinden, een emotie die hij niet hoog in het vaandel heeft staan.

Ik stop het halsbandje in de vuilniszak en laat het daar bijna zeven minuten liggen voor ik terugga.

'Heb je hulp nodig, Scarlett?'

Ik haal mijn arm uit de vuilnisbak en kijk om. Het is Red Butler, hij staat in de keukendeur. Op dat moment haat ik John. Hij heeft me veranderd in iemand die in vuilnisbakken rommelt. Achter hem klinken hoge hakken en Sofia Marzoni verschijnt. Als ze naast elkaar staan, zijn ze bijna even groot.

Ik ga rechtop staan en trek de handschoenen uit. 'Wat doen

jullie hier?' Het is moeilijk dit te vragen zonder onbeleefd te lijken, maar ik doe mijn best.

'Declan heeft ons uitgenodigd voor het diner, maar toen is hij vergeten dat hij ons had uitgenodigd, dus toen we hier kwamen, moest hij ons wel mee uit nemen,' zegt Sofia, die zich uit een nepbontjas werkt. Ik kijk nog eens goed. Ik hoop maar dat het nep is.

'Wat zocht je in de vuilnisbak?' vraagt Red, die de rubber handschoenen voorzichtig van me aanpakt en aantrekt.

'O, dat doet er niet toe. Het was...'

Hij zit al tot aan zijn ellebogen in het keukenafval. Ik hoor het belletje van het halsbandje van Judge Judy. Red hoort het ook en zijn hoofd verdwijnt in de vuilnisbak. Na een paar tellen komt hij boven met het bandje als een trofee in de lucht.

'Judge Judy,' leest hij van het plaatje. 'Is dat ook een van jouw katten?'

'Dat was ze,' zeg ik en ik pak het bandje van hem aan en loop naar de gootsteen om de viezigheid eraf te wassen. 'Ze is dood,' zeg ik luid en opgewekt. 'Vandaag twee jaar geleden.' Ondanks mijn joviale toon ben ik doodsbenauwd dat ze ontdekken dat ik een brok in mijn keel heb. Met mijn rug naar hen toe doe ik mijn ogen stijf dicht en vervoeg het werkwoord *manquer* in de subjunctief.

'Gecondoleerd, Scarlett,' zegt Red en ik kijk naar hem om te zien of hij me uitlacht. Er zijn mensen die geen respect hebben voor verdriet als het om een gestorven huisdier gaat.

Red heeft ergens een flesje zilverpoets en een stofdoek vandaan getoverd. 'Geef maar aan mij,' zegt hij en hij knikt naar het halsbandje. Ik geef het hem. Hij houdt het tussen zijn vingers alsof het heel breekbaar is en maakt het zorgvuldig schoon met de stofdoek tot het glanst als op de dag dat we het hebben gekocht.

'Het is heel belangrijk om een herinnering te hebben,' zegt hij en hij geeft het halsbandje terug. Hij vraagt niet waarom het eigenlijk in de vuilnisbak lag. Ik durf mijn mond niet open te doen dus knik ik hem dankbaar toe.

Declan komt de keuken in rollen, alsof hij op wieltjes loopt.

'Aha, Scarlett, lieveling, ik ben bang dat ik een beetje boven mijn theewater ben,' biecht hij op en hij gaat op de rand van een keukenstoel zitten. Die wankelt even voor hij omkukelt en Declan op de grond landt. Red en Sofia pakken hem elk bij een arm en hijsen hem omhoog, waarna ze hem op de bank onder het raam laten zakken. Als hij goed en wel zit, kijkt hij naar mij. 'Een beetje te veel gin en niet genoeg tonic bij het eten,' bekent hij, een beetje roze om zijn oren, al is dat waarschijnlijk eerder door de gin dan door zijn schaamtegevoel.

'Ik zal koffiezetten,' verkondig ik.

'Wat een geweldig idee, lieveling,' brult Declan voor hij van wal steekt en een verhaal begint over Frank Sinatra, Marilyn Monroe en – ik geloof – een maffiabaas die Carlito Corleone heet.

Sofia loopt door de gang op zoek naar Declans Oscar.

Maureen trippelt de keuken in. 'Daar ben je, Red. Ik heb hulp nodig met mijn tekst. Olwyn – dat arme schaap – zit nog steeds opgesloten in dat afschuwelijke instituut, dus lijkt het erop dat ondergetekende in juli op de planken zal staan.'

'Maar lieveling, ik vertelde Red net mijn verhaal over Mari en Fran en Carlito.'

'Maar dat verhaal heb je hem vorige week al verteld,' zegt ze. 'En de week daarvoor ook, als ik me niet vergis.'

Declans oren zijn nu bloedrood en hij wendt zich tot Red. 'Het is toch niet waar, hè,' vraagt hij. 'Of wel?' voegt hij er fluisterend aan toe.

Ik gooi de laatste koffiebonen in de koffiemolen en doe mijn best om het antwoord van Red te horen.

'Je hebt me het verhaal verteld over Mari en Fran en António,' zegt hij, 'de broer van Carlito, weet je nog?'

Declan geeft Red een klap op zijn rug en Maureen zucht en Red belooft haar dat hij haar tekst met haar zal doornemen zodra Declan klaar is met zijn verhaal. Maureen stemt toe en schenkt hem haar breedste glimlach voor hij zijn aandacht weer op Declan richt om de rest te horen van het verhaal dat hij al kent.

Ik zet het blad met de koffie en de kopjes en gemberkoek op tafel en draai me om om het blad te pakken dat ik heb klaargezet voor George en Phyllis, die zich hebben verschanst in het poortgebouw van George en klaarzitten voor *Dragon's Den*, gevolgd door *Brothers and Sisters*.

'Welterusten, Scarlett,' roept Red me na.

'Je gaat toch nog niet naar bed, of wel?' vraagt Maureen ontzet.

'We wilden net een spelletje gin rummy gaan doen, zegt Declan en de anderen kijken naar hem zodat ik kan zien dat het nieuw voor hen is.

'Ik was op weg naar het poortgebouw om George en Phyllis hun koffie te brengen. Daarna ga ik waarschijnlijk naar bed. Ik ben een beetje moe,' zeg ik en ik loop langzaam naar de deur.

'En dat zegt dat ze aan slapeloosheid lijdt,' zegt Maureen en ze schudt haar hoofd.

'Ik wist niet dat je moeite had met slapen,' zegt Red.

'O, ja,' zegt Maureen. 'Het is net of we een inwonend spook hebben hier in Tara. Ze loopt de hele nacht rond met Blue in haar armen. Dat doet ze al sinds haar tienertijd.' Ze kijkt Red stralend aan alsof dat een hele prestatie van me is in plaats van iets waar ik al jaren mee worstel.

Een reactie wordt me bespaard door Declan, die op de bank in slaap is gevallen zonder het verhaal over Mari en Fran en Carlito af te maken. Maureen gaat op zoek naar een theedoek om over zijn gezicht te leggen zodat zijn gesnurk niet zo hard klinkt en ik glip de keuken uit. Veel later, als ik door de gangen wandel met Blue in mijn armen, vind ik een briefje in de keuken. Rechtop tegen de fluitketel. Gericht aan mij. 'Lieve Scarlett,' staat erop, 'misschien helpt dit.' Er zit een zakje chocoladepoeder op het briefje geplakt. 'Of dit.' Een kaneelstokje, ook met een plakbandje. 'Vriendelijke groeten, Red.'

Ik pak het briefje. Het is een kinderlijk handschrift, de letters zwaaien alle kanten op. Ik loop naar de prullenbak en zet mijn voet op het pedaal. Warme chocolademelk is voor amateurslapelozen. Dat weet iedereen. Trouwens, de uiterste verkoopdatum was drie maanden geleden. En het kaneelstokje is aan één kant doorweekt, alsof erop is gekauwd. Ik zie ineens Al Pacino voor me.

Ik aarzel. Dit is de allereerste keer dat ik ooit gezelschap –

anders dan Blue – heb gehad op mijn nachtelijke wandelingen.
Ook al is het een handgeschreven briefje.

Zinloos natuurlijk.

Maar aardig.

Ik stop het briefje in de zak van mijn vest en loop verder.

29

In de semiprivékliniek in Holles Street voel ik me altijd eenzaam. Er zijn net zoveel mannen als vrouwen in de wachtruimte. Een man voor iedere zwangere vrouw. Ik val op als een dikke, gezwollen zwerende vinger. Filly biedt aan om met me mee te gaan, maar ik schud mijn hoofd. Iemand moet op kantoor blijven. Trouwens, twee vrouwen zouden nog meer opvallen dan ik alleen.

Maureen is ontzet door mijn beslissing niet naar een privékliniek te gaan, maar ik moet een huis kopen, een kinderwagen, een autostoeltje, een babyfoon, een wiegje, babykleertjes, dekentjes, flessen en voeding, en dat telt aardig aan. Ik zet alles in een spreadsheet met de prijzen en vergelijk het totaal met het bedrag dat ik op mijn spaarrekening heb staan. Ik heb te weinig. Veel te weinig eigenlijk. Hoewel ik die rekening heb geopend toen ik zes was, net na mijn eerste heilige communie.

Ik deel mijn angst niet met Maureen. Zij zal zeggen dat Declan alles zal betalen. En dat zou hij doen. Als ik dat toestond.

Dus zit ik hier op vrijdagochtend in een semiprivékliniek in Holles Street. Officieel heb ik een afspraak met de bloemist om de invoer van bloemen te bespreken ('Het maakt niet uit wat voor bloemen, zolang ze maar roze zijn,' zegt Sofia). De kliniek is een noodgebouw op de parkeerplaats aan de zijkant van het ziekenhuis. Een vrouw die eruitziet of ze al tien maanden zwanger is, worstelt zich door de nauwe ingang en laat zich zwaar op een stoel vallen voor ze in staat is de trap op te lopen die naar de behandelkamers leidt. Alles hier is smal, zo ook de vrouw achter de balie. Ze klemt haar smalle lippen op elkaar en die vormen een smalle lijn onder de schaduw van haar lange, smalle neus. Dan laat ze haar lange, smalle nagel langs een namenlijst glijden, op zoek naar de mijne.

'Ik zie geen O'Hara hier,' zegt ze zonder op te kijken.

'Probeer het eens onder de H,' opper ik.

Ze klakt met haar tong en zucht, slaat een bladzijde om en vindt me onder de H.

'Dat is fout,' zegt ze. Ze zegt niet dat het haar fout is. Ze verontschuldigt zich niet. Dan kijkt ze naar mij, hoewel het meer een grimas is dan een blik. Ik krijg de neiging mijn excuses aan te bieden, maar ik doe het niet. Ik heb veel fouten gemaakt, maar deze niet.

'Volgende!' schreeuwt ze.

Ik glimlach naar haar en zeg: 'Dank u,' omdat ik weet dat dat de druppel moet zijn. Beleefdheid is voor onbeschofte mensen hetzelfde als een brandende lucifer voor een heks op de brandstapel. Ze hebben er een bloedhekel aan. Hoewel ik niet zeker weet of ze onbeschoft is tegen iedereen. Misschien alleen tegen mij. We begonnen al verkeerd, toen ik me inschreef. Ik moest die dag een formulier invullen. Ik tekende onderaan en gaf het haar terug.

'Je bent een deel vergeten,' zegt ze en ze wijst naar een vierkant met de ene vraag die ik niet kan beantwoorden.

'Nee,' zeg ik. 'Dat ben ik niet vergeten.' Ik hoop dat ze het daarbij zal laten. Dat doet ze niet.

'Waarom heb je het dan niet ingevuld?' vraagt ze en ze trekt haar smalle wenkbrauwen op tot smalle boogjes op haar voorhoofd.

'Omdat ik het antwoord niet weet,' zeg ik zacht. We staan achter een smalle afscheiding, maar iedereen aan de andere kant van de afscheiding kan ons gesprek volgen. Privacy is – zoals alles in het ziekenhuis behalve patiënten – schaars.

'Je weet niet wie de vader van je baby is?' Ze zegt het niet heel hard, maar ze zegt het wel zo hard dat iedereen die die middag bij de receptie zit haar kan horen.

'Nee,' zeg ik en de schande vreet aan me als een virus.

Als duidelijk wordt dat ik mijn smerige verhaal niet ga vertellen, verschuift ze op haar stoel en zegt: 'Juist.' Terwijl ze het allerminst juist vindt. Ze kijkt nog eens naar mijn formulier. Naar het lege plekje waar het antwoord op de vraag hoort te staan. Ze schudt haar hoofd, buigt zich over de bladzijde en schrijft met grote blokletters: onbekend.

'Dat moet ik opschrijven,' verklaart ze, 'omdat ik het formulier anders van elke afdeling teruggestuurd krijg omdat het niet compleet is.'

Ik ga op een van de smalle, harde stoelen zitten die in de lange, smalle gang staan en wacht op mijn beurt. Niemand vertelt wat je moet doen. Daar kom je achter door te kijken naar wat andere mensen doen. Eerst moet je een plas doen in een klein plastic flesje met een geel dekseltje. Daarna ga je in de rij staan met je flesje urine nog warm in je handen. Een verpleegster weegt je en schreeuwt zo hard ze kan je gewicht. De derde fase is lastig. Je gaat in de eerste lege stoel in de gang zitten en schuift, met één stoel tegelijk, op tot je vooraan zit, en dat kan veertig minuten duren of drie uur. Als je niet opschuift zodra de stoel aan je rechterhand leeg is, krijg je van de persoon aan je linkerkant een tikje op je schouder om je op de lege stoel te wijzen. Je moet wel opletten. Je mag niet afgeleid raken.

Nu moet ik naar het toilet. Ondanks het urinemonster dat ik nog geen halfuur geleden aan de verpleegster heb gegeven. Ik had het flesje tot aan de rand kunnen vullen als ik had gewild. Zoals ik de eerste keer deed. Niemand vertelt je hoeveel urine ze nodig hebben voor een monster. Ik denk aan de Sahara en kan het nog twee keer opschuiven ophouden, maar ik heb nog – ik tel snel even – zeventien keer opschuiven te gaan en ik weet dat ik het niet zal houden. Ik zeg tegen de mensen aan weerszijden van mijn stoel dat ik zo terug zal zijn. Ik voel me verplicht iets van waarde op de stoel achter te laten als garantie van mijn voornemen terug te komen. Ik vraag hun mijn bezittingen mee op te schuiven in de rij voor het onwaarschijnlijke geval dat er geschoven wordt terwijl ik weg ben.

Ik blijf maar drie minuten weg, maar als ik terugkom, zit er iemand op mijn stoel. Onderuitgezakt, zijn benen steken de hele gang door. Hij buigt zich naar de man op de stoel naast hem. Ze staren allebei naar een korrelige zwart-witfoto die de man tussen zijn vingers houdt.

'Hoe bestaat het,' zegt Red hoofdschuddend.

De man knikt en kijkt op. 'Je bent hier zeker voor het eerst, of niet?' merkt hij op. 'Dat zie ik zo.'

Ik ga voor Red staan. 'Wat doe jij hier?'

'Scarlett, hoi.' Hij springt op en glimlacht naar me. 'Hoe gaat het met je?'

'Hoe wist je waar ik zat?'

Hij glimlacht en knikt naar de dingen die ik op de stoel heb laten liggen om zeker te zijn van mijn plaats in de rij. Mijn sleutelhanger met de foto van Phyllis en Blue, genomen op Blues laatste verjaardagsfeest. Blue zit bij Phyllis op schoot met zijn voorpoten op de keukentafel terwijl hij zich vooroverbuigt naar een chocoladecake in de vorm van een makreel, wat zijn favoriete vis is.

'En je jas,' zegt hij en hij knikt naar de stoel.

'O,' zeg ik.

'De manier waarop die is opgevouwen. Zo... netjes.'

'Is er dan nog een andere manier om een jas op te vouwen?'

Hij schiet in de lach alsof ik iets grappigs heb gezegd.

Ik pak mijn sleutels en stop die in mijn handtas, dan pak ik mijn jas en ga zitten. 'Maar hoe wist je...'

'Het stond op de kalender op de keukendeur. Dat zag ik gisteren toen ik in Tara was.'

Ik vervloek Phyllis, die alles op die kalender schrijft. 'Nou,' zeg ik, 'dat had niet gehoeven.'

'Dat weet ik,' zegt hij. 'Ik hoop dat je het niet erg vindt?' Hij kijkt me aan met zijn hoofd een beetje scheef en voor het eerst glimlacht hij niet. Op de een of andere manier geeft me dat een rotgevoel, alsof het mijn schuld is.

'Nou, ik...'

De man op de stoel naast me kijkt met veel misbaar de andere kant op terwijl hij op mijn antwoord wacht. Op dat moment schuift de rij een plek op en plotseling is er aan mijn rechterhand een lege stoel. Met een kort knikje van mijn hoofd wijs ik op de stoel. De man naast me laat opgelucht zijn adem los en Reds glimlach verschijnt als hij zich naast me op de stoel laat zakken, alsof hij daar al mijn hele leven zit. Ik draai me naar hem om, maar hij is me voor.

'Hoor eens, Scarlett, ik weet,' zegt hij met zijn ogen gericht op de grond en met een zachte stem. 'Ik weet dat ik hier niet zou moeten zijn. Dat je mij hier waarschijnlijk niet wilt hebben. Maar toen Filly zei...'

'Filly?'

'Ik had haar vanmorgen aan de telefoon. Er stond niet op de kalender naar welk ziekenhuis je zou gaan, dus heb ik Filly opgebeld.'

'O.'

'En ze zei dat je hier zou zijn, dus vroeg ik haar of er iemand met je meeging en ze zei dat je altijd alleen ging en ik vond gewoon...'

'Zeg niet dat je medelijden met me hebt.' Ik zeg het harder dan ik van plan was en een paar hoofden draaien zich naar ons toe.

'Jezus, nee. Dat was ik helemaal niet van plan.' Red kijkt geschrokken bij het idee. 'Ik wilde alleen maar zeggen dat ik dacht dat het misschien leuker zou zijn als je niet alleen hoefde te wachten. Meer niet. Ik heb zelfs een spel kaarten meegenomen. Kijk maar.' Hij pakte de kaarten uit zijn zak. Ze zijn niet ingepakt, hebben ezelsoren en het is onwaarschijnlijk dat het er 52 zijn.

'Wat voor spelletjes ken je?' vraag ik ondanks mezelf.

'Ik ben heel goed in eenentwintigen,' zegt hij en hij begint de kaarten te delen. 'Of pesten. Dat is nog eens een spelletje.'

'Wat vind je van gin rummy?' vraag ik. Hij glimlacht verontschuldigend en ik glimlach terug, zonder erbij na te denken.

Ik leer hem blackjack. Ik deel en we schuiven zo nu en dan een stoel op. We spelen. Ik versla hem vijf keer achter elkaar. Dan laat ik hem een keer winnen. Dat verbaast me. Ik heb nog nooit iemand laten winnen. Er gaat bijna een uur voorbij. Tot mijn verbazing zitten we al bijna vooraan.

'Ik kan beter gaan,' zegt Red en hij stapelt de kaarten op en stopt ze weer in zijn zak. 'Ik heb Al Pacino vanmorgen in de flat gelaten. Ik wist niet wat ze in het ziekenhuis van honden vinden.' Hij zwaait en zegt: 'Veel succes bij de dokter,' en dan is hij weg. Hij laat de geur achter van iets warms en zoets, als gesmolten chocola.

'Sorry, Scarlett, ik vergat je nog dit te geven.' Hij is weer terug met een gekreukte bruine papieren zak. Er zit een broodje kaas in, zo plat als een pannenkoek. 'Ik wist niet hoelang je zou moeten wachten.' Hij drukt me de zak in handen en is weer weg.

Dan pas denk ik aan Sofia Marzoni. Mijn belangrijkste cliënt. Ik vraag me af of ze wel weet hoe verschrikkelijk slecht de man met wie ze gaat trouwen kan kaarten en hoewel dat een oneerbiedige gedachte is als je zojuist bijna een uur hebt doorgebracht met de verloofde van een van je belangrijkste cliënten, moet ik erom lachen. Ik schuif nog een stoel op en dan ben ik de eerste.

Mijn dokter is geen man van veel woorden. Hij buigt zich over mijn dossier en zegt: 'Eh... Scarlett O'Hara, of niet?' Hij wijst op de onderzoektafel, dus ga ik liggen en trek mijn shirt omhoog. Hij voelt aan mijn buik. Dat heet 'palperen'. Hij palpeert mijn buik. Zijn handen zijn zo koud dat ze me de adem benemen. Hij draait zich om en noteert iets in mijn dossier. Hij neemt de bloeddruk op. Hij draait zich om en noteert iets in mijn dossier. Hij weet van de miskraam. Hij zegt er niets over, maar ik kijk naar hem tijdens het palperen en als hij mijn bloeddruk opneemt en mijn dossier leest. Ik kijk naar hem zoals mensen kijken naar een stewardess tijdens turbulentie. Zijn gezicht is ondoorgrondelijk en dat troost me. Ondoorgrondelijk is goed.

Buiten op straat gaat mijn telefoon. Het is Filly.

'Simon is terug,' zegt ze. 'Hij zocht je net.'

Mijn hartslag schiet omhoog. Ik kan het voelen.

'Je hebt hem toch niet verteld waar ik was, of wel?'

'Doe niet zo idioot, stomme zeug,' zegt Filly. Ze heeft geen hoge dunk van boerderijdieren, zeker niet van varkens. 'Je was naar de bloemist.'

'Wat zei hij?'

'Hij keek wantrouwig.' Dat is niet het einde van de wereld. Simon kijkt altijd wantrouwig. 'Hij zei dat het nog veel te vroeg is om het over bloemen voor de bruiloft te hebben.'

'Hij weet hoe georganiseerd ik ben,' zeg ik, geschokt door al die oneerlijkheid, al komt het allemaal door mijn eigen leugens.

'Hij heeft een boodschap voor je achtergelaten.'

'Een aardige boodschap?' Ik grijp me vast aan een strohalm.

'Het gaat over dat gesprek.'

Mijn handen omklemmen de telefoon. 'Ga verder,' zeg ik.

'Het is op maandag,' zegt Filly. 'Om drie uur. Hij zei dat hij hoopte dat het niet te kort dag was.'

Veel korter dag kan het niet zijn.

'Ik ben onderweg,' zeg ik en ik ren naar mijn auto.

'Schiet op,' zegt Filly en ze verbreekt de verbinding.

30

Het weekend lijkt langer te duren dan normaal. Om te beginnen belt John vrijdagavond om acht uur niet. Als ik zijn mobiel bel, staat die uit. Als ik nog eens bel, staat hij nog steeds uit. Ik kan niet eens een boodschap achtergelaten. In plaats daarvan stuur ik hem een sms met een smiley aan het eind. Net voor ik op het knopje voor versturen druk, haal ik de smiley weg.

Ik bel Bryan, die heel logische argumenten aanvoert waarom John niet heeft gebeld. Zijn batterij was leeg. Iemand heeft zijn oplader gejat. Hij zit ondergronds in een tunnel op te graven en heeft geen bereik. Hij zit vast onder een zwaar voorwerp en kan niet bij zijn telefoon.

'Zullen we het ergens anders over hebben?' zeg ik. Ik heb het gevoel dat ik via stapstenen een woeste rivier over moet, en elke steen beweegt onder mijn voeten.

'Declan heeft me vandaag gebeld,' zegt Bryan gehoorzaam.

'O ja?' zeg ik. Declan telefoneert zelden. Hij vertrouwt telefoons niet, zegt hij sinds hij de rol heeft gespeeld van een FBI-agent in de film *Afluisteren*.

'Ja, hij wil dat ik een locatie zoek voor *The Jou ney*.'

'Ik dacht dat ze een pakhuis hadden in Carlow?' zeg ik.

'Dat hadden ze ook, maar de eigenaar wil het nu terug. Zijn vrouw heeft hem er met al zijn bezittingen uit gegooid en hij heeft het pakhuis nodig.'

'Gaat hij in een pakhuis wonen?' Dat lijkt wel een beetje wreed.

'Ja, maar eerlijk gezegd heeft hij het aan zichzelf te wijten. Kennelijk had hij een relatie met de au pair en de tweelingzuster van de au pair, die twee huizen verder woont.'

Dat moet ik even verwerken.

'Trouwens, ik heb een ideale locatie gevonden,' gaat Bryan verder. 'Een stenen huisje bij een meer in County Fermanagh. Het is perfect. Afgelegen en woest. Net als het personage van je vader.'

'Dus je hebt het script gelezen?' vraag ik.

'Ja, Declan heeft het me toegespeeld. Ik vind het prachtig. Cora ook.' Cora is Bryans baas.

'Ze wil het produceren, maar dat wil Red niet. Hij wil geen compromissen sluiten, maar ik denk dat hij wel zal moeten. Zijn budget is nogal krap. Hij zegt dat hij zijn auto zal verkopen als het moet, maar heb je hem gezien?'

'Wat gezien?'

'Zijn auto.'

'Ja.'

'Hij zal de productie aan ons moeten geven.'

'Dus je hebt hem ontmoet?' vraag ik dan.

'Red?'

'Ja.'

'Inderdaad.'

'En...'

'Hij deed me een beetje denken aan Declan toen die nog jonger was. Heel hartstochtelijk over zijn werk.'

'Nou, dat vind ik geen goed nieuws,' zeg ik.

'Waarom niet?' wil Bryan weten.

'Omdat Declan nou niet bepaald ideaal vadermateriaal is, zoals je heel goed weet.'

'Nou, ja, hij had toch het beste met je voor, of niet soms? Zijn bedoelingen waren altijd goed.'

'Dat is waar, maar vertel dat maar eens aan een negenjarige die op een koude, natte maandag in februari drie kwartier voor de school staat te wachten op een vader die nooit komt, niet alleen omdat hij vergeet haar op te halen, maar omdat hij ook vergeet iemand anders te vertellen dat hij is vergeten haar op te halen zodat die in zijn plaats kan gaan.

Hoe dan ook,' zeg ik en ik strijk het haar uit mijn ogen, 'statistisch gezien is Red niet de vader. Dat is John, toch?'

Bryan zucht. We hebben dit gesprek al vaker gevoerd en ik hoor dat hij er genoeg van krijgt. 'We zullen moeten afwachten, Scarlett. Zorg nu maar dat de baby veilig en wel wordt geboren en dan gaan we ons daar zorgen over maken, goed?'

Ik knik, wat raar is omdat Bryan niet kan zien dat ik knik. Bryan laat me beloven dat ik hem zal bellen zodra John Smith heeft gebeld en verbreekt dan de verbinding.

Maar John Smith belt niet.

Zaterdag komen Filly en Elliot naar het huis. Bryan kan niet komen omdat hij zich moet voorbereiden op een tweede afspraakje met een Franse vrouw die hij op yoga heeft ontmoet. Op advies van Filly heeft hij 'Tom Traubert's Blues' opgenomen als ringtone van zijn mobiel. Er is niks aardigs aan 'Tom Traubert's Blues', heeft ze hem voorgehouden.

Ik heb het idee dat ze met z'n drieën een schema hebben opgesteld en in het weekend kun je er een, twee of soms alle drie tegenkomen in Tara, op verschillende tijden van de avond of dag. Ze zijn lief en nemen me mee uit. Naar het circus bij Custom House Quay. Naar een aquarium waar het een beetje ruikt naar een vaatdoekje dat veel te lang niet is uitgewrongen. Naar de dierentuin.

We hebben het over het sollicitatiegesprek. Waar anders over? 'Het is niet het einde van de wereld,' zegt Filly. Ze gaat in kleermakerszit op de bank in de woonkamer zitten en maakt een soort buidel van haar rok in de driehoek van haar dijbenen en kuiten waar Blue kan liggen dommelen. Hij stapt erin, zoals altijd, delicaat als een porseleinen theekopje en slaapt binnen een paar seconden.

'Je hebt je goed voorbereid op je presentatie, kent alle antwoorden op zijn zeikerige vragen en je bent de beste weddingplanner van het land. Wat kun je nog meer doen?' Ze kijkt naar me en met haar hoop en vertrouwen ben ik er bijna van overtuigd dat het moet lukken.

De deur gaat open en Red Butler verschijnt. 'O, sorry,' zegt hij. 'Ik wist niet dat je hier zou zijn. Ik was op zoek naar Declan.' Hij glimlacht de kamer rond en de anderen glimlachen terug, alsof ze er niets aan kunnen doen. Hij heeft iets aanstekelijks, Red Butler, heb ik gemerkt.

'Hij is bij Hugo,' zeg ik zonder op te kijken.

Al Pacino stormt de kamer binnen en komt slippend tot stilstand als hij bij Blue is, die nog steeds opgekruld als een balletje op de schoot van Filly ligt. Als Blue hem ziet, staat hij op, rekt zich uit en stapt voorzichtig op de brede rug van Al. Als hij lekker ligt, loopt de hond verder, heel behoedzaam om het Blue niet moeilijk te maken. Ze verdwijnen door de deur.

'Wat is dat toch een eigenaardige relatie,' zegt Elliot.

'Katten en honden kunnen heel goed bevriend raken, weet je,' zegt Filly, die altijd het beste zoekt in mensen. En in dieren.

'Ja, normale katten,' zegt Elliot. 'Maar we hebben het hier wel over Blue.'

Voor ik de krant kan oprollen om Elliot op zijn hoofd te slaan, begint Red te praten.

'Blue is een erg lieve kat. Je moet hem alleen even de tijd geven om aan onbekenden te wennen.'

'Hoeveel tijd?' vraagt Elliot, die kijkt naar een grote schram van een dag oud over zijn onderarm.

Ik wend me tot Red. 'Je kunt Al Pacino wel hier laten als je dat wilt. Als je naar Hugo gaat, bedoel ik. Hugo is een beetje bang voor hem en ik heb nog een zak hondenvoer in de bijkeuken staan. Ik zal hem wel eten geven vanavond.'

'Heb je hondenvoer gekocht?'

'Nou... ja. Ik kwam het tegen toen ik eten voor Blue ging kopen. Gewoon voor het geval dat.'

'Dankjewel,' zegt hij. 'Dat is heel aardig van je.'

'Het was een kleine moeite,' zeg ik, al zeg ik normaal gesproken geen dingen als 'Het was een kleine moeite'.

Hij glimlacht nog eens de kamer rond en Elliot en Filly glimlachen terug alsof ze er niets aan kunnen doen, en dan is hij weg en lijkt de kamer meteen veel opgeruimder.

Elliot en Filly kijken naar mij. 'Het was een kleine moeite?' zeggen ze tegelijkertijd.

'Houd je mond! Straks hoort hij jullie!' sis ik tegen hen.

'Jullie zijn heel... beleefd tegen elkaar,' zegt Elliot en hij fronst verbaasd zijn wenkbrauwen.

'Dat komt doordat hij verdomme altijd hier te vinden is,' zeg ik tegen hem. 'Het is onmogelijk om een bepaalde graad van vijandigheid te handhaven als het doelwit voortdurend om je heen fladdert. Dat is uitputtend.'

'Hij is wel heel schattig, of niet soms?' Aan deze bijdrage van Filly heb ik ook niets.

'Hij is een slet,' zeg ik nog maar eens.

'O, ja,' zegt Filly alsof ze het zich ineens weer herinnert. Ze schudt haar hoofd. 'Eigenlijk past het helemaal niet bij hem, of wel?'

Ik zeg niks – kijk haar alleen met samengeknepen ogen aan – en ze is verstandig genoeg om het daarbij te laten.

Later trakteert Elliot ons op een lunch in Avoca. Filly krijgt een sms van Brendan. 'Jullie moeten de groeten hebben en hij heeft het erg druk met lamslevers,' zegt ze en ze kijkt op van haar mobiel.

'Heeft hij het echt over lamslevers?' vraagt Elliot en hij huivert. Hij heeft het niet zo op lever sinds zijn biologieleraar een lever op de tafel in het laboratorium gooide en de klas moest toekijken hoe de lever zichzelf rond een melkfles krulde.

'Ik ben bang van wel,' zegt Filly en ze klapt de telefoon dicht. 'Het spijt me, Elliot, je weet dat hij het graag over vlees heeft.'

We knikken. Dat is waar.

Plotseling hef ik mijn glas in hun richting.

'Ik wil alleen maar zeggen...' begin ik en daarmee heb ik hun aandacht gevangen.

'Ga verder,' zegt Elliot en Filly knikt me afwachtend toe.

'Nou...' zeg ik en ik voel me een beetje belachelijk. 'Ik wilde jullie eigenlijk alleen bedanken. Allebei,' zeg ik, een beetje verbaasd over mezelf.

'Waarvoor?' vragen ze tegelijk en ze kijken verbaasd, alsof ik hun net heb gevraagd hoe laat het is.

'Gewoon... je weet wel... omdat jullie zo... me steunen en... je weet wel...' Ik zwijg.

Filly en Elliot kijken elkaar aan en zeggen tegelijk: 'Hormonen.'

Ik wil ertegenin gaan. Ik wil zeggen hoe ik op hen gesteld ben. Om allerlei verschillende redenen. Ik wil zeggen dat ik me bevoorrecht voel. Dat ze er zijn. Dat zij mijn vrienden zijn.

Natuurlijk zeg ik dat allemaal niet, maar als ze weer naar me kijken, glimlach ik en ik denk dat ze het eigenlijk wel weten.

31

John belt niet terug en stuurt me ook geen sms'jes meer met smileys. In plaats daarvan komt hij. In hoogsteigen persoon. Op maandagochtend. Onaangekondigd en onverwachts. Als een vermiste koffer waarop je niet meer hebt gerekend.

Sinds ik niet meer overgeef 's morgens ga ik weer door de voordeur het gebouw binnen in plaats van door de nooduitgang aan de achterkant.

Het is halfzeven. Ik ben al op sinds vijf uur, al lag ik pas om twee uur in bed, voor de show. De slapeloosheid wordt erger als er de volgende dag iets belangrijks aan de hand is. En vandaag is de dag van mijn sollicitatiegesprek. Met Simon en de rest van het bestuur. Ik vind het verschrikkelijk dat ik de baan zo hard nodig heb. Dat ik die wil hebben. Als ik de auto heb geparkeerd, neem ik mijn hartslag op en die is zo snel dat ik hem bijna niet kan tellen. Mijn ademhaling klinkt oppervlakkig en ik voel het zenuwachtige kloppen van mijn hart, als de vleugels van een vogel die gevangenzit in mijn borstkas. Ik denk na over deze symptomen en concludeer dat ik nerveus ben.

Ik haal Blue uit zijn reiskoffer en laat het gele lint van Filly onder zijn halsband door glijden. Hij zet maar een halfhoge rug op en sist minder luid dan anders. Dat is zijn manier van mij tot steun zijn.

'Dankjewel, Blue,' fluister ik tegen hem voor ik uit de auto stap. Ik wacht terwijl Blue zich door de hele breedte van de auto uitrekt om goed te laten zien hoe verkrampt hij heeft moeten reizen en ik pak mijn aktetas, handtas en laptop uit de kofferbak. Ik houd de riem in een hand en de rest in mijn andere hand.

Ik heb een losse gedachte. Soms, als ik nog minder heb geslapen dan normaal, krijg ik losse gedachten. Ze zweven als veertjes door mijn hoofd en fladderen langs de grond voor ze even tot rust komen zodat ik ze kan denken. Je moet snel zijn met losse gedachten. Ze verdwijnen bij de kleinste afleiding, als het laatste stukje van de dromen die je najaagt als je wakker wordt. De losse gedachte van vandaag is: alles wat ik bezit, heb ik bij me. Ik kijk om me heen.

Mijn auto. Mijn Aston Martin. Mijn prachtige, onpraktische, raceautogroene Aston Martin. Met 32 kleppen, een 4.7-liter motor en een topsnelheid van 288 kilometer per uur, al heb ik er nooit harder mee gereden dan 120.

Mijn kat. Blue Saint John O'Hara. (Maureen stond erop hem een tweede naam te geven, wat de naam is die ze mij zou hebben gegeven als ik een jongen was geweest.)

Mijn laptop met al mijn lijstjes, mijn plannen en mijn bruiloften – mijn levenswerk eigenlijk.

En zelfs Ellen, die nu in mijn buik slaapt. Al is ze als zodanig niet mijn bezit. Maar ze is van mij. Dat weet ik wel.

Ik doe een stap en de losse gedachte verdwijnt, als een zeepbel die kapotspringt op een grassprietje.

Dus, met alles wat ik bezit, loop ik naar de voordeur van het kantoor. De opkomende zon stroomt als een vloeistof over het hele gebouw, dat voornamelijk uit glas bestaat, en ik zou mijn ogen beschermd hebben tegen de schittering als ik nog een hand over had gehad. Ik loop de trap op als een kind, beide voeten op elke tree, voorzichtig met mijn last. Ik merk hem pas op als ik bijna boven aan de tien treden sta. En als ik hem zie, kan ik niet geloven dat hij het is en ik knipper een paar keer met mijn ogen als iemand die in de woestijn een oase voor zich ziet.

'John?' Ik blijf op de negende tree staan en mijn stem klinkt als de stem van iemand anders: hoog en ademloos.

'Scarlett, ik wist wel dat ik je hier zou treffen,' zegt hij en hij glimlacht, tevreden over zichzelf. Zijn glimlach is breder dan ik me herinner. Zijn tanden witter tegen het felle rood van zijn gezicht. Het lijkt of de zon hem derdegraads verbrandingen heeft bezorgd. Muggen hebben een feestmaal aangericht op Johns gezicht en hij heeft op elk beschikbaar plekje van zijn huid een serie bulten waar vocht uit komt en die fel afsteken. Ik was vergeten hoe gek muggen altijd op hem zijn.

'Wat doe jij hier?' vraag ik, nog steeds op de negende tree.

'Kom, ik zal een paar tassen van je aanpakken.' Met twee van zijn lange stappen is hij bij me en hij buigt zich voorover om Blue te aaien voor hij een tas pakt. Blue is zo goed om John zijn rug toe te keren en zijn staart op te tillen om hem het rode cirkeltje van zijn achterwerk te laten zien. John neemt het goed op, wendt zich tot mij en pakt mijn handtas, aktetas en laptop. Hij is niet dapper genoeg om Blues riem te pakken.

'Je ziet er goed uit, Scarlett,' zegt hij en ik zie dat hij een blik werpt op mijn buik, maar Ellen zit verborgen onder mijn mantelpakje.

'Wat doe jij hier?' vraag ik nogmaals.

'Goedemorgen, Scarlett.' We draaien ons om naar de stem en het is Elliot, die met twee kranten onder elke arm, een kop koffie in een hand en een papieren zak – met daarin een appel-kaneelmuffin – in de andere de tien treden op komt springen. In de bocht van zijn elleboog hangt een paraplu. Hij gaat langzamer lopen als hij beseft wie er naast me staat. 'O. Goedemorgen, John,' zegt hij, langzaam nu en hij kijkt naar mij om te zien of ik wil dat hij John een klap op zijn kop geeft met het handvat van zijn paraplu, dat van zwaar mahoniehout is gemaakt. Ik schud mijn hoofd zo lichtjes dat alleen Elliot het ziet.

Hij stopt als hij bij ons is gekomen, op de negende tree. 'Wat is er in vredesnaam met je gezicht gebeurd?'

John legt zijn vingers tegen zijn gezicht en laat ze langzaam over zijn wang zakken. Ze hobbelen naar beneden. De muggenbeten op zijn gezicht en hals verkeren in verschillende stadia. Sommige – de nieuwere – zijn fel en rood en vochtig. De oudere – de veteranen, zal Filly later zeggen – hebben een korstje. Ik weet niet welke ik akeliger vind om naar te kijken en dan voel ik ineens dat ik ga overgeven. Daar, op de negende tree aan de voorkant van het kantoorgebouw, op de dag van mijn sollicitatiegesprek met Simon. En met de rest van het bestuur. De tijd tussen het besef dat je moet overgeven en het overgeven zelf is kort. Korter dan een seconde. Een tiende van een seconde. Niet veel tijd om te besluiten waar je je ontbijt – een kom chocoladecornflakes van Phyllis, alleen omdat ik was vergeten havermout te kopen en Declan alle Rice Krispies al had opgegeten – zult deponeren. Ik ruk mijn aktetas uit Johns hand, maak die open en geeft erin over. Als ik klaar ben, laat ik de tas zakken en rits hem dicht. Ik kijk naar Elliot en John, die proberen niet geschokt (Elliot, die dacht dat ik geen last meer had van ochtendmisselijkheid) of ongerust (John, die zich nooit raad weet met lichaamsappen. Het is eigenlijk maar goed dat hij zijn eigen gezicht niet kan zien) te kijken.

Elliot geeft me een van zijn enorme linnen zakdoeken met in de hoek zijn initialen geborduurd: EFCF. John doet discreet een stap naar achteren.

Ik veeg mijn mondhoeken af en voel me duidelijk in het nadeel, daar zo staande met een aktetas vol braaksel in mijn linkerhand. Het is moeilijk om zo een situatie naar je hand te zetten, hoewel ik weet dat zowel John als Elliot staat te wachten tot ik dat doe.

Ik geef Elliot de zakdoek terug. 'Eh, dankjewel, Elliot,' zeg ik.

'Nee, nee, houd die maar,' zegt Elliot, die hem niet aanraakt.

'Ik zal je hem teruggeven,' zeg ik. 'Nadat hij is gewassen, bedoel ik.'

'De stomerij, vrees ik,' zegt Elliot.

Uiteindelijk neemt John het initiatief, als hij zich realiseert dat ik het niet ga doen. 'Scarlett, kan ik met je praten? Onder vier ogen, bedoel ik?' Hij glimlacht naar Elliot om aan te geven dat hij hem niet wil beledigen en Elliot glimlacht terug om aan te geven dat hij niet beledigd is.

'Zeker,' zeg ik aangezien we allemaal zo beleefd zijn. 'Elliot, zou je...' Ik steek hem mijn aktetas toe en ik moet bekennen dat Elliot maar heel even aarzelt voor hij hem aanpakt alsof er niets vreemds in zit. Hij pakt mijn handtas en laptop van John aan, roept Blue bij zich alsof het een hond is en stapt op de een of andere manier het gebouw binnen zonder een druppel van zijn koffie te knoeien of zijn muffin te laten vallen.

'Zullen we naar Rose's gaan?' vraagt John.

Ik schud mijn hoofd. We gingen altijd naar Rose's bij de zeldzame gelegenheden dat John me van kantoor kwam afhalen. Het is zo'n café met chintzgordijnen voor de ramen en tafelkleden met rozen en thee in porseleinen kopjes op schoteltjes en scones met verse room en eigengemaakte jam. Het is een plek waar je heen gaat als je fantastische dingen gaat bespreken. Zoals de aanleg van een kruidentuin of het opruimen van de zolder. Ik weet niet wat voor soort gesprek John en ik gaan voeren, maar ik wil niet dat we naar Rose's gaan.

'Laten we maar een stukje wandelen,' zeg ik en ik begin de trap af te lopen. Ik kijk op mijn horloge. Volgens mijn dagelijkse planner moet ik nu in de bestuurskamer zijn en de aansluitingen voor mijn laptop controleren en mij ervan overtuigen dat mijn Power-Pointpresentatie vlekkeloos zal verlopen, hoewel ik dat eigenlijk wel weet. In plaats daarvan loop ik langs Dame Street met mijn door de zon en de muggen gehavende ex-vriend, die al dan niet de vader is van mijn ongeboren baby en die eigenlijk een schepje in zijn hand zou moeten hebben en de rode klei zou moeten omkeren in een afgelegen dorpje 75 kilometer van São Paulo. Ik besluit niks te zeggen tot John iets zegt. Ik concentreer me op de wereld om me heen en zie tot mijn verbazing dat het zomer is. Ik meet de tijd al zo lang in weken dat ik ben vergeten om op de seizoenen te letten. Dame Street is een feest van felgekleurde bloembakken onder de ramen en hangmanden. Zwaluwen scheren door de lucht, dapper in het zachte licht van de vroege ochtend in Dublin. We zijn bijna bij Christchurch en geen van ons tweeën heeft iets gezegd. Ergens luidt een torenklok en Ellen roert zich, ze vraagt zich waarschijnlijk af wat er is gebeurd met haar chocoladecornflakes en al die heerlijke chocolademelk die nu een zompige massa vormen onder in mijn aktetas.

'Je hebt zeker niet toevallig een banaan bij je, of wel?' vraag ik.

'Toevallig wel,' zegt hij en hij haalt er een uit de binnenzak van zijn jas.

Er is niemand anders in de wereld die ik om een banaan kan vragen om – ik kijk op mijn horloge – acht minuten voor zeven. John heeft wat ik nodig heb. Zo is het altijd geweest. Dat vond ik zo heerlijk aan hem. Dat mis ik. Ik ga op een bankje zitten in de tuin van de kathedraal en John komt naast me zitten. Ik pel de banaan en eet hem op. Binnen in me maakt Ellen een koprol. Ze is gek op bananen.

'Waarom ben je hier?' vraag ik ten slotte als de bananenschil slap in mijn handen ligt. 'Ik verwachtte je pas eind juli. Je zei...'

'Ik weet wat ik heb gezegd,' zegt hij en hij onderbreekt me. 'Maar ik wil hier zijn voor de echo. Dat is toch volgende week, of niet?'

'Donderdag,' zeg ik.

Hij pakt zijn agenda en schrijft de details op.

'Waarom...' Ik kan niet goed nadenken. Het lijkt of ik niets opneem.

'Ik wilde hier zijn,' herhaalt hij. 'Ik heb al zoveel gemist. Ik wil niet nog meer missen.' Zijn stem klinkt gedecideerd en ik wil niet weer een vraag stellen die begint met 'waarom'. Ik kies dus voor 'hoe'. 'Hoelang blijf je?'

'Hoelang ik blijf?' John kijkt verbaasd. 'Ik ben voorgoed terug.'

'Waarom?'

'Je weet waarom,' zegt hij en dan kijkt hij naar mijn buik. Naar Ellen. Als ik zo zit, is ze te zien aan de spanning op de knopen van mijn jas. Ik maak ze los en mijn dikke buik komt omhoog en ik hoor John naar adem snakken als de werkelijkheid hem bijt als een hond en even lijken we net een echt gezin met de geur van gemaaid gras om ons heen, zoet als cake.

'Ik ben teruggekomen om voor jou en de baby te zorgen,' zegt John en er is een gekwetste uitdrukking in zijn ogen, alsof hij niet kan geloven dat ik dat nog niet uit mezelf had begrepen.

'Dat had je helemaal niet hoeven doen. Het gaat uitstekend. We redden het wel.'

'Het is mijn verantwoordelijkheid. Dat weet je.'

'Ik dacht dat ik een heleboel dingen wist, maar ik wist niet dat je bij me weg zou gaan.'

'Dat weet ik... ik...'

'Wat is er veranderd?' vraag ik, al weet ik heel goed wat het antwoord is.

'We krijgen een baby,' zegt hij en het gekke is dat hij glimlacht terwijl hij het zegt.

'Je wilt helemaal geen kinderen,' help ik hem herinneren.

'Ik heb nooit kinderen gepland,' corrigeert hij me. 'Maar nu ik toch... nou ja... ik heb erover nagedacht en... nou ja... ik vind het prima.'

'Je vindt het prima?' zeg ik en mijn toon is onmiskenbaar schamper.

'Ik bedoel... ik vind het goed... Sterker nog, ik ben...' Er komt een gepijnigde uitdrukking op Johns gezicht als hij worstelt om de juiste woorden te vinden. 'Ik ben... er gelukkig mee. Ik ben gelukkig.'

Ik kijk naar hem en probeer door de muggenbeten en de bulten en de zonnebrand heen te kijken. En geloof het of niet, hij ziet er gelukkig uit. Niet extatisch, zoals die keer dat hij tweede van heel Ierland werd bij het amateurkampioenschap dammen. Nee, het is meer tevredenheid. Hij ziet er tevreden uit.

Het beeld van Red Butler zoemt door mijn hoofd en ik sla ernaar en druk het plat tegen het raampje in mijn hoofd dat uitziet op mijn hersenen. Ik sla mijn handen voor mijn gezicht en denk dat ik hardop heb gekreund, want John slaat ineens zijn armen om me heen en het is zo lang geleden dat ik werkelijk fysiek contact heb gehad dat ik mezelf bijna toesta tegen hem aan te leunen en me over te geven aan het vertrouwde solide gevoel dat hij me geeft en zijn vertrouwde geur op te snuiven.

'John, ik moet je iets vertellen,' zeg ik met een stem die luider klinkt dan nodig is.

'Scarlett, hoor eens, ik weet dat we heel veel hebben om over te praten en, je moet me niet verkeerd begrijpen, ik wil er ook over praten, maar ik heb maar een halfuur uitgetrokken voor deze ontmoeting en ik moet mijn oude baas spreken en zien dat ik mijn oude baan terugkrijg en ik moet naar de flat en die in orde maken voor jou. Voor ons. Zullen we na het werk afspreken?'

Er knarst iets in mij en ik sta op. Ik weet niet waar ik moet beginnen. 'Om te beginnen,' zeg ik en ik houd een vinger op om te laten zien dat er een hele lijst gaat volgen. 'Ik kom niet bij je terug.'

'Nee, natuurlijk niet, dat weet ik. Niet meteen,' zegt hij en hij deinst een beetje achteruit. 'Dat is duidelijk.'

'En ten tweede,' ga ik verder, 'heb ik vandaag helemaal geen tijd uitgetrokken voor jou, aangezien ik dacht dat jij nog ergens in de diepe binnenlanden van dat verdomde Midden-Amerika zou zitten.'

'Zuid-Amerika, als je het wilt weten,' zegt hij en omdat het John is die het zegt, weet ik dat hij het niet bedoelt zoals het klinkt, zo... zo... verdomd... zelfgenoegzaam.

'Je hebt me in de steek gelaten,' zeg ik tegen hem en hij krimpt in elkaar alsof ik hem heb geslagen.

'Kom op, Scarlett, in de steek gelaten is wel een beetje sterk uitgedrukt, vind je niet?'

'Je hebt me in de steek gelaten,' zeg ik nog eens, 'en nu kom je zomaar even terug walsen met...'

'Je kunt toch niet zeggen dat ik aan het walsen ben, Scarlett. Je moet wel eerlijk blijven.' Het is waar. Hij kan niet eens walsen. Of de samba. Of de cancan. Of een Ierse jig. Of een reel. Of wat voor dans dan ook.

'Ik moet gaan,' zeg ik.

'Ik loop met je mee,' zegt hij.

'Nee,' zeg ik. 'Dat doe je niet.'

'Zullen we na het werk afspreken?' vraagt hij en hij kijkt of hij dat echt graag wil en een deel van mij wil dat ook. Het zou zo gemakkelijk zijn om terug te stuiteren in deze relatie. Me erin koesteren als in een hangmat en meewaaien met de wind en wachten op Ellen.

Ik schud mezelf door elkaar. 'Vanavond niet, John. Ik moet nadenken. Er zijn dingen die je moet weten.'

Hij knikt als ik dat zeg, alsof hij de dingen die hij moet weten, al weet. En als ik eerlijk ben, is dat over het algemeen ook zo.

Maar deze keer niet. Hoe zou hij dat moeten weten?

32

Tegen de tijd dat ik terug ben op kantoor is de dag al zonder mij begonnen en loop ik achter, wat zo blijft tot twintig minuten voor het sollicitatiegesprek. Ik ren naar de bestuurskamer om de aansluiting voor mijn laptop te controleren en mijn Power-Pointpresentatie nog een keer door te lopen, maar Simon en de bestuursleden zitten er al en voeren een verhitte discussie. Dat kan ik zien aan de scherpe rimpels in het anders zo vlakke gezicht van Simon. Ik kruip weg en bots tegen Gladys Montgomery aan, verderop in de gang.

'Scarlett,' zegt ze met haar temerige stem, zodat het een paar seconden duurt voor ze het woord eruit heeft. 'Je ziet er een beetje zenuwachtig uit, werkelijk waar.' Ze glimlacht alsof ze me zojuist heeft verteld dat ik voor een jaar kattenvoedsel heb gewonnen. 'Heb je nou een kiel aan?'

Het is vast en zeker geen kiel. Meer een wat lossere top dan ik normaal gesproken draag, met mijn voorkeur voor strakke witte bloesjes onder mijn mantelpak. Het lijkt wel of mijn buik de laatste paar uur is gegroeid en ik verbaas me erover dat een kind van mij zo'n slecht gevoel heeft voor timing. Ik houd de laptop voor mijn buik.

'Hoe ging jouw sollicitatiegesprek?' breng ik met moeite uit.

'Fantastisch,' zegt Gladys. 'Hoewel Simon zei dat het meer een informeel praatje was, gezien de geweldige manier waarop we samenwerken. Het was heel ontspannen, werkelijk waar.' Ze stopt een Rennie in haar mond en vertrekt haar gezicht tot een grijns.

Haar adem ruikt naar eieren. Ze laat haar tong door haar wang glijden om te kijken of er nog spinazie zit. Ze heeft zeker de vegetarische quiche gegeten bij de lunch.

'Ik zag vanmorgen John lopen in Dame Street,' zegt Gladys. 'Zo te zien is Midden-Amerika niet echt aardig voor hem geweest, of wel?'

'Zuid-Amerika,' zeg ik, maar mijn toon is niet zo zelfverzekerd

- 221 -

als ik wel zou willen. Als Gladys weet dat John terug is, dan weet Simon dat ook en ik ben niet blij dat hij dat weet, twintig minuten voor mijn sollicitatiegesprek. Hij zal dat beschouwen als een afleiding.

'Wat maakt het uit,' zegt Gladys en ze loopt de gang door. Haar werk zit erop.

Ik ga terug naar mijn kantoor en laat me in een stoel zakken. Ik ben zo moe dat ik het liefst op de vloer zou gaan liggen. Dat is het probleem met slapeloosheid. Als je het gevoel hebt dat je zou kunnen slapen, is het meestal een ongeschikt tijdstip, zoals twintig minuten – nee, een kwartier inmiddels – voor het belangrijkste sollicitatiegesprek dat je ooit hebt gevoerd. De deur wordt opengegooid en daar staat Filly, hijgend.

'Ik heb het gehoord. Elliot vertelde het. Gaat het goed met je?' Ze is de hele ochtend niet op kantoor geweest omdat ze op stap was met een dierenarts. Ze zijn naar een paardenfokkerij geweest in Kildare om roze verf uit te proberen op een van de paarden daar. Haar vingertoppen zijn roze.

'Ik heb niet de gelegenheid gehad om de aansluitingen in de bestuurskamer te controleren,' zeg ik.

'Dat geeft niks. Je hebt ze toch vrijdag gecontroleerd, of niet?'

'Ja, dat wel, maar...'

'Die zijn goed, Scarlett, maak je niet druk.' Ze komt naar mijn kant van het bureau en masseert mijn slapen met haar vingertoppen. Ik laat haar begaan tot ik aan de roze verf denk. Ik spring overeind en rommel voor de spiegel in mijn tas. De huid van mijn slapen is lichtroze gekleurd, alsof ik daar met opzet wat rouge heb gesmeerd. Ik wrijf over de huid, maar het maakt totaal geen verschil.

'O jee, verdikkeme, Letty... ik was die stomme verf vergeten,' zegt Filly. 'Ik weet niet of het helpt, maar je zou mijn jas moeten zien. Die is verknoeid.'

'Het helpt niet,' zeg ik.

'Het goede nieuws,' gaat Filly verder alsof er niets is gebeurd, 'is dat de verf uitstekend werkt en het is exact dezelfde tint als de jurk van Sofia en het overhemd van Red.'

'Fantastisch,' zeg ik en ik wrijf nu met een vochtig reinigings-doekje over mijn slapen. Ik heb zo hard gewreven dat ik niet meer kan zien of de verf weg is of zich verscholen houdt onder de kersen-rode kleur van mijn huid.

'Ik zal je opnieuw opmaken,' biedt Filly aan. 'Ik maskeer het wel, wacht maar af. Niemand zal het zien.'

Ik weet niet waarom ik het haar laat doen. Ik zou zeggen dat het iets te maken heeft met een hernieuwde verschijning van John Smith in mijn leven en de peervorm van de dag die ik zo zorgvuldig had gepland. Maar ik laat het haar doen, vergetend dat Filly niet in staat is subtiele dagmake-up aan te brengen. Haar talent ligt bij een theatrale avondmake-up die er, dat moet ik toegeven, bij zacht licht fantastisch uitziet. Voor make-up voor alledag mist ze een gen. Ze gooit alles wat ze heeft op mijn gezicht: lippenstift, lipgloss, rouge, poeder, foundation, potlood, oogmake-up, mascara. Als ze klaar met me is, zie ik eruit of ik een sollicitatiegesprek heb voor een baan als hostess in een nachtclub.

Ik kijk op mijn horloge. Nog vijf minuten. Ik heb geen tijd meer. Een soort gelatenheid overvalt me. Aanvankelijk herken ik die stemming niet, want gelatenheid is niets voor mij.

'Ga eens staan en laat naar je kijken,' beveelt Filly en ik doe wat me wordt gezegd, wat onderdeel is van de gelatenheid die ik voel. Filly fronst haar wenkbrauwen als ze me ziet. 'Ik geloof dat het wel goed is,' zegt ze. 'Ik heb gekozen voor de bijna-onzichtbaar-look. Het is per slot van rekening geen sollicitatiegesprek voor een hostess in een nachtclub. Hoewel, als het aan Simon lag...' Ze grinnikt.

'Wens me geluk,' zeg ik en ik pak mijn laptop en aktetas.

'Is dat de aktetas waarin je hebt overgegeven?' vraagt Filly.

'Ja.'

'Die kun je beter niet meenemen. Misschien maak je dan een verkeerde indruk.'

Met tegenzin zet ik de aktetas neer. Zonder aktetas voel ik me incompleet, of ik door een drukke straat loop zonder ondergoed onder mijn rok.

'En ik ga je geen succes wensen,' zegt Filly. 'Dat heb je helemaal niet nodig.'

Plotseling word ik bijgelovig. 'Als je me geen succes wenst, krijg ik de baan niet.' Ik weet niet waarom ik dat weet, maar ik weet het. Ik ben ervan overtuigd.

'Die krijg je wel.'

'Nee, dan krijg ik hem niet.'

'Je krijgt hem wel.'

'Ik krijg hem niet.'

'Je komt te laat.'

Filly weet altijd hoe ze me moet afleiden. Op een holletje verlaat ik het kantoor.

33

Het sollicitatiegesprek begint niet goed. Om te beginnen hangt er die geur. Die stomme Calvin Klein ook, die alle mannen aan de parfum heeft gebracht. Alle vier hebben ze een ander parfum. Door de zwangerschap heb ik een reukvermogen gekregen waar een bloedhond jaloers op zou zijn.

'Wat ben je bleek, Scarlett,' zegt Raymond, de financieel directeur. Hij is trots op zijn vrouwelijke kant, die zich voornamelijk manifesteert in de gretigheid waarmee hij elke maand tampons gaat kopen voor zijn vrouw. Hij vindt het heerlijk aan zichzelf. Als hij zijn zin zou krijgen, zou er in zijn automatische antwoordmail staan: Raymond Darlington is even niet beschikbaar, hij is tampons en Panadol aan het kopen voor zijn vrouw. Bij zijn terugkeer zal hij een boodschap beantwoorden.

'Niets aan de hand,' zeg ik. 'Het is hier alleen een beetje warm. Zullen we een raam openzetten?'

Maar de ramen kunnen niet open en dat is te wijten aan een schilder die vorige maand is ingehuurd. Behalve dat hij geen schilder was. Hij bleek een Poolse ober te zijn die zich uitgaf voor schilder en hij schilderde de ramen dicht met verf die je overal kunt gebruiken maar niet op ramen en sindsdien kunnen ze niet open. Philip Webb legt me dat tot in het kleinste detail uit, wat, in aanmerking genomen dat hij stottert, minstens vijf minuten duurt.

'Goed, Philip, zo is het wel goed,' zegt Simon. 'Zullen we beginnen?'

Ze knikken eendrachtig, zelfs Roger Everett, die spreekt in enkele lettergrepen en zelden een lichaamsdeel beweegt, wat te maken zou kunnen hebben met zijn omvang. Filly noemt hem Mount Everett, ook al heb ik haar dat verboden.

'Hier, neem wat water, Scarlett,' zegt Raymond, die waarschijnlijk denk dat ik online ben, het woord dat hij gebruikt voor 'ongesteld'. Dat is zo ironisch dat ik erom gelachen zou hebben als ik me niet zo hoefde te concentreren om, door de benauwde atmosfeer van de bestuurskamer, niet te gaan overgeven.

Ik pak het glas water aan en drink het leeg. In de stilte van de kamer klinkt elke slok als een donderslag. Ik zet het lege glas op tafel. Simon buigt zich voorover, tilt het glas op en wrijft de kring die het heeft gemaakt droog met een tissue, waarna hij met veel misbaar alle laden opentrekt tot hij vindt wat hij zoekt: een onderzetter, die hij onder het glas legt. Het hele proces duurt een halve minuut, maar het voelt langer. Veel langer.

'D-d-dus, Scarlett,' zegt Philip, 'h-h-heb je een P-p-powerP-p-point-p-p-presentatie v-v-voorbereid?' Philip is gek op Power-Point.

'Ja,' zeg ik en ik pak mijn laptop. 'Ik moet dit alleen even aansluiten...' Ik plug de laptop in, zet die aan en kijk om me heen op zoek naar het scherm dat hier vrijdag, toen ik de boel kwam controleren, nog hing. Het is er niet. Ik knipper met mijn ogen en kijk nog eens, maar het maakt geen verschil. Het is er nog steeds niet. Ik draai me om naar de vier mannen met hun sombere kostuums achter me. Acht ogen zijn strak op me gericht, afwachtend.

'Ik... ik dacht dat het scherm... Vrijdag was het er nog...'

'O, ja, Scarlett, ik ben vergeten je dat te vertellen,' zegt Simon, die er helemaal niet berouwvol uitziet. 'Dat heeft Gladys meegenomen. Ze zei dat het gerepareerd moest worden.'

'Maar... vorige week was er nog niets aan de hand.' Ik worstel om de paniek uit mijn stem te houden.

'Improviseer maar iets, Scarlett,' zegt Simon en hij leunt achterover in zijn stoel, legt beide handen achter zijn hoofd en wacht af.

De andere drie – die hun oren altijd naar Simon laten hangen – doen hetzelfde, behalve Roger, die zijn armen niet zo ver naar achteren kan krijgen.

Improviseren is niet mijn sterkste kant, maar er zit niets anders op. Ik zal het moeten doen. Ik zou het liever staande doen, maar Ellen verbergt zich onder de tafel en daar wil ik haar liever houden.

'Dan zal ik...' begin ik en ik buig me over het toetsenbord van mijn laptop en begin furieus op de toetsen te rammen. Ik probeer me te herinneren waar ik de presentatie heb opgeslagen. Mijn geest is als een leeg toneel met de gordijnen stijf gesloten. Het is er donker en met acht ogen strak op me gericht, doe ik mijn uiterste best me te herinneren wat plan B was. Ik had toch een plan B?

Als ik weer rechtop ga zitten, gebeurt het. Het middelste knoopje van het jasje van mijn mantelpak springt met een hoorbaar knalletje los, glijdt over de glanzende mahoniehouten bestuurstafel en blijft voor Simon liggen alsof het geïnspecteerd wil worden. Simon buigt zich naar voren en pakt het. Hij kijkt naar mij en ik zie wat hij ziet. In het gat tussen de bovenste en onderste knoop van mijn jasje rijst Ellen als een brood in de oven omhoog. Ik ga te snel achteruit zitten en vergeet dat dit de stoel is die we de 'scheetstoel' noemen. Een hoog geluid als van een wind klinkt door de kamer en de directeuren schuiven op hun stoel en kijken overal, behalve naar mijn gezicht, dat de kleur heeft gekregen van een mandje aardbeien.

Zonder inleiding begin ik plotseling aan mijn presentatie. Met een lege muur in plaats van een scherm kunnen de vier mannen nergens anders naar kijken dan naar mij. Hun glazige blik nagelt me vast op mijn stoel, waar ik mijn best doe me achter mijn laptop, die op de tafel voor me staat, te verbergen. Ik worstel me door de presentatie heen en lepel die regel na regel, bladzijde na bladzijde op. Het is of ik door modder ploeter, maar ik houd vol, stap na stap. De mannen laten me gaan en zeggen niks. Tot ik 'baarden' zeg in plaats van 'paarden'. Dan onderbreekt Raymond me met een verontschuldigend lachje. 'Ze wil vier roze baarden, zeg je?' Later, als ik de presentatie controleer op fouten, zie ik dat ik inderdaad 'baarden' heb getypt in plaats van 'paarden'.

Als ik klaar ben, vuurt Simon een serie vragen op me af en ik beantwoord ze allemaal. Ik kan mezelf horen en het klinkt of ik weet waarover ik het heb. Zelfs als hij begint met vreselijke clichésollicitatievragen zoals: 'Wat is je slechtste eigenschap?' (perfectionisme) en 'Wat is je beste eigenschap?' (perfectionisme). Ik ruik de stal al als hij vraagt: 'Wat is je grootste angst?' In gedachten ga ik mijn lijstje na:

Dat er iets ergs gebeurt met Ellen.

Dat ik John moet vertellen over Red Butler.

Dat ik moet uitzoeken wie de vader van Ellen is.

Dat Sofia erachter komt van Red en zijn mogelijke relatie tot Ellen.

Er zijn zo veel dingen waar ik bang voor ben dat ik er naarstig een moet zoeken die ik wil delen met Simon.

'Dat ik deze baan niet krijg,' zeg ik en ik kijk hem recht aan als ik dat zeg, want het is waar dat dat een van mijn grote angsten is. Maar het is niet mijn grootste angst en vreemd genoeg put ik daar troost uit. Simon kijkt de andere kant op; hij is niet zo goed in oogcontact.

'Nou, ik denk dat we wel genoeg hebben gehoord,' zegt hij in plaats daarvan en hij kijkt om zich heen naar de andere drie directeuren. Die knikken, behalve Roger, die in slaap gevallen lijkt te zijn, al is dat moeilijk te zeggen door de bril met gekleurde glazen die hij draagt. Simon buigt zich over het bureau en geeft me mijn knoop terug.

'O, dankjewel,' zeg ik en ik pak hem aan en stop hem in mijn zak. Die zal ik er straks weer aan naaien.'

'Ik denk dat je misschien een nieuw jasje nodig hebt,' zegt Simon en ik kijk naar hem op, maar door zijn geloken ogen en oppervlakkige gezichtsuitdrukking is het moeilijk te zeggen wat hij denkt en of hij eigenlijk wel iets denkt. Evengoed hangt er een wantrouwige sfeer om hem heen en ik ben ervan overtuigd dat hij het weet. Van Ellen. Ik sta op en bescherm haar tegen hem, met mijn laptop tegen mijn buik.

'We zullen het je laten weten, Scarlett,' zegt Raymond met zijn kenmerkende meisjesachtige grijns. Dan kijkt hij snel naar Simon om te zien of het wel goed is dat hij dat heeft gezegd.

Simon knikt en glimlacht zijn kleine, gespannen lachje en ik mag gaan. Ik loop weg en ga nog even langs mijn kantoor, alleen om Blue en mijn met braaksel gevulde aktetas op te halen. Elliot en Filly willen een nabespreking, maar ik ben te moe. Nee. Ik ben meer dan moe. Ik ben uitgeput. Na maanden van niet fatsoenlijk slapen – jaren eigenlijk, maar nooit zo erg als nu – wil ik alleen nog maar liggen en mijn ogen dichtdoen. Ik denk niet dat ik wat voor boerderijdieren dan ook hoef te tellen of het alfabet achteruit hoef op te zeggen of me hoef te concentreren op iets leuks (zoals het herschikken van mijn schoenen op hakhoogte).

Sofia staat bij de receptie. Ze ligt over de balie heen en haar donkere haar raakt bijna het grijze haar van Hailey. Ik denk dat ik Hailey hoor lachen, al weet ik het niet zeker. Ik heb haar nog nooit horen lachen. Even overweeg ik op mijn tenen langs hen heen te lopen, maar ik ben al te laat, want ze voelen mijn aanwezigheid en springen uit elkaar als een stel geschrokken katten.

'Jezus, Scarlah, je moet mensen niet zo besluipen.' Sofia's woorden vallen naar buiten en landen op een hoop aan mijn voeten. Als ik haar niet beter kende, zou ik zeggen dat ze nerveus was. Ik kijk naar Hailey, die net doet of ze aan de telefoon zit. Ze heeft twee felgekleurde rode vlekken op haar wangen en doet me denken aan Annabelle, een pop waar ik gek op was toen ik zes was.

'Ik ging net weg,' zeg ik en hoewel het pas – ik kijk op mijn horloge – vier uur is, geeft geen van beiden commentaar op het feit dat ik zo vroeg naar huis ga. 'We hebben geen afspraak, of wel?'

'Eh, nee... ik was... in de buurt... ik heb Hail hier beloofd dat ik haar mijn *Wham!*-verzameling zou laten zien als ik weer... in de buurt was.'

Hail? *Wham!*? Verzameling? Het kantoor van Sofia is in Finglas. Nou breekt mijn...

De telefoon gaat en Hailey duikt erbovenop. Ik ga een stap dichter bij de balie staan en zie de hoek van een *Wham!*-poster, zo te zien gesigneerd, en de bovenkant van iets wat eruitziet als een boxershort.

'Hailey heeft een T-shirt van Andrew Ridgeley van de *Club Tropicana*-tournee,' zegt Sofia, die zich geheel heeft hersteld. 'Met de originele zweetplekken en alles.' Ze kijkt neer op Hailey en glimlacht en Hailey, die vergeten lijkt te zijn dat ik er ook nog ben, kijkt op en glimlacht terug naar Sofia en die glimlach is de tederste die ik ooit heb gezien. Wat is dit toch voor wereld, waarin mensen elkaar vinden met behulp van zoiets onbenulligs als een onderbroek van George Michael.

Ik schraap mijn keel. 'Nou, dan ga ik maar. Dag.'

Hailey vraagt niet eens waar ik naartoe ga, terwijl ik haar toch geen e-mail heb gestuurd om te vertellen dat ik weg zou gaan, zoals ik geacht word te doen. Ze zegt alleen: 'Dag,' alsof alles heel gewoon is en ik zoals gebruikelijk op mijn kantoor zit te werken en zij niet achter de balie zit met een zweetbandje van *Wham!* om haar pols.

'Tot ziens, Scarlah,' zegt Sofia, die me geen enkele vraag heeft gesteld over de proef met de roze verf of het recept van Italiaanse rosérisotto, dat ik zou opzoeken voor het bruiloftsbanket, zoals Sofia het graag noemt.

Ik rijd op de automatische piloot naar Wicklow. Maureen reageert niet verbaasd als ze me ziet, al is het pas vijf uur 's middags.

'Lieverd, hoe is het met je? Phyllis gaat net muntthee zetten. Wil je ook wat?'

'Ik ga naar bed,' zeg ik, al halverwege de trap.

'Wat een goed idee, lieverd. Slaap lekker.'

Ik sta stil. 'Het is vijf uur 's middags,' zeg ik tegen haar. 'Wil je niet weten waarom ik naar bed ga?'

Maureen kijkt verbaasd. 'Ik nam aan dat je moe was,' zegt ze.

Er zit niets anders op dan te knikken en de lange reis de trap op te vervolgen. Maureen glimlacht, opgetogen dat ze het antwoord goed had. Ik ga met al mijn kleren aan naar bed en Blue – die deze onverwachte ontwikkeling fantastisch vindt – nestelt zich achter me in de holte van mijn knieën. Binnen een paar seconden slaap ik.

34

Als ik wakker word, is het een uur 's nachts en ik sta op in de wetenschap dat ik niet meer slaap zal krijgen dan ik heb gehad. Ik wens – en niet voor het eerst – dat ik kon slapen als een normaal mens, maar het lijkt mijn lot te zijn 's nachts door het huis te dwalen als de kat die Blue niet is. Ik pak de deken van mijn bed en sla die om mijn schouders. Ondanks het seizoen is het 's nachts koud in huis omdat de dikke stenen muren de zonnestralen weerstaan. Ik pak mijn telefoon. Zeven gemiste oproepen, allemaal van John Smith. Zeven boodschappen op de voicemail. Zeven sms'jes. Ze zeggen allemaal hetzelfde: *Bel me.* Ik stop mijn telefoon weer in mijn tas en loop met mijn laptop naar de studeerkamer. Ik glijd door het huis zonder licht aan te doen. Ik houd van de wereld zoals die nu is: donker en stil. De rust is als een wiegelied dat fluistert door het donker en hoewel het me niet in slaap wiegt, heeft het een kalmerend effect, als het spinnen van een poes.

Ik houd mezelf voor dat ik aan het werk zal gaan, maar wat ik in werkelijkheid doe, is inloggen op de site van Womb Raider om te zien of er nog meer mensen wakker zijn. Het is een site voor mensen die onverwachts zwanger zijn. Ik ontvang wekelijks een berichtje waarin staat wat Ellen allemaal heeft gepresteerd. Vandaag ben ik twintig weken zwanger. Ik klik op het icoon van twintig weken en wacht.

'Ben je al twintig weken?'

Er ontsnapt mij een snerpende gil. Die doorbreekt de stilte als een steen door de ramen. Boven hoor ik Blue krijsen. Hij vindt het vreselijk om alleen wakker te worden. Hij is bang in het donker. Ik kijk de hele kamer door, maar op het licht dat van de laptop straalt na kan ik niks ontdekken.

'Jezus, sorry, Scarlett, ik wilde je niet aan het schrikken maken. Gaat het wel?' De stem komt uit een hoek van de kamer. Van de bank. Ik ken die stem. Een gin-en-sigarettenstem. Sommige mensen zouden hem sexy noemen. Ik wend me naar het geluid en daar is hij, verscholen onder een stapel dekens op de bank, waar hij – zo lijkt het – lag te slapen.

'Wat spook jij hier verdomme uit?' sis ik tegen hem. 'Je hebt me de stuipen op het lijf gejaagd.'

'Sorry,' zegt hij nogmaals. 'Declan en ik waren nog laat aan het werk en die stomme auto wilde niet starten en Al Pacino was hem gesmeerd en het duurde allemaal uren. Tegen die tijd was het na middernacht en Maureen stond erop dat ik bleef.'

'Waarom slaap je dan niet in een van de logeerkamers?' vraag ik.

'Maureen wist niet meer waar ze schone lakens kon vinden en Phyllis lag al in bed,' zegt Red. Met moeite komt hij van de bank af. 'Ik zal Blue even kalmeren.'

Voor ik iets kan zeggen, is hij al weg. Als hij terugkomt, ligt Blue in zijn armen met zijn kop op de schouder van Red. Red strijkt met zijn hand over Blues rug, alsof hij een baby is die een boertje moet laten.

'Heb je Al Pacino uiteindelijk gevonden?' vraag ik. Blue zou er kapot van zijn als Al Pacino was verdwenen.

'Hij zat in het hok bij Sylvester,' zegt Red.

'De geit van Hugo?'

'Ja. Hij is gek op geiten. En op katten. Hij spoort niet helemaal, maar ja,' haalt hij zijn schouders op, 'wie wel?'

Ik zou niet weten wat ik daarop moet zeggen, dus wend ik me weer tot mijn laptop. Maar ik voel hem achter me, zijn ogen op me gericht, en ik bedenk dat ik mijn mantelpakje nog aanheb en dat dat totaal niet staat bij mijn poezenpantoffels, die veel te groot en te schattig zijn en lekker zitten. Phyllis heeft ze gekocht voor mijn 32e verjaardag. Ik schuif mijn voeten onder het bureau zodat Red ze niet meer kan zien, waarna ik ze geërgerd weer tevoorschijn haal en ze zo neerzet dat Red ze duidelijk kan zien. Wat kan mij het schelen dat hij weet dat ik schattige, meisjesachtige poezenpantoffels draag?

'Wat een leuke pantoffels,' zegt hij en snel schuif ik ze weer onder het bureau. 'Heb je de echo al gehad?' vraagt hij.

'Nee.'

Hoe weet hij van de twintigwekenecho?

'Ik ben lid geworden van de word-ik-wel-of-geen-vader-site,' verklaart hij zonder dat ik hem ernaar heb gevraagd. 'Op dit moment,' gaat hij verder, 'laat Ellen haar eigen teennageltjes groeien. Is dat niet knap?' Hij klinkt zo trots op haar dat ik ook trots op haar word. Wat een baby. Die laat zomaar even haar teennagels groeien. Helemaal zelf.

'Ik wil wel mee naar de echo,' zegt hij dan. 'Als je dat leuk vindt, bedoel ik.'

'Dat zal niet nodig zijn,' zeg ik.

'Maar ik vind het leuk om mee te gaan,' zegt hij. 'Het lijkt me enig om haar te zien.'

Ik draai mijn stoel om tot ik hem aankijk. Het is iets lichter geworden in de kamer door een straal maanlicht die door het raam naar binnen schijnt. De studeerkamer krijgt er een heel eigen licht door, een zilverachtig licht dat op het gezicht van Red Butler valt en de donkere stoppels op zijn gezicht en kaak verzacht.

'Moet je luisteren...' begin ik.

'Ik weet het, ik weet het,' zegt hij. 'Het is helemaal niet zeker dat ze van mij is. Maar het zou kunnen.' Hij spreekt met zo'n intensiteit dat het me verbaast. Het klinkt alsof hij hierover heeft nagedacht. 'En als ze wel van mij is, wil ik een vader voor haar zijn. Een behoorlijke vader, bedoel ik. Vaders zijn heel belangrijk voor kinderen. Net zoals BMX-fietsen en Nike-gympen en verjaardagstaart.'

Ik denk aan wat Declan over Reds vader heeft verteld.

'Alsjeblieft, Scarlett?' Hij schuift zijn handen onder zijn benen of hij ze wil verwarmen, maar eigenlijk is het omdat hij al zijn vingers heeft gekruist en niet wil dat ik dat zie. Ik wilde net nee zeggen toen ik hem dat zag doen. Het gebaar heeft iets kwetsbaars. In plaats daarvan hoor ik mezelf dus ja zeggen.

'Ja?' herhaalt hij en hij kijkt verwonderd.

'Het is volgende week donderdag om halftien in Holles Street.'

Heel voorzichtig legt hij Blue op de warme plek die hij op de bank heeft gemaakt en haalt een versleten aantekeningenboekje uit zijn borstzak. Hij bladert erdoorheen, op zoek naar een leeg plekje. Elk blaadje staat vol met zijn schuine handschrift met lussen, maar hij vindt nog een lege regel bijna aan het eind en daar schrijft hij de tijd en de datum op.

'Het is halftien 's morgens,' zeg ik.

'Ja, dat snap ik.'

'Maar je hebt 21.30 uur opgeschreven.'

'O.' Hij verandert de 21 in een 9.

'Oeps,' zeg ik plotseling als Ellen me met beide voeten schopt.

'Gaat het wel?' vraagt Red en hij komt naar me toe.

'Ja. Alleen…'

'Schopt ze je?'

'Eh... ja.'

'Mag ik haar voelen?'

Ik wil nee zeggen, maar in plaats daarvan knik ik.

Ik ben niet gewend zoveel te slapen en het lijkt of de slaap mijn natuurlijke reactie heeft afgestompt. Red, die aanvoelt dat ik elk moment van gedachten kan veranderen, komt naast me staan, wrijft in zijn handen en blaast erop.

'Wat doe je nou?' vraag ik.

'Ik verwarm mijn handen.' Red fluistert de woorden alsof Ellen hem kan horen. En dan maakt hij de twee resterende knopen van mijn jasje los, spreidt zijn vingers over mijn buik en ik voel de warmte van zijn handen door de dunne stof van mijn topje. Ik houd mijn adem in, bijt op mijn lip en hoop dat hij opschiet, wat hij niet doet. Hij knielt naast me en wacht. Hij heeft een bepaalde rust over zich die zeldzaam is voor een man van zijn grootte. Ik rangschik hotels door heel Ierland op alfabetische volgorde om mezelf af te leiden van mijn bonkende hart, dat hij ongetwijfeld kan horen. Abbeyvale House Hotel, Adare Manor, Adelaide Court Hotel, Ahern Country House. Het helpt niet. Ik moet denken aan zijn brede borstkas, glad en bleek als maanlicht. Hoe die smal uitloopt naar zijn wespentaille. De hartslag in zijn hals als ik hem daar kus. Het gewicht van de gesp van zijn riem in mijn handen.

Het bloed raast door mijn lichaam als tromgeroffel en in stilte smeek ik Ellen om te schoppen.

Ik sluit mijn ogen en wens het.

En dan doet ze het. Geen harde schop. Een van haar zachtere schopjes, alsof ze mijn baarmoeder wil aaien.

Red komt overeind, haalt zijn handen van mijn buik en ik voel me slap worden van opluchting. 'Dat was...' Hij zoekt naar de juiste woorden. 'Verbazingwekkend,' is het beste wat hij kan verzinnen, maar zijn ogen schitteren met hun groene licht en ik weet hoe hij zich voelt. Dat weet ik omdat ik het ook voel.

Even staan we daar als een stel idioten en lachen schaapachtig naar elkaar; zijn verwondering heeft iets aanstekelijks. Dan roep ik mezelf tot de orde, sla mijn jasje weer om mijn buik, zeg: 'Ach ja,' met een zucht en kijk om me heen in de kamer alsof ik me afvraag in wat voor kleur ik die zal schilderen.

'Ik ga nu maar slapen,' zegt hij. 'We beginnen morgen met filmen.'

'O,' zeg ik. 'Goed, nou ja, dan zal ik maar...' Maar Red ligt al uitgestrekt op de bank, onder een deken en zo te zien twee jassen en is diep in slaap. Ik kan mijn ogen niet geloven. Hij is waarschijnlijk in zijn slaaphouding gaan liggen, wachtend tot de slaap zal komen. Maar nee, ik buig me naar hem toe en zijn ademhaling is langzaam en heel diep. Ik voel me buitengesloten. Ik ben jaloers op zijn vermogen om zomaar in slaap te vallen.

Ik stop mijn laptop onder mijn arm en ga naar de keuken. Ik overweeg een van Johns telefoontjes te beantwoorden, maar ik betwijfel of hij tijd voor me heeft uitgetrokken om – ik kijk op mijn horloge – drie minuten over twee 's nachts. Ik vraag me af wat ik van zijn terugkeer vind. Dat is wat ik wilde. Of niet soms?

Ik weet wat Maureen ervan zal vinden. Extatisch zou niet overdreven zijn. Dan kan John ook naar *Romeo en Julia: de musical* komen; weer iemand in het publiek die een beetje harder zal klappen als het haar beurt is om te buigen.

Ik versnel mijn pas. Ik ben nu in de televisiekamer van Phyllis en er ligt een exemplaar van *The Jou ney* op de boekenkast. Dat pak ik en ik zorg ervoor niet te veel lawaai te maken. Ik ga in de leunstoel zitten bij het vuur, waar nog een paar kooltjes gloeien. Ik wikkel de fleecedeken om mijn benen en Blue – die nu werkelijk slaapt – vindt het goed dat ik hem op mijn voeten leg om die te verwarmen. Tijdens de lange, nachtelijke uren is hij veel aardiger voor me, alsof hij mijn rusteloosheid voelt en die wil verlichten. Ik begin te lezen. Als ik klaar ben, schijnen de eerste lichtstralen van de zonsopkomst in het oosten boven de horizon uit. Declan heeft gelijk. Het is goed. Heel goed. Ik voel me als een indringer, alsof ik zijn dagboek heb gelezen. Hij ligt aan de andere kant van de gang te slapen en ik weet nu dingen over hem die ik eerder niet wist. Het stuk gaat over een vader die een gezin achterlaat en een zoon die dertig jaar later naar hem op zoek gaat, als hij de geboorte van zijn eigen zoon verwacht. De vader is stervende als de zoon hem vindt en ze brengen de laatste paar dagen van zijn leven samen door. Ondanks het onderwerp zit er geen greintje sentimentaliteit in. Het wordt verteld met een eerlijkheid die wreed en naakt overkomt en onrustig maakt.

Ik leg het script terug op de boekenkast, precies zoals ik het heb gevonden. Het is nu vijf uur. Te laat om nog naar bed te gaan. Te vroeg om naar mijn werk te gaan. In plaats van te gaan zitten piekeren, zoals ik normaal gesproken zou doen, ga ik met Blue en Ellen naar de keuken en bak pannenkoeken. Met bananen en gesmolten chocola en honing. Een hele stapel. Blue kan zijn geluk niet op. Ellen ook niet. We zitten daar met zijn drieën en eten ons door de stapel pannenkoeken heen tot er niets over is, nog geen kruimeltje.

We zijn systematisch en consequent, wij drieën. We stoppen pas als we klaar zijn.

35

Filly komt mijn kantoor binnen met haar gebruikelijke 'goe-demorgenhetspijtmedatiktelaatben', twee latte met magere melk, een muffin met stukjes chocola (voor haar) en een bakje custard (voor mij). Voor ik iets zeg, trek ik de folie van het bakje af en lik de onderkant schoon. Dan gooi ik die in de prullenbak en begin te eten. Ik ben binnen 55 seconden klaar. Filly heeft haar muffin nog niet eens uit de zak gehaald. Als mijn mond niet uitpuilde van de custard, zou ik lachen om deze omkering van zaken.

'Dus,' zegt ze, 'waar moeten we beginnen?'

'Bij het begin?' stel ik voor, genietend van de laatste restjes custard die mijn keel in glijden. Ik heb nooit van custard gehouden. Ik heb überhaupt nooit zo van eten gehouden. Nu begrijp ik waarom mensen glanzende kookboeken kopen, alleen om naar de prachtige foto's te kijken.

'Heb je sinds gistermorgen nog met John gesproken?'

'Negatief.'

'Hoe denk je dat het sollicitatiegesprek maandag ging?'

'Heel negatief.'

'O.'

'De knoop van mijn jasje liet los en vloog bijna in het gezicht van Simon, ik ging in de scheetstoel zitten en Gladys had het scherm voor mijn PowerPointpresentatie gejat.'

'Wacht even, terugspoelen,' zegt Filly en ze springt overeind. 'Gladys heeft het scherm uit de bestuurskamer gejat?'

'Ja,' zeg ik en ik richt al mijn aandacht op een streepje custard dat nog in het bakje zit. Met de achterkant van de lepel haal ik het eruit.

'Ik zal... Ik zal... Ik zal...'

Terwijl Filly is afgeleid en bedenkt wat ze Gladys allemaal kan aandoen, maak ik van de gelegenheid gebruik, steek mijn tong zo ver mogelijk uit en lik het laatste restje custard van de bodem van het bakje. Ik kan er net bij.

'Ik zal... Ik zal... Ik zal...'

Ik gooi het nu werkelijk lege custardbakje in de prullenbak. Blue rent er niet langer heen, zoals hij vroeger deed. Hij weet dat er voor hem niets meer overschiet. In plaats daarvan werpt hij me een van zijn hatelijke blikken toe en hervat met een hooghartige zwaai van zijn staart zijn ochtenddutje.

'Ik zal... Ik zal... Ik zal...' zegt Filly nog steeds. 'Ik heb wat tijd nodig om een passende wraakactie te bedenken voor Gladys, maar maak je geen zorgen, er wordt aan gewerkt.'

Daar twijfel ik niet aan. Filly is briljant als het op wraakacties aankomt. Een van haar betere acties had te maken met een auto. De auto van haar ex-vriend Bruce om precies te zijn. Die had hij toen hij een week voor zaken naar Melbourne moest, geparkeerd op niveau twee, blok B van de parkeergarage op het vliegveld van Sydney. Filly – die de reservesleutels had en een motief (hij had haar een pygmee genoemd toen hij het uitmaakte) – zette de auto op niveau vier, blok A. Nog steeds op het vliegveld van Sydney, maar evengoed lastig te vinden.

'Dus,' zegt Filly, 'wil je het slechte nieuws of het eigenaardige nieuws?' Het feit dat er geen goed nieuws is, verbaast ons geen van beiden.

Daar denk ik even over na. 'Kom maar op met het slechte nieuws,' zeg ik. Omdat het Filly is, kun je er niet van op aan dat het eigenaardige nieuws beter zal zijn dan het slechte nieuws.

'Simon is naar het kantoor in New York geroepen voor wat Yankee Doodle.' Ze wacht tot ik haar vraag wat Yankee Doodle is.

'Wat is Yankee Doodle?'

'In dit geval een vergadering over budgetten, maar het kan eigenlijk overal over gaan, zolang je maar ergens in Amerika op je lazer krijgt, wat Simon kennelijk te wachten staat.' Ze wacht even zodat we de gelegenheid hebben daarom te lachen, wat we dan ook doen. 'Trouwens, waar het om gaat, is dat hij op zijn vroegst pas ergens volgende week terug is.' Het slechte nieuws valt als een regenwolk over me heen. Het is werkelijk slecht. Om een heleboel verschillende redenen:

1. Simon vindt het verschrikkelijk om van de hoge omes in Amerika op zijn lazer te krijgen, dus heeft hij als hij terugkomt ongetwijfeld een slecht humeur. En heeft hij een jetlag, wat zijn slechte humeur zal verergeren tot een pesthumeur.
2. Ik betwijfel of er nieuws zal zijn over de sollicitatieprocedure voordat hij terug is. Misschien pas een week nadat hij terug is als je rekening houdt met a) zijn slechte humeur nadat hij in Amerika op zijn lazer heeft gehad en b) zijn pesthumeur in verband met zijn jetlag.
3. Mijn buik is vandaag weer groter dan gisteren en Filly zegt dat hij alleen maar groter en groter gaat worden, wat geen probleem was toen het in theorie waar was, maar nu het werkelijk aan het gebeuren is een beetje op die film lijkt waar Phyllis zo gek op is: *2Fast2Furious*. Tegen de tijd dat Simon terug is, heb ik de omvang van een gemiddelde eengezinswoning.

'Wat is het eigenaardige nieuws?'

Er gebeurt iets met me. Het is al een poosje aan het gebeuren, maar ik heb het genegeerd. Geweigerd het onder ogen te zien. Ik kan het niet delen met Filly of Bryan of Elliot, omdat ze me gewoon niet zouden geloven en dat heb ik geheel aan mezelf te wijten omdat ik er de persoon niet naar ben me dat te laten overkomen. Maar toch gebeurt het.

Het kan me allemaal niets schelen. Simon niet en de baan niet. Nou ja, het kan me wel schelen. Maar niet zoveel als het me normaal gesproken zou kunnen schelen. De steeds duidelijker verschijning van Ellen O'Hara, het losschieten van mijn knoop, de scheetstoel, Gladys en haar verraderlijke diefstal. Wanneer je dat vergelijkt met het feit dat Ellen perfect gevormde oortjes heeft en mijn stem inmiddels kan herkennen, is het allemaal gewoon niet meer zo duidelijk zichtbaar op mijn radar als vroeger. Ik weet dat dat verkeerd is. Maar in plaats van me zorgen te maken over deze nieuwe ontwikkeling, merk ik dat ik mijn schouders erover ophaal. Niet letterlijk of zichtbaar. Maar in mijn hoofd haal ik mijn schouders op. Ik haal virtueel mijn schouders op.

'Heb je niets te zeggen over het slechte nieuws voor ik je het eigenaardige nieuws vertel?' vraagt Filly, die me veel aandachtiger bekijkt dan me lief is.

'Eh... ja, jezus, wat verschrikkelijk,' zeg ik. 'Van Simon en zijn Yankee Doodle.'

'Nee, die Yankee Doodle is niet vreselijk,' legt Filly me uit alsof ik twee jaar oud ben. 'Het slechte nieuws is dat hij, tegen de tijd dat hij terug is, zeker zal zien dat je een Joey verwacht.' Een Joey is een babykangoeroe. Zo noemt Filly Ellen, al heb ik haar gevraagd dat niet te doen.

'Ja, dat bedoel ik ook,' zeg ik tegen Filly. 'Dat is het slechte nieuws. Onmiskenbaar.'

Filly schudt vermoeid haar hoofd, besluit me het voordeel van de twijfel te geven en gaat verder: 'Hoe dan ook, het eigenaardige nieuws is...' ze pauzeert voor het dramatische effect, '... dat Hailey en Sofia gisteren na het werk samen iets zijn gaan drinken.'

Deze keer kan mijn reactie Filly's goedkeuring wegdragen. Mijn mond valt open alsof ik een vliegenvanger ben en ik blijf doodstil naar haar zitten staren, niet in staat me na deze onthulling te bewegen of iets te zeggen.

'Ik weet het, ik weet het,' zegt Filly, die in haar kleine handjes wrijft en met haar kleine voetjes stampt omdat het allemaal zo heel erg eigenaardig is.

'Maar... maar... maar...' zeg ik en ik weet ineens precies hoe George zich gevoeld moet hebben toen hij gisteren Phyllis de buitenspelregel probeerde uit te leggen; het kostte hem bijna een halfuur en daarna was Phyllis nog niks wijzer.

'Ik weet het,' herhaalt Filly, die nog steeds handenwrijvend staat te stampen.

'Maar Hailey gaat nooit na het werk iets drinken,' kan ik ten slotte uitbrengen.

'Ik weet het.'

'Met niemand.'

'Ik weet het, ik weet het.'

'Weet je het zeker?'

'Elliot zag ze samen bij Conlons. In een van de zitjes. "Als boe-

zemvriendinnen," zei hij. Gillend van het lachen en zuipend als
een stel dokwerkers.'

'Dat kan niet waar zijn,' zeg ik.

'En toch is het waar,' houdt Filly vol. 'Maar wat nog het gekste
is, is dat Elliot zei dat ze allemaal spullen van *Wham!* voor zich op
tafel hadden liggen. Stapels. Boxershorts en T-shirts en gebruikte
kaartjes en gesigneerde posters en een lok van het borsthaar van
George Michael, dacht hij. Maar dat is nog niet alles,' gaat Filly
verder en ze fluistert als ze zich naar me toe buigt. Als ze zeker
weet dat ze mijn volledige aandacht heeft, zegt ze het volgende:
'Ze zijn gebleven tot sluitingstijd en toen ze weggingen, zwalkten
ze samen over straat met de armen om elkaar heen en zongen
"Careless Whisper".'

'"Careless Whisper" kan wel kloppen,' zeg ik en ik vraag me af
wat Hailey zou doen als ze wist wat Elliot allemaal rondbazuint.

We blijven verbijsterd zitten, al is Filly niet zo verbijsterd als ik
aangezien zij het nieuws brengt en niet ontvangt.

De telefoon gaat en Filly neemt op: 'Het kantoor van Scarlett
O'Hara, u spreekt met Filly. Wat kan ik voor u doen?' Ze praat op
de wijs van 'I'm Walking in the Air', al ontkent ze het in alle toonaarden als ik haar dat vertel. Ze legt haar hand over de telefoon.
'John op lijn vier,' sist ze tegen me. 'Moet ik hem doorverbinden?'

Een van mijn miljoenen motto's is dat je nooit moet uitstellen
tot morgen wat je meteen kunt doen, dus knik ik op de gelaten
manier die ik tegenwoordig vaker heb en steek mijn hand uit naar
de telefoon.

36

Ik spreek met John af in een openbare gelegenheid. Dat is veiliger, denk ik. Niet dat John Smith het type man is dat met borden gaat gooien of zelfs maar zijn stem verheft. Maar toch. Het is beter om aan de veilige kant te blijven. Ellen heeft trek in tomaten, dus reserveer ik een tafel in een klein Italiaans restaurantje in Crowe Street, waar ik soms heen ga met Bryan (die iets heeft met tomaten), maar nooit met John (die geen mening heeft over tomaten en vruchten in het algemeen).

Ik probeer te laat te komen, maar het lukt niet. Uiteindelijk ben ik vijf minuten te vroeg. Net als John, dus we komen tegelijk aan. Hij houdt de deur voor me open en ik loop naar binnen en houd de deur voor hem open en hij loopt door. Zo lijkt het net of hij nooit is weggegaan en de laatste paar maanden er niet zijn geweest. We gaan zitten, kijken elkaar even aan en richten onze aandacht dan op het menu, al weet ik al dat ik zal bestellen wat ik altijd bestel, met een extra portie tomaten.

'Ik neem aan dat je geen wijn drinkt?' vraagt hij.

Ik was niet van plan te drinken. 'Jawel, lekker. Een glas rode wijn. Chianti als ze het hebben.'

John trekt een neutraal gezicht en wenkt een ober om wijn (voor mij) en mineraalwater (voor hem) te bestellen.

De conversatie is geforceerd, zoals dergelijke conversaties van nature waarschijnlijk altijd zijn. Het is moeilijk om een begin te vinden. Ik ben niet boos, wat een nadeel is. Boosheid zou mijn gedachten kunnen mobiliseren. Ze te hulp roepen als troepen. In plaats daarvan zijn mijn gedachten gedeserteerd en door mijn nieuwe gelatenheid zit ik nu geestelijk in een leunstoel in plaats van op zoek te zijn naar mijn gedachten.

'Je gezicht ziet er beter uit,' zeg ik als de ober wegloopt. 'Ik bedoel... de bulten zien er beter uit.'

'Ik heb gisteren een recept gekregen voor crème,' zegt John. 'Ik zou niet willen dat je weer moest overgeven in je aktetas.' Hij wacht om te zien of ik glimlach voor hij zelf glimlacht, niet wetende of het een gevoelig onderwerp is. Ik glimlach en hij glimlacht terug en als iemand naar ons zou kijken, zou hij denken dat we een doodgewoon stel waren dat doodgewoon uit eten was op een doodgewone doordeweekse avond.

Ik houd op met glimlachen en neem een grote slok van de wijn die de ober voor me heeft neergezet. Wat zou het beste moment zijn om John te vertellen over Red Butler? Voor het voorgerecht? Tijdens het hoofdgerecht? Of bij de koffie? John neemt geen dessert, wat jammer is, want een lekkere tiramisu zou de angel eruit kunnen halen. Ik schuif het voor me uit en voor ik het weet, zijn we halverwege het diner. Daar zijn we gekomen door over werk te praten. John vertelt me over zijn ontmoeting met zijn oude baas, die hem zijn oude baan heeft teruggegeven. Ik vertel hem over de nieuwe functie op het werk maar als hij vraagt hoe het sollicitatiegesprek ging, zeg ik alleen maar: 'Uitstekend.' Ineens worden de borden weggehaald en is het enige tussen ons een houten tafel zonder zelfs een servet of een stuk bestek om mee te spelen en te zorgen dat mijn handen geen nerveuze indruk maken.

'Dus...' begint John en ik herken de toon van bepaalde gesprekken in het verleden. Zoals die keer dat hij me vroeg of hij me mocht kussen. En toen hij zich afvroeg of ik misschien bij hem wilde komen wonen. En de eerste keer dat hij me vertelde dat hij van me hield. En zijn voorstel om samen een kat te nemen. Al die gesprekken begon hij zo. Een ernstig 'dus', gevolgd door een beladen stilte en dan het Gesprek.

'Ik heb seks gehad met een man die Red Butler heet, op de avond dat je me vertelde dat je weg zou gaan, en hij zou de vader van Ellen kunnen zijn.' Ik zie de woorden landen in Johns hersenen. Het slikt ze door als een vis met graten. Hij maakt zich op om iets te zeggen.

'Zei je nou... Rhett Butler?'

'Nee.'

'Dat deed je wel. Je zei Rhett Butler.'

'Nee. Ik zei Red Butler. Behalve dat hij niet echt zo heet. Hij heet Daniel. Maar iedereen noemt hem Red vanwege zijn haar, al is het meer oranje dan rood, om je de waarheid te zeggen.'

'En wie is Ellen?'

'De baby.'

'Weet je al dat het een meisje is?'

'Ja.'

'Hoe kun je dat zo zeker weten? Je hebt de twintigwekenecho nog niet gehad.'

'Nou ja, nee, nog niet, maar...'

'Hoe kun je dan weten dat de baby een meisje is?'

'Dat weet ik gewoon, meer niet.' Dat was ik vergeten van John: zijn vermogen om de onderste steen boven te halen. Ik ben uitgeput en het is pas – ik kijk op mijn horloge – twee minuten over halfacht.

De koffie wordt gebracht. Dubbele espresso voor John en een koffie verkeerd zonder cafeïne voor mij. We concentreren ons op de koffie. John kijkt hoe ik twee zakjes suiker in mijn kopje gooi, maar houdt zijn commentaar voor zich. Nu roeren we en we roeren, ons hoofd gebogen over de taak alsof het welzijn van de wereld ervan afhangt. Als mijn koffie over de rand van het kopje klotst, leg ik het lepeltje neer en wacht tot hij iets zegt.

'Dus de baby is misschien niet van mij?' zegt hij ten slotte. Hij probeert zijn toon neutraal te houden, maar er zit een ondertoon in zijn stem die me raakt.

Ik schud mijn hoofd.

'Maar jij was altijd zo voorzichtig,' zegt hij, alsof hij het tegen zichzelf heeft.

'Ik was voorzichtig,' zeg ik. 'Met... met jullie allebei. Ik weet niet hoe dit is gebeurd. Ik bedoel, ik weet wel hoe het gebeurd is... maar ik ben voorzichtig geweest. Ik ben voorzichtig.'

'Jezus, wat een zooitje.' John strijkt met zijn handen over zijn gezicht en ergens heb ik medelijden met hem. Hij doet me aan mezelf denken in het begin.

'Wat ben je van plan?' vraagt hij dan en hij kijkt naar me alsof ik het antwoord op die vraag heb. Maar er valt niets te doen. Behalve wachten. We zien het wel. Dat zeg ik tegen hem en de teleurstelling ligt duimendik op zijn gezicht.

'Hoe moet het dan met ons?' vraagt hij na een poosje.

'Hoe moet het dan met ons?' herhaal ik. 'Had je dan gedacht dat je terug kon komen, je oude baan weer kon opnemen, je oude vriendinnetje weer kon opnemen en verder kon gaan met je leven alsof er niets was gebeurd?' Hij aarzelt even voor hij tegen deze aanval in gaat en in die aarzeling zie ik dat dit precies is wat John Smith had gedacht. Dan arriveert de cavalerie in de vorm van woede en mijn gedachten, die zich verzameld hebben aan de buitenrand van dit gesprek, beginnen woest te brullen. Ik ga staan.

'Wacht, Scarlett,' zegt John. 'Alsjeblieft,' voegt hij eraan toe en hij wijst op de stoel. 'Ik wil niet dat je zo weggaat.'

En ik ga niet zo weg. Ik heb in mijn hele leven nog nooit een dramatische aftocht geblazen en dit lijkt me niet het juiste moment om daarmee te beginnen. Ik ga zitten.

'Het... het spijt me, Scarlett,' zegt John en ik kan zien dat hij het meent door zijn opgetrokken schouders en zijn handen, die hij op zijn knieën tot vuisten heeft gebald.

'Het spijt mij ook,' zeg ik.

'Wat spijt jou?' vraagt hij.

'Hoe het allemaal gelopen is,' zeg ik. 'Dit behoorde niet tot de plannen die ik voor ons had.'

Hij knikt als ik dit zeg en ik weet dat hij begrijpt hoezeer dit me van slag maakt, als een fles olijfolie die omvalt op een nieuw tapijt.

'Mag ik nog wel mee naar de twintigwekenecho?' vraagt hij. 'Ik zou heel graag de baby zien.'

'Natuurlijk,' zeg ik. 'Alleen...'

'Wat?'

'Nou, het zit zo... Red Butler heeft me ook gevraagd of hij mee kon komen en...'

'Jezus, kunnen we hem in elk geval Red noemen?' vraagt John en door de barstjes in zijn neutrale uitdrukking vang ik een glimp op van woede.

'Ik heb geprobeerd om hem Red te noemen, maar dat is heel moeilijk. Als je hem ziet, zul je begrijpen wat ik bedoel. Het komt door zijn haar... dat is echt...'

'Ja, oranje. Dat heb je al verteld.' Hij klinkt zo gespannen als een veer. 'Ik dacht dat het een onenightstand was. Waarom heb je contact met hem?'

'Nou, ja, dat is waar, het was een... onenightstand...' Ik probeer te glimlachen terwijl ik dit zeg om het niet zo platvloers te laten klinken, maar het helpt niet. John kijkt evengoed naar me of hij me nooit eerder heeft gezien. 'Het komt doordat hij gaat trouwen met een van mijn cliënten en ik de bruiloft moet regelen.'

Johns wenkbrauwen verdwijnen onder zijn pony. 'Hij is getrouwd?'

'Nee, nee,' zeg ik. 'Hij gaat trouwen.' Dat klinkt beter, maar het scheelt niet veel.

'Dus hij was verloofd toen je... hem leerde kennen?'

'Ja, maar ik wist niet dat hij...'

'En wie is de gelukkige?' Hij onderbreekt me.

'Sofia Marzoni.' Johns mond valt open en het duurt even voor hij iets kan zeggen. 'Je bent naar bed geweest met de verloofde van een van de Marzonimeisjes? Jezus, Scarlett. Hoe heb je het in je hoofd gehaald?'

'Ik heb me niks in mijn hoofd gehaald. Mijn vriend, die ik al vier jaar, zes maanden, drie weken en twee dagen had, had me net verlaten. Om ergens in Midden-Amerika een gat te gaan graven.'

'Het was Zuid-Amerika,' corrigeert John me automatisch en ik heb al mijn zelfbeheersing nodig om me niet voorover te buigen, zijn bril te grijpen, die op de grond te gooien en erop te gaan stampen tot hij helemaal aan gruzelementen is. In plaats daarvan ga ik op mijn handen zitten en tel tot twintig.

John heeft het fatsoen om schaapachtig te kijken. 'Het spijt me, Scarlett, dat was dom. Het zal me een tijdje kosten voor ik... aan de situatie gewend ben.'

Ik knik. Ik weet het.

'Bovendien heeft hij een script geschreven en Declan heeft een rol in de film, dus is hij de laatste tijd veel in Tara,' zeg ik.

'Hij is schrijver?'

'En acteur,' voeg ik eraan toe, zodat al het slechte nieuws er maar uit is.

'Jezus,' zegt John en hij kijkt naar me alsof hij weet dat hij me ooit heeft ontmoet, maar niet meer weet waar hij me moet plaatsen. Hij weet hoe ik over acteurs denk. Ik bedoel op het witte doek vind ik ze geweldig, maar ze zijn niet altijd bijster geschikt voor een rol in het echte leven.

'Hoor eens, John, ik weet dat het niet gemakkelijk is, maar... nou ja... hij heeft het me gevraagd en hij zou de vader van Ellen kunnen zijn dus wilde ik niet...'

'Het is veel waarschijnlijker dat ik de vader ben,' zegt John. 'De kans is 77 tegen 23 in mijn voordeel.'

'Heb je dat net uit je hoofd uitgerekend?' vraag ik en hij knikt, niet trots op zichzelf.

'John,' zeg ik, 'dit is niet een van je wiskundige vergelijkingen. We hebben het hier over echte mensen. Die kun je niet heen en weer schuiven als getallen op papier.'

'Het klinkt inderdaad een beetje klinisch,' geeft John toe, 'maar daarom is het nog niet minder waar.' Hij steekt zijn onderlip naar voren, zoals altijd als hij zich niet zal laten ompraten.

Hij vraagt om de rekening voor ik de kans heb iets te zeggen. Hij staat erop te betalen en loopt met me mee naar mijn auto. We lopen zoals we altijd lopen, in een gemoedelijke stilte, zonder elkaar aan te raken, altijd met een afstand van ten minste twaalf centimeter tussen ons in, wat me nooit eerder heeft gestoord. Als we bij de Aston Martin zijn gekomen, begroet hij haar als een oude vriendin en strijkt met zijn hand over de motorkap. Daarna stopt hij zijn hand in zijn zak en ik weet dat hij die schoonveegt aan de voering, al doet hij het zo discreet dat hij denkt dat ik het niet zie. Hij probeert niet me te kussen en vraagt ook niet om een lift naar huis. Hij vraagt niet of ik bij hem kom wonen of met hem uit wil.

'Dan zie ik je donderdag,' is het enige wat hij zegt. Maar ik weet dat hij een plan heeft. Dat zie ik aan de rustige trek om zijn mond en de iets scheve stand van zijn hoofd. Hij is een geduldig man. Hij wacht zijn tijd af.

37

Als een wolk in een licht briesje zweef ik de volgende dagen door. Declan en Red zijn op locatie. Declan staat erop het 'op locatie' te noemen, al is het alleen maar Fermanagh, wat niet exotisch genoeg klinkt om de titel eer aan te doen. Maureen is ook mee. 'Natuurlijk om voor Declan te zorgen,' zegt ze als ik naar haar motieven vraag. Maar eigenlijk is het om een poosje verlost te zijn van het drama bij het amateurtoneelgezelschap en misschien ook om een glimp op te vangen van Red in zijn onderbroek, als ze tenminste vroeg genoeg op is (twijfelachtig) of laat genoeg (waarschijnlijker). Olwyn Burke is nog steeds uitgeschakeld en naarmate de zomer verstrijkt, begint Maureen de druk van de verantwoordelijkheid te voelen, een verantwoordelijkheid die ze eigenlijk niet wil. Als zij haar zin kreeg, was het een schuttingwoord.

Bryan is met hen meegegaan aangezien Red eindelijk de productie in handen heeft gegeven van het filmbedrijf. Cora – die er niet aan gewend is mensen te moeten smeken om toestemming om een film te produceren – heeft het niet zo op Red en volgens de dagelijkse mails van Bryan is de spanning op de set te snijden en is iedereen zo gespannen als het voorhoofd van Maureen na een van haar botoxinjecties.

De Yankee Doodle van Simon zal vrijdag eindigen en Gladys verstuikt bijna haar enkel en breekt haar nek in haar haast in mijn kantoor te komen en me het goede nieuws persoonlijk te vertellen, tot in het kleinste detail, zodat ik er niet aan hoef te twijfelen hoever hun 'werkrelatie' reikt. In plaats van zweethanden en een lichte aanval van trillingen te krijgen merk ik dat het me moeite kost om er iets van te vinden. In plaats daarvan staat Gladys paf als ik haar omstandig bedank en haar een Malteser aanbied uit het doosje dat ik in de bovenste la heb staan.

'Neem maar een handvol,' zeg ik en ik houd de doos onder haar neus. Ze is zo verbijsterd dat ze zichzelf er niet toe kan brengen ze aan te nemen, al weet ik dat ze het wel wil. Dat zie ik aan de manier waarop haar neusgaten groter worden en haar pupillen zich verwijden.

John belt. Elke dag. Hij bestuurt deze gesprekken en ik zit in de bijrijdersstoel en kijk uit het raam. Hij volgt de bordjes die terug naar onze relatie wijzen. Ik put troost uit de vertrouwdheid van de wegen die daarheen leiden.

Donderdag begint zoals gewoonlijk vlak na woensdag en voor vrijdag. Maar deze donderdag is anders en ik besef dat ik hier maanden op heb gewacht.

Ik doe de gelegenheid eer aan. Ik trek een zwangerschapshes aan. Die heb ik online besteld en hij kwam vanmorgen, als een teken, wat belachelijk is, maar de gedachte laat zich, in weerwil van zichzelf, niet verjagen.

Het hesje heeft verschillende kleuren roze en doet me denken aan de bruiloft van Sofia Marzoni. Het heeft plooien aan de voorkant en ik zoek mijn oude basketbal in de garage en experimenteer daarmee. Hij past perfect onder het hesje en ik bekijk mezelf uit alle hoeken. Ik word zo afgeleid door mijn eigen omtrek dat ik niet zie dat Phyllis binnenkomt, op zoek naar een hamer en spijkers om het dak van het kippenhok te repareren. Om onnavolgbare redenen is Declan daar deze week op geklommen en hij is met een voet door het dak gezakt. Phyllis – die trots is op haar doe-het-zelfkwaliteiten – bewaart haar gereedschapskist in de garage.

'Wat ben jij in godsnaam aan het doen, Scarlett?' vraagt ze me.

'Ik wilde even...' Ik maak mijn zin niet af.

'Ben je aan het oefenen met je buik?' Phyllis bestudeert me alsof ze zeker wil weten dat ik het ben en ze niet een of andere indringer voor zich heeft.

'Nou ja... Niet aan het oefenen... Gewoon...'

Dan krijgt Phyllis medelijden met me en klopt me op mijn arm. 'Maak je geen zorgen, Scarlett, dat doet iedereen.'

'Echt waar?' vraag ik opgelucht.

'Nou ja, misschien niet iedereen. Maar ik weet nog dat je moeder precies hetzelfde deed toen ze zwanger was van jou.' Aangezien mijn hele leven een zorgvuldig opgezet plan is om niet te worden zoals mijn moeder – of vader – voorspelt dit nieuws niet veel goeds. Ik laat de basketbal vallen en die rolt voor Phyllis' voeten.

Ze pakt haar hamer en een handje spijkers en loopt naar de deur, waar ze stopt en naar me omkijkt. 'Het is vandaag, of niet?' vraagt ze. Ik knik en ze glimlacht. 'Ik zal aan je denken,' zegt ze. 'En aan die kleine Ellen daarbinnen,' zegt ze met een knikje naar mijn echte buik, die een beetje zielig lijkt na de schitterend ronde basketbal.

Zonder erover na te denken loop ik naar haar toe, buig me voorover en omhels haar. Haar witte, sprietige haar kriebelt mijn wang en ze ruikt naar de zomer, aards en licht.

'Maak dat je wegkomt,' zegt ze, maar ze slaat haar armen nog even stijf om me heen voor ze loslaat.

38

Ik zit in de gang van het gebouw waar de echo wordt gemaakt. Ik kijk op mijn horloge. Alweer. Het is nog geen halftien. Het is nog niet eens tien voor halftien. Ondanks mijn dappere pogingen was ik er net iets voor negenen en hoewel ik naar de kantine ben gegaan, een muffin heb gegeten en een beker warme chocolademelk heb gedronken, is het nog steeds maar zestien minuten over negen. Ik kijk op elke keer dat de deur aan het begin van de gang opengaat en de roestige scharnieren een krakend gekreun door de hele gang laten horen.

'Neem me niet kwalijk, liefje, weet je hoe laat het is?' De buik van de vrouw zeilt als een stormwind voor haar uit en ze loopt met de eigenaardige gang van een hoogzwangere vrouw, iets achterovergeleund, de benen wijd en een hand tegen haar onderrug gedrukt. Haar pyjama en ochtendjas zijn spiksplinter-net-uit-de-verpakking-nieuw met scherpe vouwen langs de pijpen. Een paar centimeter voor me blijft ze staan en ze grijpt de rand van de vensterbank vast en leunt erop alsof het een stok is. Ze zuigt de lucht naar binnen tot haar wangen bol staan en langzaam laat ze haar adem los. Het maakt een sissend geluid, als een lekke band.

'De precieze tijd, als het kan,' zegt ze. Ze is naar de juiste plaats gekomen.

'Het is...' ik kijk op mijn horloge, al weet ik het zonder te kijken, '21 minuten over 9,' zeg ik. 'En 35 seconden. 36 seconden. 37 seconden. 38 seconden...'

'Eh... geweldig, liefje. Op de minuut is goed genoeg.' Ze glimlacht naar me, knijpt haar ogen dicht en de glimlach verandert in een grimas die luid en duidelijk kwelling uitdrukt. En dan volgt het geluid. Het is ongekend in intensiteit en eigenaardigheid. Alsof het helemaal buiten de vrouw zelf staat. Je kunt het niet meer omschrijven als een grom of gekreun, laag en rommelend, als de donder.

Ik spring overeind en kijk de gang door. 'Eh... help!' breng ik met moeite uit, maar de gang ligt er verlaten bij.

'Wat is er, liefje?' De vrouw gaat rechtop staan en kijkt naar me. Ze glimlacht weer, alsof er niets is gebeurd.

'Ik... ik dacht...'

'Gewoon een oefenwee, liefje. Niks om je druk over te maken.'

'Je bedoelt... je bedoelt dat de bevalling nog niet eens is begonnen?'

'Lieve god, nee. Dit is een schijntje in vergelijking met echte weeën, neem dat maar van mij aan.'

Ik laat me weer terugvallen in mijn stoel. Ik voel het bloed zo'n beetje wegtrekken uit mijn gezicht. Ik heb de laatste twintig weken veel gedacht aan Ellen, maar niet veel aandacht geschonken aan haar exitstrategie. Ik bedoel, ik kan niet eens grote tampons gebruiken. En een baby – zelfs een lieverdje als Ellen – zal veel groter zijn dan een grote tampon.

De vrouw begint op normale toon te praten. 'Krijg je vandaag je echo, liefje?'

'Eh... ja.'

'Aha, ik kan me mijn eerste echo nog herinneren. Dat was tien jaar geleden.'

'Je bedoelt dat dit niet je eerste baby is?' Ik had mezelf getroost met de gedachte dat deze vrouw voor het eerst aan het bevallen is en op de plek waar haar pijngrens zou moeten zitten, een gapend gat heeft.

'Lieve god, nee, dit is nummer vier. Maar nummer één, die deed echt pijn.'

Ik probeer te slikken, maar het lijkt wel of er een brok beton in mijn keel vastzit.

'Het is maar te hopen dat je net als ik een hoge pijngrens hebt,' gaat de vrouw verder, zich niet bewust van mijn verlammende angst. 'Ik zie je nog wel,' zegt ze en ze zwaait naar me alsof er niets is gebeurd. 'Veel succes.' Ze voegt er niet aan toe 'dat zul je nodig hebben', maar dat is wel wat ik hoor. Ze vervolgt haar martelgang, stopt nog een keer om zich voorover te buigen en te jammeren en verdwijnt dan uiteindelijk door de dubbele deuren.

Mijn telefoon trilt en ik pak hem zonder te kijken wie het is. Na de overpeinzing dat ik Ellen op de een of andere manier naar buiten moet persen door een opening die niet eens groot genoeg is voor een Super Tampax, laat staan een Super Plus, heb ik afleiding nodig.

'Hallo?'

'Scarlett, ik wilde even horen hoe het met je was. En je geluk wensen.' Het is Bryan en ik hoor de glimlach in zijn stem en glimlach terug, al kan hij me niet zien.

'Het gaat uitstekend. Ik zit te wachten voor de echokamer. Ik ben een beetje vroeg.'

'Wat een verrassing,' zegt Bryan.

'Hoe gaat het bij jullie?' vraag ik, in een wanhopige poging om hem aan de praat te houden zodat ik kan vergeten hoe langzaam mijn horloge tikt en hoe smal mijn geboortekanaal is.

'Nou...' begint hij, alsof hij niet weet waar hij moet beginnen. 'Niemand is nog wakker, hoewel ik een bel heb gekocht die ik elke morgen om acht uur laat afgaan.'

'Red ook nog niet?' Ik moet het vragen.

'Hij is de ergste overtreder, wat, gezien het feit dat hij het script heeft geschreven, de regisseur is en de uitvoerend producer, om nog maar te zwijgen van het feit dat hij de hoofdrol heeft, tamelijk vervelend is.'

'Dus... hij ligt... nog steeds in bed?' vraag ik. Teleurstelling is een emotie die ik niet vaak ervaar, want ik sta mezelf niet toe te hoge verwachtingen te hebben van mensen, maar nu voel ik het en het voelt licht en leeg, alsof de uiterste verkoopdatum van deze dag is verstreken en hij hard is geworden en aan de randjes is gaan omkrullen.

'Nou ja, ik heb hem nog niet gezien,' zegt Bryan. 'Maar dat is niet het ergste.'

'Wat is dan het ergste?'

'Maureen en Hugo,' zegt hij en ik hoor hem krabben op de plekken waar de psoriasis de huid heeft uitgedroogd en laat schilferen.'

'Niet krabben,' zeg ik tegen hem, zoals ik altijd toe. 'Wat hebben Maureen en Hugo uitgespookt?'

'Nou,' zegt hij, 'in het begin was het geweldig, want toen

maakten ze alleen maar de hele tijd ruzie – vochten ze om de aandacht van Declan – maar toen kropten ze in elk geval niks op.'

'Wat is er gebeurd?' vraag ik.

'Nou, na een incident waarbij een bepaalde geit en een bepaald vals gebit betrokken waren...' hij pauzeert voor het dramatische effect. Declan en Maureen zijn hem ook niet in de kouwe kleren gaan zitten, '... negeren ze elkaar en zeggen ze de hele tijd dingen als: "Bryan, kun je aan je tante vragen of ze me de worcestersaus wil aangeven?" en "Bryan, kun je de agent van je oom even vragen of hij zo vriendelijk wil zijn op te houden dat walgelijke geluid met zijn tong te maken?"'

Nou moet ik toegeven dat Hugo als hij moe is een geluid maakt met zijn tong om zijn zinnen van elkaar te scheiden. Het lijkt een beetje op het geluid dat een krekel met zijn achterpoten maakt.

Als het incident met iets anders was geweest dan het valse gebit van Maureen, had Bryan het misschien nog wel kunnen sussen, maar hoewel ze al vijf jaar een gebit draagt, ontkent Maureen het bestaan daarvan net zo heftig als een creationist de evolutie ontkent.

'Maar dat is nog niet het ergste,' zegt hij.

'Dat moet het ergste zijn,' zeg ik, maar ik ben opgetogen dat er nog meer komt. Ik bereken dat er minstens twee minuten en dertien seconden voorbij zijn gegaan sinds Bryan belde.

'Nou, je weet dat Cora niet gecharmeerd is van Red?'

'Ja.'

'Nou, ze blijft maar "cut" roepen en hij blijft tegen haar zeggen dat het zijn werk is om "cut" te roepen en dan loopt ze op hoge poten weg en sluit zichzelf op in het huis waar wij zouden moeten filmen en weigert naar buiten te komen tot Red zijn excuses heeft aangeboden, wat hij weigert, en dan moet ik alles weer gladstrijken en haar mee naar buiten loodsen en zorgen dat zij en Red nooit in dezelfde ruimte zijn, wat tamelijk lastig is aangezien ze aan dezelfde film werken. Ik voel me verdomme net een menselijk schild. De enige mensen die zich gedragen zijn Declan en ik en Cáit.'

'Cáit?'

'Onze hospita, ze spreekt Gaelic.'

Bryan heeft iets met vrouwen die Gaelic spreken sinds zo'n vrouw hem op zijn zestiende heeft ontmaagd. Als je hem vraagt wat zijn mooiste vakantie was, zegt hij nog steeds dat het de twee weken in Galway waren in 1984, hoewel het elke dag regende, er een gat in het dak zat boven zijn bureau en ze niets anders te eten kregen dan gezouten spek en zompige kool en de zee net zo koud was als in november.

'Is ze getrouwd?' vraag ik.

'Wat heeft dat nou te maken met...'

'Kom op, Bryan. Ik probeer mezelf af te leiden van de ziekenhuisgeur.'

Bryan zucht, maar geeft me mijn zin. 'Ze is twee jaar geleden gescheiden. Het bleek dat haar man liever haar kleren aantrok dan zijzelf. Ze zijn echter nog steeds goed bevriend. Ze is heel begripvol.'

'Is ze mooi?' vraag ik.

Bryan zucht weer. 'Ja, ik denk dat je dat wel mag zeggen. Een beetje zoals Sandra Bullock.'

Dat is allemaal goed nieuws. 'Juist,' zeg ik onschuldig, alsof ik hier geestelijk geen aantekeningen van maak. Een laatste – maar uiterst belangrijke – vraag. 'Vindt Cora haar aardig?' Cora vindt van zichzelf dat ze beschikt over een grote dosis mensenkennis, wat er meestal op uitdraait dat ze commentaar levert op dingen die ze vervelend vindt aan andere mensen.

'Jezus, nee, met het gerinkel van de bel en het stijfsel in de lakens en de afwezigheid van earlgreythee. Ze heeft een hekel aan haar.'

'Mooi.'

'Zei je nou "mooi"?'

'Nee.'

'Jawel. Je zei "mooi".'

'Goed dan. Ja. Ik zei "mooi". Als Cora een hekel aan haar heeft en ze eruitziet als Sandra Bullock, moet ze geweldig zijn. En jij verdient iemand die geweldig is.'

'Waarom?'

'Omdat we een... omdat je mijn neef bent en ik van je hou.'

'O,' zegt hij en ik schaam me als ik me realiseer dat ik dat misschien nooit eerder tegen hem heb gezegd. En dan heb ik het niet over het deel dat hij mijn neef is. Natuurlijk weet hij wel dat hij mijn neef is, dus heb ik hem dat nooit hoeven vertellen.

'Houd je van me omdat ik je neef ben of houd je van me en ben ik toevallig je neef?' Bryan vindt dit soort dingen spannend.

'Het tweede,' zeg ik en ik voel zijn glimlach door de lijn komen en die is net zo goed als zelfgemaakte custard. Nee. Veel beter.

Het is stil in de gang als ik ophang. Ik kijk op mijn horloge. Het is drie minuten voor halftien. De telefoon gaat en deze keer is het Sofia Marzoni.

'Je hebt me mijn wekelijkse update niet gestuurd,' begint ze.

'Maar het is pas donderdag. Die krijg je morgen,' vertel ik haar.

'Ja, maar meestal stuur je hem al op woensdag, of op zijn laatst op donderdag bij het krieken van de dag.' Dat is waar. Ik vervloek mijn eigen efficiency.

'Nou...' begin ik.

'Ik wilde alleen maar zeker weten dat je in orde bent, meer niet,' zegt ze.

'Het gaat uitstekend. Ik zit te wachten op mijn echo.'

'De twintigwekenecho?' Die twintigwekenecho lijkt iets te zijn wat iedereen van nature weet. Zoals je weet dat een kat die blaast niet blij is.

'Ja.'

'Ach, wil je uit mijn naam naar de kleine Ellen zwaaien? Zeg maar dat tante Sofia nog naar haar vroeg.'

'Eh, ik zal het doen,' zeg ik, al ben ik niet van plan naar Ellen te zwaaien. Om te beginnen kan ze dat niet zien. En zelfs als ze me zou kunnen zien, geloof ik niet dat ik het zou doen. Nou ja, misschien een klein, discreet zwaaitje dat niemand behalve Ellen en ik ziet.

'En je hoeft je niet te haasten met de wekelijkse update,' gaat ze verder. 'Ik dacht alleen dat er iets mis was toen ik hem gisteren en vanmorgen niet kreeg.'

'Ik zal hem vanmiddag sturen,' zeg ik tegen haar.

'Zie maar,' zegt ze nonchalant, alsof dit niet het tweede van haar – gemiddeld – zes dagelijkse telefoontjes naar mij is om de details van de bruiloft door te nemen.

John arriveert om exact halftien. Ik kan zien dat hij heeft nagedacht over zijn kleding, want hij heeft een korte broek aan en gympen die zo wit zijn dat het oogverblindend is. Er zit geen vlekje op, dus heeft hij ze of vanochtend gekocht, of jaren geleden zonder ze ooit te dragen. Ik vermoed het laatste. Onder het jasje dat je zou kunnen classificeren als blazer draagt hij een overhemd, maar geen das. Johns handen gaat steeds omhoog, alsof hij aan de knoop van zijn das wil wriemelen. Langzaam laat hij ze weer zakken als hij het zich realiseert. Hij is een man die zich niet op zijn gemak voelt in sportieve kleding en de voorkeur geeft aan de anonimiteit van een donkerblauw pak, dichtgeknoopt wit overhemd en een das met een brede streep en eventueel bij speciale gelegenheden een dasspeld.

Hij gaat naast me zitten, staat op en kijkt op me neer. 'Hoe voel je je?'

'Prima,' zeg ik. Ik vertel hem niet over mijn vaginaal gerelateerde angsten en het feit dat ik wellicht mijn pijngrens verkeerd heb ingeschat, denkende dat ik een torenhoge pijngrens heb terwijl hij in werkelijkheid minimaal is.

'Red Butler is dus toch niet komen opdagen,' zegt hij en hij kijkt de lege gang door.

'Nee,' zeg ik opgewekt, alsof het er niet toe doet.

De echoscopist is dezelfde als de vorige keer.

'Hallo, Pete,' zeg ik.

'Hallodieesio, als dat niet de kleine Scarlett O'Hara is.' Pete legt de achterkant van zijn hand tegen zijn voorhoofd als hij dit zegt en slaat iets aan wat hij beschouwt als een origineel zuidelijk accent, maar wat klinkt als een rasechte inwoner van Kerry.

John legt een hand tegen mijn onderrug. Hij weet dat ik een hekel heb aan altijd weer die grapjes over Scarlett O'Hara. In vergelijking met het uitpersen van een baby door een opening met de diameter van een euromunt – met een beetje moeite een muntstuk van twee euro – lijken de afgezaagde verwijzingen van Pete naar *Gejaagd door de wind* tamelijk onbelangrijk.

Het is nu twaalf minuten over halftien en Red Butler ligt ergens in Fermanagh te slapen, zich niet bewust van het aanhoudende gerinkel van Bryans bel. Ik klauter op de onderzoektafel, trek mijn topje over mijn buik omhoog en wacht tot Pete er gel op smeert. Ik maak me zorgen over Ellen. Dat ze een vader heeft als Red Butler. Als hij niet eens de moeite neemt om naar de twintigwekenecho te komen, zal hij haar verjaardag ook wel vergeten. En te laat komen bij haar eerste heilige communie, het belangrijkste deel missen, als ze de hostie inslikt zonder erop te kauwen. Hij zal er niet zijn om haar op zijn schouders van het park naar huis te dragen als ze moe is na de schommel en de draaimolen en het klimrek. Op haar trouwdag zal hij bij de verkeerde kerk staan en Bryan zal naar haar toe moeten en met haar door het gangpad lopen om haar weg te geven. Hij zal de naam van haar eerstgeboren kind vergeten en haar elke Kerstmis een sms moeten sturen om te vragen wat haar adres is zodat hij haar een kerstkaart kan sturen. Ik wentel me in deze gedachten, voel me bekneld. Ze duwen op me als handen en ik voel het moederlijke schuldgevoel waar ik vrouwen altijd over heb horen praten. Ellen verdient beter dan dit.

Er klinken schoenen, klepperend door de gang. Hollend. Er wordt luid op de deur geklopt en voor iemand 'binnen' kan roepen, gaat de deur met een windvlaag open en daar staat Red Butler, groot en onverzorgd, de slaap nog in zijn ogen en zijn haar in pieken alle kanten op. Ik probeer mijn glimlach te maskeren met een onverschillig gezicht, maar dat valt niet mee. Goed, dus hij is – ik kijk op mijn horloge – veertien minuten te laat. De kans bestaat dat hij zijn tanden niet heeft gepoetst, er zitten cornflakes in zijn haar en ik twijfel er niet aan dat hij ergens dubbel geparkeerd staat. Maar hij is er wel.

'Het spijt me zo dat ik te laat ben,' zegt hij en hij probeert te klinken als een normale persoon en niet als iemand die een zware astma-aanval heeft. 'Auto... weigerde te starten... Lansdowne... moest rennen...' Zijn stem sterft weg.

'Hoor eens, je bent er nu en we moeten nog beginnen, dus geeft het niet,' zeg ik. Ik ben zo opgelucht om Ellen dat ik vergeet hoe lastig het is om in dezelfde ruimte te zijn met mijn ex-vriend en mijn eerste en enige onenightstand.

'We laten eigenlijk maar één... toeschouwer... per zwangere vrouw toe,' zegt Pete, die van John naar Red kijkt en weer terug. 'Wie is de vader?' Nu weet ik niet waar ik moet kijken. Alsof ik een bontjas draag terwijl ik meeloop met een protestmars van dierenrechtenactivisten.

'Nou...' begint John, voornamelijk omdat hij er een hekel aan heeft een vraag niet te kunnen beantwoorden.

'Het zit zo...' begint Red tegelijkertijd terwijl hij zijn pony uit zijn ogen strijkt.

'Mogen ze allebei blijven?' vraag ik aan Pete en mijn vraag is zijn antwoord, dus knikt hij snel voor hij zich tot zijn apparatuur wendt.

In de kleine ruimte klinkt alleen het geluid van knoppen die worden ingedrukt, schijven waaraan wordt gedraaid en Pete die binnensmonds 'Over the Rainbow' neuriet. Red en John staan aan weerszijden van mij met hun ogen gericht op de monitor.

'Het spijt me, dit is niet zoals het hoort,' zeg ik ten slotte. 'John, dit is Red Butler. Red, dit is John Smith.'

Ik weet niet of de etiquette in deze situatie voorziet. Zo ja, dan zijn we het ons geen van allen bewust. John kijkt naar Red en zegt niks. Het komt door zijn haar. Het duurt even voor mensen daar langs kunnen kijken. Dan steekt Red zijn hand uit over mijn gezwollen buik en John neemt hem aan. Red schudt zijn hand met een enthousiasme dat onder de omstandigheden bewonderenswaardig is.

'Goed,' zegt Pete, die naar ons drieën kijkt alsof we een wiskundige vergelijking zijn die hij moet oplossen. Ik zie dat hij moeite heeft om de indruk die hij van me had van een brave schooljuffrouw in te wisselen voor die van losbol. Ik vermoed – terecht – dat Pete maar wat trots is op zijn fijngevoeligheid. Hij komt naast me staan en spuit cirkels gel op mijn buik.

John en Red vermoorden elkaar met beleefdheid.

'Kun je de monitor van daaruit wel goed zien?'

'Ik sta er toch niet voor, of wel?'

'Ja, het is voor mij ook de eerste keer.'

Pete schraapt zijn keel meer op een 'stilte'-manier dan op een beginnende-verkoudheid-manier. Het is zo'n 'a-hem, a-hém'-kuch. Het wordt stil en we concentreren ons op de monitor.

'Willen jullie het geslacht van de baby weten?' informeert Pete, die de doppler over mijn buik heen en weer schuift.

John Red geven tegelijk antwoord.

'Ja,' zegt John.

'Scarlett weet het al,' zegt Red.

Pete kijkt naar me en ik knik. Ik weet het inderdaad, maar vakmensen worden onrustig als je te veel weet.

De doppler glijdt naar de onderkant van mijn buik en plotseling is Ellen daar, op de monitor en als ik naar haar kijk, herken ik haar, alsof ik haar al eens ergens heb gezien. Voor ik weet wat ik doe, liggen mijn vingertoppen op de monitor en strijken langs haar lieve hoofdje.

'Wil je alsjeblieft met je vingers van de monitor afblijven?' Pete probeert professioneel te klinken, maar ik merk dat hij mijn hand weg wil slaan en me voor straf in de hoek wil zetten. Om na te denken over wat ik heb misdaan. Weer voel ik Johns ogen op me gericht, alsof hij geen idee heeft wie ik ben.

Maar daar, in de stilte van deze ruimte, met Ellen op haar rug, als een maansikkel binnen in mij, voel ik me meer mezelf dan ooit.

'Het is een meisje,' zegt Pete ten slotte.

'Ellen,' zeggen we eendrachtig, alsof het een gedicht is dat we allemaal uit ons hoofd kennen.

39

'Heb je nog foto's van Ellen?' vraagt Filly me na haar gebruikelijke 'goedemorgenhetspijtmedatiktelaatben',
twee aardbeienmelk, een sandwich met ham (voor haar) en ijs met
een dubbele portie chocoladekaramel (voor mij).

'Ja,' zeg ik en ik schuif het kleine zwart-witfotootje over het
bureau.

'Eentje maar?'

'Hij heeft er drie gegeven, maar John en Red waren er ook, dus
die heb ik er ook ieder een gegeven.'

'Tjee-sus,' zegt Filly. 'Wat een toestand. Jullie lijken wel
Monica-Lewinsky-en-Hillary-Clinton-in-een-lift, zo'n toestand.'

Daar denk ik over na. 'Nou ja, in het begin was het wel een
beetje... geforceerd.'

'Zo kun je het ook zeggen,' zegt Filly, die met het puntje van
haar tong haar aardbeiensnor weglikt.

'Maar toen we Ellen eenmaal hadden gezien, veranderde alles,'
zeg ik en het kost me moeite om het uit te leggen.

'Hoe bedoel je dat?'

'Nou, het was net of we allemaal vergaten hoe we in die situatie
terecht waren gekomen en ons alleen op het moment concentreerden. Op Ellen.'

'O, dat is interessant,' zegt Filly, die de foto bestudeert.

'Wat?'

'Ze heeft Johns neus.'

'Niet waar. Ze heeft een babyneusje. Johns neus is lang en smal
en puntig aan het eind.'

'Ja, zijn neus is niet een van zijn sterkste kanten,' zegt Filly.

'Dus je wilt beweren dat Ellen een lelijke neus heeft?' Ik kan
niet geloven dat Filly zoiets zegt.

'Lieve god, nee. Dat zeg ik helemaal niet. Ik ben haar peetmoeder. Ik zal haar voorhouden dat ze een prachtige neus heeft en
kleren met haar gaan kopen. Dat is mijn taak.'

Technisch gezien is het kopen van kleren en complimentjes geven niet de taak van een peetmoeder, maar Filly – wier religieuze opvoeding bestaat uit zeven keer *The Life of Brian* kijken – weet niet beter.

'Jij hoeft haar kleren niet te kopen,' zeg ik, een beetje paniekerig nu. Vandaag draagt Filly een kanariegele jumpsuit met daaronder paarse klompen. De kleuren vloeken even indringend als een autoalarm.

'Ze heeft erg lange vingers,' zegt Filly, die naar de foto tuurt. Dat had ik ook gezien, op de monitor, waar ze met haar handjes zwaaide als een dirigent voor een orkest dat alleen zij kon zien. Op de foto heeft ze haar linkerhand geheven in een soort high five en het is moeilijk om niet naar haar vingers te kijken. Lange, slanke vingers.

'Ze heeft de handen van Red Butler en de neus van John Smith,' concludeert Filly heel weifelend.

Ik pak de foto en stop die in het vakje van mijn tas dat ik reserveer voor foto's. Al is de enige andere een onscherp kiekje van Blue als kitten, slapend in de palm van mijn hand.

'En daarna?' vraagt Filly. 'Hebben John en Red het uitgevochten op Merrion Square?'

'Eh... nee. Reds auto stond met pech ergens in Lansdowne dus heeft John hem een lift gegeven naar Heuston Station. Daar kon hij de trein terug naar Fermanagh pakken.'

De verbazing op Filly's gezicht is een studie waard. 'Jemig,' zegt ze uiteindelijk. 'Als John uit dezelfde plaats afkomstig was als ik, zou hij Red op zijn minst zijn broek van zijn kont hebben getrokken. Maar een lift geven?' Ze schudt haar hoofd over die onbenulligheid.

Er wordt zo hard op de deur geklopt dat ik al weet wie het is voor de deur opengaat.

'Verrassing!' schreeuwt Sofia, die in volle vaart mijn kantoor binnenstormt.

Het is geen verrassing. Sofia komt elke keer dat ze in de buurt is onaangekondigd mijn kantoor binnen, wat de laatste tijd vaker wel is dan niet. Ze gaat op de bank zitten, op veilige afstand van Blue, die te druk bezig is zijn... onderbuik te likken om het te merken.

'Dus,' zegt ze en ze trekt haar jas uit en legt haar glanzende zwarte krullen in golven over haar rug. 'Wil je het goede nieuws of het slechte nieuws?'

'Het goede nieuws,' zegt Filly, die houdt van directe bevrediging.

'Het slechte nieuws,' zeg ik. Ik heb graag iets om naar uit te kijken.

'Om te beginnen,' zegt Sofia, 'wil ik de foto van de echo zien.'

Ze glimlacht zo breed en haar tanden zijn zo wit dat ik mezelf ervan probeer te overtuigen dat het slechte nieuws niet zo heel slecht kan zijn. Of wel? Ik geef haar de foto en ze concentreert zich er even op.

'Ze heeft Johns neus, het arme schaap,' zegt ze, voornamelijk tegen zichzelf. 'Haar vingers zijn wel heel lang, of niet? John heeft toch niet zulke lange vingers, of wel?' Ze kijkt op en Filly en ik schudden eendrachtig ons hoofd. 'Laat me jouw vingers eens zien, Scarlah,' en als een gehoorzaam kind steek ik mijn handen uit om ze te laten inspecteren. Met Sofia Marzoni zit er niets anders op. Ze is als de maan, met haar eigen aantrekkingskracht.

'God, wat klein, ik zweer het je. Net als van die pop die ik had toen ik acht was,' zegt Sofia, voornamelijk tegen zichzelf.

'Dus,' zeg ik en ik trek mijn handen voorzichtig terug. 'Wat is het slechte nieuws?'

Sofia's gezicht betrekt, als een Ierse zomer. 'Nou...' begint ze en ik zet me schrap. 'Misschien heb ik wel voor mijn beurt gepraat.'

Dat is niks nieuws. Maar wat heeft ze gezegd? En tegen wie?

'Ik heb mijn vader verteld dat je een baby verwacht,' zegt ze.

Daar denk ik even over na. Het is waar dat Valentino Marzoni een vrome rooms-katholiek is die twee tientjes van de rozenkrans binnen vijf minuten kan bidden en ooit heeft overwogen zich op te geven voor een kennisquiz met als specialiteit het onderwerp Jezus Christus van het jaar 0000 tot het jaar 0033. Dat hij het weet van Ellen (hoewel ze buitenechtelijk is verwekt, zoals hij zou zeggen) is niet het slechte nieuws. Eigenlijk registreert mijn slechtnieuwsradar het nauwelijks.

Maar er is meer. Natuurlijk is er meer.

'Dat is niet het slechte deel van het nieuws, toch?' vraag ik, maar het is een retorische vraag.

'Nou...' zegt Sofia en dan zucht ze, een lange uitgerekte Italiaanse zucht waarbij ze helemaal leegloopt, als een ballon van een week oud. 'Papà kan er iets over tegen Simon hebben gezegd.'

'Wanneer?' vraag ik. 'Voor of na het sollicitatiegesprek?' Niet dat het er nog toe doet. Mijn hoop op die baan vaart van me weg als de *Titanic*, al verdoemd nog voor ze in de buurt van ijsbergen komt.

'Ik weet het niet, Scarlah. Ik hoorde het pas gisteren. Het spijt me vreselijk, echt waar.' En ze ziet er berouwvol uit. Ze ziet er zelfs zo terneergeslagen uit dat Blue haar even met een van zijn pootjes een klopje geeft, zij het heel even.

Met zijn drieën blijven we zwijgend zitten. Na een poosje werpen we steelse blikken op elkaar, zoals mensen doen in de wachtkamer van een tandarts.

'Nou, wat is dan het goede nieuws?' vraagt Filly ten slotte. Ik ga rechtop zitten in mijn stoel. Ik was door alle ellende het goede nieuws vergeten.

'O, ja,' zegt Sofia, helemaal blij als ze merkt dat Filly nog tegen haar praat. 'Nou,' zegt ze, stralend nu en ze kijkt naar mij, 'je weet toch dat we samen naar het kasteel zouden gaan waar ik mijn receptie ga houden?'

Ik knik.

'Ik heb een veel beter idee,' zegt Sofia en ze staat op zodat Filly en ik onze hals moeten rekken om nog naar haar gezicht te kijken.

'Ik wil dat we met zijn allen gaan. Ik en Hailey, jij en Filly, en Red en Brendan de slager. Net als in zo'n Amerikaanse roadmovie. Ik heb naar het budget gekeken en ik denk dat als we niet met een heteluchtballon van de kerk naar het kasteel gaan, we net genoeg hebben voor een weekend met zijn allen.' Ze stopt om adem te halen en van Filly naar mij en dan terug naar Filly te kijken.

We zeggen geen van beiden een woord. De stilte is oorverdovend.

'Nou?' vraagt ze. 'Wat vind je ervan? Briljant, of niet soms?'

'Waarom moet Hailey mee?' vraagt Filly, wat de vraag is die ik ook zou stellen als ik mijn gedachten weer op een rijtje had.

'Omdat,' zegt ze alsof dat heel logisch is, 'ik Hailey heb gevraagd als waarzegster op te treden op de bruiloft.'

Ik krijg een visioen van Hailey in een linnen tent met een sjaal om haar hoofd en grote ringen om elk van haar vingers, gebogen over een kristallen bol terwijl ze me met een diepe, mysterieuze stem vertelt dat me een fortuin wacht en ik een reis ga maken over het water. Ik weet dat als ik mijn mond opendoe om iets te zeggen, ik in de lach zal schieten en dat heb ik nog nooit gedaan en daar ga ik niet nu mee beginnen. De eerste regel boven aan de eerste bladzijde van het handboek van weddingplanners is dat je nooit mag lachen om ideeën van je cliënten met betrekking tot de bruiloft, ongeacht hoe... hoe... eigenaardig die ideeën ook zijn.

'Ze leest tarotkaarten, ik zweer het je,' gaat Sofia verder, alsof dit een heel gewoon gesprek is over het weer en hoe gemeen koud het is geweest. 'En ook theebladeren,' voegt ze eraan toe, zwellend van trots.

Filly redt me uit mijn sprakeloze toestand. 'Denk je dat het een goed idee is om de bruiloftsgasten op de ochtend van de bruiloft hun toekomst te laten voorspellen? Ik bedoel, stel je voor dat ze hun vertelt dat ze stervende zijn? Of dat hun vrouw ervandoor gaat met de man die op de bank achter het loket zit? Of... of...' Filly, die geen ideeën meer heeft, kijkt naar mij voor inspiratie '... of... dat hun vriend hen zal verlaten voor een archeologische opgraving in Midden-Amerika.'

'Het was Zuid-Amerika,' zeg ik, maar niemand luistert.

'Nee, dat zal niet gebeuren,' legt Sofia Filly uit en ze buigt zich voorover met haar handen op haar knieën, 'want Hailey houdt ze alleen maar een leuke, gezellige, gelukkige toekomst voor. Als ze iets in de kaarten ziet zoals dood of afbraak of ziekte of zoiets, dan negeert ze dat gewoon en dan vertelt ze in plaats daarvan iets leuks, zoals een reis over het water of een groot fortuin of verliefdheid.' Ze kijkt van de een naar de ander tot Filly en ik murw geslagen knikken.

Filly gaat zonder dat ik het haar hoef te vragen weg om thee te zetten en chocoladekoekjes te halen.

'Waarom wil je Brendan de... eh... slager ook mee op deze... roadtrip?' vraag ik.

'Nou, als verstrekker van het vlees voor het bruiloftsbanket is het juist goed dat hij meegaat op de roadtrip,' zegt Sofia en door de manier waarop ze het zegt – met gezag – klinkt het als een logische en redelijke verklaring. Nog even en ik vraag me af waarom ik het niet zelf had bedacht. Het is waar dat ik Brendan heb gevraagd naar vlees dat roze is. Het enige wat hij tot nu toe heeft kunnen bedenken, is carpaccio, wat, al is het maar één ding, wel het voordeel heeft dat het niet alleen roze, maar ook Italiaans is. Sofia wil geen zalm. Ze zegt dat dat te veel voor de hand liggend roze is.

'We gaan het weekend na volgend weekend,' zegt Sofia als Filly terugkomt en thee en koekjes uitdeelt. 'Zaterdagochtend vroeg. Ik wil niet op vrijdagavond gaan. Dan is het te druk op de weg. Trouwens, ik kan alleen op zaterdag de bus van oom Vinny lenen.'

'De bus?' vragen Filly en ik.

'Nou ja, een minibus eigenlijk,' bekent ze. 'Maar groot genoeg voor ons allemaal. Scarlah, jij mag rijden. Jij hebt toch een rijbewijs voor een bus, of niet?'

Filly en Sofia kijken me verwachtingsvol aan en even overweeg ik te ontkennen. Het is de schuld van Declan. Hij stond erop dat ik mijn groot rijbewijs haalde in de zomer dat ik 21 werd, zodat ik hem met een groep acteurs en rekwisieten het hele land door kon rijden. Naar elk theater en elke tochtige zaal om het enige toneelstuk dat Declan ooit heeft geschreven, uit te voeren: *One for the Road*. In mijn herinnering was het een heel lange zomer.

'We kunnen er toch gewoon heen rijden,' zeg ik. 'Je weet wel, in onze eigen auto.'

'Ik kan niet rijden,' zegt Sofia.

'En wij hebben geen auto,' voegt Filly eraan toe. Filly is er trots op dat ze geen auto hebben, het is haar bijdrage aan het milieu. Het is ook de voornaamste reden van haar mistige relatie met punctualiteit.

'En de auto van Red heeft pech,' zegt Sofia. 'Ergens in Lansdowne, geloof ik. Hoewel god mag weten wat hij daar deed terwijl hij geacht werd te filmen in Offaly.'

'Fermanagh,' zeg ik automatisch.

'Ik wist dat het iets met een f was,' zegt Sofia, tevreden over zichzelf. 'Dus je doet het, Scarlah? Jij rijdt?'

'Nou...'

'Mooi, dan is dat geregeld.' Ze gaat staan, stopt twee chocoladekoekjes in haar handtas – voor later, zegt ze – en drinkt haar beker in een teug leeg. 'Ik moet weg,' zegt ze. 'Een van onze klanten zweert dat hij een verschijning van de maagd Maria zag achter de toonbank van de patatzaak in Clondalkin. Na sluitingstijd, snap je. Ik word stapelgek van de plaatselijke priester, die de bisschop erbij wil halen en zo. Ik heb tegen hem gezegd dat als de bisschop trek heeft in patat en een hamburger hij welkom is. Anders moet hij opsodemieteren.'

'Weet Valentino dat je tegen de priester hebt gezegd dat hij tegen de bisschop moet zeggen dat die moet opsodemieteren?' vraagt Filly.

'Christus, nee. Hij weet het niet eens van die verschijning. Als hij het zou weten, zou hij erop staan de winkel te sluiten en met zijn eigen twee handen een verdomd altaar te bouwen. En waar zouden we dan zijn, nou, nou?' Ze glimlacht naar ons en zwaait met beide handen voor ze de gang in stapt en de deur achter zich dichtdoet.

Zodra ze is verdwenen, voelt mijn kantoor zo groot als een pakhuis en zo stil als een crypte.

40

Ik breng dit weekend door in Tara met Ellen en Blue. Het huis is ongewoon stil. Phyllis en George zijn naar een reünieweekend van de Lourdesreis. George is alleen gegaan omdat Phyllis ging en Phyllis is alleen gegaan om erachter te komen of Percy/James/Gordon nog steeds kan zien en vanwege de kleine kans dat er 's avonds wordt gezongen onder het genot van een paar glazen sherry.

Maureen en Declan blijven in Fermanagh, tot grote ergernis van de gemeenteraad van Fermanagh, vermoed ik. Zonder hen en Phyllis en George en zelfs Red, aan wiens aanwezigheid in Tara ik gewend ben geraakt, voelt het huis dichtgetimmerd en leeg.

Bryan houdt me op de hoogte van de gebeurtenissen in Fermanagh. Declan heeft zich zo ingeleefd in zijn rol dat hij weigert te reageren op zijn eigen voornaam en slaapt in een leunstoel in het huisje of 'op de set', zoals hij het noemt. Maureen is zo beledigd over zijn nachtelijke verwaarlozing dat ze het niet alleen heeft goedgemaakt met Hugo maar ook op een vreselijke manier met hem aan het flirten is geslagen. Ze is zo diep gezonken dat ze zelfs Sylvester aait en hem de blokjes worst voert waar hij zo gek op is. Helaas is Declan zo geconcentreerd op de film dat het hem niet opvalt en dat werkt bij Maureen als een rode lap op een stier. Zij reageert zich af op de Gaelic sprekende vrouw die hun, omdat ze zo aardig is, vijf kansen heeft gegeven. Vanwege de capriolen van Maureen – waaronder het toegeven aan haar hartstocht voor de soundtrack van *Mamma Mia* om vier uur 's nachts – zitten ze nu aan kans nummer vier.

'En is ze opgehouden om met Red te flirten?' vraag ik als Bryan me op zaterdagmiddag belt.

'Jezus, nee,' zegt hij. 'Hoewel ik niet zeker weet of hij het überhaupt merkt. Hij houdt zich alleen met zijn werk bezig. Hij praat nergens anders over. Behalve natuurlijk over Ellen.'

'Ellen? Hij heeft toch niks aan Declan en Maureen verteld, of wel?' Ik heb met mijn ouders niet gesproken over de mogelijke betrokkenheid van Red Butler bij hun kleindochter. Het staat uiteraard op mijn lijst van dingen die ik moet doen. Ik ben er alleen nog niet aan toegekomen.

'Nee, nee,' zegt Bryan meteen om me gerust te stellen. 'Hij praat alleen tegen mij over haar. Hij heeft me de foto laten zien. Ze is geweldig.'

Ik weet niet goed wat ik ervan denk dat Red Butler met een vaag zwart-witfotootje van Ellen in zijn portemonnee rondloopt. Ik besluit er maar helemaal niet over na te denken.

'Vind jij haar neus ook een beetje raar?' vraag ik in plaats daarvan.

'Nee, natuurlijk niet. Ze heeft een schattig klein babyneusje.'

'Jij vindt niet dat hij op Johns neus lijkt?'

'Goeie god, nee. Zijn neus is lang en smal en een beetje puntig aan het eind. De neus van Ellen lijkt daar helemaal niet op.'

'En haar vingers?'

Bryan wacht even voor hij antwoord geeft.

'Ja, die zijn wel erg lang.' Als ik niet reageer, verandert hij van onderwerp. 'Wat ben je aan het doen?'

'Ik maak een tafelschikking voor de bruiloft van Sofia en Red.'

'Hoe gaat het?'

Als het een gewone bruiloft was geweest, zou ik al uren geleden klaar zijn geweest met de tafelschikking. Maar omdat het de bruiloft is van Sofia, zal ik blij zijn als ik de tafelschikking klaar heb voor hun gouden bruiloft. Om te beginnen heeft Sofia 214 naaste familieleden en vrienden uitgenodigd, terwijl Red er 27 heeft uitgenodigd, onder wie Al Pacino, die niet echt meetelt omdat het een hond is, die niet eens in de eetzaal mag komen, al heb ik dat nog niet tegen Red gezegd. Van de 214 gasten van Sofia zijn er 28 die niet met elkaar praten vanwege verschillende familievetes, zijn er 32 kinderen onder de 8 jaar en zijn er 19 oud en gebrekkig en die willen niet in de buurt van de speakers zitten, of bij de ramen, of bij de deuren, of bij de kinderen. Ook zijn er twee takken van de Marzonifamilie waar ze niet bij kunnen zitten (vanwege de vetes). Er zijn 5 vegetariërs, 7 mensen met een notenallergie, 74 die totaal geen Engels spreken en dan zijn er nog 6 stellen die in een venijnige scheiding liggen, maar hebben afgesproken de vijandelijkheden 12 uur op te schorten om bij de bruiloft te kunnen zijn. Elke keer dat ik denk dat ik het voor elkaar heb, belt Sofia met een update. 'Je moet oom Lorenzo niet aan dezelfde tafel zetten als Carmella. Hij heeft net zijn lidmaatschap van de zwanenopvang in Waterford opgezegd en daar is ze heel boos over.' Of: 'Ik wil je even laten weten dat Augusto en Alessandro het goed hebben gemaakt...'

'Je achterneven aan moederszijde?'

'Nee, achter-achterneven van de kant van papà, weet je nog?'

'O, ja,' zeg ik en ik schrijf de details in mijn opschrijfboekje, dat al vol staat met dergelijke details.

'Hoe dan ook, ze gaan weer met elkaar om, maar Angelo – die tijdens de vete aan de kant stond van Alessandro – praat nu niet meer met Alessandro en Augusto.'

'Was dat de vete over de rigatoni?' vraag ik om Sofia te laten merken dat ik erbovenop zit.

'De ruzie ging niet óver rigatoni, Scarlah. Mensen praten niet maanden niet met elkaar vanwege een bepaalde pastasoort, moet je weten,' zegt Sofia. Aan haar stem kan ik horen dat het haar moeite kost haar geduld te bewaren. 'Het gebeurde gewoon toen ze zaten te eten. Trouwens, dat was de fusillivete en die is begonnen door de familie Filipepi, weet je nog?'

'O, ja,' zeg ik en ik schrijf de woorden 'fusilli' en 'Filipepi' boven aan de volgende bladzijden met vier vraagtekens achter elk woord. Ik vraag niet waarom families vetes hebben die naar verschillende pastasoorten worden genoemd, zoals de macaroni-massamoord van 1985 – waarbij niemand echt doodging, maar, als ik het goed heb begrepen, mensen in hun gezicht werden geslagen, reputaties te grabbel werden gegooid en de pastasaus als bloed langs de keukenmuur droop.

'Als het goed is, zijn we trouwens volgend weekend klaar, dus dan zie ik je, goed?' vraagt Bryan nu.

Ik vertel hem over het uitstapje en de minibus en Hailey en haar tarotkaarten en de theeblaadjes.

Ik vertel niet van het verhelderende gesprek dat Valentino heeft gehad met Simon. Bryan is niet zomaar een piekeraar. Hij is in z'n eentje een hele horde piekeraars. Hij heeft trouwens met al dat gedoe in Fermanagh op dit moment meer dan genoeg aan zijn hoofd.

'En John?' vraagt Bryan. 'Heb je nog iets van hem gehoord?'

Omdat het Bryan is, vertel ik hem alles.

'Hij komt straks nog. Hij zegt...' Daar stop ik en ik vraag me af hoe ik het moet zeggen.

'Wat? Wat zegt hij?'

'Nou... hij zegt dat hij me... het hof gaat maken.' Het blijft even stil.

'Jou het hof maken? Heeft hij die woorden gebruikt?'

'Dat zei hij.'

'Maar... maar... dat is niet bepaald iets wat John Smith zou zeggen, of wel?' Het is een retorische vraag. We weten allebei dat 'het hof maken' niet iets is wat je zou associëren met John Smith. Het feit dat ik hem daar niet mee heb geconfronteerd toen hij ermee kwam, is een teken hoe verbijsterd ik over zijn woordkeus was.

'Hij stelde eerst nog relatietherapie voor,' zeg ik.

'Dat lijkt me een beter idee,' zegt Bryan.

'Nou, ja, maar...'

'Als jullie het samen willen proberen, is het wel een goed idee om te praten over wat er is gebeurd.'

'Ik weet het... het is gewoon...'

'Dit is toch wat je wilt, of niet soms, Scarlett? Jij en John en Ellen. Een echt gezin. Of niet?'

Mijn geest wordt overspoeld door mogelijke antwoorden. Ik zeg niks.

'Scarlett?'

'Het is gewoon allemaal niet meer zo duidelijk. Ik kan me niet concentreren op een plan. Ik heb niet eens een plan. Behalve dan Ellen. Zij is mijn enige plan.'

'Misschien na de geboorte van Ellen,' oppert Bryan. 'Misschien kunnen jullie daarna gaan denken aan relatietherapie.'

'Misschien,' zeg ik zonder veel enthousiasme.

'Hoe dan ook,' zegt Bryan, 'laten we het nog even over die hofmakerij hebben. Wat voor vorm denk je dat hij zal kiezen?'

'Je neemt hem niet serieus,' zeg ik. 'Hij was heel erg serieus toen ik hem aan de telefoon had.'

'Ik wil wedden dat hij een boek heeft gekocht,' zegt Bryan. '*Hofmakerij van A tot Z. Of Ook u kunt het hof maken. Of Van hofmakerij tot trouwerij in tien gemakkelijke stappen.* Of...'

'Goed, goed,' zeg ik, 'zo kan het wel weer.'

Maar als John komt, ligt er een stapel boeken achter in zijn auto, al kan ik de titels niet lezen. Hij draagt kleding die ik nog nooit heb gezien. De kraag van zijn overhemd is strak en scherp en de witte huid onder zijn kaak is rood geschaafd. Het heeft een onbestemde kleur, alsof het al te vaak in de wasmachine is geweest. Ik denk aan de overhemden die ik voor hem heb gekocht. Elk seizoen twee nieuwe. Acht per jaar. Vermenigvuldigd met vieren-half jaar. 36 overhemden. Allemaal perfect passend. Allemaal onbestemde kleuren. Zonder vergeten kaartjes, zoals het exem-plaar dat ik uit de stijve kraag zie steken. Zijn spijkerbroek heeft scherpe vouwen, stug en ongemakkelijk als een zakloprace. Op de ellebogen van zijn jack zitten stukken die niet bedoeld zijn om een gat te bedekken. Ze zitten er vanwege de stijl. Voor de show. Voor de stijl en de show zoals gedefinieerd door John Smith. Bry-ans stem onderbreekt mijn gedachten: misschien is het speciale hofmakerijkleding, en ik moet mijn hoofd omdraaien om een lach te verbergen.

'Waarom lach je?' vraagt John, die uit de auto stapt. Hij lacht ook. Dat kan ik net zien achter de grote varen in een bloempot die hij in zijn armen houdt. 'Deze is voor jou,' zegt hij en hij laat de plant zakken op de stoep, beide benen gebogen, zoals het hoort. Hij koopt nooit snijbloemen voor me. Hij zegt dat het zonde is en daar zal hij wel gelijk in hebben.

Hij verdwijnt weer in de auto en ik kijk goed, maar hij werpt geen blik in een van de boeken op de achterbank voor hij weer naar buiten komt, deze keer met een telraam. 'Voor de baby,' legt hij uit als ik niets zeg.

'Wat... leuk,' kan ik uitbrengen.

'Iedereen heeft aanleg voor rekenen,' zegt John. 'Je moet alleen vroeg genoeg beginnen.'

'Nou, ze is nog niet eens geboren, dus denk ik wel dat je op tijd bent,' zeg ik glimlachend.

Hij glimlacht niet terug. 'Heel veel mensen onderschatten het belang van rekenen,' zegt hij hoofdschuddend, eerder verdrietig dan geërgerd.

'Het is goed, John. Ik zal het aan haar geven zodra ze er is. Wil je binnenkomen?'

John zegt niets meer en knikt alleen. We gaan naar binnen.

'O, ik ben de boodschappen vergeten. Ik ben zo terug.' Als John weer de keuken in komt, heeft hij in elke hand een grote boodschappentas. Door het dunne plastic zie ik sla, verse pasta, een stuk kaas dat eruitziet alsof het brie zou kunnen zijn, melk met extra vitamines en mineralen, foliumzuur- en omega-3-pillen, brood, cafeïnevrije koffie, suiker en een grote fles maagzuurremmer.

'Maar je hoeft toch niet...' begin ik.

'Ik wil voor je koken,' zegt hij en hij begint de tassen uit te pakken.

Hij heeft grote vleestomaten en champignons met de kluiten aarde er nog aan, een pakje maizena en een fles witte wijn zonder alcohol. En verder versgeperst sinaasappelsap en een pak rodebessensmoothie en twee tonijnfilets, paars tegen het pakpapier.

'We hebben wel maizena, hoor,' zeg ik.

'Dat dacht ik al,' zegt John, die dat helemaal niet dacht omdat hij de onvoorspelbare relatie van Maureen en Declan met koken kent. 'Maar omdat het een cruciaal ingrediënt is, dacht ik dat ik het maar mee moest nemen,' zegt hij. 'Voor het geval dat,' voegt hij eraan toe. 'Ga jij nu maar lekker zitten en ontspan je.' Hij pakt een glas uit de kast en hoewel hij met zijn rug naar me toe staat, weet ik dat hij de rand afveegt met de zakdoek die hij in de zak van zijn jasje bewaart en waar hij nooit zijn neus in snuit. Als het glas de toets van John Smith kan doorstaan, schenkt hij er een smoothie in en zet het op de tafel voor me neer.

Ik was vergeten hoe dat voelt als er voor je gezorgd wordt. Iemand die me te eten geeft zonder dat ik in een restaurant ben, een maaltijd met de hele schijf van vijf. De ruimte vult zich met geluiden. Keukengeluiden. Het gekletter van water in de gootsteen. Het borrelen van water dat aan de kook komt. Het zachte geruis van de oven die wordt voorverwarmd. Een mes dat door een sjalot glijdt. De stilte tussen ons is ook een geluid. Een zacht gezoem dat nauwelijks opvalt.

'Ben je me nu het hof aan het maken?' Ik richt de vraag op Johns rug, die kaarsrecht is en smaller dan ik me herinner.

Hij legt het mes en de wortel op het aanrecht en aarzelt voor hij zich omdraait. Zijn gezicht is bloedrood geworden, als van de vleestomaten.

'Ik had niet "het hof maken" moeten gebruiken. Ik begrijp ook niet waarom ik zei dat ik je het hof zou maken,' zegt hij en hij pulkt aan de knoop van zijn jasje.

'Waarom zei je "het hof maken"?' vraag ik.

'Ik... ik wilde niet dat je zou denken dat ik vind dat we verder moeten gaan waar we gebleven waren. Voor... voor ik wegging.'

'Niemand heeft me ooit het hof gemaakt,' zeg ik en ik glimlach in een poging John Smith op zijn gemak te stellen. 'Misschien bevalt het me wel, je weet maar nooit.'

John komt naar me toe. 'Ik wil met je weg,' en ik kan merken dat hij op een gelegenheid heeft gewacht om dit te zeggen. 'Volgend weekend. Belfast misschien? We kunnen gaan kijken naar een kinderwagen en een wiegje misschien? Die zijn in het noorden veel goedkoper.' Hij kijkt naar me en ik zie zijn gezicht betrekken als ik mijn hoofd schud.

'Ik kan niet,' zeg ik. 'Volgend weekend kan ik niet. Dan moet ik weg met Sofia en haar bruiloftsgasten naar het kasteel. Dat heb ik je al verteld, of niet?'

'Nee,' zegt John. 'Daar heb je het niet over gehad.'

'Nou ja, het is allemaal al geregeld,' vertel ik hem. 'Ik moet wel. Het is mijn werk.'

'Gaat Red Butler mee?'

Ik haal mijn schouders op. 'Als het aan Sofia ligt wel,' zeg ik. 'Maar ik weet niet of ze dan al klaar zijn met het filmen van *The Jou ney*.'

John draait om zijn as en richt zich weer op het aanrecht, waar hij verdergaat met het schrappen van de wortels, met iets meer ijver dan daarvoor.

'Wie schrijft er nou een script zonder de letter r?' vraagt hij, voornamelijk aan zichzelf.

'Ik weet het,' zeg ik instemmend, 'maar het is niet slecht, ook zonder r.'

'Heb je het gelezen?' Hoewel John zich niet omdraait, stopt hij met schrappen, wacht op mijn antwoord.

'Eh, ja,' zeg ik.

'En?'

'Het is... goed.'

'Goed?'

'Heel goed. Ik denk dat je het leuk zou vinden. Het lijkt op een Ierse, niet-westernversie van *Unforgiven*.

'Dat vond ik geen leuke film, weet je dat niet meer?'

Dat was ik vergeten. Ik besluit het er verder niet over te hebben. 'Ik kan volgend weekend dus niet met je mee.'

'En hoe zit het met het weekend daarna?' vraagt John, die het niet opgeeft.

'Misschien kunnen we ergens heen na de bruiloft van Sofia?' zeg ik, zonder mijn agenda te pakken om een geschikte datum te zoeken.

John legt vier worteltjes naast elkaar op een bord en begint ze woest in stukjes te snijden. 'Het lijkt wel of we geen gesprek meer kunnen hebben zonder dat die verdomde Red Butler op een gegeven moment opduikt,' zegt hij in het ritme van het snijdende mes.

De tafelschikking van Sofia was gemakkelijker dan dit en ik begin te wensen dat John niet gekomen was. Die gedachte druk ik weg.

'Dit is een Marzonibruiloft, John,' leg ik uit zoals ik nooit eerder heb hoeven doen. 'Je herinnert je de Marzonibruiloft toch wel, of niet? Denk aan Howth? Dat herinner je je toch nog wel, of niet? Met de zeeleeuwen? We moesten de kustwacht er uiteindelijk bij halen om Maria en Riccardo te redden, nadat ze helemaal naar Ireland's Eye waren gezwommen. Weet je nog?'

Ik weet dat John zich dat herinnert. Toen ik eindelijk thuis was, heeft hij het zeewier nog uit mijn haar geplukt. Ik denk dat hij zal lachen bij die herinnering, dat ik de angel ermee uit het gesprek kan halen.

Maar John lacht niet. In plaats daarvan gaat hij tegenover me aan tafel zitten en gaat aan de slag met zijn handen, zoals altijd als hij zich heel erg moet concentreren: hij masseert de ene hand met de andere, langzaam, alsof hij reuma heeft. Dan wisselt hij en komt de andere hand aan de beurt. Het is zijn manier van roken.

'De reden dat ik volgend weekend met je weg wilde,' zegt hij ten slotte als beide handen rood zijn van het wrijven, 'is dat ik je wilde vragen...' Hij stopt en kijkt naar me en plotseling weet ik wat hij wil vragen en is er niets meer wat ik kan doen om hem tegen te houden.

Hij steekt zijn hand in de borstzak van zijn overhemd en nu zie ik het vierkante doosje door de stof heen. Een klein doosje. John moet zijn vingers een heel eind zijn borstzak in steken voor hij erbij kan. Het gaat met een klikje open en hij zet het tussen ons in op tafel. De diamant steekt schril af tegen het zwarte fluweel. En vierkant. Op een platina ring. Eenvoudig. En mooi. Het is een ring die ik zelf had kunnen uitkiezen en John weet dat. Dat voel ik aan de druk van zijn blik die op mij is gericht. Ik ruk mijn ogen ervan los.

'Waarom wil je nu trouwen?' vraag ik. 'Dat wilde je nooit.'

'Jij was nooit zwanger,' zegt hij.

Ik zeg niks. Ik doe het doosje dicht.

'Ik probeer praktisch te zijn. Ik dacht je dat zou waarderen.' Hij doet het doosje open en duwt het dichter naar me toe.

'Ik... ik weet niet wat ik moet zeggen,' begin ik.

John schudt zijn hoofd, ongeduldig nu. 'Zeg maar niets,' zegt hij. 'Luister alleen maar. Ik heb het allemaal al bedacht. Ik ga mijn flat verkopen en een huis kopen voor jou en mij en de baby... Ellen. Ik heb het met mijn baas over flexibele werktijden gehad en ik...' hij zwijgt en werpt een blik op mij voor hij weer wegkijkt, '... ik hoop dat je het niet erg vindt, maar ik ben bij een crèche geweest in de buurt van het kantoor en ik heb Ellen opgegeven.

Niet officieel natuurlijk. Jij hebt waarschijnlijk al kinderopvang geregeld, maar... nou ja, ik kwam erlangs en ik dacht...' Zijn stem sterft weg en ik weet dat hij naar de tafel kijkt en kruimels wegveegt die er niet liggen. Zijn vingernagels zijn roze vierkantjes, het vuil van Brazilië is allang verdwenen.

'We zouden daarna kunnen trouwen, als de baby is geboren. Gewoon op het gemeentehuis, als je dat wilt. Een rustige bruiloft. Geen gedoe,' vervolgt John, die niet meer te stuiten lijkt.

Dit is de eerste keer dat iemand me een aanzoek doet. Het zou... anders moeten voelen dan zo, denk ik. Fijner dan zo.

'En als je niet de vader bent van Ellen? Wat dan? Hoe praktisch denk je dan dat een huwelijk is?' Ik duw het doosje terug naar zijn kant van de tafel.

'Ik zou haar kunnen adopteren,' zegt hij en ik kan merken dat hij erover heeft nagedacht. 'Red Butler lijkt me niet iemand die tijd heeft voor het vaderschap.' Zijn vingers liggen op het doosje, maar hij schuift het deze keer niet terug.

'Hoe bedoel je? Je kent hem niet eens.'

'Hij gaat trouwen. En hij is een acteur, godbetert, Scarlett.'

'En schrijver.' Ik doe mijn best om eerlijk te blijven.

'Hoor eens, Scarlett, je weet best wat ik bedoel. Je bent opgevoed door acteurs en...' Hij maakt zijn zin niet af.

'En moet je zien wat er van mij is geworden. Wil je dat zeggen?'

'Nee, ik bedoelde...'

'Je bent bij me weggegaan,' zeg ik tegen hem.

'Ik weet het. Dat had ik niet moeten doen. Ik weet niet wat me bezielde. Wat ik deed.' Hij strijkt met zijn handen door zijn haar. Ik wacht tot hij iets zegt. Hij wacht op iets om te zeggen. Iets zinnigs. Iets wat alles in het juiste perspectief zet. 'Ik ben teruggekomen,' zegt hij ten slotte.

'Alleen vanwege je overontwikkelde plichtsgevoel,' zeg ik.

Hij kijkt van me weg als ik dit zeg en ik weet dat het waar is. Ik dacht al dat het waar was. Nu weet ik het zeker.

'Dat is niet het slechtste uitgangspunt,' zegt hij ten slotte. 'Of wel?'

'Het is niet bepaald romantisch.'

'Sinds wanneer is romantisch belangrijk voor jou?'

Ik kijk naar hem als hij dit zegt. Hij ziet er oprecht verbijsterd uit.

'Ik... het is niet belangrijk. Normaal gesproken. Maar dit is een aanzoek, of niet soms? Ik bedoel... ik weet wel dat niemand me ooit een aanzoek heeft gedaan, maar ik ben weddingplanner. Ik weet hoe die dingen behoren te gaan.'

'Waar heb je het over?'

'Dat weet je toch wel, John? Je kijkt toch ook televisie, of niet? Hier hoort toch een gebogen knie bij en een waterval of een meer of een oceaan of wat dan ook met water... Ach, ik weet het ook niet, een fles champagne en niet een of andere vreselijke wijn die zijn beste tijd heeft gehad... en... en...' Naarstig ben ik op zoek naar nog meer clichés.

'Ik wil heus wel champagne gaan halen,' zegt John, die meteen uitrekent hoelang het zal duren voor hij terug is van de dichtstbij-zijnde slijter en hoe dat past in de voorbereidingen voor het eten.

'John, ik wil geen champagne.'

'Maar je zei net...'

'Ja, maar... ik...'

'Scarlett, ik begrijp het niet. Ik dacht dat je blij zou zijn. Ik dacht dat je mijn voorbereidingen... mijn plannen zou waarde-ren.'

Ik weet dat hij gelijk heeft. Het was mijn plan, nog niet zo lang geleden. Maar nu zit er een gapend gat in het dak van die plan-nen. In de vorm van Red Butler. Zijn gezicht zwemt naar de oppervlakte van mijn geest en hij knipoogt en glimlacht zijn brede en hartelijke glimlach, warm als Sicilië.

'Waarom heb je niet gevraagd of ik met je mee wilde? Naar Brazilië, bedoel ik?'

'Omdat je nee gezegd zou hebben. En je zou mij op andere gedachten hebben gebracht. Je zou me ervan hebben doordron-gen wat een idioot idee het was. En dat wilde ik niet. Ik wilde weg. Ik wilde iets... onvoorspelbaars doen.'

Ik kijk naar de grond en zie zijn voeten onder de stoel. Hij draagt zijn zaterdagse sokken. De oranje met de berenkop die zegt: ik wil tot twaalf uur uitslapen, al heeft hij nog nooit langer dan tot negen uur uitgeslapen op zaterdag en dat kwam toen doordat Blue zijn gsm – met de wekfunctie die zoals gebruikelijk op zaterdagochtend om halfnegen stond – op een vrijdagavond van zijn nachtkastje had gepakt – wat waarschijnlijk te maken had met de verschijning van Judge Judy – en had begraven in een bloempot op het balkon. De rozen in de pot trilden elke keer dat de telefoon ging als wij belden in een poging de gsm te vinden, zo hebben we hem uiteindelijk ontdekt. Hij deed het nog goed, moet ik zeggen. Hoewel de wekfunctie nooit helemaal hersteld is.

'Ik dacht dat ik op je kon rekenen,' zeg ik. 'Daarom heb ik je uitgekozen.'

'Zie je wel?' zegt hij. 'Daar is niets romantisch aan, maar dat snap ik. Daarom horen wij bij elkaar. We willen allebei verantwoordelijke mensen op wie we kunnen rekenen. Daar is niks mis mee.'

'We hebben ons geen van beiden erg verantwoordelijk gedragen de laatste tijd,' zeg ik tegen hem.

'We hebben fouten gemaakt,' geeft John toe. 'We kunnen een streep zetten onder deze... episode en onze schouders er weer onder zetten.'

In gedachten zie ik ons samen een lange, steile heuvel op klauteren. Ploeteren.

'Je kunt nu op me vertrouwen,' zegt John. 'Meer dan je op Red Butler kunt vertrouwen.'

'Red heeft me niet laten zitten,' zeg ik. Ik ben zelf verbaasd over de waarheid achter die woorden.

'Dat is een kwestie van tijd,' zegt John.

'Kattig doen lost ook niks op,' zeg ik, net op het moment dat Blue de keuken in komt. Als hij John ziet, kromt hij zijn rug, steekt zijn staart in de lucht en blaast luider dan je van hem zou verwachten. John merkt de onverholen haat op de snoet van Blue nauwelijks op en Blue – die er niet van houdt als hij wordt genegeerd, zeker niet wanneer hij alles uit de kast haalt – verlaat op waardige wijze de keuken, al weet ik dat hij op weg is naar de auto van John, ongetwijfeld om de ramen te besproeien als hij erbij kan.

John draait zich van me af en concentreert zich op iets achter het raam. Ik hoop alleen dat het niet zijn auto is.

'Dit gaat helemaal niet zoals ik het had gepland,' zegt hij dan, bijna tegen zichzelf.

'De dingen gaan niet altijd zoals je ze plant, John. Daar begin ik ook achter te komen.' Ik leg mijn hand op mijn buik en Ellen schopt me en voor het eerst kan ik haar zien schoppen. Haar schop heeft de vorm van een voet. Een klein voetje. Ik raak de plek aan waar het voetje zat, maar het is al weg, al is de huid daar warm. Ik houd mijn hand ertegenaan.

'Gaat het goed?' vraagt John en hij fronst zijn wenkbrauwen als hij me met mijn hand tegen mijn buik aan gedrukt ziet.

'Het gaat... prima,' zeg ik.

John schraapt zijn keel en gaat meer rechtop in zijn stoel zitten, al zat hij om te beginnen al aardig rechtop. Ik weet dat hij zich opmaakt om iets te zeggen. Ik herken de tekenen.

'Ik verwacht niet dat je meteen antwoord geeft,' zegt hij, 'maar wil je er in elk geval over nadenken?'

Ik sluit mijn mond om het woord dat ik wilde zeggen. Een kort woord dat begint met een n. Hij is een slimme man. Dat is een van de dingen waar ik voor val. Zijn slimheid. Hij kent me. Hij weet dat ik redelijk ben. Hij weet dat ik ermee zal instemmen erover na te denken en hem niet meteen antwoord te geven, want dat is redelijk. Dus sluit ik mijn mond om het woord dat ik wilde zeggen en knik in plaats daarvan. Een klein knikje, maar evengoed een knikje. John ziet het knikje en glimlacht me toe. Hij weet dat het knikje niet helemaal ja betekent, maar het betekent ook geen nee. Het zou instemming kunnen worden. Hij stopt de ring in zijn zak en ik weet dat hij er niet weer over zal beginnen. In ieder geval niet vandaag. Hij heeft zijn zaadjes gezaaid en zal ze elke dag water geven en op een zonnig plekje zetten en elke week bemesten. En dan zal hij geduldig wachten op het resultaat.

Na het eten zitten we op de bank in de woonkamer en de ruimte tussen ons in – ongeveer twaalf centimeter – is zoals die altijd is geweest. Een comfortabele ruimte, zonder spanning, behalve als Blue op de bank springt en de ruimte vult en John eraan herinnert dat hij nog iets moet doen in de keuken. Blue is een beetje als een olifant. Hij vergeet nooit iets. Hij is ook erg goed in het koesteren van wrok, al weet ik niet of olifanten ook in staat zijn tot zo'n geweldige weerzin.

We lezen. Johns boek heeft niks te maken met hofmakerij. Het heet *Baby aan boord* en er staat een plaatje op van een man in een pak die kennelijk aan de vergadertafel zit met een baby in een draagzak tegen de grijze krijtstrepen van zijn blauwe pak.

Ik lees de brochure van de crèche. Ik krijg mijn gedachten over de crèche niet zo goed op een rijtje; het is niet het een of het ander. Het is een verzameling van gedachten. Meer een rommeltje eigenlijk. Zoals veel van de gedachten die ik de laatste paar maanden heb gehad. Er zijn goede gedachten. De crèche ziet eruit alsof die bij iemand thuis is: veel lichte kamers met speelgoed en boeken en kindertekeningen die schots en scheef aan de muur hangen. Veel gezinnen op deze tekeningen, moeders en vaders met luciferbenen en luciferkinderen tussen hen in. Vierkante huizen ook met krullen rook uit scheve schoorstenen en veel gele zonnen met lachende gezichtjes en soms een zonnebril.

Ik zie een tuin met een schommel en een zandbak en een schildpad die Angelina heet. Ik zie een keuken met kindersloten op de kastjes en op de vensterbank een gehavende theepot met rozemarijn en een man met een dikke buik die naar de camera kijkt. Hij heet Giulio en komt uit Sicilië en hij maakt ontbijt en lunch en warm eten voor de kinderen. Ik vraag me af of hij de Marzoni's kent. Waarschijnlijk wel. Hij zal wel op de een of andere manier familie zijn. Er staan drie Giulio's op de gastenlijst.

En dan zijn er de gedachten die niet zo goed zijn. Niet verkeerd genoeg om aangemerkt te worden als verkeerde gedachten, maar evengoed niet geweldig. Ik probeer deze gedachten niet te denken en in het verleden zou dat genoeg zijn geweest. Maar nu kruipen ze naar binnen, als het vocht in de winter op de gevelmuur van mijn ouders. Ellen vastgegespt in het autostoeltje, een van de rij baby's die in hun autostoeltjes in die babykamer van de crèche zitten, elke avond om zes uur, wachtend tot ik haar kom ophalen. Hopend dat ik haar niet verwissel met de baby's aan haar linker- of rechterkant, die ook geen haar en tanden hebben. Ik knijp mijn ogen stijf dicht tegen deze gedachten, maar ze razen op me af als een sneltrein. Ellen. Op een dag zal ze Giulio papa noemen. Of papà. En mij mama Scarlett. Of die aardige vrouw die me soms mee naar huis neemt. En waar zal haar thuis zijn? En wie woont daar nog meer behalve ik en Ellen en Blue?

'Ik heb nagedacht over een prenatale ouderschapstest.' Johns stem onderbreekt het rommeltje aan gedachten, die meteen opgaan in rook.

Daar heb ik ook over nagedacht.

'Ik wacht liever tot Ellen er is,' zeg ik.

'Ik doe het liever voor de baby is geboren. Dan weten we allemaal waar we aan toe zijn en kunnen we onze plannen daarop afstemmen.'

In mijn oude leven zou ik dat ook hebben gewild. Weten waar ik aan toe ben en mijn plannen daarop afstemmen. Ik ga staan en loop naar het raam. Buiten begint het kil te worden.

'Het is een heel eenvoudige procedure,' gaat John verder. 'Ik heb het gegoogeld.'

Ik draai me om en kijk hem aan. 'Het is een inbreuk, John. Ze halen met een naald een monster uit de placenta. Het zou verkeerd kunnen gaan.'

'Het gaat niet verkeerd.'

Dit zou het goede moment zijn om hem te vertellen over de baby die ik heb verloren. Ik druk mijn handpalmen tegen mijn dikke buik en sluit mijn ogen. Het punt is... ik wil het lot niet tarten. Ik wil dat Ellen er veilig en wel is voor ik haar wat voor tests dan ook laat ondergaan. En ik weet niet hoe ik het allemaal aan John moet vertellen.

Johns telefoon gaat. Na vier keer neemt hij op. 'Ah, Lolita, hallo. Hoe gaat het met je?' John knikt me toe voor hij de kamer uit gaat en de deur achter zich dichtdoet. Blue rekt zich uit en rolt in het warme holletje dat John heeft achtergelaten. Ik pak het boek dat Maureen op dit moment aan het lezen is – *Hoe geef ik vorm aan de 'groot' in grootmoeder* – en blader het door.

Lolita. Ik bedenk dat ik na het eerste telefoontje aan John niet meer aan haar heb gedacht. De hese keelstem. *Juan ies onder does.* Vrouwen behoren het niet te vergeten wanneer andere vrouwen dat soort dingen over hun vriend zeggen. Of ex-vriend. Ik wijt het aan Ellen, zoals alles wat niet helemaal past in het beeld dat ik van mezelf heb. Ik denk aan Red Butler. Hij heeft het nooit over een prenatale ouderschapstest gehad. Al weet hij waarschijnlijk niet eens dat die bestaat. Hij lijkt me niet iemand die veel googelt.

Ik denk niet meer aan Red Butler. Ik word geacht aan Lolita te denken. Zoals: wie mag die Lolita dan wel zijn? En waarom belt ze John? Op dit late uur. Al is het eigenlijk pas – ik kijk op mijn horloge – halfnegen. Ik probeer mezelf zover te krijgen dat ik door de kamer ga ijsberen om mezelf een beetje op te fokken, maar de lange stralen zonlicht die door het raam naar binnen vallen, houden me op de bank. Ik ben zwaar door de warmte en het eten en de kop van Blue op mijn schoot en het gewicht van Ellen in mij, rustig nu met haar geheime glimlachje rondom haar mond. Tenminste, zo stel ik me haar voor.

We zijn met zijn drieën bijna in slaap gevallen als John terugkomt. Tenminste, Blue en Ellen slapen. Mijn ogen zijn gesloten.

'Het spijt me, Scarlett. Ik weet dat Lolita de eerste keer dat je belde de telefoon opnam. Ik weet wat je moet denken. Maar ik zweer je dat er niets aan de hand is. We zijn bevriend. Meer niet.' De woorden rollen nerveus uit Johns mond. Hij gaat naast me op de bank zitten en kijkt naar me. Bezorgd. Dat weet ik omdat hij op zijn onderlip bijt en zijn boventanden zichtbaar worden. Hij is de beugel vergeten.

Hij neemt mijn handen in de zijne en ze zijn koud, ondanks de warmte in de kamer. 'Je gelooft me toch wel, hè, Scarlett?'

Ik knik. Ik weet niet of ik hem geloof. Maar daar maak ik me geen zorgen over. Waar ik me zorgen over maak, is dat ik niet weet of het me wel voldoende kan schelen.

41

Als ik maandagochtend langs Hailey bij de receptie loop, zegt ze niets over Sofia Marzoni, het aanstaande uitje of haar toekomstvoorspellende kwaliteiten. Ook zegt ze niets over George Michael of Andrew Ridgeley. Ze ziet eruit zoals ze er altijd uitziet, een en al rust en kalmte, in tegenstelling tot het gekkenhuis boven.

Ik loop langs de balie en knik haar, zoals altijd, toe en ze knikt, zoals altijd, terug. Ik ben al bijna bij de trap als ik me omdraai. Ze kijkt me met haar rustige, ernstige blik aan en wacht tot ik iets ga zeggen.

'Hailey, ik wilde je vertellen dat ik zwanger ben.'

Even denk ik dat ze niets gaat zeggen. Dan glimlacht ze en het is net of de zon doorkomt na een lange, grijze dag. 'Wat een heerlijk nieuws, Scarlett,' zegt ze. 'Gefeliciteerd.'

Even denk ik dat ik in tranen zal uitbarsten. Het komt door de oprechte warmte in Haileys stem. En het is waar. Het is heerlijk nieuws. Waarom heb ik het niet lang geleden al aan iedereen verteld?

In de gang op de derde verdieping kom ik Eloise en Lucille tegen. Ongetwijfeld op weg naar de damestoiletten.

'Goedemorgen,' zeg ik en ik blijf voor hen stilstaan. Ze lopen bijna tegen me op, zo gewend zijn ze dat ik hen met een kort knikje voorbijren. 'Ik wilde jullie alleen even laten weten dat ik een baby verwacht.' In de stilte die volgt op deze verklaring, verbeter ik hen nog even op een punt dat al in mijn hoofd zit sinds die dag dat ik op de damestoiletten de zwangerschapstest deed. 'Overigens,' zeg ik, 'doden katten niet voor hun plezier. Het zijn van nature jagers. Dat wilde ik nog even kwijt.'

De twee vrouwen met hun geblondeerde haar en Franse manicure en valse bruine kleurtje zien eruit als een kopie van elkaar. Zelfs hun gezichtsuitdrukking is hetzelfde – een soort verlammende verbijstering. Ze begrijpen niet waarom ze het van mij horen en niet al lang geleden uit een andere bron hebben vernomen. Ze moeten moeite doen hun mond weer dicht te krijgen en reageren zo goed en zo kwaad als ze kunnen.

'O, mijn god,' piept een van hen. Eloise geloof ik. 'Dat is, nou ja... helemaal te gek. Gefeliciteerd en zo.'

'Ja, Scarlett, gefeliciteerd,' zegt de ander en ik glimlach hun toe en loop verder de gang door. Het is het meest humaan om hen weer los te laten in hun natuurlijke habitat zodat ze het nieuws kunnen verspreiden voor ze barsten.

Mijn volgende stop is het kantoor van Gladys Montgomery. Ze is aan de telefoon met Tanya Forsythe.

'Ja, Tanya, dat is absoluut geen probleem... Ja, Tanya... Nee, Tanya... Zeker, Tanya... Tot ziens, Tanya. Het beste... Tot ziens, dag hoor, dag, dag, dag, dag, dag.' Gladys hangt op en kijkt naar mij. 'Dat was Tanya Forsythe,' zegt ze.

Ik wind er geen doekjes om. 'Gladys, ik heb heerlijk nieuws en ik wil dat jij op kantoor de eerste bent die het weet.'

Haar gezicht is bleek van schrik en ik besef dat ze denkt dat ik het over de baan heb. De promotie. En ik bedenk dat ik daar helemaal niet meer aan heb gedacht sinds het sollicitatiegesprek van vorige week.

'Ik ben zwanger.'

Gladys probeert te reageren. Tenminste, dat denk ik. Ik zie haar mond bewegen, maar er komen geen woorden uit. Ik schenk een glas water voor haar in en geef het aan haar.

'Al 21 weken,' zeg ik, want ik weet dat een stuk van Gladys lijkt op een stuk van mij en dat ze geïnteresseerd is in details en feiten en getallen en data.

Het genoegen druipt van haar gezicht als water door een regenpijp in de moesson. Terwijl het lijkt of ze naar mij kijkt, ziet ze iets heel anders. Haar toekomst. Als op de Grote Gele Weg waar die een bocht maakt en je Oz voor het eerst ziet en het als goud ligt te glinsteren in de zon.

Ze staat zo plotseling op dat haar stoel omvalt. Ze komt naar me toe en ik ruik Rennies. Ze is nu zo dichtbij dat ik het gat tussen haar voortanden kan zien, net als haar roze tandvlees.

'Gefeliciteerd, Scarlett,' zegt ze en ze pakt mijn hand en pompt die op en neer. Haar hand is warm en vochtig, als brooddeeg.

'Heb je het al aan Simon verteld?' vraagt ze. Achter haar dikke brillenglazen dansen haar ogen de haka.

'Ik ben net op weg om het hem te vertellen,' zeg ik en de ogen van Gladys worden inktzwart als de pupillen zich verwijden en verder verwijden en bijna uit hun voegen barsten.

'Hij is pas vanmorgen geland, dus komt hij misschien pas morgen weer op kantoor. Hij is uitgeput, die arme ziel.' Gladys beschikt niet over een pokerface en in het volle vertrouwen van een *royal flush* in een hand en een full house in de andere, ziet ze eruit alsof ze elk moment op haar bureau kan klimmen om een lied te zingen. Met dat gaatje tussen haar tanden bestaat de kans dat ze goed kan zingen, maar daar ga ik niet op wachten.

Ik doe net de deur van mijn kantoor open als Filly aan komt rennen. Ze laat haar gebruikelijke 'goedemorgenhetspijtmedatiktelaatben' achterwege, al heeft ze wel twee cappuccino's met volle melk, een Mars-icecream (voor haar) en een Solero citroen (voor mij) bij zich.

'Magda van de financiële afdeling weet dat je in verwachting bent,' zegt ze terwijl ze met een been de deur dichtgooit en ertegenaan leunt alsof ze bang is dat ze anders zal vallen. 'Ze heeft het gehoord van Harold, en die kreeg het te horen van Terri, die hoorde het van Emily en die weigert te zeggen van wie ze het heeft.'

Ik kijk op mijn horloge. Er zijn twaalf minuten verstreken sinds ik het aan Eloise en Lucille heb verteld. Ik kan alleen maar bewondering opbrengen voor hun toewijding en ijver. Als ze net zo goed zijn in hun werk als in... laten we het netwerken noemen... dan zou de kans bestaan dat we onze bonus op tijd betaald krijgen in plaats van weken later, zoals elk kwartaal.

De deur vliegt open en Filly wordt aan de kant gesmeten terwijl Elliot in de deuropening verschijnt. Even zegt hij niks, hij buigt zich voorover met zijn handen op zijn knieën. Zijn gezicht heeft de kleur van een baksteen (een rode) en hij staat te hijgen als een stoomlocomotief.

'Ik... ik... ik... sprak net... Marsha...' Elliot krijgt met moeite tussen het hijgen door de woorden naar buiten.

Filly, die een beetje een kleptomaan is als het op nieuwtjes aankomt, kruipt achter de deur vandaan en onderbreekt hem. 'Je sprak Marsha van de reclameafdeling en die vertelde je dat Magda haar had verteld dat Harold haar had verteld dat Terri hem had verteld dat Emily haar had verteld dat Scarlett een kind verwacht. En die weigert haar bron te onthullen, maar geef me vijf minuten alleen met haar in een gesloten kamer en ze zingt als een kaketoe.'

Nu weet ik bijna zeker dat kaketoes niet kunnen zingen, maar ik houd mijn mond.

Deze brute bewering berooft Elliot van zijn laatste restant zuurstof en hij laat zich op de bank vallen. Hij vergeet compleet – door het lage zuurstofgehalte van zijn bloed – de aanwezigheid van Blue. Door de vliegensvlugge reflex van Blue gaat Elliot alleen maar op zijn staart zitten, maar Blue trekt evengoed alles uit de kast. Hij blaast wat hij kan, kromt zijn rug en kijkt zo smerig dat het niet meer om aan te zien is.

Ik schenk een glas water in voor Elliot en geef hem dat. Dan schenk ik wat melk (magere) op een schoteltje voor Blue en zet dat op de grond, zo ver mogelijk bij Elliot vandaan. Blue kijkt verongelijkt, maar loopt wel naar het schoteltje toe.

'Ik heb het Eloise en Lucille,' ik kijk op mijn horloge, 'precies zestien minuten geleden verteld.'

'Maar... maar... maar...' sputtert Elliot, die weer een beetje op adem begint te komen.

'Waarom?' maakt Filly de zin voor hem af.

Ik ga achter mijn bureau zitten. Het is een goede vraag en ik wil even over het antwoord nadenken voor ik reageer.

'Deels,' begin ik, 'is het schadebeperking. Simon heeft van Valentino over Ellen gehoord. Maar hij weet niet dat ik weet dat hij het weet, als je begrijpt wat ik bedoel.' Ik kijk naar Elliot en Filly om te zien of ze me kunnen volgen en ze knikken dat dat zo is. 'Dus,' ga ik verder, 'wil ik het hem vertellen voor hij met het nieuws over de baan komt om te voorkomen dat hij me later verwijt dat ik de baan onder valse voorwendselen heb gekregen.'

'Maar nu hij het weet, krijg je die baan niet,' zegt Filly, die alvast haar schouders laat zakken.

'Dat weten we niet,' zegt Elliot, maar dan voegt hij eraan toe: 'In elk geval nóg niet,' en zelfs zijn schouders vallen naar beneden, hoewel niet zo ver als die van Filly.

'Waarom heb je het nog meer gedaan?' vraagt Filly dan in een poging haar humeur een paar graden te verhogen.

Ik ga staan en loop naar het raam voor ik antwoord. 'Ik wil dat de mensen het weten,' zeg ik. 'Ik wil zwangerschapskleding dragen en een legging met elastiek in de taille en een wijde spijkerbroek met een elastisch inzetstuk. Ik wil het kunnen hebben over bekkenbodemoefeningen en een ruggenprik en ademhalingstechnieken en massage van het perineum zonder dat de mensen denken dat ik gek ben geworden. Ik wil lopen als een zwangere vrouw,' ik laat hun het loopje zien, met mijn hand tegen de onderkant van mijn rug, mijn buik naar voren en mijn benen wijd, 'ik wil ophouden met doen of ik niet zwanger ben en of alles gewoon verdergaat, want dat is niet zo. Alles is anders. Alles voelt anders. Ik voel me anders.' Na deze speech, hoe kort hij ook was, ben ik een beetje buiten adem en ik ga weer zitten en wacht tot een van hen iets zegt.

Eindelijk doet Elliot zijn mond open. 'Wat is een perineum?' vraagt hij.

42

De jetlag is van Simons gezicht af te lezen als hij de volgende ochtend mijn kantoor binnenstapt. 'Ik geloof dat een felicitatie op haar plaats is,' zegt hij. Gisteren, toen hij niet op kantoor was verschenen, heb ik hem een e-mail gestuurd.

'Ik wilde het je persoonlijk vertellen,' zeg ik. 'Voor je een beslissing neemt over de baan.'

'Het maakt niet uit,' zegt hij en hij slaat mijn woorden weg als vliegen. 'Daar had ik al een beslissing over genomen. Over de baan, bedoel ik. Voor je het me vertelde.'

'O,' zeg ik en ik voel het weer, die deken van berusting dat het eigenlijk allemaal niet uitmaakt. Het is er gewoon.

Simon ziet Blue op de bank liggen en hij loopt naar het raam, wat het verste weg is dat hij van de kat kan komen zonder het raam open te doen en naar buiten te klimmen.

'Ik zal er niet omheen draaien, Scarlett,' zegt hij, al is eromheen draaien zijn favoriete tijdverdrijf en is hij er erg goed in. Ik leun achterover in mijn stoel en wacht. Hij wendt zich tot mij met een ongepaste glimlach op zijn gezicht. 'Gefeliciteerd, Scarlett,' zegt hij.

'Eh, dankjewel, Simon. Dat had je al gezegd.' Misschien heeft de jetlag zijn geheugen aangetast.

'Nee, ik bedoel, gefeliciteerd, je bent het nieuwste lid van ons managementteam. Welkom aan boord.' Simon steekt zijn hand uit over het bureau en die hangt daar even voor ik me realiseer dat ik geacht word die te schudden.

'Ben je niet blij?' vraagt hij, terwijl hij mijn hand nog steeds op en neer beweegt, al doet hij het nu iets langzamer.

'Nou... ja... natuurlijk... Het is gewoon... met de baby en zo...' Ik word stil.

'Je zwangerschap heeft niets te maken met beslissingen binnen dit bedrijf. Dat mag niet. Dat zou tegen de wet zijn, of niet?'

Het is waar, maar het heeft hem eerder ook niet tegengehouden. Ik denk aan Magda, die sinds de geboorte van haar tweeling parttime werkt. Haar carrière staat op een zijspoor en komt niet eens een beetje in de buurt van de snelle rails waar ze ooit op zat.

'Neem rustig even de tijd, Scarlett. Je bent overdonderd. Opgetogen, dat ben je. Maar je hebt deze promotie verdiend. Dat weet je. Je bent een van de meest toegewijde leden van de staf en als je de hobbel van de baby eenmaal hebt genomen en een paar maanden verder bent, dan ben je terug alsof je nooit bent weggeweest. Ik ken je.' Simon wiebelt van voren naar achteren op zijn hielen, nu oprecht glimlachend, zeker van zichzelf.

'Ik zal niet tegen je liegen, Scarlett, deze promotie betekent veel uren maken en hard werken, maar daar ben je nog nooit bang voor geweest. En er zijn crèches waar kinderen van 's morgens vroeg tot 's avonds laat terechtkunnen. Of je kunt een kindermeisje nemen. Inwonend.' Hij zwijgt even en stelt zich waarschijnlijk een negentienjarig Zweeds kindermeisje voor dat over de overloop van zijn huis naar de badkamer loopt. In een doorzichtig nachthemd dat zich over haar stevige billen spant.

Niet zo lang geleden zou ik het met Simon eens zijn geweest. Dat ik na twee, misschien drie maanden terug zou zijn op mijn werk. Alsof er niets is gebeurd. Nu herken ik de vrouw die die gedachten koesterde nauwelijks nog. Ik leg mijn handen als een schild over mijn buik. Simon draait zijn hoofd weg. Zo snel dat zijn nek ervan kraakt.

Ik sta op en trek mijn jasje strak over mijn buik. 'Mag ik erover nadenken?' vraag ik. Als ik op het gezicht van Simon af moet gaan, is hij net zo geschokt als ik. 'Een paar dagen maar,' voeg ik eraan toe.

'Nou... ik...' begint Simon en het doet me denken aan de keer dat hij lid wilde worden van mijn sportschool. Dit is bijna net zo pijnlijk. Volgens mij moet Simon er ook aan denken. Hij beheerst zich, recht zijn rug en doet net of hij tegen zijn jasje knipt om een vuiltje te verwijderen. 'Je krijgt van mij tot vrijdag,' zegt hij op besliste toon.

'Is maandag ook goed?' vraag ik alsof hij niet op besliste toon heeft gesproken. 'Dit weekend organiseer ik een uitstapje naar het kasteel met Sofia Marzoni en ik heb geen tijd om ergens anders aan te denken tot dat voorbij is.' Alles is al geregeld, maar dat hoeft Simon niet te weten.

'Prima,' zegt hij en het woord klinkt als de grauw van een boze hond. De hond zit nog aan de riem, maar ik weet dat het een kwestie van tijd is voor de hond uit zijn hok komt.

43

Iedereen strijkt tegelijkertijd op Tara neer zodat de rust en de vrede de trap af schieten de kelder in en het weer een gekkenhuis wordt. Het kabaal voelt als een oude vriend die ik heel lang niet heb gezien.

Phyllis rent het huis door en meteen de achterdeur uit om de kippen te controleren. George hobbelt achter haar aan, zwaarbeladen met koffers en jassen en twee zuurstokken, waarvan hij er een aan mij geeft.

'Voor wie is die andere?' vraag ik.

George wordt rood en kijkt naar de grond. 'Die heb ik voor Ellen gekocht,' zegt hij met zijn langzame fluisterstem. 'Ik weet wel dat ze die nog niet kan opeten... Hij zit vol met suiker en het is... heel slecht voor je, maar...' Hij kijkt me even aan om zich ervan te overtuigen dat ik dat allemaal weet. '... Maar ik wilde haar niet overslaan. Dat voelde niet goed.'

'Dankjewel, George,' is het enige wat ik kan uitbrengen.

Die lieve, stille George, die naar alle toneelstukken van mijn school is geweest en zelfs met Phyllis naar ouderavonden kwam als Maureen en Declan niet konden. En als ik het hem vraag, zal hij voor Ellen hetzelfde doen. Behalve dat ik het hem niet zal vragen. Want ik ga zelf. Ik trek mijn schouders naar achteren en beloof Ellen dat ik zelf zal gaan.

'Heb je de kippen hun portie gegeven, zoals ik had gezegd?' schreeuwt Phyllis uit de keuken.

Die portie is Phyllis' versie van kippenvoer. Het is vet. Spek. Reuzel. Alles wat achterblijft in de pan nadat Phyllis zich een slag in de rondte heeft staan bakken. Natuurlijk heb ik de kippen dat niet gegeven. Voornamelijk niet omdat de braadpan de kast niet uit is geweest sinds Phyllis vorige week vertrok. Bovendien maak ik me zorgen over hun cholesterolgehalte. Ik geef ze dus graan en zaden en noten. En hoewel ik moet toegeven dat de eieren niet zo lekker zijn, zien de kippen er levendiger uit.

Met een harde klap slaat de voordeur tegen de haltafel. Ik hoor gebonk en gekletter als Maureen en Declan hun bezittingen in de hal op de grond gooien, waar ze blijven liggen tot iemand – ik – ze gaat oprapen.

'We zijn thuis, lieverd,' zingen ze eendrachtig en tot mijn opluchting, want het betekent dat ze de vijandelijkheden hebben opgeschort en ik niet de komende dagen als een bal tussen hen in hoef te stuiteren.

Ik verstop de zuurstokken in de fruitschaal – als Maureen ze in handen krijgt, gebruikt ze ze als microfoon bij het zingen in de keuken – en stap de gang in.

'O, mijn god,' gilt Maureen. 'Wat ben je... zwanger geworden.'

'Jezus, inderdaad,' zegt Declan, die zich naar mijn uitpuilende buik toe buigt en 'hallo' fluistert tegen Ellen. 'Je bent enorm, werkelijk waar.' Stralend kijkt hij naar me, opgetogen.

'Dus het filmen ging goed,' zeg ik tegen zijn gebogen hoofd.

Nu neuriet hij 'Yellow Submarine' van de Beatles tegen mijn buik. Ik voel Ellen bewegen, alsof ze danst.

'De shoot was een groot succes,' zegt Maureen terwijl ze, met haar jas nog aan, een kan wijnspritzer maakt. 'Kat in het bakkie, zoals ze zeggen.'

'Ik vind het heerlijk als je dat jargon gebruikt,' zegt Declan, die achter Maureen gaat staan en aan haar oorlelletje knabbelt alsof er niemand anders bij is.

Bryan struikelt de keuken binnen, overladen met pakjes en een koekjestrommel en een selectie van Maureens boa's en twee lacrossesticks die Declan per se overal mee naartoe wil nemen hoewel hij a) niet weet hoe hij lacrosse moet spelen en b) geen mensen kent die dat wel weten, hoewel het in Canada erg populair schijnt te zijn. Declan komt gewoon nooit Canadezen tegen.

Hij kijkt om zich heen waar hij de spullen neer kan leggen en kiest dan voor de tafel, waar hij zich als het ware uitschudt zodat alles op een stapel valt.

'Dus...' zeg ik tegen hem en ik begin de spullen op twee aparte stapels te leggen: spullen van Maureen en spullen van Declan.

'Hij is in de tuin, Scarlett. Hij belt een monteur,' zegt Bryan en er speelt een lachje om zijn mond.

'Ik zou zeggen dat hij wel een kopje thee kan gebruiken,' zeg ik en ik trek me terug uit de keuken.

Hij zit op het grind en leunt tegen Al Pacino, die stoïcijns blijft staan, als een steunmuur. De monteur vertelt hem iets wat hij niet wil horen. Dat zie ik aan de manier waarop Red zijn hand langs zijn gezicht laat gaan. Ik hoor het schrapende geluid van zijn stoppels. Zijn gezicht is bleker dan normaal en de sproeten vallen extra op.

'Dus het is de motor, zegt u? ... Nou, dat klinkt toch niet zo ernstig, of wel? ... Kunt u niet gewoon... ik weet het niet... die stukken bijvoorbeeld aan elkaar lassen? ... Nieuwe motor? Hoeveel gaat dat kosten? ... Maar dat kan toch niet kloppen! Ik heb de auto voor minder gekocht... Nou, rustig maar. De auto is misschien oud, maar hij is altijd betrouwbaar geweest. Van hoeveel mensen kunt u dat zeggen? ... Ja, hoor eens, ik weet zeker dat uw grootvader betrouwbaar is, maar dat is het punt niet. Ik bedoel gewoon... Goed dan, ja, ik bel u morgen.' Red verbreekt de verbinding en gooit de telefoon in een levensgrote hortensia en valt dan naar achteren als Al Pacino, die denkt dat het misschien een nieuw spelletje is, met telefoons in plaats van stokken, ervandoor gaat om hem op te halen.

Ik blijf in de schaduw staan en tel tot 24 voor ik naar hem toe loop. In die 24 seconden beweegt Red geen spier. Zelfs niet wanneer een dikke strontvlieg langs zijn hele onderarm loopt.

'Red?' fluister ik, want ik denk dat hij misschien in slaap is gevallen.

Zijn kleren zien eruit als kleren die te vaak zijn gewassen op het verkeerde programma. Er zit een oude grasvlek op de mouw van een ooit wit T-shirt. Zijn spijkerbroek zou kunnen doorgaan voor een strakke broek, maar ik durf er iets om te verwedden dat hij is begonnen als een wijde broek en is gekrompen in de was. Vaker dan één keer. Al Pacino maakt hem erop attent dat ik er ben. Hij springt terug naar Red met de telefoon tussen zijn kaken en gaat op zijn borst staan. Hij springt net zolang op en neer tot hij zeker weet dat hij Reds volledige aandacht heeft.

'Scarlett O'Hara,' zegt hij glimlachend, ondanks de vijftig kilo hondenvlees op zijn borst. Hij worstelt om overeind te komen, maar uiteindelijk moeten we Al Pacino met zijn tweeën – ik trek en hij duwt – overhalen om van zijn lekkere plekje af te komen. Ik ben meteen buiten adem en Red legt zijn spijkerjack – gekreukeld en verbleekt door blootstelling aan de elementen – op het grind zodat ik kan gaan zitten, wat ik doe. Ik geef hem een kop thee. Hij drinkt hem in twee slokken leeg.

'Ik zou thee moeten maken voor jou,' zegt hij en hij zet het lege kopje op de grond. 'Ik wil wedden dat je een Waterman bent, of niet?'

'Ja,' zeg ik. 'Hoe…'

'Dat zijn zorgzame types,' zegt hij. 'Die bekommeren zich om mensen. Dat doe jij toch ook, of niet?' Hij kijkt naar me als hij dit zegt en ik word een beetje ongemakkelijk onder zijn indringende blik. 'Hoe voel je je?' vraagt hij.

'Prima,' zeg ik.

'Geen pijn in je onderrug?'

'Nee… nou ja, eigenlijk wel. Een beetje. Hoe weet je dat?'

'De klassieke symptomen voor de 21e week,' zegt hij. 'Kom eens bij me.' Hij gaat op zijn knieën zitten en schuift achter me. Nu liggen zijn handen op mijn onderrug en zijn vingers kneden mijn vlees alsof het deeg is. Het verschil is enorm en de opluchting groot, alsof je een ellenlange lijst met dingen die je nog moest doen, hebt afgewerkt. Volgens mij kreun ik hardop.

'Zei je iets, Scarlett?'

'Eh… ik wilde net vragen hoe het filmen ging.'

'Dat weet ik nog niet,' zegt hij op een toon alsof hij een beslissing heeft genomen. Dan vraagt hij: 'Kun je op handen en knieën gaan zitten? Volgens mij kan ik er dan veel beter bij.'

Ik kan niet geloven dat ik het doe tot ik het heb gedaan. Het heeft te maken met de manier waarop hij het vraagt. Het zou onbeschoft zijn om te weigeren.

'Kun je je knieën een beetje terug buigen naar mij toe? Ja, zo. En je benen een beetje uit elkaar als je dat kunt. Precies, ja. Nu iets naar achteren en dan laat je je buik tussen je knieën zakken. Perfect. Hoe voelt dat?'

Ik voel de spieren in mijn rug uitrekken en ontspannen. Zijn vingers krullen zich om de plek waar vroeger mijn middel zat en hij draait zijn handen over mijn rug tot ik bang ben dat ik net zo hard ga loeien als Al Pacino als hij een Guinnessvrachtwagen ziet. Zo heerlijk is het. Ik sluit zelfs mijn ogen en ik probeer niet iets te verzinnen om te zeggen. Zelfs wanneer mijn rugpijn een laatste buiging maakt voor hij zijn koffer pakt en vertrekt, zeg ik niks.

En in deze gênante houding staat ineens Maureen voor ons, gekleed in een jurk die eruitziet als een nachthemd en om haar heen zweeft of ze een spook is.

'Red? Waar ben jij in vredesnaam mee bezig?'

'Ik masseer Scarlett,' zegt hij zonder te stoppen. 'Haar onderrug doet vervelend en ik zou zeggen dat haar achterwerk er ook last van heeft.' Hij buigt zijn hoofd naar me toe. 'Of niet, Scarlett?'

'Eh, ja, nu je het zegt,' zeg ik en ik vraag me af wat hij daaraan gaat doen en hoop dat het iets te maken heeft met de langzame, draaiende beweging van zijn handen.

'Klassieke symptomen voor de 21e week,' roept Red tegen Maureen, die daar blijft staan met haar wijnspritzer in een hand en een lange, dunne mentholsigaret in de andere.

'O, ja,' zegt Maureen. 'Dat weet ik nog goed. Hoewel ik me niet kan herinneren dat Declan me ooit... nou ja, zo masseerde.'

'Dat is de beste manier,' legt Red uit, alsof hij hordes zwangere vrouwen in de 21e week heeft gemasseerd.

'Juist,' is het enige wat Maureen zegt en ik voel haar ogen op me gericht, vol met vragen waarop ik geen antwoord heb.

'Trouwens,' zegt ze als het duidelijk is dat Red niet van plan is te stoppen, 'ik kwam even zeggen dat Phyllis frittata heeft gemaakt. In de koelkast zitten alleen maar eieren. Je had wel eieren mogen eten, Scarlett.'

'Dat heb ik gedaan,' breng ik uit. 'Elke dag één. Blue kan ze niet meer zien. Niet meer sinds hij bij Hugo *Chicken Run* heeft gekeken, weet je nog?'

'O, ja,' zegt Maureen. 'Hij is ook zo gevoelig. Net als ik, zou je kunnen zeggen.' Ze draait zich om en loopt met grote stappen terug naar het huis. Ik ruik het rozenwater van Phyllis, dat ze in een vijzel met een stamper maakt van bloemblaadjes en andere overblijfselen uit de tuin. Maureen pikt het soms als ze geen zin heeft om naar boven te gaan om haar Femme Fatale te pakken. 'De frittata is over vijf minuten klaar, schatten,' zegt ze met een schallende stem, zoals Cyril Sweeney haar heeft geleerd voor als ze op het podium tekst heeft, wat niet zo vaak is als ze wel zou willen.

Met moeite ga ik op een meer conventionele manier zitten en kijk naar Red. 'Bedankt.'

'Geen moeite,' zegt hij en hij pakt een gekreukeld en gescheurd visitekaartje uit zijn achterzak. 'Je mag me altijd bellen.' Hij buigt zich naar me toe over de ruimte tussen ons in, steekt me het kaartje toe en ik pak het. 'Als je een massage nodig hebt, bedoel ik. Of... gewoon... je weet wel... als je iets nodig hebt.'

Ik kijk naar het kaartje. Het is met de hand geschreven. De randen zijn scheef, alsof ze met een botte schaar zijn geknipt. Hij heeft klein geschreven. Schuin. Alsof hij veel moeite heeft gedaan het netjes te doen. Zijn naam staat in het midden van het kaartje, met zijn telefoonnummer. Daaronder een lijst met alle diensten die hij aanbiedt: acteur, schrijver, regisseur, producer, barman, masseur, wieder, hondenuitlater, klusjesman (gespecialiseerd in planken). Naarmate hij dichter bij het eind van de regel komt, worden de letters kleiner.

'Wieder?' Ik moet het vragen.

'Ik weet het,' zegt hij. 'Maar dat is een van de weinige diensten op mijn lijst waar ik wat aan verdien. Als ik het zou uitrekenen,' hij glimlacht me toe om te laten weten dat dat niet erg waarschijnlijk is, 'is het geld dat ik heb verdiend met schrijven net genoeg voor het eten van Al Pacino.' We kijken allebei naar Al Pacino, die ons aanstaart met zijn grote bruine ogen, die altijd hongerig lijken. Aan beide kanten van zijn brede bek hangen slierten kwijl en we kunnen zien dat hij denkt aan de frittata van Phyllis met bonen en worst en misschien nog wat oude kaas, geraspt en gesmolten erbovenop.

'Hoewel,' gaat Red verder, 'hij heel wat kan wegwerken... ik zou veel tuinwerk nodig hebben,' zegt hij, voornamelijk tegen zichzelf, 'om Julian weer aan de praat te krijgen.'

'Julian?'

'Die naam heb ik geërfd. De vorige eigenaar was kennelijk een fan van *De Vijf*.'

'Misschien is het tijd voor een nieuwe,' opper ik. 'Ik bedoel, een die niet zo oud is.' Ik herinner me de auto van Red. Ik weet niet hoe oud hij is, maar hij zou makkelijk achttien kunnen zijn. 'Je hebt toch betaald gekregen voor *The Jou ney*, of niet?'

'Nog niet,' zegt hij. 'Maar ik zal er zeker geld voor krijgen. Redelijk snel.' Hij zegt dat op de nonchalante manier van een man die geen narcissen uit de grond hoeft te trekken om de huur te kunnen betalen.

'Dan ben je dus in staat om Julian te vervangen,' zeg ik.

Hij krimpt in elkaar. 'Ik weet het,' zegt hij. 'Maar je weet toch hoe gehecht je aan dingen kunt raken? Ook als dat heel onzinnig is?'

Tot mijn eigen verbazing knik ik. Ik ben nog verbaasder als ik zeg: 'Ja, dat weet ik,' en tegen hem glimlach alsof de ondergaande zon een cirkel om zijn hoofd maakt en hem een schitterende stralenkrans geeft.

Aan tafel wordt voornamelijk gesproken over *The Jou ney*. Het doet me denken aan de goeie ouwe tijd, toen iedereen zo hard mogelijk door elkaar heen praatte. Onopvallend houd ik Red in de gaten. Hij verorbert drie frittata's van Phyllis, al gooit ze er alles op wat ze heeft, onder andere een zak aardappelen. Vervolgens neemt hij nog een halve pannenkoek, twee appels, drie bekers thee en driekwart van een custardpudding. Ik concludeer dat zijn honger naar eten gelijke tred houdt met zijn honger naar alle andere dingen; hij is vraatzuchtig.

'Verwacht Sofia je vanavond niet thuis?' vraagt Maureen, nogal scherp.

'Nee,' zegt Red, 'ze is naar een horrorfilm met Hailey. Ik zie haar dit weekend, als we naar het kasteel gaan.' Zijn ogen kijken over de rand van zijn beker en zoeken de mijne. 'Jij gaat toch ook mee, Scarlett, of niet?'

Ik knik en begin de tafel af te ruimen.

'Zijn jullie allebei weg dit weekend?' vraagt Maureen, die van de een naar de ander kijkt en weer terug. 'Wie moet me dan helpen met mijn tekst?' vraagt ze en ze trekt een pruillip als een kind van zeven dat met Kerstmis geen pony heeft gekregen.

'Ik kan je tekst vanavond nog wel even met je doornemen als je dat wilt,' bied ik aan terwijl ik een gaap onderdruk.

'Jij bent moe, Scarlett.' Red staat op en wendt zich tot Maureen. 'Kom, dan gaan we naar de woonkamer om te oefenen, als je dat wilt.'

'Weet je zeker dat je het niet erg vindt?' vraagt Maureen, die al naar de trap rent.

Ik vang de blik van Red. 'Dankjewel,' zeg ik. 'Dat is... heel vriendelijk van je.'

'Het is geen moeite,' zegt hij, en ik hoor aan de manier waarop hij dat zegt dat hij dat normaal gesproken niet zegt. Op een holletje gaat hij de keuken uit, al is dat niet nodig, want Maureen verschijnt pas een halfuur later en dan heeft ze haar make-up vernieuwd en draagt ze een andere wijde nachtpon, deze keer zacht eendeneiblauw en diep uitgesneden.

Later brengt Bryan Red naar huis. Maureen loopt naar de trap met haar handen vol met de dingen die ze voor haar avondroutine nodig heeft: schijfjes komkommer, een kopje muntthee, haar ooglapjes, een exemplaar van *Variety* en mijn pot met nachtcrème, die ze tussen de bladzijden verbergt. Ik zie de bult die hij maakt.

'Hoe is het met je rug, Scarlett?' vraagt ze me en ze blijft in de bocht van de trap stilstaan.

'Eh, veel beter, dankjewel.'

'Ja, dat zou ik ook zeggen,' zegt ze, nog steeds zonder zich te bewegen. 'Het is wel een charmeur, of niet?'

'O ja?' zeg ik, al weet ik dat het waar is.

'Maak je maar geen zorgen, Scarlett,' zegt ze en ze gooit haar haren naar achteren als een paard. 'Hij is helemaal niet jouw type.

Je bent meer een meisje voor John Smith, of niet soms? Ik wist wel dat hij terug zou komen.' Ze glimlacht naar me en ik weet dat ze denkt dat dat het juiste is om te zeggen.

Ik knik naar haar en ze loopt verder de trap op, zielstevreden dat ze haar pareltjes wijsheid heeft verspreid. Ergens in mijn hoofd slaat een deur dicht en ik loop door het huis, doe de deuren op slot en controleer of de ramen stevig gesloten zijn tegen de buitenwereld.

44

Om halfnegen 's morgens stop ik voor het huis van Valentino Marzoni in Finglas. Ik word pas om negen uur verwacht, maar het verkeer zat tegen. Het huis staat eigenlijk in Glasnevin, maar Valentino blijft het hardnekkig Finglas noemen in een poging zijn nederige afkomst niet te verloochenen.

Aan het huis is niets nederigs. Je kunt het ook niet over het hoofd zien, door de grot in de voortuin en het levensgrote standbeeld van de maagd Maria in een nis, ontworpen, gebouwd en liefdevol onderhouden door Valentino zelf.

Op de oprit staat een voertuig. Het is helderoranje met gele vitrages die aan weerszijden zijn vastgebonden. Het is een minibus. Een oude. Aan de achteruitkijkspiegel hangen twee reusachtige pluche dobbelstenen. Op een gescheurde sticker op de achterruit staat: 'Toeter als je van Jezus houdt.' Ik vervloek mijn goede ogen waardoor ik de bekleding van de stoelen kan zien: een schreeuwerige luipaardprint.

Ik concentreer me op de oefeningen voor mijn bekkenbodem die ik om tijd te besparen tegelijk doe met mijn ademhalingsoefeningen, al heb ik – ik kijk op mijn horloge – nog 27 minuten te gaan.

Om acht minuten over halfnegen krijg ik een sms. Van Sofia. 'Kom toch in vredesnaam binnen.'

De bel bij de voordeur laat een liedje weerklinken als je erop drukt. Het is 'Ave Maria'. De deur gaat meteen open en daar staat Sofia met een glimlach en kapsel die breed genoeg zijn voor twee.

'Zo, daar ben je, Scarlah.' Ze kijkt me stralend aan. 'Kom binnen.' Ze gebaart naar een hal als een mausoleum, waar een groot schilderij van Jezus Christus met een rode lamp midden op zijn borst toezicht houdt. Zijn ogen volgen me door de hal, waar ik ook sta.

'Hail komt zo beneden. Ze moet nog even haar tanden poetsen, weet je.'

'Hailey is hier?'

'Ja,' zegt Sofia en verbeeld ik het me of is haar toon een beetje defensief? 'Ze woont in Skerries, dus weet je, het was handiger voor haar om gisteravond hier te komen.' Het feit dat ik in Wicklow woon, wordt niet genoemd. 'We hebben een gezellige meisjesavond gehad, weet je,' gaat Sofia verder. 'Gelachen dat we hebben. Hail heeft theeblaadjes voor me gelezen. Het blijkt dat ik ga trouwen met een lange man met rood haar die fantastisch de tango danst.'

'Red danst de tango?'

'Vergeleken bij hem ziet Fred Astaire eruit alsof hij op het ijs danst met zijn voeten in twee linkerschoenen en de veters aan elkaar geknoopt.' Sofia glimlacht; ze geniet mee van de glorie van de lichtvoetigheid van Red.

Hailey ziet er anders uit als ze niet achter de balie zit bij Extra-ordinary Events International. Om te beginnen zie ik haar hele-maal, niet alleen haar schouders en hoofd. Ze is langer dan ik had gedacht. En ze glimlacht. En voor zover ik het kan beoordelen, draagt ze make-up: haar wangen zijn roze. En haar haar...

'Heb je je haar geverfd?' vraag ik.

Hailey giechelt achter haar hand. Dat is ook nieuw, al heb ik haar eerder horen giechelen – aan de telefoon als ze Sofia doorver-bindt – maar ik heb het nooit met eigen ogen gezien. Het past bij haar. Ze ziet er tien jaar jonger uit.

'Dat heeft Sofia gedaan,' zegt ze. 'Gisteravond.'

'Het staat je goed,' zeg ik en het is waar. De peper-en-zoutkleu-rige lokken zijn vervangen door een levendig bruin; donker en glanzend als een kastanje.

Ze beginnen met z'n tweeën te giechelen. Ik heb het gevoel dat ik ben beland in een hoofdstuk van een kostschoolroman op de ochtend na een nachtelijk festijn.

'Sorry dat ik te vroeg ben,' zeg ik. 'Ik... het verkeer...'

'Dat geeft niet, Scarlah. Hail zei al dat je vroeg zou zijn, dus staan we al helemaal klaar,' zegt Sofia, die niet merkt dat Hailey paars aanloopt.

'Ik... ik bedoelde alleen maar...' begint Hailey.

'Maak je toch niet druk, Hail. Iedereen kent toch de neurotische relatie die Scarlah met de klok heeft,' zegt Sofia. 'Of niet soms, Scarlah?'

'Eh...'

'Let maar eens op,' gaat Sofia, die nu niet meer te stuiten is, verder. 'Wanneer ben je ook alweer uitgerekend?'

'Eh... 5 oktober.'

'Let maar eens op,' zegt Sofia nog eens en ze wendt zich tot Hailey. 'Ellen komt op de vijfde, een minuut na middernacht. Heb ik gelijk of niet, Scarlah?'

Vlak voor de voordeur staat een wijwaterbakje in de vorm van het hoofd van Johannes de Doper. Het wijwater ligt in zijn open mond. Op weg naar buiten doopt Sofia haar vingers in het water en drukt ze tegen ons voorhoofd. 'Voor een veilige reis,' vertelt ze ons als we geen van beiden iets zeggen. Ik sla een kruis. Er is meer voor nodig dan wijwater en een gebed om ons met dat oude busje veilig in het kasteel te krijgen, maar het is in elk geval een begin.

Als de bus niet meteen start, begin Sofia uit te leggen dat hij retro is. Hij moet heel waardevol zijn. Als 'retro' een ander woord is voor onbetrouwbaar en gammel, is hij zeker retro.

Als de bus ook bij de tweede, derde en vierde poging weigert te starten, stappen we uit en doen wat mensen doen als hun voertuig niet wil starten. We gaan eromheen staan, staren ernaar en schudden ons hoofd. Lopen naar de zijkant en schudden ons hoofd nog een keer. Als we dat een poosje hebben gedaan, kijken Sofia en Hailey verwachtingsvol naar mij. Ik kan een paar dingen met auto's. Onder andere iets met startkabels. Die haal ik dus uit de kofferbak van mijn auto. Sofia en Hailey beginnen al opgelucht te kijken.

De motor van de bus sputtert, aanvankelijk lichtjes, maar dan schraapt hij zijn keel en kucht zichzelf tot leven. De versnellingspook is lang en stug. Ik heb twee handen nodig om hem in zijn een te krijgen.

'Snel, stap in,' schreeuw ik, bang dat de auto van gedachten zal veranderen voor we goed en wel op weg zijn.

Onze eerste stop is bij het huis van Filly en Brendan. Hoewel het eigenlijk geen huis mag heten. Het zijn een paar kamers boven een slagerij in Marino. Ze noemen één kamer de oostelijke vleugel en de andere de westelijke vleugel. Ze zijn zo blij als een kind met deze kamers. Die voelen groter aan dan ze in werkelijkheid zijn, deze kamers, ze rekken mee met hun liefde. Die is overal. In de koffer op het bed, waar Brendan zorgvuldig Filly's kleren heeft ingepakt, met vloeipapier ertussen, al zullen alle kleren uiteindelijk op de vloer belanden van de kamer waar Filly in slaapt. De liefde is op de plank met Matchbox-autootjes, die Brendan verzamelt en waar Filly uren naar op zoek is, voor zijn verjaardag of Kerstmis of op vrijdag of omdat het regent (om hem op te fleuren: hij heeft een hekel aan regen, heeft ze me verteld). De liefde is in de gehavende vaas met lelies die het gele poeder van de stampers op de keukentafel laten vallen. De liefde is gelegen in het feit dat Filly zich niet beklaagt over het poeder van de stampers en dat je dat op je kleren krijgt en op je vingers en dat het er bijna niet meer af te krijgen is. Maar het is vooral te vinden in de manier waarop ze naar elkaar kijken als ze denken dat niemand het in de gaten heeft. Het is een blik waar ik niet genoeg van kan krijgen.

'Wil je thee of koffie bij je ontbijt?'

Het huis ruikt als een B&B op de vroege ochtend. Brendan gaat ervan uit dat iedereen net zo'n schreeuwende honger heeft als hij, zelfs om – ik kijk op mijn horloge – drie minuten over negen. Ik heb zijn ontbijt ooit een keer eerder gezien. Zijn gezicht was nauwelijks nog te zien achter een stapel vlees (spek, worstjes, bloedworst – al dan niet gelardeerd – lever, hamlappen, niertjes en kippenvleugeltjes). Aan de rand van al dat vlees lag een enkel schijfje tomaat te bibberen, de enige groente die Brendan ooit eet, al is tomaat strikt genomen een vrucht. Ik verbeter hem niet, want ik wil zelfs de meest minimale neiging tot vegetarisme niet ontmoedigen.

'Eh, nee, dankjewel, Brendan.' Zijn gezicht betrekt. 'Ik wil wel graag een glas water als het mag,' voeg ik eraan toe om hem op te vrolijken.

'Alleen een glas water bij het ontbijt?'

'Nee, ik bedoel alleen een glas water. Alleen dat water. Met niets erbij. Dank je.'

'Geen worstjes?' Brendan denkt dat er twee soorten mensen bestaan: mensen die vlees eten en mensen die dood zijn. Vegetarisme is een vies woord in Brendans wereld en ik probeer het nooit te zeggen waar hij bij is.

'Nee,' zeg ik. 'Maar evengoed bedankt.'

Brendan glimlacht naar me alsof ik hem net deelgenoot heb gemaakt van een geheim dat hij al kende. 'Maar je wilt toch wel een boterham met bacon?'

'Nee, dank je.'

'Ik doe wel wat bloedworst op een geroosterde boterham voor je. Dat wil je toch zeker wel?'

'Nee, echt niet. Eerlijk waar...'

'Een bolletje met warme kip dan?'

Ik schud mijn hoofd.

'Een sandwich met gesmolten kaas en worst?'

'Nee, Brendan, echt niet, ik...'

'Goed, goed, ik bak wel een eitje voor je met twee plakjes bacon en dan hebben we het er niet meer over, oké?' Brendan knikt me bemoedigend toe en wendt zich dan tot de koekenpan. Het is een schattige man, afgezien van zijn militaire denkbeelden over vlees.

Na het ontbijt – ik kan het beperken tot een gebakken ei, dat ik met moeite wegwerk, ondanks het feit dat het is gebakken in een laag varkensvet – stappen we in de bus. Die kreunt onder ons gewicht, maar komt sputterend tot leven en haalt het eind van de straat. Het feit dat de weg naar beneden afloopt, helpt enorm.

We komen voor de flat van Red Butler in Renelagh en ondanks mijn zorgvuldig opgestelde schema zijn we acht minuten te laat, wat niet in de laatste plaats te wijten is aan de bus, die zachtjes gezegd op zijn gemak rijdt. Er is geen spoor te bekennen van Red. De gordijnen op alle drie verdiepingen van het oude huis van rode baksteen zijn stijf gesloten.

'Sofia, kun je Red niet even gaan halen?' vraag ik.

'Wat?' roept ze.

Ik zeg het nog eens, en deze keer schreeuw ik om gehoord te worden boven het rauwe gebrul van de motor uit. 'Ik wil de motor niet uitzetten, want ik ben bang dat hij niet meer wil starten,' voeg ik eraan toe.

'Ik bel wel even,' zegt Sofia, die haar mobiel uit haar tas pakt. Red neemt zijn telefoon niet op. Bonken op de voordeur heeft geen resultaat. Uiteindelijk gooit Sofia stenen naar een klein raam op de derde verdieping. Ze kan goed mikken, maar ze moet zeven stenen gooien voor we de gordijnen zien bewegen en het hoofd van een verwarde-net-uit-bed-Red tussen de gordijnen door kijkt. Hij steekt twee vingers op, wat zou kunnen betekenen 'sodemieter op' of 'ik ben over twee minuten beneden'. Het blijkt het laatste te zijn, al wordt het zeker drieënhalve minuut. Zijn weekendtas hangt open en ik zie boxershorts en een script met ezelsoren en een blik hondenvoer en een geopend pakje cream crackers. Er steekt een tandenborstel uit zijn mond en Al Pacino trekt aan de riem in zijn hand. Onder zijn arm heeft hij een oude typemachine. Zijn trui zit achterstevoren en binnenstebuiten.

Blue, opgesloten in zijn kattenmand, gooit zichzelf tegen de tralies als hij Al Pacino ziet en ik moet hem eruit laten, al mag dat volgens mijn schema pas als we bij het kasteel zijn. Samen begeven ze zich naar de achterkant van de bus, waar ze een plekje veroveren. Blue stapt elegant in de halve cirkel die Al Pacino van zijn voorpoten maakt. Ze kijken uit het raam als twee Amerikaanse toeristen op een bustoer in Killarney.

'Goedemorgen, allemaal. Het spijt me dat ik te laat ben.' Red voegt de tweede zin eraan toe op een manier die suggereert dat hij die regelmatig gebruikt. 'Hoi, Hailey,' zegt hij. 'Wat leuk om je nu eens officieel te ontmoeten. Sofia heeft me al zoveel over je verteld.' Sofia en Hailey zitten samen op de derde rij en delen een zak chocolaatjes.

'Hallo, Red. Ik ben Brendan de slager,' zegt Brendan en hij overhandigt hem een in aluminiumfolie verpakt pakketje met vier worstjes, twee geroosterde boterhammen en een zakje tomatenketchup. 'Maar niet als in *The Godfather*,' voegt hij er met zijn verlegen glimlach aan toe.

Red buigt zich over de rugleuning van de voorstoel en steekt Brendan een hand toe die Brendan accepteert en ze schudden elkaar kort en stevig de hand. Ik bestudeer de kaart. Red geeft twee van de worstjes aan Al Pacino en Blue en schrokt de rest naar binnen. Als hij naar me kijkt, glimlacht hij.

'Dus jij weet wel raad met dit beestje?' vraagt hij en hij knikt naar het dashboard.

'Ja, natuurlijk,' zeg ik terwijl ik weer een gevecht aanga met de versnellingspook, die wel in zijn twee wil, maar niet zo gek is op de eerste versnelling.

'Kom maar, ik heb wel eens vaker in zo'n geval gereden,' zegt Red, die de versnellingspook van me overneemt. 'Ik schakel wel. Zeg maar wanneer je de koppeling intrapt.'

En zo rijden we helemaal naar het kasteel. Ik roep elke keer 'Schakelen!' als ik van versnelling wil veranderen en Red worstelt met de versnellingspook. En hoewel dit klinkt als een erg ingewikkelde manier van rijden, werkt het wel.

45

We hebben dit weekend het kasteel voor onszelf. Milly en Billy zijn naar Engeland voor de presentatie van een boek van de hertogin van York, die een van Billy's miljoenen verre verwanten is.

'We laten Glynis het weekend achter in jouw handen, Scarlett, lieverd,' zei Billy tegen me toen ik hem belde om alles te regelen.

Glynis is hun kokkin en ze zal aan het hoofd staan van het bruiloftsbanket, zoals Sofia het koppig blijft noemen.

'We kunnen ook wel een ander weekend komen, als jullie er liever zelf bij willen zijn.'

'Lieve help, nee, Scarlett, lieverd,' zei Billy. 'Milly en ik vertrouwen je volkomen.'

Maar ik maak me geen zorgen om mezelf. Ik kijk in de achteruitkijkspiegel naar Filly. Ze heeft al een portierhendel afgebroken, een blikje cola omgegooid en zo hard op de j-toets op de typemachine van Red geslagen dat die nu vastzit. Ik neem me voor tegen Glynis te zeggen dat ze geen eten moet serveren op het bruiloftsporselein. Het gewone doordeweekse servies is goed genoeg. Misschien moet ze maar papieren borden en plastic bekers overwegen.

Kreunend ploetert het busje een bijzonder steile heuvel op en Red trekt de versnellingspook naar de derde versnelling terwijl ik op het koppelingspedaal trap. Even denk ik dat we het niet gaan halen. 'Schakelen!' schreeuw ik en nu zitten we in zijn twee en rijdt het busje schuddend verder.

'Kunnen. We. Het. Wel?' brult Filly en de anderen scanderen in koor: 'Yes. We. Can!' Als de voorwielen van het busje de top bereiken en het zichzelf piepend en kreunend daaroverheen werkt, begint iedereen te juichen, geven ze elkaar high fives en stompen in de lucht. Ik merk dat ik glimlach, ook al zijn we – ik kijk op mijn horloge – 23 minuten achter op ons schema en heeft Al Pacino op de achterbank van de bus gepiest. Ik glimlach niet alleen, maar als Filly opbiecht dat ze het handvat van Blues kattenmand heeft afgebroken, schreeuw ik: 'Kunnen. We. Dat. Maken?' En iedereen schreeuwt terug: 'Yes. We. Can!'

Ik laat het busje in zijn vrij de heuvel afrijden om Red even te verlossen van het geworstel met de versnellingspook. We vliegen naar beneden en het landschap is een schitterend waas van wilde bloemen en heggen en hoewel mijn voet boven het rempedaal zweeft, druk ik dat niet in, al weet ik dat dat het verstandigst zou zijn. Mijn haar waait voor mijn gezicht door een windvlaag die langs de ruit naar me toe komt en de zon schijnt door elk raam, als gesmolten boter. Sofia martelt ons met haar versie van een stapellied 'The Wheels on the Bus' en ik merk dat ik hardop zit te lachen. Ik voel me jonger dan ik me ooit gevoeld heb, zelfs toen ik jong was. Ik zing niet mee, maar het scheelt niet veel.

'Daar is het kasteel,' schreeuwt Filly en ze wijst uit het raam. En daar ligt het, de vier torens rechtop als plukken haar. Het zonlicht bestrijkt de grijze stenen muren en verandert ze in zilver tegen een achtergrond van meer en bos. Het kasteel lijkt op een sprookjeskasteel waar van alles mogelijk is.

Met de vaart die we op de heuvel hebben gemaakt, komen we helemaal over de slotgracht en tot voor de voordeur van het kasteel. De wielen kraken als geroosterd brood op het grind.

Red en Brendan dragen de tassen naar binnen en Sofia en Hailey rennen van kamer tot kamer, lachend en naar elkaar roepend. Hun stemmen stuiteren als ballen tegen de dikke muren. Brendan sleept een krat met iets wat rauw vlees blijkt te zijn de keuken in en na een korte schermutseling met Glynis – die nogal territoriaal is als het de keuken betreft – mag hij het in de koelkast leggen. Daarna trekken hij en Filly zich terug in een slaapkamer om te 'rusten'.

Glynis laat de rest de kamers zien. 'Sofia en Red, jullie zitten hier,' zegt ze en ze maakt de deur open van de grootste slaapkamer, die uitkijkt op de onberispelijk onderhouden tuinen aan de voorkant van het kasteel.

'Eh, neem me niet kwalijk, Glynis, maar Red en ik zijn nog niet getrouwd, weet je,' zegt Sofia.

'O,' zegt Glynis, die roze kleurt. 'Het... het spijt me... ik dacht... Ik heb maar drie slaapkamers in orde gemaakt... Ik nam aan...' Als Glynis verwacht dat Sofia zal ingrijpen en van gedachten zal veranderen, moeten we net zolang wachten als op een Iers station.

'Waarom deel jij de kamer niet met Hailey?' stel ik voor. 'Ik denk dat we er wel een ander bed in kunnen zetten. De kamer is groot genoeg.' Ik kijk naar Glynis, die knikt en naar me lacht.

'Maar we hebben toch geen extra bed nodig, of wel?' zegt Sofia, die naar Hailey kijkt. 'Dit bed is enorm, ik zweer het je. Het is absoluut kingsize. We zouden er zelfs met zijn allen in kunnen.'

Ik kijk naar Hailey om te zien wat ze van deze verandering vindt, maar ze heeft haar tas al opgepakt en loopt de kamer in.

'De derde kamer heeft twee bedden, dus misschien kunnen jij en...' Glynis kijk naar mij en maakt haar zin niet af.

'Dat klinkt als een briljant idee,' zegt Sofia, die op de rand van het kingsize bed is gaan zitten en op en neer wipt, waardoor de veren zo beginnen te kraken dat je zou denken dat ze zo'n behandeling niet gewend zijn.

Glynis vat dat op als een 'ja' van mijn kant en loopt de gang door zodat er voor mij niets anders op zit dan haar te volgen.

'Ik zoek beneden wel een bank om op te slapen. Maak je geen zorgen, Scarlett,' zegt Red, die mij de tas uit handen neemt en die op de een of andere manier ook nog draagt, samen met zijn eigen tas, zijn typemachine en de deken van Blue terwijl hij ook nog Al Pacino aan een riem met zich meeneemt. Al Pacino is boos op een harnas dat bij de trap staat en gromt ertegen met zijn nekharen recht overeind, net als zijn staart.

Glynis maakt de deur van de kamer open en blijft daar op ons staan wachten. Het is een vrouw van wie de leeftijd moeilijk te raden valt. Ze zou 41 kunnen zijn maar ook 59. Hoe dan ook, ze kan fantastisch koken en werkt al zo lang in het kasteel dat ze geen spier verrekt wanneer de weddingplanner en de aanstaande bruidegom een kamer delen. Een tweepersoonskamer. Achter Glynis zie ik de kamer, die ongeveer de grootte heeft van twee gemiddelde tweepersoonskamers en de bedden staan elk aan een kant, een minimarathon van elkaar verwijderd.

'Nee, het is al goed, ik vind... het niet erg,' zeg ik.

Mijn woorden zijn nog niet koud of Red is al over de drempel en heeft op alle beschikbare oppervlakken spullen gegooid, waarna hij zijn schoenen uitschopt, zonder de veters los te maken, zijn jas uittrekt, die in de vorm van zijn lichaam op de vloer blijft liggen op de plek waar hij hem laat vallen. Daarna strekt hij zich uit op een van de bedden. De kamer ziet eruit als een vuilnisbelt en voorzichtig zoek ik mijn weg naar de andere kant van de kamer terwijl ik intussen mijn tas van de grond opraap en de deken van Blue van een tafel pluk. Mijn tas schuif ik onder het bed nadat ik alle kleren die moeten hangen in de kast heb opgehangen en de rest opgevouwen in de la heb gelegd. Er is een aangrenzende badkamer en ik zet mijn tandenborstel in een glas op een plank boven de wastafel naast mijn antizwangerschapsstriemenolie, deodorant en make-uptas. Dat kost me twee minuten, waarna ik op het bed ga zitten en me probeer te herinneren wat er nu van me wordt verwacht.

Na een poosje heb ik bedacht wat ik tegen Red zou kunnen zeggen. Twee dingen trouwens: 1) iets over het weer, en dan, als we de heerlijke warme dag uitputtend hebben besproken, kunnen we verder naar 2) de trouwbelofte, die op mijn schema staat, al heb ik dat eigenlijk voor vanmiddag om vier uur gepland.

Aldus bewapend, wend ik me tot hem. Hij slaapt, één arm hangend naast het bed. Al Pacino zit op de grond naast het bed en buigt zich af en toe naar voren om Reds hand te likken alsof het een vanille-ijsje is. Ik kijk naar Reds gezicht, waarvan een groot deel verborgen is onder zijn pony, die wel eens geknipt mag worden. Zijn stoppels zijn donkerbruin, net als zijn wimpers, die over zijn wangen liggen. Hij ziet er slapend ongeveer hetzelfde uit als wakker: als een tevreden mens. Een deel van mij ergert zich aan zijn vermogen zo zorgeloos te slapen.

Ik maak de riem van Al Pacino, die om Reds hand gewikkeld zit, los en loop zonder geluid te maken de kamer uit. Al Pacino begint echter oorverdovend te janken als ik hem de kamer uit trek. Red Butler verroert geen vin.

Glynis is in de keuken, waar ze de koelkast opnieuw inricht. Ze zucht als ze me ziet en schudt haar hoofd. 'Zes pakjes met plakken bacon, Scarlett. Ik bedoel maar, ik dacht dat jullie maar één nacht zouden blijven.'

'Dat komt door Brendan,' leg ik uit. 'Hij neemt altijd overal vlees mee naartoe. Ik geloof niet dat hij er iets aan kan doen. Hij is slager, moet je weten.'

Glynis maakt een geluid dat nog het meeste lijkt op het gegrom van een ontstemde beer en tilt in een van de groenteladen onder in de koelkast een vacuümverpakte biefstuk op die genoeg zou moeten zijn voor twintig mensen.

'Heb je Blue gezien?' vraag ik. 'Ik wil even met hem en Al Pacino gaan wandelen.'

Daar moet Glynis om lachen, zoals ik al had gedacht. Glynis is zowel een katten- als een hondenmens, maar als ze moest kiezen, zou ze voor katten kiezen. Zij weet dat ze niet doden voor hun plezier. Ze heeft Blue voor vandaag nog nooit gezien, maar wel foto's van hem en ze vindt hem een 'prachtig stuk vreten', wat een redelijk accurate beschrijving is.

'Nee, ik heb hem niet gezien, maar ik heb wat Philadelphia voor hem op een paar crackers gesmeerd. Mijn jongens zijn er gek op.' Haar jongens zijn George, William, Charles en Harold – grote katers die vrij rondlopen.

Ik loop door naar de salon, waar Sofia en Hailey in de erker op een bank in de zon zitten. Ze hebben de zaterdagkrant verdeeld en Sofia leest haar horoscoop terwijl Hailey het redactionele stuk leest. Ze doen me denken aan vele zaterdagen in Johns flat.

'Heeft een van jullie Blue gezien?' Ik moet het twee keer vragen voor ze me horen. Als ze opkijken, is het net of ze me ergens van kennen maar niet precies weten waarvan.

'Nee,' zeggen ze op hetzelfde moment.

Ik bonk op de deur van de kamer van Filly en Brendan. 'Sorry,' roep ik door de deur, al is het een stevige, eiken deur en weet ik niet of ze me kunnen horen. Ik bonk nog eens en na een poosje gaat de deur op een kiertje open en verschijnt Brendans gezicht om de hoek.

'Ja?' vraagt hij en hij probeert – tevergeefs – te klinken alsof hij blij is me te zien.

'Sorry, Brendan, ik wilde jullie niet storen en dat zou ik ook niet doen maar het punt is...'

'Wat is er, Scarlett?' Brendan hoort de bezorgdheid in mijn stem en doet de deur nu helemaal open, terwijl hij zorgt dat het beddenlaken dat hij om zich heen heeft geslagen geen... edele delen onthult.

'Blue is toch niet hier bij jullie, of wel?'

'Nee,' roept Filly vanuit de kamer voor haar hoofd onder Brendans arm verschijnt. Ze is naakt op haar haarclipjes na, maar staat daar alsof ze geheel gekleed is. Dit gebrek aan bescheidenheid met betrekking tot haar lichaam wijt ze zelf aan het feit dat ze uit Australië komt. 'Natuurlijk, iedereen in Australië loopt praktisch naakt rond,' verzekert ze me. 'Dat komt door de hitte,' voegt ze eraan toe.

Ik ren de gangen door. Dat is het probleem met kastelen: ze zijn groot. Er zijn veel gangen. Allemaal lang en kronkelig, en de echo van mijn schoenen op de stenen vloeren klinkt ver door. Ik ben vaker in het kasteel geweest en ken de weg, maar mijn hersenen lijken dat vergeten te zijn en ik merk dat ik in paniek raak.

Als ik Blues naam roep – hem schreeuw – weet ik dat de paniek de overhand begint te krijgen. Terug in de keuken liggen de crackers en roomkaas onaangeroerd op Blues schoteltje. Al Pacino heeft zijn schotel schoongelikt en hoewel hij verlangend naar het schoteltje van Blue kijkt, zijn lippen likt en over de crackers heen kwijlt, eet hij ze niet op. De angst grijpt me bij de keel en het kost me moeite te ademen. Blue is gek op roomkaas. Als hij ergens in het kasteel zou zijn, zou hij het ruiken. Zijn reukvermogen is legendarisch, bijna net zo goed als het mijne sinds de intrede van Ellen.

In de hal heeft de draagmand van Blue er nog nooit zo leeg uitgezien. Het deurtje zwaait open en kraakt een beetje door de luchtstroom van de voordeur, die ook openstaat. De slotgracht ligt honderd meter van het kasteel. Niet zo breed als hij zou kunnen zijn, maar breed genoeg. Ik herinner me dat Billy heeft gezegd dat het water niet diep is. Maar het is diep genoeg. Ik denk aan

Blue, vier dagen oud, in een zak die aan de bovenkant is dichtgeknoopt met touw en is verzwaard met stenen. Vijftien stuks. De herinnering steekt me als een dolk en ik kan me niet bewegen. Binnen in me roert zich iets en even weet ik niet wat het is. Ik herken het niet. Ik val uiteen, als een klos garen. Ik merk niet dat ik huil. Maar ik doe het wel. Met lange uithalen, die tegen de muren van het kasteel aan botsen. Ik schok door de kracht van mijn snikken, alsof mijn lichaam niet gewend is aan zo'n stortvloed van tranen. En dat is het ook niet als je bedenkt hoeveel tijd er is verstreken sinds het niet verschijnen van de tandenfee toen ik zesenhalf was. Mijn benen begeven het van de spanning en ik kniel weer zodat de scherpe randjes van het grind in mijn knieën dringen, en daar ben ik blij mee. Ik ben blij met deze pijn. Omdat ik die verdien. Ik ben iemand die dingen kwijtraakt. Ik ben mijn gezin kwijt. Mijn baby, het broertje of zusje van Ellen. Weg. En nu Blue. Mijn Blue. De kat die zijn liefde begraaft alsof het een schat is. Net als ik. In de veronderstelling dat iedereen weet dat hij daar is. Verborgen. Maar hij is er wel.

'O, mijn god, Scarlett, wat is er?' Filly komt het kasteel uit rennen met Brendan, Sofia, Hailey en Glynis in haar kielzog. Ze staan abrupt stil als ze mijn gezicht zien.

'Ben je aan het... huilen?' vraagt Filly.

Daardoor moet ik nog harder huilen, het is alsof de ongeplengde tranen van al die jaren misbruik maken van de situatie. Ze biggelen langs mijn gezicht en vallen als herfstbladeren.

'Natuurlijk huilt ze. Kijk dan naar haar gezicht.' Dat is Sofia, die het vreselijk vindt als mensen een vraag stellen terwijl het antwoord voor de hand ligt. 'O, mijn god,' voegt ze eraan toe, fluisterend nu, en haar handen slaan een kruis voor haar lichaam. 'Is het de baby?'

'Moet ik een ambulance bellen?' oppert Hailey en ze kijkt me aan met een krachtige mengeling van angst en verwarring.

Dan komt Red Butler de voordeur uit, knielt naast me op de scherpe stenen, neemt me in zijn armen en wiegt me als een baby terwijl hij me op mijn rug slaat alsof ik een boertje moet laten en sussende geluiden maakt.

'Achteruit allemaal. Geef haar een beetje lucht,' zegt hij tegen hen alsof ik een hartaanval heb of er iets ernstigs aan de hand is.

'Het gaat om Blue,' kan ik eindelijk uitbrengen en ik maak me los uit zijn armen. 'Ik kan hem niet vinden.'

'Lieve goeie God en de heilige Drie-eenheid,' zegt Sofia en ze heft haar handen smekend ten hemel naar de goden. 'Ik dacht dat het erg was.'

Red kijkt op en beweegt zijn lippen naar Filly.

Ze knikt en richt zich tot de anderen. 'Kom op, allemaal,' zegt ze. 'We gaan in het kasteel zoeken.'

Met mijn gezicht tegen de zachte huid van Reds nek huil ik en ik huil tot zijn T-shirt doorweekt is van mijn tranen.

'Alsjeblieft, niet huilen, Scarlett,' zegt hij. 'Ik vind Blue wel.'

'Het komt niet alleen door Blue,' snik ik. 'Het is alles.'

'Alles komt goed. Dat zul je zien.'

'Niet waar. Je begrijpt het niet. Ik ben alles kwijt. Het is allemaal mijn schuld.'

'Je bent niks kwijt. Het is niet jouw schuld. Stil nu maar. Haal eens diep adem.'

'Ik wilde een abortus.'

'Maar je hebt het niet gedaan.'

'En ik ben de andere baby kwijtgeraakt. Ellens broertje. Of zusje. Zoals ik nu Blue kwijt ben.'

'Maar Ellen is er nog. Haar ben je niet kwijt.'

Ik klamp me vast aan deze woorden en de manier waarop hij ze zegt, zo teder. Ik voel mijn tranen stelpen. Opdrogen. Maar ik wil Red niet loslaten. Hij voelt als een bed waarop ik zou kunnen gaan liggen. Waarop ik zou kunnen slapen.

'Ik vind Blue wel,' zegt hij nog eens en ik trek me van hem los en kijk naar zijn gezicht. Na mijn onthullingen ben ik bang voor wat ik te zien krijg. Maar ik zie alleen maar medeleven op het gezicht dat me zo vertrouwd is geworden.

'Beloof je dat?' fluisterde ik.

'Ja.' Hij geeft me een prop toiletpapier en ik snuit mijn neus en veeg de tranen, het snot en de uitgelopen mascara van mijn gezicht. Red gaat staan. 'Gaat het weer een beetje?' vraagt hij.

Ik knik en hij loopt in de richting van de slotgracht. Ik kan niet kijken.

Op de een of andere manier lukt het me terug te gaan het kasteel in, waar Glynis eigengemaakte kruidenthee voor me zet. De thee smaakt smerig, maar ik heb al mijn aandacht nodig om hem door te slikken en ik ben blij met de afleiding.

'Het is vier uur,' zegt Filly in een poging me op te vrolijken. Ze weet dat ik graag de tijd in de gaten houd. Maar het kan me niet schelen dat het vier uur is en dat Filly en ik een vergadering zouden hebben met Sofia over hun huwelijksbeloftes.

'Wat dacht je van een paar bolletjes met gebakken bacon?' stelt Brendan voor.

Iedereen roept: 'Ja,' met een zorgvuldig opgewekte stem.

'Wat dacht je van een spelletje scrabble?' vraagt Hailey en na een eenstemmig 'Ja' rent Hailey weg om het spel te gaan halen.

Zij spelen. 'Jij mag wel kijken, Scarlett,' zegt Hailey tegen me als duidelijk wordt dat ik niet in staat ben tot zelfs maar het kleinste greintje enthousiasme bij de aanblik van het scrabblebord. Iedereen omzeilt zorgvuldig woorden als 'kat' of 'weg' of 'water' of 'gracht' en hoewel ik kan zien dat Brendan een bonus kan krijgen met zijn letters ('kattig') legt hij in plaats daarvan 'tak'; waar hij maar een paar punten voor krijgt waardoor hij uiteindelijk verliest van Hailey, die, dat blijkt nu, net zo'n scrabblefan is als ik.

Ellen houdt zich rustig. Ik stel me haar voor binnen in me, in elkaar gedoken en wachtend op nieuws van Blue. Ik heb nu al het gevoel dat ik haar in de steek heb gelaten. Twee keer. Ik begin weer te huilen en hoewel Sofia haar ogen ten hemel slaat, geeft ze me een handvol tissues en stelt zelfs voor dat Hailey even naar de theeblaadjes onder in mijn kopje kan kijken om te zien of er een spoor is van Blue.

Als Red de keuken in komt, is hij alleen. Zelfs Al Pacino heeft hem verlaten. Blue is in geen velden of wegen te bekennen. Voor ik de kans krijg om op te staan en mijn handen voor mijn mond te slaan, zegt hij: 'Ik heb hem gevonden,' en iedereen zakt onderuit in zijn stoel van een opluchting die voelbaar is. 'In de stomerijkamer,' gaat Red verder. 'Ik heb geprobeerd hem eruit halen, maar hij begon tegen me te blazen en heeft me op mijn arm gekrabd.' Hij houdt een arm omhoog met van boven tot onder rode striemen. We knikken eendrachtig. Hij heeft Blue echt gevonden. Dat lijdt geen twijfel.

'Is er een stomerijkamer in het kasteel?' vraagt Brendan en hij kijkt een beetje teleurgesteld.

'Ja,' zegt Glynis, 'en een binnenzwembad, sauna en jacuzzi,' voegt ze eraan toe zodat hij in één keer zijn hele portie teleurstelling krijgt in plaats van stukje bij beetje naarmate het weekend vordert.

Ik sta nog te trillen op mijn benen, maar ze dragen me naar de keukendeur. Ik blijf voor Red staan. 'Ik...' begin ik, maar verder kom ik niet door de brok in mijn keel en mijn stem, die hees is na al dat huilen.

'Ik weet het wel,' zegt hij en hij glimlacht naar me en raakt even mijn arm aan voor hij verder de keuken in loopt in de richting van het bord met de bolletjes met bacon.

Zolang het lukt, loop ik, maar al snel ga ik rennen. Ik trek de deur van de stomerijkamer open en daar ligt hij. Met zijn dekentje als een sjaal over zijn hoofd. Hij slaapt. Ik leg mijn hand tegen de warme vacht van zijn kop en behalve dat hij wild klappert met zijn oren, laat hij me begaan. Ellens voet duwt tegen mijn zij en ik leg mijn andere hand tegen het bobbeltje, sluit mijn ogen en adem diep in en uit, alsof het voor het eerst is.

Na de terugkeer van Blue is de wereld veranderd. De lucht ruikt zoeter, de zon is warmer, de smaak van de spinaziequiche van Glynis is als het eerste hapje van een gevulde bonbon na een lange periode van vasten. Welwillend snuif ik zelfs de geur op van de halve koe van Brendan die ligt te braden in de oven. We lopen hopeloos achter op het schema, maar in plaats van me daar zorgen over te maken, speel ik in de ommuurde tuin met een frisbee met Red en Al Pacino en Blue. Hoewel Blue strikt genomen niet meespeelt. Hij ligt in een cirkel zonlicht, likt de restjes van de chocolademousse die Glynis voor hem heeft gemaakt van zijn snorharen en soest wat voor zich uit.

Brendan en Filly zijn een eindje 'lopen', al zijn ze nog niet verder gekomen dan hun slaapkamer om hun wandeluitrusting aan te trekken. Zo noemt Brendan kleren. Uitrusting. Behalve als ze vies zijn. Dan noemt hij ze wasgoed.

Daarna gaan we in het lange gras aan de rand van de kruidentuin liggen. De lucht geurt zoet naar lavendel en kamperfoelie en jasmijn. Het luie gezoem van honingbijen is als een gesprek tussen ons. Red ligt op zijn buik en maakt een ketting van madeliefjes die zo lang is als hijzelf. Zijn bewegingen zijn loom. Ze vloeien als water. Het is ontspannend om naar te kijken. Ik kijk naar hem zonder dat iemand kan zien dat ik naar hem kijk. Al Pacino zit zo dicht als hij kan bij hem zonder boven op hem te liggen. Zijn tong hangt uit zijn bek, dik en roze, en zwaait als de slinger van een klok heen en weer.

'Het is vijf uur,' zegt Red, al heeft hij geen horloge om. 'Worden we niet nu geacht de trouwbelofte te bespreken?' vraagt hij met een sluw glimlachje.

'Hoe weet je... Heb je mijn schema gelezen?'

'Natuurlijk. Dat lag open en bloot op het bed.'

'Mijn bed.'

'In onze kamer.'

Ik schiet in de lach. In een wereld die is veranderd sinds de terugkeer van Blue zit er niet veel anders op.

'Niemand lijkt zich druk te maken over een bespreking van de trouwbelofte,' zeg ik. 'Behalve ik dan.'

'Wat moeten we eigenlijk bespreken?' Red drukt zich omhoog op een elleboog en kijkt naar me. 'Je gaat naar de kerk, zegt "ja" en daarna vier je een feestje.' Hij buigt zich naar voren en legt de krans van madeliefjes om mijn hals. Zijn vingers strijken langs mijn oor en een elektrische stroomstoot schiet door mijn hele lichaam. 'Heb je het koud?' vraagt Red. Kippenvel – rood en opvallend – verschijnt op mijn armen en ik ga rechtop zitten en verberg ze onder de mouwen van mijn vest.

'Een beetje,' lieg ik.

'Hier.' Hij trekt zijn trui over zijn hoofd en zijn witte T-shirt kruipt op zodat een streep donkerbruin haar in de vorm van een pijl van zijn navel tot onder de band van zijn broek tevoorschijn komt. Ik wend mijn blik af. Het is of ik weer terug ben in de nachtclub. Ik denk aan kwantummechanica. Ik weet niet heel veel over kwantummechanica, maar ik denk er toch aan.

'Weet je,' zegt hij alsof hij de elektrische lading tussen ons niet kan voelen, 'als Ellen van mij is, zal ze wel groene ogen krijgen, zoals wij,' zegt hij en hij staart mij in het gezicht, zijn ogen strak gericht op de mijne.

Als ik niet reageer, kijkt Red de andere kant op. 'Ik weet wel dat je hoopt dat ze van John is,' zegt hij langzaam.

'Hoe weet je wat ik hoop?' vraag ik.

'Nou ja, ik weet wel dat je mij afkeurt.'

'Je kunt niet door en door slecht zijn,' zeg ik. 'Je hebt Blue gevonden.'

'Het geeft niet. Ik zou mezelf als ik jou was ook niet goedkeuren.'

'Waarom niet?'

'Je denkt dat ik onbetrouwbaar ben. Dat ik Sofia niet trouw ben.'

'Ach...' zeg ik. 'Dat is toch ook zo.'

'Ja, dat zal wel,' zegt hij na een poosje, 'maar ik wil dat je weet... ik wil dat je wel weet dat ik me normaal gesproken niet zo gedraag.'

Het punt is dat ik niets liever wil dan hem geloven. Ik bedoel, ik gedraag me normaal gesproken ook niet zo. En toch is het die avond met ons tweeën gebeurd. Ik sluit mijn ogen tegen de beelden die mijn hoofd binnen komen denderen, als een aanrijding.

'Hoor eens, het is niet zo belangrijk meer,' zeg ik. 'Wat gebeurd is, is gebeurd en nu moeten we de gevolgen onder ogen zien.'

Dit gesprek leidt ons langs een pad dat smaller en smaller wordt in de richting van een groot moeras.

'Waar is Sofia trouwens?' vraag ik zonder hem aan te kijken en terwijl ik me druk bezighoud met een geel lint dat ik om de halsband van Blue wind.

'Zij en Hailey zijn de stad in gegaan om een hoed te kopen,' zegt Red.

Het is met het woord 'stad' net of hij een marktkraam de supermarkt noemt. Voor zover ik me herinner, is er een pub in het dorp – ik geloof dat die Cassidy's heet – met aan de zijkant een slijterij en een gereedschapswinkeltje. Ze verkopen er ook brood, theezakjes en spruitjes en er staan wel twintig flessen Anaïs Anaïs-parfum. Al denk ik niet dat er veel vraag is naar Anaïs Anaïs-parfum, want de flessen zien eruit alsof ze er al heel lang staan.

Voor zover ik weet, is er geen hoedenwinkel in het dorp.

Red gaat weer in het lange gras liggen, op zijn rug nu, en kriebelt met een grasspriet in het oor van Al Pacino.

Als hij mijn verloofde was, zou ik niet ergens heen gaan met Hailey. Dan zou ik hier in het lange gras naast hem liggen en we zouden ons samen door de zon laten bakken als een tomaten-venkelbrood.

Deze gedachten zijn als de ergste soort gasten, gasten die onaangekondigd en onverwachts op je stoep staan met in elke hand een weekendtas en voldoende kleren om het een hele week bij je uit te houden. Ik schud mijn hoofd om ze te verjagen.

'Je ziet er altijd uit alsof je aan iets ernstigs denkt, Scarlett O'Hara,' zegt hij met de glimlach die nooit ver van zijn mondhoeken verwijderd lijkt.

'Dat deed ik ook,' zeg ik. 'Ik bedoel, dat doe ik ook.' In mijn hoofd zit een beeld dat niets te maken heeft met hoeden of spruitjes. Het is het beeld van een kus. Teder. Zout en warm. Met een zweem van zwarte bessen, subtiel en zoet.

'Waar dacht je dan aan?'

'Ik dacht aan kwantummechanica, als je het wilt weten,' zeg ik met een beetje een verstikte stem, alsof er een hand om mijn keel ligt.

Hij schiet in de lach en ik weet dat hij me niet gelooft. John zou me wel geloven. Daar staat weer tegenover dat John zou willen weten aan welk aspect van de kwantummechanica ik dacht en dan zou ik de mist ingaan, hoewel ik waarschijnlijk iets zou mompelen in de geest van $E=MC^2$.

Ik sta op en veeg mezelf schoon, al zit er geen sprietje gras op me.

'Ga nog niet weg,' zegt hij.

'Nou... ik moet eigenlijk...'

'Er is nog zat tijd. Blijf.'

En hoewel ik mezelf voorhoud dat ik het niet moet doen, blijf ik, alsof het zo eenvoudig is.

We blijven lang op het gras liggen zonder te praten. De lucht boven ons hoofd is babyblauw met wolken als zeepbellen die langsdrijven alsof tijd niets meer is dan een obsceen gerucht. Alsof er niets anders is dan deze dag, dit moment, hier in de stille warmte van de tuin met grassprietjes die de naakte huid van mijn benen kriebelen en in mijn hand het gewicht van Blues poot, die hij daar neer heeft gelegd alsof het per ongeluk ging. We kijken of we vormen kunnen herkennen in de wolken. Ik heb wel eens van dat spelletje gehoord, maar ik heb het nog nooit gespeeld. John zou er niks aan vinden. Ik ben er niet goed in.

'Het is net een sneeuwbal,' zeg ik.

Red heeft meer fantasie. 'Dat is net een stekelvarken op een trampoline, kijk maar.'

'O, ja,' zeg ik nadat ik er een poosje met samengeknepen ogen naar heb gekeken. 'Ik zie elke keer dat hij springt de stekels trillen.'

Ik probeer wat avontuurlijker te zijn. 'Dat is de grot voor het huis van Valentino.'

'O, ja, ik zie wat je bedoelt. Maar ik geloof niet dat hij zo groot is als de grot in de tuin van Valentino.'

Daar moet ik het mee eens zijn. Hoewel het voor elke grot moeilijk is om net zo groot te zijn als de grot in Valentino's tuin.

'Een vuurspuwende draak.'

'Een wensput.'

'Het cijfer zes.'

'Nee, dat is een kat die achter zijn eigen staart aan zit.'

'Blue.'

'Ja, Blue.'

'Bedankt trouwens dat je hem hebt gevonden.' Ik kijk niet naar Red als ik dat zeg en denk aan de dingen die ik hem heb verteld, dat ik mijn zelfbeheersing kwijt was.

'Dat stelt niks voor,' zegt hij. 'Ik zou net zo zijn als het om Al Pacino ging. We zijn familie.' Hij heeft het niet over de dingen die ik hem heb verteld, over hoe overstuur ik was. In plaats daarvan concentreert hij zich op de wolken. 'Die lijkt op een land, maar ik weet niet welk.'

'Bulgarije,' zeg ik na een blik erop.

'Je bent erg slim, of niet, Scarlett?'

'Ik heb gewoon een goed hoofd voor details, meer niet,' zeg ik. Normaal gesproken vind ik het prettig als mensen me een complimentje geven vanwege mijn verstand. Maar vandaag niet. Vandaag had ik liever gewild dat hij zei: 'Je bent heel mooi, of niet, Scarlett?'

Nee.

Ik had liever gehad dat hij vroeg: 'Mag ik je kussen, Scarlett?'

Als hij dat had gevraagd, zou ik niet nee zeggen, zoals ik zou moeten doen.

Ik zou zeggen dat er dan iets heel anders zou gebeuren.

Weet je wat ik zou zeggen? 'Yes. You. Can.'

46

We eten 's avonds buiten. Aan een lange schraagtafel die Glynis heeft gedekt met frisse witte, linnen tafelkleden. Ondanks mijn advies papieren borden te gebruiken staat het Delfts blauwe servies op tafel. Ze heeft een aantal roze bruiloftgerechten bereid: tonijnfilet, rosérisotto en een aardbeienkwarktaart. Brendan snijdt het vlees aan tafel met iets wat eruitziet als een machete en met veel misbaar slijpt hij het mes met een stuk vuursteen dat hij uit zijn messentas tevoorschijn tovert. Iedereen pakt een stuk aan omdat Brendan het als een persoonlijke belediging opvat als je weigert. Zelfs ik, al verberg ik de plak onder een slablad en schuif hem naar de rand van mijn bord zodat het bloed dat er uitdruipt niet in aanraking komt met het voedsel dat ik daadwerkelijk ga eten.

Er hangt een vakantiekampsfeer. Het is Hailey en Sofia zowaar gelukt vanmiddag hoeden te kopen. Voor iedereen een. Ze lagen in een la in de bar van Cassidy's onder de plank met verbleekte flessen Anaïs Anaïs. Hoewel het eerder kapjes zijn dan hoeden. Puntig. Met op de voorkant een ordinaire oranje foto van Cassidy's. Ze staan erop dat we ze dragen en iedereen doet het, zelfs ik.

Er vallen me dingen op aan Red Butler. Hij eet bijna net zoveel vlees als Brendan. In tegenstelling tot Brendan eet hij ook groente. Hij neemt het vocht op zijn bord op met boterhammen die hij opvouwt en in zijn geheel in zijn mond stopt. Hij knoeit. Hij laat zijn vork vallen, bukt, raapt hem op en eet gewoon verder, alsof hij niet vol zit met bacteriën. Hij praat met zijn armen, zijn handen en zijn hele gezicht. Niet alleen met zijn mond, zoals normale mensen.

Hij geeft Al Pacino het lekkerste stukje vlees van zijn bord. En zelfs Brendan – die noch een katten- noch een hondenmens is – heeft het hart niet hem aan te spreken op iets wat hij onder normale omstandigheden een 'onaanvaardbare zonde' zou hebben genoemd.

Sofia zet Hailey aan haar rechter- en Red aan haar linkerkant. Ik probeer me Red en Sofia voor te stellen als echtpaar. Die typische echtpaardingen doen. Zoals kussenslopen kopen. Of ruziemaken over wiens beurt het is om de vaatwasser uit te ruimen. Of zelfs hand in hand zitten. Maar het kost me moeite.

Sofia prikt een stuk vis aan haar vork en geeft het aan Hailey, die glimlacht terwijl ze de tonijn zorgvuldig kauwt, met gesloten mond. Het gebaar is zo intiem dat ik wegkijk en het gevoel krijg dat ik getuige ben van iets wat heel privé is. Ik kom tot de conclusie dat het gemakkelijker is om Sofia en Hailey als een stel te zien dan Sofia en Red. Maar dat slaat nergens op. Niet als Sofia en Red over – ik reken het even snel uit – zes weken en twee dagen gaan trouwen. Ik schud mijn hoofd tot de gedachte loslaat.

Ik bedoel, Sofia en Red lijken elkaar erg aardig te vinden, maar meer zoals ik me voorstel dat een broer en zus elkaar aardig vinden. Sofia geeft hem een elleboogstoot als hij haar plaagt met de roze soutane die ze voor de bruiloft in gedachten heeft voor Padre Marco Marzoni – de broer van Valentino. Hij haalt een wimper uit haar ogen, wat niemand anders lukt, met de punt van een tissue waar hij tussen zijn vingers een klein rolletje van maakt. Hij houdt haar kin in de palm van zijn hand terwijl hij dat doet. Ze zegt dat hij zijn elleboog van tafel moet halen. Hij negeert haar. Ze haalt aardbeien uit zijn kwarktaart en eet ze tamelijk gedachteloos op en hij laat haar begaan. Hij rommelt door haar handtas en haalt er een lippenstift uit die hij over Brendans lippen haalt als we het erover eens zijn dat Brendan een prachtig meisje zou zijn vanwege zijn lange, gekrulde wimpers en zijn fantastisch hoge jukbeenderen.

Mensen vinden Red Butler aardig. Dat is mijn conclusie. Ze kunnen er niets aan doen. Hij is aanstekelijk. Als waterpokken. In plaats van dat ze ziek worden en bultjes krijgen, beginnen ze te glimlachen en voelen zich blij en hoopvol. Al kan dat ook door de wijn komen, moet ik toegeven als de derde fles leeg is en omgekeerd in de ijsemmer staat.

Hailey zingt een nummer – van George Michael – en verbaast iedereen met haar hoge, zuivere klank. En met het feit dat ze voor ons zingt alsof we er niet zijn. Red zingt het refrein mee. Hij heeft geen muzikaal gehoor maar zingt toch, luid en met gesloten ogen, alsof hij zich Luke Kelly waant. Of George Michael.

Brendan en Filly kondigen aan dat ze naar het meer gaan om te 'vissen', al kan het zijn dat ze echt gaan vissen. Brendan heeft een lange, serieus uitziende hengel in een hand en een potje wormen, kronkelend om elkaar en tegen het glas, in de andere. Brendan eet geen vis, die hij classificeert als voedsel voor vegetariërs, maar hij vindt het wel leuk om te vissen. En om vis schoon te maken. Hij is een jager-verzamelaar en dat is een van de miljoenen dingen die Filly zo leuk aan hem vindt.

De maan komt op, groot en rond, en werpt zijn zilveren licht als een spinnenweb over het dennenbos. Er staat een zacht en warm briesje dat mijn huid streelt als vingers. Een gevoel verspreidt zich door mijn lichaam als jam over een scone. Ik kan het niet nader duiden. Maar dan, als ik op mijn horloge kijk en me herinner dat het de bedoeling is dat ik de bruiloftsmuziek ga bespreken met Red en Sofia in plaats van hier te zitten met Ellen en de maan en het meer en de duizenden sterren die hun heldere lichtjes door het zwarte fluweel van de nachthemel prikken, realiseer ik me wat het is. Het is een gevoel van geluk.

47

Het tweede wat ik doe na mijn terugkeer uit het kasteel is een relatietherapeut bellen. Het eerste wat ik doe, is mezelf namelijk een stevige preek geven. Om me te helpen herinneren aan mijn verantwoordelijkheden. Om alles op de juiste plek te zetten. Zoals Red bij Sofia. Nergens anders, niet in de ommuurde kasteeltuin waar hij kinderachtige spelletjes speelt met wolken. Of slapend aan de andere kant van de kamer die we deelden in het kasteel, zijn voeten buitenboord terwijl zijn warrige haar elk stukje van het kussensloop bedekt. Of geknield op de oprit buiten het kasteel met zijn medeleven en vriendelijkheid.

Ik geef mezelf dus een stevige preek. Houd mezelf voor wat mijn verantwoordelijkheden zijn. En ik zet Red Butler en Sofia Marzoni op de juiste plek in mijn hoofd.

Dan ga ik verder naar mezelf en Ellen. Ook op de juiste plek. Ik denk dat dat bij John Smith hoort te zijn. Dat is logisch. John doet oprecht zijn best. Hij is naar huis gekomen. Hij ziet zijn verantwoordelijkheden onder ogen, wat een van de dingen is waarom ik van hem houd. Het minste wat ik nu kan doen, is proberen daarin mee te gaan.

Ik heb het nummer nog van de therapeut die ik heb opgebeld voor Seamus en Sheila Doolally. Twee dagen voor hun bruiloft. Seamus was aangetroffen bij het aanrecht met zijn broek op zijn enkels en de plaatselijke bibliothecaresse rond zijn middel.

Hij dacht dat Sheila die nacht bij haar moeder zou slapen.

Zij dacht dat hij zijn lidmaatschap van de plaatselijke bibliotheek had laten verlopen na een hele serie boetes voor het te laat terugbrengen.

Ik heb het nummer. Het moet een goede therapeut zijn, want hij heeft Sheila weten over te halen de bruiloft door te laten gaan en voor zover ik weet, zijn ze nog steeds getrouwd, al bestellen ze nu al hun leesvoer online.

Dokter Katastraf spreekt vloeiend Engels, zij het met een Roemeens accent. 'Ik heb plaats,' zegt hij als ik zeg wie ik ben.

'Dat is mooi,' zeg ik en ik pak mijn pen. 'Wanneer?'

'Februari,' zegt hij.

'Maar dat is over zeven maanden.'

'Ik weet het,' zegt hij. 'Ik ben de beste. Ik ben de relatietherapeut van de sterren.'

'De sterren?'

'Ja. Ken je Jimmy van *Fair City*?

'Nee, het spijt me, ik... ik kijk niet naar *Fair City*.'

'Jammer,' zegt hij. 'Het is een geweldig programma. Erg ondergewaardeerd.' Hij laat de r rollen zodat het klinkt alsof hij gorgelt.

'Eh, juist...'

'Als je in februari bij me komt, kun je voor de volgende zonnewende getrouwd zijn.'

'Nee, dat is het niet,' zeg ik. 'Weet u, hij heeft me al gevraagd met hem te trouwen.'

'Wat is dan het probleem?'

'Het is... gecompliceerd,' zeg ik ten slotte.

'Niets is gecompliceerd,' spreekt hij me tegen. 'Je houdt van hem, hij houdt van jou, je gaat trouwen. Anders, nee.' Er valt een onheilspellende stilte als hij is uitgepraat en om die op te vullen, maak ik een afspraak. Ik bedenk dat ik tot februari heb om een meer... ander te vinden.

John is deze week ergens in Engeland waar hij aan een fusie werkt. Volgens mij op een industrieterrein in Croydon. Zo straft zijn baas hem voor zijn uitstapje naar Brazilië, hoe kort ook. Ik stuur hem een e-mail en vraag hem me te bellen om te laten weten wanneer hij terug zal zijn. Ik zeg dat er iets is waarover ik met hem wil praten. Ik vertel hem niet wat, maar ik zet een smiley aan het eind van de mail om hem te laten weten dat het niks vervelends is. Ik vertel hem wel over dokter Katastraf als hij terug is. Ik weet dat hij dat zal beschouwen als vooruitgang en dat is het eigenlijk ook wel. Het is het beste wat ik kan doen. Voor Ellen.

Filly komt binnen met haar gebruikelijke 'goedemorgenhetspijtmedatiktelaatben', twee mojito's zonder alcohol, een wit bolletje met bacon (voor haar) en een sandwich met gebakken aardappelen en bruine saus (voor mij).

'Ik heb een tijding,' zeg ik met mijn Cyril Sweeneystem.

Filly, die Cyril maar één keer heeft gezien en vindt dat dat genoeg is, schiet in de lach. 'Wat voor tijding?' vraagt ze terwijl ze haar ontbijt uit de zak vist.

'Ik weet het al sinds vorige week, maar ik wilde niks zeggen. Tegen niemand. Tot ik de kans had om er zelf over na te denken.' Het is plotseling belangrijk dat Filly dat begrijpt.

'Heb je het aan iemand anders verteld?' vraagt ze. Ik schud mijn hoofd. 'Dan is het goed,' zegt ze en ze wuift met een polsbeweging mijn bezwaren weg. 'Kom maar op.' Ze stopt het bolletje zo ver mogelijk in haar mond voordat ze erin bijt.

'Ik heb de baan.' Ik had het niet moeten zeggen. Niet op dat moment. Niet terwijl ze haar mond vol brood heeft. Want het lukt haar om iets uit te brengen wat lijkt op 'Omijgot!' en dan stikt ze bijna in iets wat we later definiëren als een stuk bacon. Ze wordt helderoranje. Gelukkig is de Heimlichmanoeuvre me niet vreemd aangezien ik ben opgegroeid tussen mensen die niets liever doen dan praten, met of zonder eten in hun mond. Het is wat lastig met Ellen tussen Filly's rug en mijn voorkant. Ik sla mijn beide armen om het tengere lijf van Filly, net onder haar ribben en druk zo hard als ik kan zonder haar te breken of Ellen plat te drukken. Het stuk bacon vliegt haar mond uit op het moment dat Elliot in de deuropening verschijnt. De bacon landt midden op zijn voorhoofd en blijft daar vastzitten. Filly en ik gieren van de lach. Elliot bekijkt zichzelf van onder tot boven, beklopt zichzelf overal en zoekt naar de bron van onze hysterische lachbui. Pas als de bacon vanzelf loslaat van zijn voorhoofd en met een salto op een van zijn schoenen landt, valt het kwartje.

'Letty heeft de baan,' zegt Filly om hem af te leiden.

'Dat wist ik toch,' zegt Elliot en hij schopt met zijn schoen tegen de prullenbak tot de bacon er afvalt. 'Daarom is Gladys er zeker vandaag niet.' Hij gaat rechtop staan en glimlacht naar me.

'Waar is ze?' vraag ik.

'Ze moet het bed houden, deze keer zonder het gezelschap van ene Simon Kavanagh, volgens Lucille en Eloise.'

'Hij heeft haar gedumpt?' Het zat er natuurlijk in, maar de timing lijkt bijzonder wreed, zelfs voor Simon.

'Direct nadat hij terug was van de Yankee Doodle, schijnt het.' Elliot pakt een KitKat uit zijn zak, haalt de verpakking eraf en biedt Blue de helft aan in ruil voor een plek op de bank, wat Blue accepteert. Elliot gaat op de bank zitten. 'De Yanks hebben lucht gekregen van Simons verschillende... buitenechtelijke stimulansen en dat beviel ze niet.'

'Hoe zijn ze erachter gekomen?' vraagt Filly, die om zich heen kijkt alsof er minuscule cameraatjes in de muren zitten en waarschijnlijk denkt aan die keer dat Brendan haar op een maandagavond laat kwam ophalen van haar werk en ze een kleine 'sessie' in de bestuurskamer hebben gehouden.

'Was Eloise niet een paar weken geleden naar het kantoor in New York voor een financiële conferentie?' vraag ik.

'Nee, dat was Lucille, geloof ik,' zegt Elliot. 'Maar evengoed... ik begrijp wat je bedoelt.'

'Hoe dan ook,' zeg ik, 'ik heb de baan niet aangenomen.'

Aanvankelijk zeggen ze geen van beiden iets omdat ze denken dat ze het niet goed hebben verstaan.

'Wat zei je, Scarlett?' De brede glimlach van Filly wordt steeds kleiner tot hij over de rand van haar gezicht tuimelt, als een man van een klif.

'Ik heb gezegd dat ik de baan niet wilde.' Elliots mond hangt open en zonder glimlach ziet Filly's gezicht er leeg uit.

'Maar... maar... maar...' begint Filly zonder te weten waar ze moet beginnen. 'Hoe zit het dan met onze plannen?'

'Ik weet het, Filly,' zeg ik, 'en het spijt me, maar mijn plannen zijn veranderd. Als ik deze baan aanneem, zie ik Ellen alleen maar in het weekend, en zelfs dat is niet zeker.'

'Ja, maar...'

'Ik had ook niet gedacht dat ik het zo zou voelen.'

'Ja, maar...'

'Ik bedoel, ik heb wel eens iets over moederinstinct gelezen. Boeken vol zijn erover geschreven. Ik dacht alleen dat ik het niet zou hebben. Ik dacht dat het een van die dingen was. Zoals kleurenblindheid. Iets waarmee je bent geboren. Of niet.'

Verslagen laat Filly zich in een stoel vallen.

'Maar nu blijkt dat ik het toch heb.'

Filly knikt en probeert te glimlachen, alsof ze heel blij is met de ontdekking van mijn moederinstinct.

'Maar ik heb een plan B,' zeg ik.

'Wat is plan B?' vraagt Filly zonder veel hoop of enthousiasme. 'Wil je een crèche beginnen?'

'Jemig, nee. Moederinstinct is al erg genoeg.' Ik krijg een beeld voor ogen van mij in een ruimte met twintig baby's, allemaal met natte, rode gezichtjes van het huilen en krijsen. En allemaal zoeken ze troost bij mij. 'Ik denk erover om voor mezelf te beginnen. Na de geboorte van Ellen. Misschien als ze een halfjaar is. Ik heb een huis gezien in Clontarf dat we kunnen huren. Het heeft een grote zolder die ik kan gebruiken als kantoor.'

'We?' Dat is Elliot.

'Ik en Ellen,' zeg ik. 'Het is niet ver van de flat van John, dus kan hij haar komen bezoeken wanneer hij wil. Phyllis heeft gezegd dat ze een poosje wil komen logeren als ik weer aan het werk ga, om op Ellen te passen.'

'Je gaat niet met John Smith trouwen?' Filly klinkt opgelucht.

'Ik heb voor ons een afspraak gemaakt,' zeg ik tegen ze. 'Met een relatietherapeut.'

Dat moeten ze even tot zich laten doordringen. Dan wendt Elliot zich tot Filly en haalt zijn schouders op. 'Nou ja, als het werkt voor de Doolally's...' zegt hij zonder zijn zin af te maken.

Filly knikt langzaam. 'Dus misschien trouw je alsnog met John Smith,' zegt ze.

'Nou...' begin ik. 'Ik denk niet... het is waarschijnlijk een goed idee. Het is het beste om te doen. In verband met Ellen en zo. Het creëert stabiliteit voor haar. Daar houden kinderen van.'

Elliot zucht. 'Je bent zo verstandig,' zegt hij op melancholieke toon.

Ik geef hem een klopje op zijn arm. 'Zo word jij ook nog wel,' verzeker ik hem. 'Op een dag.'

Hij kijkt me aan. 'Denk je dat echt?'

'Nee, niet echt,' moet ik toegeven. 'Maar niks is onmogelijk.'

'En hoe zit het dan met Red Butler?' vraagt Filly, die me een zijdelingse blik toewerpt.

Ik verschuif wat papieren op mijn bureau. 'Hij kan ook bij Ellen op bezoek komen. Als... als de dingen zo gaan en hij dat wil. Valentino heeft voor Sofia een huis gekocht in Drumcondra. Het is vanaf daar niet ver naar Clontarf.'

'Zo te horen is alles al in kannen en kruiken,' zegt Filly, die nog steeds in elkaar gedoken in de stoel zit.

'Ik zal wel hulp nodig hebben. Een assistente. Een weddingplanner. Iemand om het werk te doen terwijl ik zorg voor klandizie.'

Filly heft haar hoofd een klein beetje zodat ze mijn gezicht kan zien. Ik glimlach naar haar.

'Bied je me een baan aan?'

'Natuurlijk, grote Australische sukkel. We dacht je dan dat ik deed?'

'Wil je mij in godsnaam geen baan aanbieden, Scarlett,' zegt Elliot. 'We weten allemaal wat een lijntrekker ik ben.' Dat is waar maar het doet me toch goed dat Elliot het zelf hardop zegt. Ik ben blij dat hij hier geen probleem mee heeft.

'Nu ga je me zeker omhelzen, of niet?' zeg ik maar en in plaats van te roepen 'lamelos', zoals ik normaal gesproken zou doen, merk ik dat ik als eerste mijn armen om hem heen sla en ik druk hem tegen me aan alsof mijn leven ervan afhangt, wat niet zo gemakkelijk is als het klinkt, omdat Ellen ertussen zit.

'O,' zegt hij als ik hem weer neerzet, 'welke cliënten pik je mee?' Elliot, die een beetje ordinair wordt als hij opgewonden is, wrijft in zijn handen met een glimlach die net zo breed is als die van een cheshirekat.

'Elliot, natuurlijk pik ik geen cliënten mee,' zeg ik, ontzet bij het idee. 'Maar ik kan er natuurlijk niks aan doen dat Chiara Marzoni heeft gevraagd of ik volgend jaar in de zomer haar bruiloft wil organiseren, zeg nu zelf?'

'Is dat een nicht van Sofia?'

'Achternicht van vaderskant,' zeg ik. 'En ze heeft zes zusters, allemaal in de trouwleeftijd en allemaal met een relatie van minstens een halfjaar.'

'O, je pikt de Marzoni's mee? Dat wordt lachen,' zegt Elliot, die een horlepiep danst. Hij stopt als Blue – die niet van dansen en zeker niet van de horlepiep houdt – zijn kop twee centimeter optilt van de bank.

'Dan hebben we de poppen aan het dansen,' zegt Filly, maar ze lacht weer.

'Ik wil helemaal geen poppen aan het dansen zetten,' zeg ik. 'Ik heb Simon precies verteld wat mijn bedoeling is. Ik wil dat alles voor iedereen duidelijk is. Het is essentieel om een goede werkrelatie te onderhouden met Extraordinary Events International.'

'Hoe heeft Simon het opgevat?' Filly en Elliot vragen het tegelijk.

'Hij is razend,' moet ik toegeven. 'Maar je kent Simon. Hij komt er wel overheen. Na verloop van tijd.'

Ze kijken me aan met een mengeling van verbazing en medelijden. Ik kan niet ontkennen dat de zwangerschap – Ellen – mijn onmiskenbare gevoel voor realisme vervangen lijkt te hebben door een ongebreidelde fantasie en optimisme.

'Goed dan, na verloop van een heel lange tijd,' geef ik toe en deze bekentenis verzacht de bezorgdheid op hun gezicht.

'Nou, het wordt ook wel eens tijd,' zegt Elliot ten slotte. 'Ik begrijp niet waarom je niet al eeuwen geleden voor jezelf bent begonnen.'

'Dat durfde ik niet,' geef ik toe. 'Ik was bang voor het risico.'

'En nu?' vraagt Filly.

'Nu?' herhaal ik en ik denk erover na. 'Nu heb ik verschrikkelijke trek in groene olijven,' bedenk ik plotseling.

'Maar je houdt niet van olijven.'

'Dat weet ik. Daarom snak ik er ook naar.'

'Ik weet de perfecte plek voor de lunch,' schreeuwt Elliot, die een wandelende encyclopedie is van eetgelegenheden. 'Olive Branch. Die is pas vorige week geopend dus heb ik er nog niet veel over gehoord. Maar...' hij zwijgt even om zich ervan te vergewissen dat hij onze onverdeelde aandacht heeft, '... ze serveren alles met olijven. Ze hebben zelfs ijs met olijvensmaak.'

Het water loopt me in de mond als ik dat hoor en ik proef het al op mijn tong, al kan ik me niet voorstellen hoe een olijvenijsje moet smaken.

'Maak je geen zorgen, Filly, ze hebben ook chocolade-ijs,' zegt Elliot en hij klopt op Filly's arm in een poging de blik van afgrijzen van haar gezicht te laten verdwijnen. 'Kom op, ik trakteer.'

'Nee, ik trakteer,' zeg ik. 'Ik was degene met de trek en het grote nieuws.'

Elliot rent het kantoor uit om toch zijn portemonnee te gaan halen.

Filly wacht tot hij buiten gehoorsafstand is. 'Weet je het zeker van die therapie met John? En Red Butler? Ik dacht... op het kasteel... ik weet het niet... jij en Red... nadat hij Blue had gevonden...'

'Ik was nogal emotioneel,' beken ik en ik word rood bij de herinnering. 'Maar nu gaat het weer goed, dus is het tijd om me te concentreren op mijn werk, en dat is Sofia Marzoni en Red Butler zonder problemen De Dag door krijgen, begrepen?'

'Appeltje, eitje,' zegt Filly op haar gebruikelijke positieve manier, maar ze bekijkt me iets te aandachtig naar mijn zin en ik ontwijk haar blik en schuifel wat heen en weer. Ik heb Red opgeborgen in een doosje in mijn hoofd waar nog meer onwenselijke gedachten in zitten. Het doosje rammelt als je ermee schudt. Het bevat, behalve Red, eigenlijk maar één andere onwenselijke gedachte; die ik had toen ik veertien was met betrekking tot een bepaalde wiskundeleraar met kuiltjes in zijn wangen en haar dat net lang genoeg was om 'cool' te zijn, maar niet zo lang dat hij op het matje werd geroepen bij zuster Eithne (de hoofdnon). Ik heb het doosje met plakband en nietjes dichtgemaakt. Afgaande op de manier waarop ze naar me kijkt, ben ik bang dat Filly er alles van weet.

'Dus,' zeg ik joviaal. Ik pak een papiertje van mijn bureau en ritsel ermee tussen mijn handen.

'Het is een eigenaardig stel, vind je ook niet?' vraagt Filly, die mijn joviale 'dus' negeert, terwijl ze toch weet dat ze nu geacht wordt van onderwerp te veranderen.

'We hebben wel eigenaardiger stellen getrouwd,' zeg ik tegen haar en ze knikt langzaam.

'Hij is erg lief, vind je ook niet?' vraagt ze, voornamelijk aan zichzelf. Ze glimlacht en ik weet dat ze zijn gezicht in gedachten voor zich ziet.

En als de zon die op een heldere dag achter de horizon opkomt, verschijnt me een beeld voor ogen. Red, in de keuken van het kasteel om twee uur 's nachts.

'Kun je niet slapen?' vraagt hij. Ik zit op een stoel en lees de beursberichten in een poging mezelf in slaap te vervelen.

'Nee,' zeg ik. 'Het spijt me. Ik wilde je niet wakker maken.'

'Ik ben niet wakker geworden door jou,' zegt hij grinnikend. 'Dat heeft Blue gedaan. Hij lag te jammeren nadat je weg was gegaan.'

'Sorry. Hij is bang in het donker. Ik had hem mee moeten nemen.'

'Ik zal een Red Butler Special voor je maken,' zegt hij en hij opent verschillende kastdeurtjes tegelijkertijd. 'Daar krijg je gegarandeerd slaap van, het werkt voor de meest hardnekkige slapelozen.'

'Ik heb alles al geprobeerd,' waarschuw ik hem.

'Vertrouw me maar,' zegt hij en hij gooit melk in een beker en zet die in de magnetron. Hij verdwijnt door de keukendeur en ik hoor hem in de kruidentuin van Glynis. Zo te horen trekt hij sommige planten met wortel en al uit de warme grond. Nu is hij terug de keuken en snijdt en wrijft en schilt en raspt. Daarna stampt hij alles in een vijzel tot pulp. Hij doet dat allemaal alsof ik er niet ben en hem niet gadesla. Hij beweegt zich door de keuken of hij daar al zijn hele leven woont.

'Probeer het maar,' zegt hij als hij ten slotte de beker melk met het... goedje... voor me neerzet. Ik drink het op. Met zijn armen voor zijn borst gekruist kijkt hij naar me. 'Probeer het allemaal op te drinken,' zegt hij en ik voel me weer zes terwijl Phyllis haar best doet me mijn hoestdrank te laten innemen.

Ik doe wat me wordt gezegd en het valt wel mee. Het is een beetje zoet. Als honing. Ik drink het allemaal op. Hij knikt naar me. 'Goed zo,' knikt hij. Daarna pakt hij mijn hand en gaat me voor de trap op. En hij stopt me in, zo strak dat ik me nauwelijks nog kan bewegen. En ik voel dat mijn ogen dichtvallen, ondanks zijn nabijheid. En voor ik tijd heb om te denken aan de toestand waarin we de keuken hebben achtergelaten – vieze beker op tafel, bakjes en blaadjes en wortels en rommel op de snijplank op het aanrecht, een melkpak, leeg in de gootsteen – word ik door warme handen opgetild en neergezet op een plek die donker is en troostrijk en stil. Het zou de plek kunnen zijn waar normale mensen slapen. Die heb ik me al zo vaak voorgesteld. Ik nestel me ertegenaan en wat het ook is, slaat zijn armen om me heen en zo slaap ik tot de nacht voorbij is. Als ik wakker word, glimlach ik als ik zie dat de zon al op is.

Nu kijk ik naar Filly en ik knik. 'Ja,' zeg ik. 'Hij is heel lief. Sofia mag van geluk spreken.' Ik ga staan en schud het beeld van me af als regenwater, dwing het terug het doosje in en ga erbovenop zitten zodat het niet kan ontsnappen.

48

Het vliegtuig van John landt vrijdagmiddag om exact vijf minuten voor zes, wat geheel volgens schema is. Dertien minuten later stapt hij door de schuifdeuren de aankomsthal binnen met een koffer op wieltjes achter zich aan. Het is de koffer die ik altijd zijn 'stewardessenkoffer' noemde. Alleen door ernaar te kijken weet ik al dat hij niet zwaarder is dan toegestaan. Dat zou hem nooit overkomen.

John begeeft zich naar de uitgang zonder links of rechts te kijken. Hij loopt straal langs me heen met de tred van een man die niet verwacht dat er iemand op hem staat te wachten. En wie zal hem dat kwalijk nemen? Dit is de eerste keer dat ik ooit naar het vliegveld ben gekomen om hem op te wachten. Dat zou niet zo moeten zijn, maar het is wel zo. Ik moet moeite doen om hem in te halen.

'John.'

Hij vertraagt zijn pas en kijkt om zich heen.

'John Smith.'

Hij staat stil, kijkt achter zich en dan vinden zijn ogen mij. 'Scarlett? Wat doe jij in vredesnaam hier? Gaat alles wel goed?' Hij ziet er moe uit en zijn huid staat strak gespannen over de fijne beenderen van zijn gezicht. De bulten en beten zijn allang verdwenen. Met zijn gesteven overhemd en eenvoudige kostuum ziet hij eruit zoals hij er altijd heeft uitgezien.

Ik glimlach naar hem. 'Alles is oké, John,' zeg ik. 'Ik wilde je verrassen, meer niet.'

Het moet gezegd worden, hij kijkt verrast. Geschokt zelfs. Dat maakt me verdrietig. En ik vraag me af waarom we ooit hebben besloten dat we elkaar nooit op het vliegveld zouden ophalen. Welk stel besluit er nou zoiets? Ik kan me niet eens herinneren dat we het er ooit over hebben gehad. Ik denk dat het een soort gewoonte is geworden.

'Kom mee,' zeg ik tegen hem.

'Waar naartoe?' John moet altijd weten waar hij naartoe gaat voor hij er is.

'Ik neem je mee uit eten,' zeg ik, al heb ik al gegeten. Ik ben tegenwoordig net een bootwerker. Ik eet midden op de dag een warme maaltijd.

'O,' zegt hij en hij glimlacht. 'Dat zou heel leuk zijn, maar...' Zijn glimlach vervaagt. 'Het zit zo,' zegt hij, 'weet je, ik heb al gegeten.' Hij zwijgt. 'In het vliegtuig bedoel ik.'

'Heb je de maaltijd in het vliegtuig opgegeten?'

Hij knikt, ontdaan. 'Ik was afgeleid. Ik dacht aan andere dingen. En ik heb geknikt toen de stewardess me naar het eten vroeg. En ze was zo blij verrast toen ik knikte dat ik niet de moed had tegen haar zeggen dat ik niks wilde.'

'Waar moest je dan aan denken?' vraag ik alsof we niet midden in de aankomsthal van Dublin Airport staan op de drukste avond van de week. Alsof er geen lawaaierige menigte om ons heen is. Alsof we met zijn tweeën zijn. Zonder andere mensen.

John fronst geconcentreerd zijn wenkbrauwen. 'Nou ja, aan ons, natuurlijk.'

'Natuurlijk?'

'Natuurlijk,' herhaalt hij en hij kijkt me verward aan. 'Waar zou ik anders aan moeten denken? En aan Ellen, natuurlijk,' voegt hij eraan toe en zijn gezicht wordt zacht als boter in de zon.

'Ik heb ook aan die dingen lopen denken,' zeg ik tegen hem.

'Aan Ellen?'

'En aan ons. Aan Ellen en aan ons,' zeg ik tegen hem.

Hij kijkt me aandachtig aan voor hij zichzelf toestaat te glimlachen. 'Daar ben ik blij om,' zegt hij.

Ik haal diep adem. 'Ik denk dat het voor Ellen het beste zou zijn als we ons presenteren als... een eenheid.'

'Je bedoelt een gezinseenheid?' vraagt John bezorgd.

Ik knik.

'Daar ben ik het mee eens,' zegt hij.

Ik vertel over dokter Katastraf. Niet dat hij therapeut is van de sterren, maar dat hij een gaatje heeft, al is dat pas volgend jaar februari. En over de Doolally's. Het wonder van de Doolally's.

John laat het handvat van zijn koffer los en steekt zijn armen naar me uit. Zijn stoppels schrapen langs mijn gezicht. Met Ellen tussen ons in passen we niet tegen elkaar zoals vroeger. We trekken ons tegelijk terug.

'Dus,' zegt John. Er valt een gespannen stilte. Dan de vraag. 'Zal ik iets voor ons koken?' vraagt hij. 'In de flat, bedoel ik?'

Ik weet precies wat hij bedoelt. Maar ik ben er nog niet aan toe om terug te gaan naar de flat. Nog niet. Ik ben bang dat die nog precies zo zal zijn als toen ik wegging. Geen veranderingen, ondanks alles.

John haast zich de stilte op te vullen. 'Nee, je hebt gelijk, laten we uit eten gaan. We hebben iets te vieren. Ik denk dat ik wel een kop soep lust. Of misschien een groene salade.'

Hij pakt het handvat van zijn koffer en begint te lopen alsof hij niet heeft stilgestaan, nu met mij naast zich, en onze benen bewegen zich precies tegelijk, als in een race op drie benen.

49

Als ik in Tara kom, ligt Maureen in bed. Het komt door het toneelstuk, *Romeo en Julia: de musical*. Dat is uitgesteld, niet in de laatste plaats door het opmerkelijke herstel van ene Olwyn Burke, die, zodra ze hoorde dat Maureen O'Hara het er helemaal niet slecht van afbracht als het kindermeisje van Julia, opstond, zich aankleedde en riep om 1) haar arts, 2) een kop earl grey, 3) een zoetje en 4) twee volkorenbiscuits met boter, op elkaar geplakt als een sandwich. Haar herstel verliep zo voorspoedig dat een van de artsen – een stagiair – dat nu gebruikt als basis voor de thesis waarop het grootste deel van zijn masterscriptie gebaseerd zal zijn.

Hoe dan ook, met de opstanding van mevrouw Burke uit de bijna-dood heeft Cyril ermee ingestemd de opvoering uit te stellen zodat Olwyn langer kan repeteren.

Maureen is er kapot van. Phyllis wordt helemaal stapelgek van haar eisen, zoals geroosterd brood in driehoekjes zonder korst en gevulde chocolade-eieren waar de vulling uit gehaald is. Ze houdt niet van de vulling. En ondanks het feit dat het zomer is en paaseieren in deze tijd van het jaar moeilijk te krijgen zijn, weet Phyllis er twee te pakken te krijgen waarvan ze de vulling verwijdert. Ze doet ze in een eierdopje en levert ze af bij Maureens boudoir, zoals die dat graag noemt.

Ik heb haar nog niet verteld dat de nieuwe datum voor het toneelstuk dezelfde dag is als de bruiloft van Sofia. Ik wacht op het juiste moment om haar dat te vertellen. Dat moment is nog niet gekomen.

Het eigenaardige is dat de paniekaanval van Maureen niet het gebruikelijke effect heeft op mij. Ik bedoel, ik doe alles wat ik normaal gesproken ook zou doen – ik leg lavendel tussen de bladzijden van haar zelfhulpboeken, maak voor het naar bed gaan koffie met warme melk en Baileys voor haar, wrijf make-up op de vermoeide huid van haar gezicht voor ze Red of Declan toestaat haar te bezoeken – maar sinds mijn terugkeer van het kasteel heb ik me meer verzoend met de stand van zaken. Ik vecht er niet meer tegen. Ik ontspan me. Het lijkt erop dat ik er zelfs plezier in krijg.

Het drama van Maureen is als een stukje leven dat afglijdt langs de heerlijke cocon die ik voor Ellen en mijzelf heb gesponnen. Het lijkt wel of Maureen dat voelt en ze keert eerder dan ze normaal gesproken zou doen naar ons terug, nog steeds betraand, maar stoïcijns. Ze verklaart dat ze een vestje gaat breien voor Ellen. Een roze vestje.

'Als die verdomde Olwyn Burke babyvestjes kan breien, dan kan ik het toch zeker ook,' brult ze vanaf haar ziekbed naar beneden.

Olwyn Burke heeft drie kleinkinderen, maar die mogen haar geen oma noemen. Die moeten haar Olwyn noemen, wat nogal moeilijk uit te spreken is als je respectievelijk vier, tweeënhalf of een halfjaar oud bent.

Tot nu toe heeft Maureen twee mouwen af, waarvan de een langer is dan de ander, maar het houdt haar bezig, dus levert niemand commentaar op deze onregelmatigheid.

'Wil je dat Ellen mij oma noemt?' vraagt ze me.

'Alleen als je dat wilt,' verzeker ik haar.

'Ik zal... ik zal... ik zal de oma zijn van het arme schaap,' neemt ze zich plotseling voor en ze plengt weer een paar tranen uit ogen die bijna dichtzitten van al het huilen en jammeren.

Daar denk ik over na. Het is waar dat Maureen Ellens enige oma zal zijn, wie de vader ook is. Ze is met recht een arm schaap.

Maar zelfs deze gedachte brengt me niet van mijn stuk. Ik ben als een veertje dat drijft op een briesje terwijl het leven langs haar heen raast. Het gebeurt langzaam. Het komt door Ellen. Ze neemt me helemaal in beslag. Elke gedachte die ik heb, leidt naar haar. Ik zie haar terug in het dunne bruine lijntje dat in week 26 in het midden van mijn buik verschijnt. Ik ben opgetogen. Helemaal volgens het boekje. Helemaal ik. Ze is in de lichte zwelling van mijn enkels en polsen waarvan de dokter zegt dat het 'normaal' is, zoals bij elk symptoom dat ik heb. Ze is te vinden in de flessen maagzuurremmer, die ik drink als water. Ze is in de blikken die mensen op mijn buik werpen, hun glimlach naar mij alleen vanwege Ellen. Ellen, wier ogen zo blauw zijn als de hemel op een zonnige dag, als de dagen in elkaar overgaan zonder dat ik weet welke dag het is.

Red Butler is ook een stukje leven dat voorbij komt rollen. Hij heeft er een gewoonte van gemaakt kleine cadeautjes voor Ellen op kantoor te brengen. Een boxpakje – roze – met teddyberen en konijntjes en lammetjes. Een paar laarsjes – wit met roze honden – onmogelijk klein en met een veter bovenin. Een hoedje – roze met oranje hartjes – dat nauwelijks om zijn vuist past.

'Moet je dit zien,' zegt hij en hij haalt een of ander geval uit een grote Prenataltas. 'Het is een draagband.' Hij wikkelt het geval om zichzelf heen. 'Daar leg je de baby in,' zegt hij en hij wijst op de buidel aan de voorkant. 'Ik zal het demonstreren met deze teddybeer.' Hij pakt een knuffelbeer – geel met roze puntjes aan de oren en poten – uit de Prenataltas en zet die voorzichtig in de buidel. Hij verdwijnt meteen door een gat voor het beentje. 'O,' zegt hij. 'Dat was niet de bedoeling.'

Snel lees ik de gebruiksaanwijzing door. 'Hier,' zeg ik, 'dit moet hierheen en dan moet deze riem om je middel, zo, en dan gaat die daar vast en dan moet je dat hierin klikken en... zo, klaar.'

'Hoe wist je dat allemaal?' vraagt hij bezorgd.

'Ik... eh... ik heb de gebruiksaanwijzing gelezen.'

Red kijkt beschaamd. 'Daar heb ik nooit aan gedacht,' zegt hij. 'Jezus, ik heb haar nu al laten vallen en ze is nog niet eens geboren.' Hij raapt de beer op van de grond en houdt hem tegen zijn borst terwijl hij zachtjes op zijn rug klopt. 'Ik kan haar tenminste wel een boertje laten doen. Kijk maar, ik heb geoefend.'

Ik heb er nog niet over nagedacht hoe ik haar moet vasthouden. 'Laat mij eens,' zeg ik en hij geeft de beer aan mij en die leg ik in de holte van mijn linkerelleboog en we kijken naar de beer en ik vergeet helemaal me belachelijk te voelen omdat ik het doe zoals het hoort.

'Oefen je nu hoe je een baby moet vasthouden?' Het hoofd van John verschijnt om de hoek van de deur, zoals steeds sinds ik hem op het vliegveld heb verrast. Ik schrik en laat de beer vallen, wat al de tweede keer is binnen vijf minuten, wat niet geeft als je een teddybeer bent maar wat niet zo handig is als je een echte, levende baby bent die voor alles afhankelijk is van jou.

'Hallo, John,' zegt Red, die zich omdraait en glimlacht.

'Ik zag niet dat je bezoek had.' Johns stem klinkt scherp, maar zelfs hij moet glimlachen als Red naar hem lacht. Alsof hij er niets aan kan doen.

'Kom binnen,' zeg ik. 'Red ging net...'

'Weg,' maakt Red de zin voor me af. 'Dag, Scarlett. Tot gauw.' Dan laat hij zijn hoofd zakken en hij praat naar mijn buik. 'Dag, baby Ellen. Tot gauw.'

John doet de deur achter hem dicht. 'Ik kwam dit even brengen,' zegt hij en hij laat een Prenataltas op mijn bureau vallen.

'Wat zit erin?' vraag ik.

'Een borstpomp en borstkompressen en zalf die je op je tepels kunt smeren om te voorkomen dat je kloven krijgt en ze gaan bloeden.'

'O,' zeg ik. 'Eh, bedankt.'

Ik zit aan tafel en help Phyllis erwten doppen.

'Hoe gaat het met de bruiloft van de Marzoni's?' vraagt ze.

Ik druk mijn vingers tegen een peul en vier erwten schieten mijn mond in. 'Prima, geloof ik,' zeg ik en ik concentreer me op de knapperige zoete smaak.

'Geloof je?'

Ik knik.

Nog een week te gaan. Maar van een huwelijksreis is nog geen sprake, roze of anderszins gekleurd. Sofia zegt dat ze 'tot haar tieten' in het werk zit. Red heeft het druk met Bryan en Cora, met de montage van *The Jou ney*, waarvan Bryan zegt dat ze er prijzen mee gaan winnen. Ze hebben het wel gehad over de week na Kerstmis.

'Misschien Napels,' zegt Sofia als ik haar ernaar vraag.

'Misschien Galway,' zegt Red op een toon waaraan je kunt horen dat ze het er niet over hebben gehad. Ik begrijp het niet. Ik doe er eigenlijk niet eens mijn best voor. Het is weer een stukje leven dat langs me heen schiet.

'Scarlett, straks zijn alle erwten op voor ik ze heb kunnen koken,' onderbreekt Phyllis mijn trage gedachtestroom.

'Sorry.'

'Hoe is het met Ellen?' vraagt ze. 'De schat.'

'Ze is vandaag een beetje... wriemelig,' zeg ik. 'Alsof ze geen lekker plekje kan vinden.'

'Waarom ga je niet op een stoel in de tuin zitten? Het is een heerlijke dag.'

'Om wat te doen?'

'Niets. Gewoon om te zitten.'

'Niets? Meen je dat?'

'Ja. Dat moet je eens proberen. Wie weet bevalt het je.'

'Goed,' zeg ik en ik sta op, langzaam nu, en ik zet mijn benen een stukje uit elkaar en leg mijn hand tegen mijn onderrug, als een ervaren zwangere vrouw. 'Phyllis,' zeg ik als ik bij de deur gekomen ben en ik draai me om.

'Hmm,' zegt ze, omdat ze niet kan praten met haar mond vol erwten.

'Denk je dat ik een goede moeder zal zijn?'

Phyllis is niet iemand die je vertelt wat je wilt horen. Ik houd mijn adem in en wacht op het antwoord. Ze denkt erover na, haar hoofd een beetje scheef, en kauwend en kauwend tot de erwten weg zijn. Als ze haar mond opendoet om te praten, is haar tong groen.

'Weet je, Scarlett,' zegt ze, 'een goede moeder is niet iets wat je bent of niet bent. Het is iets waar je aan moet werken. Elke dag. Hoewel ik er geen verstand van heb.' Ik heb er nooit eerder bij stilgestaan dat Phyllis kinderloos is. 'Denk je...?' Ze maakt haar zin niet af en schudt haar hoofd.

'Ga verder,' zeg ik. 'Wat wil je vragen?'

'Het doet er niet toe.' Phyllis knijpt een peul open en laat vier erwten in haar mond glijden terwijl ik sta te wachten. 'Ik vroeg me gewoon af of...'

'Ja?' zeg ik en ik ga weer naast haar zitten.

'Nou ja, ik dacht... misschien kan Ellen me oma Phil noemen. Ik bedoel... als jij er geen bezwaar tegen hebt...'

'Dat zou ik heerlijk vinden,' zeg ik en ik neem een van Phyllis' dikke, groengevlekte handen in de mijne en knijp er even snel in voor ik haar loslaat. 'Maureen is haar enige oma en ik geloof niet dat zij zo zit te wachten op die titel. Het is fijn om iemand te hebben die je oma mag noemen.'

'Dat heb jij nooit gedaan,' zegt Phyllis, al weet ik dat zelf ook wel.

'Dat weet ik. Maar ik denk toch dat het leuk zou zijn.'

Phyllis knikt en richt zich weer op haar erwten, maar ik zie twee roze kringen op haar wangen verschijnen, wat een teken is dat ze het naar haar zin heeft. 'Schiet nu maar op, meisje,' zegt ze en ze wuift me met beide handen de keuken uit. 'Ga jij nou maar in de tuin niks zitten doen.'

Ik loop naar de deur.

'Scarlett?' Ik draai me om. Phyllis heeft haar rug naar me toe en veegt met veel vertoon de tafel schoon. 'Ik denk dat je een fantastische moeder bent,' zegt ze. 'Ik denk dat Ellen blij met je mag zijn.' Als ze zich omdraait, glanzen haar ogen verdacht en de spieren in haar gezicht trekken uit alle macht.

Ik heb Phyllis pas één keer zien huilen en dat was toen Barry McGuigan in 1985 de wereldtitel vedergewicht veroverde op Eusebio Pedroza. Ze houdt wel van boksen. En van Barry McGuigan. Die noemt ze 'Bas'.

'Bedankt, Phyllis,' zeg ik en ik voel mijn stem wiebelen, struikelen en dan vallen, en mijn blik wordt vaag als er dikke tranen over mijn wangen biggelen.

'Kom eens hier, gekke meid die je bent.' Phyllis probeert zich te beheersen, maar haar omhelzing is warm en zacht, en ze ruikt naar erwten en kippen en wilde knoflook en we blijven lang zo staan, tegen elkaar aan geleund.

De tuinstoel begint te kraken als ik erop ga zitten. De stof is warm van de zon en ik leun achterover, wrijf over mijn buik en zing het liedje voor Ellen dat Phyllis altijd voor mij zong toen ik nog een baby was. Het heet 'De poot van de eend' en het slaat eigenlijk helemaal nergens op, maar er zitten veel herhalingen in. (O, de poot van de eend, de poot van de eend en de poot van de eend en de poot van de eend...) Het wijsje blijft echter in je hoofd hangen; Phyllis noemt het haar 'Hallelujarefrein' omdat het zo'n rustgevende uitwerking heeft op baby's.

Zelfs mijn stem klinkt loom. Lager, langzamer dan normaal. Ik ben bedwelmd. Ik wacht en voor het eerst in mijn leven probeer ik niet de wachttijd te bekorten. Ik wacht en geniet ervan.

50

Het is Filly die me uit mijn bedwelming haalt. Ze voelt dat mijn anker losjes over de zeebodem schraapt in plaats van zich vast te klemmen tegen de sterke stroming van Sofia Marzoni. Ze komt mijn kantoor binnen met haar gebruikelijke 'goedemorgenhetspijtmedatiktelaatben', twee chocolademelk, een broodje met bacon en warm kippenvlees (voor haar) en een sandwich met Marmite (voor mij). De lust naar olijven heeft plaatsgemaakt voor een onbedwingbare zin in Marmite.

'Goed,' zegt ze nadat ze haar sandwich – ik kijk op mijn horloge – in minder dan drie minuten heeft weggewerkt. 'Je time-out is voorbij.'

'Welke time-out?' vraag ik verontwaardigd.

Ze probeert het op een andere manier. 'Oké,' zegt ze. 'Wat heb je deze week gedaan?'

Het verbaast me dat ik daarover moet nadenken. Ik kijk naar een punt ergens ver weg waar mensen vaak naar kijken als ze proberen zich iets te herinneren. Nee. Er is niets.

Ik open mijn BlackBerry. 'Ik had een afspraak...'

'Nee. Iets wat niet met Ellen te maken heeft,' zegt Filly en ze veegt haar handen schoon aan een lapje roze stof voor bruidsmeisjesjurken dat Sofia heeft laten liggen.

'Ik heb het heel druk gehad,' zeg ik met veel poeha en ik beweeg mijn muis in een poging er druk uit te zien.

'En zet dat stomme backgammonspelletje nu maar uit,' zegt Filly terwijl ze haar beker leegdrinkt en een chocoladesnor op haar bovenlip krijgt.

'Hoe weet je...' Ik moet het vragen terwijl ik het spelletje afsluit. Net wanneer ik glansrijk zal winnen van Dave van de IT-afdeling.

'Dave van IT heeft me verteld dat jullie het de hele week al spelen en dat hij op het punt staat glansrijk van je te winnen.'

'Hoe durft hij,' zeg ik verontwaardigd. En dan te bedenken dat ik het hem expres niet te moeilijk heb gemaakt.

'Trouwens,' zegt Filly. 'Dat is niet het punt, of wel?'

Ik kan me niet herinneren wat wel het punt is, dus zeg ik niks in de hoop dat Filly me op de hoogte zal brengen, wat ze prompt doet.

'Het punt is...' Ze kijkt naar me om zich ervan te vergewissen dat ik oplet en dat ik niet ben teruggevallen in mijn heerlijke bedwelming. Tot mijn spijt moet ik zeggen dat dat niet het geval is. '... sinds we terug zijn van het kasteel heb je nog niets uitgevoerd.'

Ik open mijn mond om haar tegen te spreken. Dan doe ik hem weer dicht, want ik kan geen enkel argument in mijn voordeel bedenken. Ze heeft gelijk.

'Volgens mijn boek,' op dit moment leest ze *Hoe word je een goede peetmoeder*, 'word je pas geacht in de laatste weken van de zwangerschap dromerig en ongeconcentreerd te zijn. Je loopt voor op het schema, wat voor jou niet ongebruikelijk is, maar in dit geval is het geen goed teken.'

'Oké, oké, goed dan. Wat wil je dat ik doe?'

'Ik wil dat je mij vertelt wat ik moet doen. Zo hoort het te zijn, of niet soms? Je bent toch nog steeds mijn baas, of niet?'

Technisch gezien is het waar, maar Filly heeft het er nooit eerder over gehad. Als ze overgaat op deze tactiek, staan de zaken er ernstig voor. Ik probeer meer rechtop in mijn stoel te gaan zitten maar dat resulteert er alleen maar in dat ik me ga uitrekken. Zo lekker lang tot de botten in mijn rug kraken en knakken.

'Ben je moe?' vraagt Filly op een toon die nog steeds gepikeerd is, maar nu ook een bezorgd randje krijgt.

'Nu je het zegt, nee,' zeg ik. 'Red maakt tegenwoordig elke avond... zijn brouwsel voor me en mijn...'

'Elke avond?'

'Nou, ja, ik bedoel als hij in Tara is, wat tegenwoordig bijna altijd het geval is. Hij werkt met Declan aan een nieuw project. "Collaboratie" noemt Declan het. Je kent hem tegenwoordig niet meer terug.'

'Ga verder,' zegt Filly, die me nu met samengeknepen ogen aankijkt alsof ze probeert te bedenken hoe je 'manoeuvre' ook al weer spelt.

'Nou, dat is het wel. Ik heb goed geslapen. Nou ja, niet echt goed, maar beter. Ik slaap beter.'

'En wat doet Red nog meer? Behalve dat hij... brouwsels voor je maakt.'

'Niets. We praten gewoon.'

'Waarover?'

'Gewoon... over verschillende dingen. Boeken en films en Ellen en... eigenlijk over een heleboel verschillende dingen. Het is... leuk.'

'Leuk?'

'Ja. Gewoon... je weet wel... leuk.'

'Ik snap het,' zegt Filly, alsof ze veel meer snapt dan ze laat merken. Ze gaat staan en loopt mijn kantoor uit. Ze komt terug met het dossier van de bruiloft Marzoni-Butler, al is het meer een encyclopedie dan een dossier en kan het wat gewicht betreft wedijveren met vijf telefoonboeken. Of een paar cementblokken. 'We nemen alles door en controleren of we niets zijn vergeten, oké?'

Een dosis realiteit dendert door de voordeur van mijn geest naar binnen en roept zo hard als ze kan: 'Ik ben thuis, schat!'

'Wil je beweren... wil je beweren dat we dat nog niet hebben gedaan?'

'Ja. Wat niet wil zeggen dat ik je er niet miljoenen keer op heb gewezen.'

'Nu overdrijf je,' zeg ik.

'Goed, een beetje,' geeft ze toe. 'Ik heb je er tien keer aan herinnerd.'

Tien keer!

'Je overdrijft nog steeds.' Dat kan niet anders.

'Goed, ik heb het gistermiddag een keer gezegd, maar je glimlachte alleen maar en liet me een foto zien van het babymandje dat je had besteld.'

O, ja, nu weet ik het weer. Het is zo'n schatje, met zachte oranje tule eromheen gevouwen, als een indianentent.

'Letty? Letty? Luister je wel?'

Ik ruk me los van het babymandje en concentreer me weer op Filly, die eruitziet alsof geduld een deugd is waarover ze niet beschikt. Ik raap mezelf bij elkaar, als de gordijnen die ik heb uitgekozen voor Ellens kamertje.

'Goed dan. Laten we het maar doen,' zeg ik met mijn meest officiële weddingplannersstem.

Een uur later zijn we nog steeds niet door de checklist heen en begin ik de wil om te leven kwijt te raken.

'Iets ouds?' vraagt Filly.

'Valentino geeft haar de diamanten armband die hij twee dagen voordat ze wegliep had gekocht voor haar moeder.'

'O,' zegt Filly en ik zie dat ze probeert er een Australische draai aan te geven. 'Diamanten armbanden zijn... een goede investering,' is het beste wat ze kan bedenken.

'Iets blauws?'

'Nou...' begint Filly en ik weet dat me dit niet gaat bevallen '... ze wil Blue.'

'Ja, dat weet ik,' zeg ik. 'Blue betekent blauw. Maar wat dan?'

'Nee, ik bedoel: ze wil Blue.' Filly knikt naar mijn kat.

'Ze kan mijn kat niet willen. Trouwens, hij is niet eens blauw.'

'Ja maar hij is blauwzwart, dat kun je niet ontkennen,' zegt Filly. 'Ze heeft een roze kooitje voor hem gekocht. En een roze strik voor om zijn nek.'

Blue likt onbekommerd zijn linkerpoot, zich niet bewust van het gevaar waarin hij verkeert.

'Maar... maar... maar...' zeg ik en ik probeer de reden waarom Blue niet naar de bruiloft van Sofia Marzoni kan onder woorden te brengen. 'Hij heeft een hekel aan kooien. Hij wil niet eens in zijn eigen kooi.'

'Laten we hem een weekvoorraad After Eight geven. Dat zal hem tijdens de ceremonie de mond wel snoeren.'

Het is waar dat wat snoepgoed betreft After Eight op dit moment bij Blue op nummer één staat. Er is echter één nadeel.

'En hoe moet het dan met zijn... eh... winderigheid?' De meeste mensen denken dat katten geen winden laten, maar dat is niet waar. Tenminste niet wat Blue betreft. En zeker niet als hij After Eight heeft gegeten.

'Dat komt wel goed,' haast Filly zich te zeggen, want ze voelt dat ik verzwak en probeert nu door te zetten. 'Niemand zal hem horen boven het strijkkwartet en de organist en de banjospeler uit.'

'Prima,' zeg ik na een poosje. 'Maar jij doet hem zijn strik om, afgesproken?'

Filly verbleekt, maar ze knikt en streept iets af in haar opschrijf-boekje.

We kijken geen van tweeën naar Blue, die nu op zijn tenen op de bank staat en aandachtig naar ons staart.

'Oké,' zeg ik. 'Wat is het volgende? Wat heeft ze geleend?'

'Hailey leent haar een pen om het trouwregister te tekenen.'

'Een pen?'

'Het is een pen van *Wham!*, dezelfde pen als waarmee George Michael in 1984 Haileys T-shirt heeft gesigneerd.'

Het blijft stil terwijl ik deze informatie verwerk.

'Oké,' zeg ik. 'Dat is dan dat. De rest is allemaal spiksplinter-nieuw, dus zijn we klaar.'

'Nog niet helemaal,' zegt Filly en door de manier waarop ze het zegt, knijpt mijn hart samen zodat de bloedcirculatie naar mijn lichaam wordt bedreigd.

'Het gaat om Chris de Burgh,' zegt ze.

'Wat is er met hem? Ik dacht dat dat allemaal in kannen en kruiken was.'

'Dat is ook zo,' verzekert Filly me met haar breedste glimlach. 'Het is alleen...'

'Wat?'

'Hij weigert de woorden van het lied te veranderen.'

'Waarin? "Lady in Pink"?'

'Ja.' Filly begint het lied te zingen, tenminste Sofia's versie van het lied. Ze heeft grote moeite gedaan om woorden te vinden die rijmen op 'pink'. Zoals daar zijn 'klink' met champagne op een nieuw leven, 'drink' champagne en 'wegzink' in jouw ogen.

'Goed,' zeg ik uiteindelijk. 'Dit is het compromis. We vragen of Chris de Burgh het origineel van het lied wil zingen en later kan iemand anders Sofia's versie zingen. Ik weet zeker dat Chris de Burgh het daarmee eens zal zijn. Hij heeft nergens moeilijk over gedaan. Hij heeft niet eens met zijn ogen geknipperd toen Sofia zei dat hij een roze smoking aan moest.'

'De schat,' zegt Filly en ik knik. Het is een schat. 'Hailey mag Sofia's versie zingen,' stelt Filly voor. 'Ze heeft een fantastische stem.'

'Inderdaad,' zeg ik instemmend. 'Maar wil ze dat doen?'

'Ik zou zeggen dat ze de gelegenheid om Sofia een serenade te brengen met beide handen zal aangrijpen,' zegt Filly, met de scheve versie van haar grijns.

'Goed dan. We overleggen met Chris en als hij het goedvindt, vragen we Hailey of zij Sofia's versie later op de avond wil zingen.'

'Hoeveel later?'

'Veel, veel later.'

'Nou...' Filly lijkt te twijfelen.

'Het is dat of geen Chris de Burgh. We krijgen op zo'n korte termijn nooit meer een zanger die Sofia goedkeurt.'

'Maar jij mag het haar vertellen,' zegt Filly snel voor ik de kans krijg om dat te zeggen.

'Nee. Ik ben de baas. Dat heb je zelf gezegd,' zeg ik, heel tevreden met mezelf. Filly kijkt opstandig, maar kan er niets tegenin brengen. 'En als je toch bezig bent, vertel haar dan ook wat de priester heeft gezegd toen we hem vroegen of we de binnenkant van de kerk roze mochten schilderen.'

Filly snakt naar adem. 'Dat is gemeen,' zegt ze.

'Ik weet het,' zeg ik, 'maar jij was degene die erop stond dat ik uit mijn bedwelming moest stappen.'

'Moet ik haar vertellen wat de priester werkelijk heeft gezegd?' vraagt Filly.

'Christus, nee. In je eigen woorden. Alleen je eigen woorden.'

Als Filly het kantoor uit loopt, zak ik weer terug in mijn bedwelming, ga achter mijn bureau zitten en denk aan Ellen.

Als ik daarmee klaar ben, zal ik weer inloggen op mijn backgammonspelletje en het glansrijk van Dave winnen, neem ik me voor.

Misschien ga ik tussen de middag wel even weg van kantoor om een nieuwe pot Marmite te kopen. Blue vindt het heerlijk op toast.

51

Als ik mezelf toesta terug te kijken op de trouwdag van Sofia Marzoni, doe ik dat tussen de vingers door van de handen die ik tegen mijn ogen aan heb gedrukt. De beelden dringen zich tussen de spleten door, als lemmingen op weg naar de gevaarlijke rand van het klif. Het is de ergste dag. En de mooiste. Als ik mijn handen wegneem en naar de beelden kijk, snap ik niet dat ik het niet heb zien aankomen.

De dag begint slecht en daarna wordt het alleen maar erger. Ik negeer het en beweeg me van het ene moment naar het andere. Worstel me erdoorheen. Want op een dergelijke dag is dat immers het enige wat je kúnt doen, of niet soms?

De eerste wee dient zich 's morgens om vijf uur aan. Ik lig in bed, maar slaap niet. Het is een drukkende pijn als een accordeon die tussen mijn ellebogen wordt samengedrukt. Ik zie hem over mijn buik schuiven als een golf op weg naar het strand. Ellen verzet zich ertegen en ik leg mijn beide handen op haar en neurie een slaapliedje. Halverwege neem ik me voor de juiste woorden op te zoeken op Google. Maar vandaag niet. Vandaag trouwen Sofia Marzoni en Red Butler en elke minuut is ingepland, al heb ik – ik kijk op mijn horloge – nog een halfuur voor de dag officieel begint. Ik waggel naar de studeerkamer, waar mijn laptop staat, en log in op de site van Womb Raider. Ik typ mijn symptomen in.

De wee is er een van Braxton-Hicks, een zogenaamde oefenwee. Ik laat de adem die ik had ingehouden los. Ik lees de bladzijde door. Mijn baarmoeder oefent voor de bevalling. Dat bevalt me. Het is zo georganiseerd. Nog twaalf weken te gaan en Ellen en het team houden een oefening. Wat een vooruitziende blik. Ik maak een beker kamillethee en neem die mee de tuin in, waar de dag al is begonnen. Dikke bijen verdwijnen tussen bloemblaadjes die zich als handen uitstrekken naar de zon. Phyllis' kippen lopen te scharrelen en te pikken in de ren die George jaren geleden voor ze heeft gebouwd. Er staat een zacht briesje en naarmate de zon hoger komt, wordt de lucht helderder. Het voelt als het begin der tijden, dit zachte halflicht van de ochtend. In het oosten hoor ik een rommelend geluid, als het lage grommen van een hond. Het klinkt als onweer, maar op deze schitterende dag kan het eigenlijk geen storm zijn. Ik kijk op mijn horloge. Nog 4 minuten en 32 seconden voor ik geacht word op te staan. Oftewel 7 uur, 4 minuten en 32 seconden voordat Red Butler zal trouwen. Ik drink mijn beker leeg en ga weer naar binnen.

Twee uur later zit ik in de Aston Martin. Zelfs met de ruitenwissers op volle kracht kost het me door de regen die er uit alle macht tegenaan klettert moeite om door de voorruit te kijken. Blue – die bang is voor de donder en de bliksem en regen en ruitenwissers – zit in zijn kooi met zijn voorpootjes over zijn ogen te jammeren. Zelfs als ik zijn lievelingsliedje zing – 'Don't Cha' van de Pussycat Dolls – verandert er niets aan zijn houding. Ik schreeuw meer dan dat ik zing ('Dontchawishyourgirlfriendwashotlikeme?) om boven het geraas van de regen en de donderslagen uit te komen. Mijn telefoon gaat. Het is Sofia Marzoni. Alweer.

'Hoe ver ben je nu?'

'Ongeveer vijf minuten verder dan de laatste keer dat je belde,' schreeuw ik in de richting van mijn mobiel met mijn handen stijf om het stuur. Dit voorspelt weinig goeds. Ik zou op dit uur van de dag niet zo gestrest moeten zijn. Zelfs niet op een trouwdag van een Marzoni.

'Scarlah, ik heb je nodig. Alles gaat fout. Het regent hier roze kopjes en schoteltjes.'

Aan het weer kan ik niks veranderen, maar door de manier waarop Sofia dat zegt, word ik bang dat zij denkt van wel. 'Ik ben er over een uur,' zeg ik. 'Dan praten we verder, oké?'

'We moeten nog een paar kleine dingetjes veranderen aan de tafelschikking,' zegt ze en ik hoor dat ze heeft besloten dat dit het beste moment is om me dat te vertellen, als ik niet bij haar kan.

Het licht staat op rood, dus laat ik mijn hoofd tot op het stuur zakken en wacht af.

'Het gaat om Isabella en Paul,' verklaart ze. 'Die hebben het gisteravond goedgemaakt en nu wil ze dat Paul ook naar de bruiloft komt, dus zal de tafelschikking een beetje aangepast moeten worden.'

'Gisteravond?' Ik kan mijn oren niet geloven. Als je Sofia moet geloven, verliep hun scheiding zo venijnig dat zelfs hun teams van advocaten niet in dezelfde ruimte konden zijn zonder met elkaar op de vuist te gaan.

'Ja, gisteravond bij het eten.' Valentino had het hele Merrion Hotel afgehuurd voor de Italiaanse gasten en iedereen gisteravond op een diner getrakteerd. Ik denk dat hij hoopte dat zijn weggelopen vrouw zou komen opdagen, zoals hij bij alle feesten die hij de afgelopen jaren heeft gegeven die hoop heeft gekoesterd. 'Paul was toevallig in het hotel om wat zaakjes te regelen.'

Ik heb nooit helemaal begrepen wat Paul eigenlijk doet. Altijd als de Marzoni's verhalen vertellen waar Paul in voorkomt, is hij ergens om 'wat zaakjes te regelen'.

'Wat is er gebeurd?' Eigenlijk wil ik het niet weten, maar Sofia is even gestopt met hyperventileren en zo wil ik het graag houden.

'Ach, het gebruikelijke verhaal,' zegt Sofia verveeld. 'Het begon met grof geweld.'

'Je bedoelt dat ze elkaar hebben staan uitschelden?' vraag ik, voor mijn eigen begrip.

'Lieve god, nee,' zegt Sofia alsof ze zich verbaast over mijn naïviteit. 'Isabella heeft hem met haar handtas alle hoeken van de foyer laten zien.'

'Dat zal wel pijn hebben gedaan.' Isabella is een van die vrouwen die een winkelwagentje kunnen vullen met de spullen die ze in hun handtas meedragen.

'Niet meer dan een lichte hersenschudding,' zegt Sofia en in gedachten zie ik haar het letsel wegwuiven met een van haar lange handen met nagels die nu – ik kijk op mijn horloge – fraai fuchsiaroze gelakt zouden moeten zijn.

'Maak je geen zorgen, Sofia. Ik vind wel een plekje voor hem,' zeg ik met mijn beste 'geen probleem'-stem, die, ik moet het toegeven, niet zo overtuigend klinkt als zou moeten. De tafelschikking beleeft zijn elfde editie. Een tafelschikking voor een Palestijns-Israëlische conventie zou waarschijnlijk minder moeite kosten.

'Dat weet ik toch,' zegt Sofia en ik hoor een glimlach van oor tot oor verschijnen. 'Als je hem maar niet in de buurt zet van Florentina Bonivento. Of Carlo Bonivento.' Ze zwijgt en ik wacht omdat ik voel dat dat nog niet alles is. 'Zet hem maar helemaal niet in de buurt van een van de Bonivento's,' voegt ze eraan toe.

Ik probeer te slikken, maar mijn keel is droog. Er staan ongeveer zeventien Bonivento's op de gastenlijst en ik heb ze, om ze uit de buurt te houden van verschillende leden van de uitgebreide Marzoniclan, als confetti verstrooid door de zaal waar het diner wordt geserveerd.

Ik klop op het deurtje in mijn hoofd waar ik al mijn oplossingen bewaar, maar op een vage suggestie na om Paul aan de kindertafel te zetten blijft het verdacht stil. Het doet mijn zelfvertrouwen geen goed.

'Oké, Sofia, ik zal er rekening mee houden,' zeg ik en zelfs ik ben onder de indruk van mijn stem, die klinkt als de stem van iemand die alles onder controle heeft.

Door de regen is er meer verkeer op de weg, wat niet zo erg is als het lijkt, omdat het me de tijd geeft de tafelschikking te herzien. Ik ben er bijna uit als Sofia weer belt.

'Dan is er nog één ander dingetje,' zegt ze alsof ze nooit heeft opgehangen. 'Wat je ook doet, zet Paul niet naast Angelo, Alessandro of Augusto. Zet hem gewoon maar niet naast iemand wiens naam begint met een A. Zo kun je het makkelijker onthouden.'

Het kost even voor ik deze informatie heb verwerkt en Paul heb verwijderd van zijn nieuwverworven stoel tussen Isabella en Angelo. Of Alessandro. Dat weet ik niet meer.

'En hoe zit het met je vader en je zusters? Mag hij wel bij een van hen zitten?' Ik klamp me vast aan strohalmen.

'Jezus, Scarlah, ik dacht dat ik jou toch niet meer hoefde te vertellen dat je ze ver bij hen uit de buurt moet houden. Isabella heeft hem misschien vergeven, maar de anderen zijn nog niet zover, wat denk jij?'

'Nee, natuurlijk niet,' geef ik meteen toe. 'Ik wilde het... alleen even zeker weten.'

'Nou, je maakt me wel aan het schrikken, ik zweer het je,' lacht Sofia, al klinkt die lach nerveuzer dan zou moeten.

'En hoe... eh... houdt Red zich?' Ik houd mijn stem zo nonchalant als ik kan.

'Red? Fantastisch denk ik. Hij maakt zich klaar in zijn flat en gaat dan rechtstreeks naar de kerk, voor zover ik weet.'

'Hij is toch niet... helemaal alleen, of wel?'

'Jawel, zijn getuige heeft drie kinderen en die moet hij vanmorgen naar voetbal brengen. Het is geloof ik een belangrijke wedstrijd. De halve finale of zoiets.'

De getuige van Red is een van een serie pleegvaders die hij heeft gehad van zijn derde tot zijn achttiende. Dat heb ik gehoord van Filly, die een meester is in mensen informatie ontfutselen die ze liever niet kwijt willen. Ik denk aan Red, die alleen in zijn flat is. Op zijn trouwdag. Ongetwijfeld worstelend met zijn das. Ik heb hem nog nooit met een das gezien.

Het verkeer komt langzaam in beweging en ik zet de auto in de eerste versnelling en concentreer me op een manier om de dag die voor me ligt door te komen.

Tegen de tijd dat ik bij het huis van Valentino ben gekomen, heb ik een schikking waarbij Paul en Isabella aan een tafel zitten met Fintan, een vriend met wie Red plantkunde heeft gestudeerd, en Bryan, die Red na de diplomatieke hel die de tijd in Fermanagh was, nu Kofi Annan noemt — samen met Cáit, de dubbelganger van Sandra Bullock die Gaelic spreekt en die Red nu Mary Robinson noemt vanwege haar geweldige verdediging van de mensenrechten (vooral die van Bryan) gedurende diezelfde tijd. Red heeft ook Declan en Maureen uitgenodigd, maar met de première van *Romeo en Julia: de musical* van vanavond is Maureen niet in staat te komen en Declan mag niet omdat Maureen hem nodig heeft om haar haar te borstelen, een van de taken die hij onderbrengt onder de noemer doe-het-zelven en waar hij verrassend goed in is.

De voortuin van het huis van Valentino wordt overheerst door een levensgroot standbeeld van het kindje Jezus van Praag, zoals vier keer eerder, ter gelegenheid van de bruiloft van Isabella, Maria, Lucia en Carmella. Alleen is het standbeeld deze keer nauwelijks te zien door de stortregen die het als een sluier omkleedt. De tuin is een modderzee en vier – roze – flamingo's doen hun best erdoorheen te waden terwijl de regen als stokjes op hun kop trommelt.

'Eh, de flamingo's...' begin ik als een van de vijf Marzonizusjes de deur opendoet. Ik geloof dat het Carmella is, al lijken ze zo op elkaar dat het ook een van de andere zou kunnen zijn.

'Dat gaat uitstekend, heus. Zelfs als ze zouden willen, kunnen ze niet wegvliegen met die doorweekte veren en de modder tot halverwege hun poten. De schatten.'

Het is Carmella. Ik hoor een zweem van een accent uit Waterford, waar ze tegenwoordig werkt. In de zwanenopvang.

'Zouden die niet rechtstreeks bij het kasteel gebracht worden? Door de flamingospecialist?' vraag ik.

'Ron van Flamingo's Rock BV belde me gisteravond. Er was een probleem...'

'Een probleem?' Ik reageer direct op dat woord.

'Ja, nou, het ligt nogal gevoelig. Het is niet iets wat Ron naar buiten wil laten komen, als je begrijpt wat ik bedoel.'

Ik begrijp niks, maar ik vraag Carmella niet om verder uit te weiden.

'Trouwens, Ron en ik kennen elkaar al jaren. Hij weet dat ik ervaring heb. Ik heb gezegd dat ik ze zelf wel mee zou nemen zodat ze even konden wennen.'

'Maar ik dacht dat je met zwanen werkte,' zeg ik.

'Zwanen, flamingo's, het doet er niet toe,' zegt Carmella en ze maakt het nonchalante gebaar met haar handen dat karakteristiek is voor alle Marzonivrouwen. 'Jezus, gaat het wel goed, Scarlett?' Een wee overvalt me en ik sla dubbel zodat mijn gezicht ergens bij mijn schenen hangt.

'Ik kijk even naar mijn schoenen,' schreeuw ik naar boven naar Carmella. 'Ik wil niet dat er modder komt op het... eh... kleed. Is dit nieuw?'

'Ja,' zegt Carmella. 'Papà heeft het speciaal voor de bruiloft besteld. Weet je zeker dat het goed met je gaat?'

De pijn heeft de rand van mijn buik bereikt en glipt weg alsof hij er nooit geweest is. Langzaam kom ik overeind en knipper tegen de witte vlekken die de rand van mijn blikveld vervuilen. 'Nou,' zeg ik op een joviale toon die haar helemaal afleidt, 'waar is de stralende bruid?'

'Kom maar even mee de keuken in,' zegt Carmella en ze draait van me weg zodat ik haar gezicht niet kan zien.

Ik volg haar, bijna bang om op het kleed te lopen dat lijkt op een replica van het fresco van het *Laatste Avondmaal* op de altaarmuur van de Sixtijnse Kapel. Ik loop op mijn tenen, maar het is onmogelijk om niet ten minste op één gezicht te gaan staan. Ik sluit mijn ogen en loop op mijn geheugen naar de keuken.

Die heeft nog het meeste weg van een pub. Een heel populaire pub. Na een lange en dodelijk saaie eerste kerstdag. Carmella pakt mijn hand en trek me door de – voornamelijk Italiaanse – menigte. Ik tel snel even de koppen en concludeer tot mijn verbazing dat er zestien mensen in de keuken staan. Het lijkt of ze ruzie hebben, maar ik heb genoeg ervaring met de Marzoni's om te weten dat dat niet zo is. De conversatie schiet door de kamer heen en weer als vuistslagen en ik ben dankbaar als Carmella me er weer uit trekt. Die dankbaarheid is echter van korte duur als ik besef dat we nu in een kamer zijn die ze de Magneet noemen. Ik heb nooit geweten waarom ze die zo hebben gedoopt, maar de rillingen lopen over mijn rug door wat ik wél weet. Het is de kamer van de bekentenissen. Van de geheimen. Van de beschuldigingen. Het is waar Valentino zijn kleine meisjes mee naartoe nam op de dag dat hij hun vertelde dat hun moeder weg was en niet terug zou komen. Het is waar Isabella Valentino heeft verteld dat ze ging scheiden van Paul, al had hij al zo'n vermoeden na de bruiloft van Maria. Het is waar Sofia Carmella mee naartoe heeft genomen om haar te vertellen dat de Guccitas – een echte die ze na een week zeuren aan Sofia had uitgeleend – in de frituurpan was gevallen in de patatzaak in Whitehall en die nu rook als een hamburger met kaas en eruitzag als een verminkt saucijsje.

Het is geen kamer waar je graag wilt zijn als iemand je iets moet vertellen. Want het is nooit iets leuks.

'Wat is er mis?' vraag ik aan Carmella zodra ze de deur heeft gesloten. Ze kijkt teleurgesteld, zoals de Marzoni's vaak doen als je hun de gelegenheid ontneemt een verhaal te dramatiseren.

'Het gaat om Sofia,' zegt ze tegen me en dan wacht ze op mijn reactie.

Ik knik haar toe. 'Ja?' vraag ik en mijn stem is niet meer dan een fluistering als zich een film voor mijn ogen afspeelt met een scala aan mogelijkheden. Allemaal even rampzalig.

'Nou,' Carmella strekt zich uit tot haar volle lengte (iets meer dan een meter tachtig, gezien de gevaarlijk hoge hakken onder haar schoenen). 'Ze heeft zich teruggetrokken in de badkamer en weigert eruit te komen.'

'Waarom?'

'Dat weet ik niet, maar Maria heeft door het sleutelgat gekeken en zegt dat ze op de rand van het bad zit en tortillachips eet.'

Ik denk even aan tortillachips met Marmite en het water loopt me in de mond.

'Is er iemand bij haar?'

'Alleen Hailey.'

'Háiley?'

'Ja.' Carmella lijkt verbaasd over mijn reactie. 'Ze heeft vanmorgen onze toekomst voorspeld. Ik ga een reis maken over het water en dan ontmoet ik een lange, donkere, knappe vreemdeling van wie ik helemaal ondersteboven zal zijn.'

'Maar... je bent getrouwd,' herinner ik haar.

'Ik weet het,' zegt ze glimlachend. 'Opwindend, vind je niet?'

'Juist,' zeg ik en ik pak Blue op die zich, sinds hij een blik heeft opgevangen van de flamingo's op het grasveld, onzichtbaar probeert te maken in zijn kooi. Kennelijk kan ik flamingo's toevoegen aan de lijst van dingen waar hij bang voor is. 'Ik zal naar haar toe gaan.'

'Veel succes,' zegt Carmella en ze knijpt even met haar lange hand in mijn schouder.

Als je het beneden kunt vergelijken met Grand Central Station op de eerste dag van de zomervakantie, heeft de bovenverdieping nog het meeste weg van Heathrow Airport op kerstavond. Valentino – een grote fan van Pavarotti – oefent zijn bijdrage aan het feest, een emotionele vertolking van 'O Sole Mio', op de overloop zonder zich iets aan te trekken van de hordes mensen die moeite doen om langs zijn uitgestrekte handen en trillende stem te komen.

'Sofia? Ik ben het, Scarlett. Mag ik binnenkomen?' Binnen hoor ik twee onderdrukte stemmen fluisteren. Hailey fluistert onderdrukt. Sofia neigt meer naar een toneelfluistering en is duidelijk verstaanbaar.

'Ik kan haar niet binnenlaten. Zij zal proberen me over te halen ermee door te gaan. Je weet hoe ze is.'

Onderdrukt, normaal gefluister van Hailey dat ik niet kan volgen. En dan: 'Maar alles is nu toch anders. Of niet soms?' Een stilte, al kan het ook zijn dat Hailey terug fluistert. Ik weet het niet zeker. 'Ik weet dat het maar een halfjaar is. Maar een halfjaar is veel te lang om te moeten wachten. Toch?' Nog meer stilte. Ik zak door mijn benen tot mijn oog ter hoogte van het sleutelgat is. Sofia heeft dit kijkgat kennelijk doorgekregen na het gluren van Maria en heeft het volgestopt met toiletpapier.

'Sofia,' zeg ik nog eens, 'wil je alsjeblieft de deur opendoen? Het is,' ik kijk op mijn horloge, 'kwart over negen. Je moet over een kwartier bij de kapper zijn, weet je nog?' Sofia krijgt roze margrieten in haar haar en omdat ze veel haar heeft, kon dat nog wel eens veel tijd vragen.

Er klikt iets en de badkamerdeur gaat op een kiertje open, waarna Haileys hoofd om de hoek verschijnt. Ze ziet eruit alsof ze is aangevallen door Sofia's make-uptas, al is haar lippenstift – knalrood – gevlekt en staat haar haar alle kanten op, alsof iemand erover heeft gewreven met een ballon.

'Hailey,' zeg ik en ik sta op van het bed waar ik een tijdelijk onderkomen had gevonden. Mijn benen zijn wat bibberig. Ook heb ik het warm. Valentino staat erop dat de verwarming zo hoog mogelijk staat, welk seizoen het ook is. Hij zegt dat het hem aan Sicilië doet denken. 'Wat is er aan de hand?'

Hailey glipt door de deur en sluit die achter zich, waarna ze er met haar rug tegenaan gaat staan voor het geval ik van plan was die te bestormen.

'Het is Sofia,' zegt ze met haar onberispelijke stem.

'Wat is er aan de hand?'

'Ze is...' begint Hailey en dan zwijgt ze en kijkt me aandachtig aan. 'Gaat het wel goed met je, Scarlett?'

'Ja,' zeg ik. 'Met mij is er niets aan de hand.'

'Je ziet erg bleek, als ik het mag zeggen. Bleker dan normaal, bedoel ik.' Als Hailey dat zegt, moet ik welhaast spookachtig wit zijn.

'Ik geloof dat ik alleen even moet...' Ik kan mijn zin niet afmaken en ren naar de badkamer, waar ik dus toch de deur bestorm en net op tijd bij het toilet ben om daar mijn ontbijt – geroosterd brood met Marmite en jam – en het pepermuntje dat ik tegen beter weten in op de oprit in mijn mond heb gestopt, te deponeren. Ik loop achteruit naar de rand van het bad zonder aan Sofia te denken. Ze zegt: 'Neem me niet kwalijk,' in mijn oor, waarna ik opspring van haar schoot als een kat die op een speldenkussen is gaan zitten.

'Jezus, het spijt me, Sofia. Ik... ik was vergeten dat je daar zat.' Ik moet toch ergens zitten, dus doe ik het deksel van het toilet dicht en ga erop zitten. Zonder die eerst schoon te vegen met een van de antiseptische doekjes die ik in mijn zak heb. Ik veeg met toiletpapier mijn mond schoon en kijk nu pas naar Sofia. Ik herken haar nauwelijks. Om te beginnen heeft ze geen make-up op en ziet haar gezicht er naakt uit. Als het gezicht van iemand anders. Ik heb een voorraad lotion en smeersels in mijn tas voor bruiloften waar de tranen net zo rijkelijk vloeien als de champagne. Maar ik weet niet of ik toegerust ben voor het gezicht van Sofia. Het is helemaal betraand.

'Hailey!' schreeuw ik vanaf de toiletbril. Ze verschijnt meteen in de deuropening, alsof ze daar al die tijd heeft staan wachten. Zij heeft de uitgesmeerde lippenstift van haar mond afgeveegd en haar gezicht is bleek, alsof de meeste make-up uit bezorgdheid is verdwenen.

'Ja?' vraagt ze.

'Wil je naar de keuken gaan en wat komkommers in plakjes snijden en die hier brengen? En een paar theezakjes als je ze kunt vinden.'

'Oké.'

Sofia kijkt me verbaasd aan. 'Waar heb je theezakjes en komkommer voor nodig?' vraagt ze. Haar stem is niet meer dan een hese fluistering en ze ziet er doodsbenauwd uit, alsof ik iets verschrikkelijks van plan ben met de komkommers, bijvoorbeeld haar dwingen ze op te eten (Sofia is geen groot liefhebber van de meeste groenten, vooral de groene).

'Daar maak ik je gezicht mee in orde,' zeg ik tegen haar en ik zoek in mijn tas naar het sterkste smeersel dat ik heb.

'Wil je niet weten wat er aan de hand is?' vraagt ze en ze gooit de laatste kruimels van de tortillachips in haar mond.

'Ik ga eerst iets aan je gezicht doen. Daarna kunnen we praten.' Als je te maken hebt met koudwatervrees kun je de bruid het beste stapje voor stapje naar het altaar leiden zodat ze daar veilig aankomt zonder het zelf in de gaten te hebben.

'Zullen we op je bed gaan zitten?' stel ik voor en ik pak Sofia's grote, koude hand in de mijne. Sofia schudt haar hoofd, maar ze komt overeind en staat toe dat ik haar meeneem de badkamer uit, wat misschien een klein stapje is voor mij, maar een grote sprong voor Sofia.

'Ik kan mijn billen niet eens meer voelen,' zegt ze en ze kijkt naar me.

Ik heb heel wat over voor mijn bruiden, maar verdoofde billen masseren, dat gaat me te ver. Dat begrijpt Sofia wel, dus laat ze haar handen langs haar rug glijden en wrijft met beide handen over haar achterwerk.

Tegen de tijd dat Hailey terug is, ligt Sofia op het bed met een koud kompres over haar ogen om de zwelling te verminderen. Ik rangschik de schijfjes komkommer op haar gezicht alsof ik een salade maak en leg twee natte theezakjes onder het kompres. Ze laat het toe, kneedbaar als een lappenpop. Hailey gaat aan de andere kant van het bed zitten en pakt Sofia's hand. Haar gezicht staat rustig maar bezorgd, alsof de dood zelf Sofia in zijn klauwen heeft.

'Nou dan,' zeg ik met een uitermate opgewekte stem als ik klaar ben met Sofia's gezicht. De vurig rode huid begint al af te koelen en in te krimpen. Optimistisch gestemd sta ik op van het bed, wat ik mezelf later enorm kwalijk zal nemen. Het is zo'n beginnersfout.

Het bed kraakt als ik opsta en op dat moment staat Sofia op als Lazarus en al mijn zorgvuldig geplaatste remedies vallen als een natte kledder van haar gezicht in haar schoot.

'Wat mankeert me godverdomme, Scarlah?' vraagt ze en al mijn werk is voor niets geweest als de tranen haar weer in de ogen springen en vastbesloten langs haar wangen biggelen.

'Niets,' zeg ik en ik ga weer naast haar zitten. 'Je hebt gewoon koudwatervrees, meer niet. Het is volkomen normaal.' Ik kan haar niet aankijken als ik dat zeg, al is het niet helemaal een leugen. Ik heb ervaring met koudwatervrees. Natuurlijk heb ik dat. Alleen niet in deze mate. Aan de andere kant is het wel een Marzonibruiloft. Waarbij alles groter dan groot moet zijn. Dus waarom de koudwatervrees niet?

'Ik kan niet trouwen,' zegt ze dan. 'Vandaag niet.'

'Maar het is jouw dag. Als je toch gaat trouwen, kun je het het beste vandaag doen,' zeg ik en de glimlach op mijn gezicht is zo geforceerd dat het pijn doet. Ik weiger haar serieus te nemen, een tactiek die uitstekend heeft gewerkt op de ochtend van de bruiloft van Freda Penworth. Het feit dat haar huwelijk nog geen jaar heeft standgehouden, staat daar los van. Ik heb haar voor het altaar gekregen in een jurk van gebroken wit zonder schouderbandjes en een tiara die licht gaf toen ze 'ja' zei. Daarvoor had ze me tenslotte betaald.

'Je bent al maanden bezig met de planning,' zeg ik tegen haar.

'Nee, jíj bent al maanden bezig met de planning.'

'Alleen omdat je me dat hebt gevraagd. Daar heb je me voor betaald, weet je nog?' De woorden van Sofia steken me, ze klinken als een beschuldiging.

'Dat is maar geld,' zegt ze met het gemak van iemand die frituurpannen vol van het spul heeft.

'En Red dan?' vraag ik haar.

'Dat is zo'n schat, ik zweer het je,' zegt ze. 'Hij vindt het heus niet erg.'

Hij vindt het heus niet erg?

'Trouwens, het gaat niet goed met je, Scarlah. Misschien moeten we het maar even uitstellen.' Ze kijkt me hoopvol aan.

'Met mij... gaat het uitstekend. Ik had gewoon het pepermuntje niet moeten nemen zo snel na de jam en de Marmite. Dat was een vergissing.'

Er wordt op de deur van de slaapkamer geroffeld, zo lang en hard dat we alle drie schrikken en naar de deur staren of Attila de Hun zelf aan de andere kant staat met in zijn handen een houten knuppel die druipt van het bloed.

'Sofia? Komme tevoorschijn. Late je papà eens zien hoe mooie je bent.'

Hailey en ik kijken naar Sofia, wier gezicht zo rood en opgeblazen en gezwollen is dat ze zo goed als onherkenbaar is.

'Sofia,' zegt Valentino nog eens, harder nu, 'watte isse aan de hand dare binnen?' Hij klinkt een beetje gepikeerd. Valentino heeft nog minder geduld dan Sofia, die ook niet bepaald geduldig genoemd mag worden.

'O shit,' piept Sofia met haar handen voor haar gezicht. 'Het is papà. Hij vermoordt me. Hij zegt dat hij die twee patatzaken in Belfast waar hij het steeds over heeft, had kunnen openen voor het geld van deze bruiloft.'

Ik tel tot vijf, want er is geen tijd om tot tien te tellen, sta op van het bed, duw Sofia terug zodat ze gaat liggen, leg de komkommer en theezakjes weer op haar gezicht en voor ze het me kan verbieden, heb ik het dekbed over haar heen gegooid en sis: 'Blijf liggen,' waarna ik de badkamer in ren, de douche aanzet, weer naar buiten ren en de deur achter me dichtdoe.

'Doe net of je het druk hebt,' zeg ik tegen Hailey.

'Waarmee?' Ze ziet eruit als een kip in een ren met een vos.

'Hier,' zeg ik en ik schuif de kooi van Blue in haar richting. 'Doe net of je hem kamt of zoiets.'

Ik doe de deur van de slaapkamer op een kiertje open en moet omhoogkijken tot ik bij het gezicht van Valentino ben gekomen. Dat is zo rood als een biet en hoewel ik weet dat dat komt doordat hij de neiging heeft zich te veel in te spannen als hij zingt, snak ik evengoed een moment naar adem.

'Valentino,' zeg ik op vriendschappelijke toon. 'Wat heerlijk om je weer te zien.' Aangezien ik hem alleen maar op Marzoni-bruiloften zie, is dat overduidelijk een leugen.

'Sofia isse beneden nodig vore de fotografe.' Hoewel Valentino al jaren in Dublin woont, blijft hij hetzelfde gebroken Engels spreken als op de dag van zijn aankomst. Al begrijpt hij alles wat er wordt gezegd.

'Ze is... ze staat onder de douche. Over vijf minuten is ze beneden. Het kunnen er ook tien worden,' zeg ik.

'Ze isse al inne de douche geweest.'

'Ze moest nog een keer onder de douche. Ik... eh... ik heb cola over haar gemorst en dus kleefde ze enne... eh... is ze nog een keer onder de douche gegaan.'

Valentino buigt zich naar voren en kijkt me met zijn diepliggende donkere ogen aan. Zijn blik glijdt over mij heen de slaapkamer in en blijft dan op de lange, hobbelige vorm van Sofia Marzoni onder het dekbed rusten. Daarna kijkt hij weer naar mij.

'Mare jij drinkt gene cola, Scarletta. Isse niet goed vore jou, zegge jij.' Ik was vergeten dat Valentino een geheugen heeft als een olifant.

'Ja, daar heb je natuurlijk wel gelijk in, Valentino,' zeg ik en ik knik en probeer een plausibel antwoord te vinden. 'Maar ik ben er een beetje verslaafd aan geraakt sinds,' ik knik in de richting van Ellen, 'de baby.'

Valentino is gek op baby's. Dat is zijn achilleshiel. Als het mocht, zou hij tegen vreemdelingen op straat over zijn vijf baby's praten en hen meeslepen zijn huis in, als ze dat wilden – en misschien ook als ze dat niet wilden – om hun de spoelen vol film die hij heeft te laten zien. Hoe ze leren lopen en hoe ze leren praten, en er is nog een heel verontrustende waarop Sofia een hap neemt uit het been van Maria en zelfs bij dat stukje applaudisseert Valentino en glimlacht en knikt goedmoedig in de richting van Sofia.

'Ze kreeg tanden,' is zijn verklaring voor dit vreselijke vertoon van agressie, al was Sofia op dat moment zes jaar oud.

Achter me klinkt een hoge gil en Valentino – die net weg wilde gaan – verstijft en kijkt nog eens de kamer binnen, als een hond die het spoor van een konijn ruikt.

Hailey komt bij me staan. 'Sorry,' zegt ze. 'Ik schrok van Blue.'

Valentino kijkt Hailey onderzoekend aan voor hij knikt en wegloopt. Ik sluit de deur en leun ertegenaan met de bibbers in mijn benen.

'Dat scheelde niet veel,' zegt Sofia, die het dekbed van zich af gooit en opstaat.

'Waarom gilde je?' vraagt Hailey. 'Het klonk heel hard.'

'O, ja, het spijt me,' zegt Sofia en ze legt haar hand op Haileys schouder en knijpt er zachtjes in. 'Een van de theezakjes barstte open en ik kreeg natte theeblaadjes over mijn gezicht. Ook in mijn neus en zo.' Sofia's gezicht zit inderdaad vol met natte theeblaadjes. Daartegenover staat dat de komkommer en de thee hun toverkunsten hebben gedaan en er is een kans dat we haar met een emmer vol foundation kunnen herbouwen.

Ik kijk op mijn horloge. 'Goed,' zeg ik met een stem die geen tegenspraak duldt en die ik reserveer voor bruiden die op het punt staan een zenuwinzinking te krijgen – en voor Maureen als ze niet kan besluiten wat ze uit de winkel nodig heeft – 'tijd om je aan te kleden en naar de kapper te gaan. Wat wil je aan?'

Sofia knikt naar een roze trainingspak dat aan de deur van de klerenkast hangt. Het ziet er splinternieuw uit en ik vermoed – terecht – dat het haar bruiloftstrainingspak is.

'Hailey kan me wel naar de kapper brengen,' zegt Sofia en ze glimlacht in de richting van Hailey.

Ik kijk naar Hailey, die terug glimlacht naar Sofia en het is even of ik niet besta. Mijn weddingplannersantenne schiet de lucht in en begint als een bezetene te trillen. Op dat moment weet ik zeker dat als ik Sofia fatsoenlijk voor het altaar wil krijgen, ik deze twee vrouwen moet scheiden. 'Je kunt met je zusters gaan. Die moeten ook allemaal hun haar laten doen. Ik... ik heb Hailey hier nodig... om mij te helpen.'

Sofia opent haar mond om tegen te spreken, maar dan grijpt Hailey op haar eigen waardige wijze in. 'Ga nu maar, Sofia,' zegt ze. 'Ik ben hier als je terugkomt.' Sofia sluit haar mond, knikt en begint zich als een gehoorzaam kind aan te kleden.

Als Sofia eenmaal veilig het huis uit is, wenk ik Hailey mee de Magneet in en sluit de deur tegen de kakofonie aan geluiden die uit de keuken komen. 'Hoor eens, Hailey,' begin ik.

'Ik ben het met je eens,' zegt Hailey nog voor ik goed en wel begonnen ben.

'Waarmee ben je het eens?'

'Ik bedenk wel een excuus zodat ik weg ben voor Sofia terug is. Dat wilde je toch van me vragen, of niet?'

Langzaam knik ik. Hailey ontwijkt mijn blik.

'Ik zal Blue meenemen naar de kerk en hem klaarmaken voor de bruiloft, oké?'

Ik open mijn mond om iets te zeggen, maar ze is al verdwenen op die geluidloze manier van haar en dan sta ik alleen in de kamer die ze de Magneet noemen om redenen die ik op dit moment niet kan bedenken. Ik leg een hand op mijn voorhoofd, dat warm en klam aanvoelt. De pijn in mijn buik is, nadat ik mijn ontbijt in Sofia's badkamer heb gedeponeerd, als sneeuw voor de zon verdwenen. Ook lijkt de oefening in mijn baarmoeder afgelopen te zijn en in de koele schaduw van de Magneet neem ik even de tijd om mijn kalme uiterlijk – dat ik ergens moet hebben laten zakken – weer op te hijsen en ik haal een paar keer diep adem en knijp in mijn wangen om er wat kleur op te brengen. Ik druk mijn handen tegen mijn buik en word beloond met Ellens hand, die ze naar me uitsteekt als teken van hoop en ik raak haar aan en recht mijn schouders, sluit mijn ogen en zet mezelf schrap voor ik de dag weer in stap.

52

Ik stap van de kalme crypte van de Magneet in het rauwe gebrul van een Marzonibruiloft in volle gang. De roze champagne vloeit overvloedig, waardoor het volume van de toch al luide conversatie gaat lijken op een zaterdagmiddag in een voetbalstadion. De fotograaf kiekt zich een weg door het huis en alsof er geen regen en modder bestaan, staat Valentino erop dat iedereen zich voor de foto's begeeft naar de blank staande vlakte die zijn tuin is geworden. Het geluid waarmee een hoge hak in de modder zakt, is misselijkmakend. De gasten gehoorzamen toch omdat Valentino het hun vraagt en de lucht is vervuld van het vieze, zuigende geluid van zinkende hakken. Ze verzamelen zich rondom de grot en glimlachen. Vervolgens trekken ze hun hakken uit de modder en verzamelen zich om het levensgrote standbeeld van het kindje Jezus van Praag en glimlachen. Daarna trekken ze hun hakken weer los, wankelen naar de koetsen met paarden die zojuist zijn gearriveerd, verzamelen zich eromheen en glimlachen. Ik glimlach ook. Het is opbeurend om een hele groep mensen in hun mooiste kleren met modderige hakken op een Ierse zomerdag in de stromende regen te zien ploeteren door het modderbad van Valentino's voortuin.

Als ik de paarden zie, vergaat het lachen mij al snel. Het zijn er vier. De roze verf stroomt in straaltjes langs hun hoofd en hun manen en hun benen. Ik pak twee paraplu's en ben in vier – zompige – stappen bij ze. Met uitgestrekte armen houd ik de paraplu's boven ze, wat ongeveer net zoveel zin heeft als in de regentijd een vergiet op je hoofd zetten.

'Wat doe jij nou?' vraagt de man die bij de paarden hoort. Hij heet Ed.

'Ik probeer de paarden droog te houden.' Terwijl ik het zeg, zie ik het water van de paarden druipen. Het is zo roze als een suikerspin. 'Ik dacht dat het watervaste verf was?' schreeuw ik over de ruggen van de vier paarden naar Ed.

'Ik ook,' zegt hij glimlachend en hij haalt zijn schouders zo onverschillig op dat ik hem het liefst aan zijn haar zou willen trekken.

'En wat ben je van plan daaraan te doen?' vraag ik met een klein mondje om te zorgen dat er geen woorden ontsnappen waar ik later spijt van krijg.

Opnieuw haalt hij zijn schouders op. En hij glimlacht weer. 'Ach, weet je,' zegt hij, 'dat ziet toch niemand met al die regen, of wel?' Hij heeft waarschijnlijk gelijk, maar nu Sofia zo lichtgeraakt is – nog meer lichtgeraakt dan gewoonlijk, bedoel ik – voel ik me er meer dan ooit verantwoordelijk voor dat alles vlekkeloos verloopt.

Ik pak mijn telefoon en toets het nummer van John. Hij neemt op als hij vier keer is overgegaan.

'John, ik heb hulp nodig.'

'Wat is er? Is er iets met de baby?' Ik hoor een bord aan diggelen vallen en realiseer me dat John op de bank zat en geroosterd brood zat te eten met het bord op zijn knieën. Het bord dat is gebroken doordat hij in paniek opstond. Ik vervloek mijn onnadenkendheid. 'Nee, John, het spijt me. Met de baby gaat het goed. Het gaat om die stomme hengsten van Sofia.'

'De roze hengsten?'

'Ja.'

'De verf lost op in de regen en nu vraag je je af of je ook roze voedingsmiddelenkleurstof kunt gebruiken om ze bij te werken?'

'Roze voedingsmiddelenkleurstof? John, je bent briljant!'

'Ach,' zegt hij en ik zie het kleine glimlachje dat om zijn mondhoeken verschijnt. 'Dank je. Het verbaast me dat je het niet zelf hebt bedacht.'

Ik bijt op mijn onderlip en vraag me af waarom ik dat zelf niet heb bedacht.

'Denk je dat je roze voedingsmiddelenkleurstof kunt gebruiken op paardenhaar?' vraag ik.

'Ik vraag het wel even na bij Dermot.' Dermot is Johns broer en dierenarts.

Ik verbreek de verbinding en wacht. Mijn armen gaan pijn doen doordat ik nog steeds de paraplu's boven de paarden houd. Ondanks de pijn weiger ik ze te laten zakken. Dat staat voor mij gelijk aan opgeven, wat ik nog nooit heb gedaan, en ik ben ook niet van plan daar nu mee te beginnen.

Precies 1 minuut en 43 seconden later belt John terug.

'Ja, het mag. Heb je wel roze voedingsmiddelenkleurstof?'

'Ik kijk wel even in de voorraadkast van de keuken. Daar ligt het ongetwijfeld. Je weet dat de Marzonimeisjes gek zijn op feeën-broodjes met roze glazuur.'

'Bel me maar als je nog iets nodig hebt,' zegt John. 'Ik ben er voor je.'

Plotseling heb ik een brok in mijn keel. Hij is er voor me. En hij zal er zijn voor Ellen. Dat weet ik zeker. Hij is zo solide als een hunebed. Door de telefoon glimlach ik naar hem en dan verbreek ik de verbinding.

'Huil je?' vraagt Ed de koetsier.

'Ja,' zeg ik en ik schenk hem mijn breedste glimlach, die Filly mijn tandpastaglimlach noemt.

'O,' zegt hij, ontwapend door mijn eerlijkheid.

'Juist,' zeg ik en ik probeer of mijn nuchtere stem nog past. Het lijkt te werken en Ed recht zijn schouders en kijkt me aan. 'Kun je me helpen de paarden los te maken en mee te nemen naar achteren? Daar is een grote schuur waar ze kunnen schuilen.' Hij haalt zijn schouders op en glimlacht, maar hij doet wat ik hem vraag.

In de keuken van de Marzoni's vind ik drie flessen roze voe-dingsmiddelenkleurstof, die ik in een emmer water gooi. Het duurt even, maar als ik klaar ben, zie je alleen als je er aandachtig naar zoekt, dat de paarden een andere kleur roze hebben en ruiken als de suikerklontjes waar ze zo gek op zijn. Ik doe een stap naar achteren om ze te bekijken.

'Dat is helemaal niet verkeerd,' zegt Ed.

Ik lach naar hem en loop het huis in om de roze verf van mijn handen te wassen.

Sofia is weer terug en oogst veel bewondering met haar kapsel: het is opgestoken en zit vol met roze margrietjes, als een zomer-weide. Haar make-up is ook gedaan en er is geen spoor meer te bekennen van het incident van vanmorgen. Ik kijk op mijn hor-loge. Het enige wat we nog moeten doen, is haar in de jurk hijsen.

Ondanks het feit dat hij zwaar is en ingewikkeld en vol zit met ritsen, gespen, knopen en haken en ogen, kan het niet meer tijd kosten dan tien minuten. Hooguit een kwartier. Ik adem uit. Ondanks alles liggen we op schema.

'Scarlah, kom eens bij me,' schreeuwt Sofia van de bocht in de trap naar de eerste verdieping, waar ze staat voor foto's. Langzaam loop ik naar haar toe. Ik ben van plan haar bezig te houden tot het tijd is om naar de kerk te gaan. Zodat ze geen tijd heeft om na te denken over datgene wat haar vanmorgen zo dwarszat. Bezig zijn is een geweldige afleiding van het leven. Ik doe het al jaren.

Als ik bij Sofia ben, buigt ze zich naar me toe en fluistert luid in mijn oor, wat kietelt zodat ik wil giechelen, maar het niet doe. 'Ik moet met je praten. In de Magneet.'

Ik besluit meteen dat, wat er vandaag ook gebeurt, ik niet met Sofia naar de Magneet zal gaan. Ik grijp de trapleuning stevig vast. Ik ben buiten adem van het naar boven lopen – hoewel het een lange trap is, is hij nou ook weer niet zo lang – en ik voel een pijn in mijn onderrug die er eerder nog niet was. 'Ik moet nog even wat telefoontjes plegen en dan kom ik bij je, oké?'

'Beloof je dat?'

'Ik beloof het,' zeg ik en ik leg mijn hand tegen mijn rug en kruis alle vingers en tenen die ik heb.

Nu wordt het een kat-en-muisspelletje met Sofia. Ik dompel me onder in mijn werk, al is er niet veel meer te doen. Ik haal de voorlezers naar de voorkamer om hun tekst te oefenen. Twee van de lezingen zijn in het Italiaans en ik laat de zachte rondingen van de taal als warm water over me heen stromen.

Nu sta ik in de keuken en roer in een kom met roerei voor Ed en oom Lorenzo, die elkaar hebben gevonden in een gemeenschappelijke liefde voor paarden en een haat-liefdeverhouding met zwanen.

Daarna is een van de vier flamingo's verdwenen en zijn we een goed halfuur naar hem op zoek. Ten slotte vind ik hem boven op de rug van een van de paarden – hij heet Clive –, waar hij met zijn snavel vlooien tussen de haren van Clive pikt, waar Ed woest om wordt. Hij beweert dat zijn paarden geen vlooien hebben, al is het bewijs duidelijk zichtbaar in de snavel van de flamingo.

Ik stuur Carmella, Isabella, Maria en Lucia naar boven om Sofia in haar trouwjurk te hijsen. 'Als het niet lukt, bel je me, oké?' zeg ik tegen Carmella.

'Waarom kom je niet helpen?' vraagt Carmella. Dat is een volstrekt redelijke vraag aangezien ik alle Marzonivrouwen, die de neiging hebben een pijnlijk strakke jurk uit te kiezen, in hun kleding heb geholpen.

'Ik zit met Clive. Na het incident met de flamingo is hij in alle staten,' zeg ik tegen Carmella, opnieuw met mijn handen achter mijn rug en al mijn vingers en tenen stevig gekruist. 'Ed heeft mijn hulp nodig. Bel... bel maar als je me nodig hebt, oké?'

Met de hulp van Federico Bonivento – die kennelijk in een natuurreservaat woont dat op 50 kilometer van Sicilië ligt en wel het een en ander over de natuur weet – zorg ik dat de vier flamingo's in hun hokken komen en veilig vastgebonden op de achterbank van de retrobestelbus van oom Vinny staan. Ze vloeken vreselijk met de bekleding met luipaardprint.

'Weet je zeker dat je de vogels naar het kasteel wilt brengen?' vraag ik nogmaals aan Federico.

'Oom Vinny rijdt, maar ik ga met hem mee. Het komt wel goed.' Hij glimlacht naar me en geeft oom Vinny een stomp tegen zijn arm waarvan ik aanneem dat die vriendschappelijk is bedoeld.

Vinny zwijgt. Het is een reus van een vent in een zwart pak met een zwarte das en een zwart overhemd. Zelfs zijn manchetknopen zijn zwart. Hij gromt en vouwt zichzelf achter het stuur van de bestelbus, zijn hoofd gebogen onder de onhandige schuine hoek van het dak.

Het enige wat me nu nog rest, is Valentino helpen met zijn das; bij elke bruiloft vertelt hij me dat ik de enige vrouw ben die hij kent, behalve zijn eigen vrouw, die een das fatsoenlijk kan strikken. Hij noemt haar nog steeds zijn vrouw. Na al die jaren.

Ed spant de paarden weer voor de koets en ik schep vier enorme stapels paardenvijgen van de oprit voor ik de bruiloftsgasten naar buiten commandeer, waar ze zich als kleurige, doorweekte confetti over de modder in de voortuin verspreiden.

Zelfs nu, in haar roze trouwjurk met haar roze bruiloftstasje en haar roze bruiloftstiara en haar roze oogschaduw, doen Sofia's ogen een beroep op me en ik sta op het punt mijn verzet op te geven en naar haar toe te gaan, als mijn mobiel begint te rinkelen. Het is Filly en ik neem snel op.

'Goedemorgenhetspijtmedatiktelaatben,' begint Filly en ik leg haar meteen het zwijgen op.

'Hoe bedoel je dat, te laat? Waar ben je?'

Het wordt even stil en ik hoor Filly's blouse of jasje ritselen als ze op haar horloge kijkt. 'Ik ben in de kerk. En nee, ik ben niet te laat.' Ze klinkt verbaasd. 'Sorry, Scarlett, wat ik wilde zeggen was...'

'Is Red daar?'

'Ja.'

Dat bezorgt me een gevoel dat nieuw voor me is. Het is een mengeling van opluchting en spijt, gelardeerd met onafwendbaarheid. Ik bedoel, ik ben al maanden deze bruiloft aan het plannen. Ik wist dat dit ging gebeuren, of niet soms?

'Mooi,' zeg ik.

'Hoe gaat het met Sofia?' vraagt Filly.

'Ze houdt zich goed,' zeg ik en ik waag een blik op de bruiloftsgasten, tussen wie Sofia op haar valse nagels staat te bijten.

'Is Hailey er al?' vraag ik.

'Ja. Ze heeft Blue schitterend gekamd, werkelijk waar. En hij lijkt zich helemaal thuis te voelen in zijn nieuwe kattenkooi.'

'Mocht ze de roze strik om zijn nek binden?'

'Hij heeft haar gelikt toen hij zat en glimlachte zelfs een beetje.'

Het is waar. Blue kan glimlachen. Hij doet het alleen niet zo vaak.

'Is Al Pacino er ook?'

'Ja. Met zijn bijpassende roze strik. Het is een vertederend stel.'

'Oké, nou, de bruiloftsstoet staat op het punt van vertrekken. Dan zie ik je zo, oké?'

'Wacht,' zegt Filly, 'ik belde om te vragen hoe je je voelt.'

'Dat vertel ik je nog wel.'

'Nee. Ik wil het nu weten.'

Als Filly in die stemming is, is er niets met haar te beginnen, dus vertel ik het haar. Over de Braxton-Hicks. En de bibberende benen.

En het overgeven. En de klamheid. En de pijn in mijn onderrug. Ik ben heel lang aan het woord. Het is geen lijst van symptomen, het is verdomme een hele catalogus. Filly onderbreekt me niet.

'Scarlett, die symptomen... ik weet niet of...'

'Hoor eens, Filly, de meeste zijn nu verdwenen, op de rugpijn en de klamheid na. Het zijn waarschijnlijk gewoon de zenuwen voor de Marzonibruiloft. Het stelt niks voor. Ik had het je niet moeten vertellen. Het spijt me.'

'Nou, het spijt mij niet,' zegt Filly en ik hoor dat ze aanstalten maakt me een van haar preken te geven, waarin ze erop aandringt dat ik naar het ziekenhuis moet om me te laten nakijken terwijl ik weet dat dat niet nodig is. Ik ben 28 weken zwanger en ik heb een slechte dag, veroorzaakt door de spanning van de Marzonibruiloft. Meer niet.

'Filly, ik moet ophangen. Het lijkt erop dat Clive weer aan de gang gaat op de oprit.'

'Clive?'

'Een van de vier hengsten van Ed, weet je nog?'

'O, Clive.'

Net als ik heb opgehangen, tilt Clive zijn staart op en deponeert een stapel paardenvijgen op de oprit. Ik zucht en loop achterom om de schep te halen, die Ed van me aanpakt en aan oom Lorenzo geeft.

Tegen de tijd dat Lorenzo het heeft opgeruimd, zit het bruidsgezelschap in de koets en wordt het uitgezwaaid door de resterende gasten en de buren, die inmiddels aan weerszijden van de straat staan. De mannen zwaaien met hun zakdoek in de lucht en de vrouwen gebruiken een vaatdoek om de tranen die over hun wangen biggelen, af te vegen. Het is tenslotte de laatste Marzonibruiloft. In elk geval de laatste van de eerste serie Marzonibruiloften. Als je Carmella moet geloven, willen Isabella en Paul zich aan elkaar verbinden. Alweer. Met mij als weddingplanner. Alweer. Ik weet dat ik elke klus die ik kan krijgen nodig heb als ik eenmaal voor mezelf ben begonnen. Maar evengoed. Ik besluit er vandaag niet verder over na te denken. Morgen zal ik erover nadenken.

53

Weer in de Aston Martin is de stilte als een wiegelied en ik weet dat ik, als ik mijn hoofd op het stuur zou leggen, binnen een paar seconden zou slapen. Dus houd ik mijn hoofd zo ver mogelijk bij het stuur vandaan. Ik eet twee van de crackers met Marmite die ik in het handschoenenvakje heb gelegd en drink wat van de muntthee die Phyllis vanmorgen voor me in een thermoskan heeft gedaan. Dan steek ik de sleutel in het contact en draai. Er gebeurt niets. Ik draai nog eens. En nog eens. Nog steeds niets. Ik stap uit en doe de motorkap open. Rookwalmen stijgen op en ik gooi hem meteen weer dicht. Een branderige geur. Voor ik kan nadenken over een oplossing moet ik overgeven. Alweer. Ik doe het in de voortuin van Valentino Marzoni, op respectvolle afstand van de grot in een rododendron. Er staan nog wat buren op straat en ze kijken me aan met een mengeling van medelijden en afschuw. Ik pak mijn telefoon en toets weer het nummer van John. Als hij vier keer is overgegaan, neemt hij op.

'John, ik heb hulp nodig.'

'Alweer?' Hij probeert niet ad rem te zijn. Hij kan gewoon niet geloven dat ik zo snel alweer hulp nodig heb.

'Mijn auto wil niet starten.'

'Ben je bij het huis van Sofia?'

'Ja.'

'Ik ben over vijf minuten bij je.'

Voor ik hem kan bedanken, heeft hij al opgehangen. Ik knijp mijn ogen stijf dicht om de tranen die erachter branden, terug te dringen. Ik denk aan Ellen die, als ze achttien is, met Kerstmis door de stad loopt en geen taxi kan krijgen. Ik bedenk dat ze dan om twee uur 's nachts John zal bellen. En dat hij op een koude decembernacht uit zijn bed zal stappen, zijn broek zal aantrekken over zijn pyjama, met zijn Arrantrui, dat hij warm water over de bevroren voorruit van zijn auto zal gooien, op de koude stoel achter het stuur zal gaan zitten, zijn veiligheidsgordel vast zal doen en naar de stad zal rijden om haar op te halen, waar ze ook is. Hij zal er altijd voor haar zijn. Dat weet ik.

Ik sta op het trottoir en wacht. Er zit een vlek van braaksel op de zoom van mijn rok en ik wrijf erover met een tissue. Ik kijk op mijn horloge. Het is 6 minuten over halfeen. Nog 24 minuten voordat de trouwerij begint.

Johns auto verschijnt aan het begin van de straat en hij toetert. Ik probeer te rennen, maar ik moet stilstaan en steun zoeken bij het tuinhek om op adem te komen als een Braxton-Hickswee me overvalt.

'Scarlett, gaat het wel goed met je?' Dat is John. Hij zet de auto midden op straat stil en stapt uit. Hij rent naar me toe zonder zelfs het portier te sluiten. Tegen de tijd dat hij bij me is, is de pijn weg en kan ik rechtop staan en hem zwakjes toelachen.

'Wat is er, Scarlett? Is het de baby?' Alle kleur is weg uit zijn wangen en zijn gezicht ziet er magerder uit.

'Nee, nee,' zeg ik. 'Nou ja, in zekere zin wel. Het is een Braxton-Hickswee.'

'Daar heb ik over gelezen,' zegt John en dat verbaast me niets.

We draaien ons om als er een auto luid toeterend door de straat scheurt. De chauffeur leunt uit zijn raam en steekt twee vingers op voor hij om het obstakel dat Johns auto is, heen zwaait.

'We kunnen maar beter gaan,' zegt John als het geluid van de gillende banden in de verte is verdwenen. Hij steekt zijn arm uit en die neem ik dankbaar aan, blij met de steun. Hoewel de pijn is verdwenen, ben ik nog een beetje buiten adem.

We stappen in de auto en ondanks de striemende regen en Johns rustige rijstijl zijn we in 12 minuten en 22 seconden bij de kerk. Ik kijk op mijn horloge en schat dat het nog 5 minuten duurt voor Sofia er kan zijn.

Ik wend me tot John. 'Dankjewel,' zeg ik.

'Je zou hetzelfde doen voor mij,' zegt hij zonder enige twijfel in zijn stem.

Ik knik. Het is zo.

Ik pak mijn handtas van de tussenconsole. 'Ik moet...'

'Ga maar,' zegt hij. 'Ik weet het.' Hij buigt voor me langs en opent het portier. Ik ruik pepermunt en mottenballen. 'Ik wacht hier,' zegt hij. 'Een poosje. Voor het geval je... een lift nodig hebt of zo.'

'Dankjewel,' zeg ik nog eens.

'Ga nu maar,' zegt hij. 'Je wilt niet te laat komen.'

Zo goed en zo kwaad als het gaat, ren ik de kerk in om me ervan te overtuigen dat alles in orde is. Het is één roze zee. Ik glimlach als ik het zie. Een roze tapijt rolt zich als de tong van Al Pacino door het gangpad, omzoomd door enorme bossen bloemen en linten en ballonnen, allemaal roze, als op een verjaardagsfeestje voor een zesjarige.

Het altaar wordt verlicht met kaarsen – roze – die dansen en flakkeren, waardoor alles mogelijk lijkt. Het strijkkwartet en de organist en de banjospeler zijn in verschillende tinten roze gekleed, wat er bij de vrouwen fantastisch uitziet, maar een beetje ongelukkig is bij het enige mannelijke lid van het ensemble, de banjospeler. Hij ziet eruit of hij gekleed gaat in een gordijn – weliswaar roze – dat hij om zijn lijf heeft gewikkeld.

Alle bankjes zitten vol met gasten en hun gefluister vormt een kakofonie van geluid door de kerk. Ik zie geen spoor van Red, Filly of Hailey. Langs de zijkant loop ik naar voren.

'Waar is Red?' vraag ik aan Filly, die in een klein kamertje achter het altaar de After Eight van Blue naar binnen zit te werken. Vandaag draagt ze een roze met wit gestreept double-breasted mantelpak met roze pumps en in haar haar – dat roze is geverfd – zitten extensions die als een kroon om haar hoofd gevlochten zijn. Ze lijkt op iets wat je kunt opeten en ziet er aanbiddelijk uit.

'Hij is even naar buiten met Al Pacino,' zegt ze en ze probeert het bewijs weg te slikken zonder dat ik het zie.

'Ik heb hem niet gezien.'

'Hij is achterom gegaan. Al Pacino moest zijn behoefte doen.'

'Hoe gaat het met Blue?'

'Net zo winderig als Chicago. En dan de geur. Alsof hij gisteravond flink is doorgezakt en te veel kebab heeft gegeten.'

'Verdomme. Ik wist dat we hem geen After Eight moesten geven.'

'Ik weet het. Daarom eet ik de rest maar op,' zegt Filly opgewekt, alsof ze die smoes net pas heeft verzonnen.

'Je bent te goed,' zeg ik met een stem die Filly 'droog' noemt.

Er klinkt getik van hoge hakken en Hailey komt binnen. Het is meteen duidelijk dat ze niet gewend is aan hoge hakken. Ze loopt als een klein meisje op de schoenen van haar moeder. Geconcentreerd. Ze kijkt naar beneden. Ze probeert niet te struikelen.

'Scarlett,' zegt ze als ze me ziet. Ze gaat zorgvuldig zitten voor ze verder praat. 'Hoe gaat het met Sofia?'

'Die is onderweg,' is het beste wat ik kan verzinnen.

'Mooi,' zegt Hailey. 'Met Blue gaat het prima op een... een aanval van flatulentie na.' Ze kijkt me niet aan als ze dat zegt, waarschijnlijk voelt ze dat ik me een beetje schaam voor mijn winderige kat. 'Dat is helemaal niet zo ongewoon, hoor,' gaat ze verder. 'Ik heb ook een kat gehad met een vergelijkbare... conditie.' Nu staat ze zichzelf toe naar ons te kijken, waarna ze opstaat en even naar haar evenwicht zoekt. 'Ik kan beter mijn plaats opzoeken. Op deze schoenen duurt het sowieso wel even voor ik daar ben.' Ze glimlacht verontschuldigend en wankelt weg, het duurt sowieso al een poos voor ze de kamer uit is.

'Ik ga naar Red,' zeg ik. 'Om te zorgen dat hij op de goede plek staat voor Sofia er is.'

'Misschien moet ik dat doen,' zegt Filly en ze trekt haar wenkbrauwen op op een manier die me niet bevalt.

'Dat lukt me best, hoor,' zeg ik tegen haar.

'Oké, dan ga ik Padre Marco in zijn roze soutane helpen. Hij is er niet helemaal gelukkig mee, dus kunnen een beetje vleierij en overredingskracht geen kwaad. Of een sandwich met bacon. Brendan heeft me vanmorgen een hele stapel meegegeven voor noodgevallen.'

'Oké, ik zie je zo weer.'

De regen is gestopt als ik naar buiten stap, al is de lucht nog steeds loodgrijs, alsof hij een kleine pauze heeft ingelast.

'Scarlett O'Hara.' Ik draai om mijn as en daar staat hij. Met een paars fluwelen pak, een lichtroze shirt en een paarse das met kleine roze hartjes. Al Pacino trekt hard aan de riem. Ik glimlach naar hem. Naar hen samen. Wat kan een mens anders?

'Kom, laat mij maar even...' Zijn das hangt scheef en ik steek mijn handen omhoog om die los te knopen. Mijn knokkels schaven langs zijn warme, ruwe hals en ik voel de elektrische stroom door mijn hele lichaam vibreren. Ik trek mijn handen terug, maar het is al te laat.

'Je vingers zijn ijskoud,' zegt hij en hij slaat zijn handen om de mijne heen en blaast er zachtjes op. Nu wrijft hij ze tussen zijn vingers, geconcentreerd op zijn taak alsof ik er niet ben. Ik kijk recht naar voren en concentreer me op het voltooid deelwoord van *descendre*.

'Zo,' zegt hij en zijn stem klinkt als een donderslag bij heldere hemel, zodat ik schrik. 'Alweer klaar. Nu mag je mijn das doen. Als je dat niet erg vindt.'

Ik doe er langer dan normaal over om zijn das te strikken. Mijn vingers voelen als de vingers van iemand anders. Al moet ik toegeven dat ze inderdaad warmer zijn geworden.

'Dankjewel,' zegt hij als het me ten slotte lukt. 'Je kunt goed dassen strikken, dat is zeker.'

'Ja,' zeg ik. 'Ik kan alles strikken, nu je het zegt.'

Hij glimlacht en inwendig lees ik mezelf de les. *Ik kan alles strikken?* Ik wacht tot de elektrische stroom in mijn lichaam afneemt. Het duurt langer dan ik zou willen.

'Is je iets opgevallen aan mij?' vraagt Red, eigenaardig verlegen.

Ik bekijk hem van top tot teen. Dezelfde dikke bos haar. Dezelfde aanstekelijke manier van lachen, met zijn hele lichaam. De onhandige manier waarop zijn kleren zitten, alsof niets hem past.

'Nee,' zeg ik.

Hij steekt zijn pols naar voren om te laten bekijken. Er zit een horloge omheen. Zijn witte huid is rood geschaafd. Het loopt tien minuten achter en op de wijzerplaat staat Mickey Mouse. Maar evengoed. Het is een horloge. Ik kijk op en glimlach.

'Dat had je toch niet hoeven doen,' zeg ik. 'Ik heb meer dan genoeg klokken voor ons allemaal.'

'Ik wilde iets van jouw last met je delen,' zegt hij en hij kijkt op het horloge alsof hij zich probeert te herinneren hoe hij het moet aflezen.

'Oké,' zeg ik en ik haal mijn nuchtere stem weer tevoorschijn, al zegt die dat hij is uitgeput door overmatig gebruik. 'Ik kwam je ophalen om je neer te zetten waar je geacht wordt te staan.' Er verschijnt een brok in mijn keel als ik die woorden zeg.

'O, ja,' zegt hij, 'en waar is dat?'

'Waar is wat?'

'Je zei dat je me ging neerzetten waar ik geacht word te staan.' Red buigt zich naar me toe en hij krijgt een bezorgde trek op zijn gezicht.

Ik roep mezelf tot de orde. 'O, ja, het spijt me, ik werd een beetje afgeleid,' zeg ik tegen hem en ik doe net of ik iets in mijn tas zoek.

'Ik dacht niet dat jij je zou laten afleiden, Scarlett O'Hara,' zegt hij, glimlachend nu.

'Het spijt me,' zeg ik en ik raap mezelf bij elkaar. 'Je wordt geacht bij de voorste bank te staan, weet je nog? Naast de getuige. Net als bij de generale repetitie.'

'Wat ik nog wilde vragen, hoe gaat het met Sofia?' Zijn gezicht is een en al bezorgdheid terwijl hij op het antwoord wacht.

'Ze is...' begin ik en ik vraag me af wat ik zal zeggen.

'O, nee,' zegt Red en hij slaat met zijn hand tegen zijn voorhoofd. 'Ik wist dat dit zou gebeuren.'

'Nee, nee, het gaat prima met haar,' zeg ik snel. 'Ze is onderweg.'

'Ze heeft toch niet gehuild, of wel?' vraagt hij en hij wuift mijn geruststellingen weg.

'Nou, een beetje, maar...'

'Was Hailey bij haar?'

'Ik heb ze gescheiden. Hailey is nu hier.'

'Ik had vanmorgen bij haar moeten zijn. Dat heb ik haar gezegd. Maar ze wilde er niets van horen.'

'Nou, het voorspelt ongeluk,' zeg ik, al heb ik het niet op dat soort bijgeloof.

'Shit,' zegt Red. Hij haalt zijn vrije hand door zijn haar en verpest zo al het werk dat Filly eerder heeft verricht met de pot gel die ik haar had gegeven.

'Hoor eens, maak je geen zorgen, Red,' zeg ik en ik doe een stap naar hem toe. Nu zie ik de donkere kringen onder zijn ogen die ik herken als het gevolg van slaapgebrek. Zijn ogen zijn nog net zo levendig groen als altijd. Het is alsof ik naar de zon kijk en ik moet mijn blik afwenden. 'Sofia had gewoon een beetje koudwatervrees, meer niet. Het gaat nu uitstekend. Ze zit in de koets met haar zusters en haar vader en het gaat... het gaat uitstekend.' Het is maar een klein leugentje. Ik bedoel, het gaat veel beter dan eerst en dat ligt toch heel dicht bij uitstekend, of niet? En ik heb ons al zo ver gekregen. Ik ben niet van plan te struikelen over de laatste horde.

Red kijkt naar mij voor hij antwoord geeft. Alsof hij zich afvraagt wat hij zal zeggen. Of hij wel iets zal zeggen.

'Ben je ooit ergens aan begonnen,' vraagt hij, 'iets wat in eerste instantie een goed idee leek? Iets wat aanvankelijk volkomen logisch leek, maar dat er toen halverwege iets gebeurde? En dat het ineens niet meer logisch was?' Dan zwijgt hij en zoekt naar een manier om duidelijk te maken wat hij bedoelt. Maar ik begrijp het wel. Het is glashelder. De wolken in mijn hoofd trekken op en het is alsof de zon doorbreekt en ik plotseling weet wat ik moet doen.

'Ik moet weg,' zeg ik en ik draai me al om tijdens het praten. Ik ren al bijna.

'Wat?' vraagt Red. 'Wacht. Waar ga je heen?'

'Ik ben zo terug,' zeg ik zonder me om te draaien.

Ik sta pas stil als ik bij de auto ben. Ik ga erachter staan en kijk naar de achterkant van zijn hoofd. Hij ziet me in de achteruitkijkspiegel. We kijken elkaar aan en onze blik lijkt een eeuwigheid te duren. Dan steekt hij zijn arm uit en opent het portier aan de passagierskant. Ik stap in.

'Gaat alles goed?' vraagt hij. In de verte hoor ik hoefgetrappel op het asfalt.

'Iedereen staat op zijn plek,' zeg ik tegen hem. 'Sofia kan hier elk moment zijn. Ik hoor de koets al.' Ik trek het portier dicht en het geluid sterft weg.

'Dat is mooi,' zegt hij. 'Ik ben blij.' Maar zijn stem klinkt behoedzaam terwijl hij wacht tot ik ga zeggen waarvoor ik ben gekomen.

'John,' begin ik en ik schud mijn hoofd. 'Het spijt me.'

Het blijft even stil. 'Je wilt niet met me trouwen, of wel?' zegt hij na een poosje. Er is geen spoor van verbittering in zijn stem. Alleen berusting.

'Nee,' zeg ik en mijn stem is niet meer dan een fluistering. 'Dat had ik veel eerder moeten zeggen. Maar ik durfde niet. Ik was bang om Ellen te krijgen zonder jou. Jij vormde mijn verbinding met stabiliteit en normaliteit en realiteit. Die band wilde ik niet verbreken.'

Weer een pauze en even denk ik dat hij gaat zeggen dat ik moet uitstappen en dat hij dan weg zal rijden. In plaats daarvan leunt hij naar achteren en sluit zijn ogen.

'Ik had je nooit in de steek moeten laten,' zegt hij dan. 'Ik heb alles verpest. Ik had moeten blijven. Of je mee moeten nemen. Of... of zo.'

'Ik heb je laten gaan,' zeg ik. 'Ik heb je nooit gevraagd om te blijven. Of om mij mee te nemen. Of zo.'

'En het ergste is dat ik niet eens meer weet waarom ik weg ben gegaan,' zegt hij. 'Dat heb ik mezelf al duizend keer gevraagd en ik weet het nog steeds niet.' Zijn stem trilt nu en ik steek mijn hand uit en pak de zijne.

'Je wilde meer,' zeg ik rustig. 'En ik ook, als ik eerlijk ben. Ik was alleen bang om het toe te geven. Bang om dingen te veranderen voor het geval het anders zou uitpakken dan ik had gepland.' Het hoefgetrappel klinkt luider, komt dichterbij.

'En hoe moet het dan met Ellen?' vraagt hij na een poosje. 'Wat doen we met Ellen? Misschien is ze niet eens van mij. Jezus, wat een chaos.'

Daar denk ik even over na, al heb ik de laatste paar maanden aan weinig anders gedacht. Maar nu, in het nieuwe stukje van mijn geest dat is opgeruimd, zoals mijn kantoor na de voorjaars-, de zomer-, herfst- en winterschoonmaak, ziet de chaos er gewoon minder chaotisch uit.

'John, kijk me eens aan,' zeg ik en met mijn twee handen draai ik zijn gezicht naar het mijne, genietend van het vertrouwde gevoel. 'Ellen zal als ze geboren is, worden omgeven door mensen die van haar houden. Door mij en jou en Red en Filly en Bryan en Phyllis en Declan en George en Maureen. Daar is toch niks chaotisch aan, of wel?'

Het blijft even stil, maar het is geen boze stilte of een verdrietige stilte. Het is een bedachtzame stilte en ik weet dat John zorgvuldig over de vraag nadenkt voor hij antwoord geeft, een eigenschap waardoor ik altijd van hem heb gehouden. Ik geef hem de tijd.

'Nou...' zegt hij na een poosje. 'Het is niet ideaal...'

'Nee,' zeg ik instemmend. 'Dat is het niet. Maar Ellen zal wel ideaal zijn. Of niet soms?'

'Ik kan niet wachten om haar te zien,' zegt hij en ik zie een spoortje van een glimlach op zijn gezicht verschijnen.

'Ik ook niet,' zeg ik.

'Ik wilde het zo graag goed doen,' zegt hij.

'Dat weet ik,' zeg ik. 'Ik ook.'

'Maar je hebt gelijk. Over ons, bedoel ik.' De woorden zijn definitief als de eerste schep aarde op het deksel van een doodskist voor die in de aarde zakt. 'Het is het beste. Voor ons allebei.'

Op dat moment, in de auto van John terwijl de regen opnieuw langs de voorruit biggelt als de tranen over mijn wangen en mijn haar langs mijn gezicht sliert als doorweekt zeewier, is het beeld duidelijk. Ik sta mezelf toe ernaar te kijken en hoewel het er al die tijd al was, zie ik het nu pas. Dat hij gelijk heeft. Dat ik gelijk heb. Dat dit het beste is om te doen.

'Kunnen we nog vrienden blijven?' vraag ik door mijn tranen heen. 'Ik bedoel, niet alleen om Ellen, maar gewoon om ons.'

'Natuurlijk kan dat,' zegt John. 'Wie moet er anders naar me luisteren als ik wil praten over de evolutie van de belastingwetten in de vorige eeuw en de impact die die heeft gehad op de trends van de varkensvleesmarkt?'

'Dat zal ik doen,' zeg ik.

'Omdat je mijn vriendin bent,' zegt hij.

'En jij bent mijn vriend.'

We buigen ons over de handrem en omhelzen elkaar, huilend, jankend als een stel oude wijven op de begrafenis van de laatst beschikbare vrijgezel in de stad.

'Scarlett!' Achter de auto hoor ik hoge hakken. Ik draai me om. Door de achterruit zie ik Filly en Hailey naar ons toe rennen. Nou ja, Hailey doet haar best om te rennen. Het is meer een snelle loop en haar gezicht is verwrongen van concentratie om niet van haar hoge hakken af te vallen. Filly rent voorop en trekt Hailey aan haar hand mee. Red komt achter hen aan en hij trekt Al Pacino met zich mee.

'Ik kan beter gaan,' zeg ik tegen John en ik doe het portier open.

Hij knikt. 'Ik weet het,' zegt hij.

Ik stap uit.

'Veel succes,' zegt John en ik zie aan de gezichten van Red, Filly en Hailey dat ik dat nodig zal hebben. Ik sluit de deur en John rijdt weg. Hij kijkt niet om.

'Wat is er aan de hand?' vraag ik als ze met zijn vieren slippend voor mijn voeten tot stilstand komen.

Ze antwoorden tegelijkertijd en hun woorden tuimelen over elkaar als dronkenlappen tegen sluitingstijd.

'Wacht,' zeg ik. 'Ik kan er niets van verstaan.' Nu zegt niemand meer iets en weet ik nog niks. Ik wijs naar Filly. 'Juist,' zeg ik, 'jij eerst.'

'Nou...' begint ze en ik zie dat ze niet weet waar ze moet beginnen. 'Het gaat om Sofia,' zegt ze ten slotte.

Ik vervloek mezelf omdat ik eerder op de dag niet in de Magneet met Sofia wilde praten. 'Waar is ze?'

'Ze zit in de koets,' zegt Red en hij trekt aan zijn das alsof die hem nu al verstikt. Hij knikt naar links en ik zie de vier roze paarden en de vergulde koets die langs een dubbele gele streep voor de kerk geparkeerd staat.

Ik laat mijn adem los. Ze is er tenminste.

'Ga verder,' zeg ik.

'Ze weigert uit te stappen,' zegt Filly.

Ik zwijg bij dit nieuwtje, net als Red en Hailey. Filly kijkt me verwachtingsvol aan.

'Kom, we gaan,' zeg ik met al het gezag dat ik bij elkaar kan rapen.

Met zijn vieren stappen we naar de koets waarvoor de vier hengsten met gebogen hoofd staan, alsof ze zich schamen. Tussen de mensen door die zich daar verzameld hebben – Sofia's zusters en Valentino met een moordzuchtige uitdrukking op zijn gezicht – loop ik naar de koets en klim erin. Helemaal alleen, met haar grote ogen en haar opgestoken haar en haar geweldige trouwjurk zit Sofia Marzoni erbij alsof ze ternauwernood is ontsnapt uit de enige tekenfilm van Walt Disney die slecht afloopt. Ik ga naast haar zitten.

'Het spijt me zo, Scarlah,' zegt ze en ze kijkt me aan. 'Ik dacht dat ik het kon, maar ik kan het niet. Ik kan het gewoon niet.'

Oorspronkelijk was ik van plan, toen ik de koets in klom, om dit probleem op te lossen. Er een pleister op te plakken. Het een paar krukken te geven. Het door het gangpad te laten hinken. In plaats daarvan neem ik Sofia's koude hand in mijn net opgewarmde handen en knijp er zachtjes in.

'Het spijt mij ook,' fluister ik haar toe.

'Waarom?'

'Ik had bij jou thuis met je moeten praten. Ik was bang dat dit zou gebeuren. Ik wilde het vermijden.'

'Ik heb ook van alles willen vermijden,' zegt Sofia. 'Ik dacht dat ik het kon. Maar het is allemaal anders geworden. Ik kan het gewoon...'

De koets gaat plotsklaps opzij hangen en Red Butler verschijnt in de boog van de deur en wurmt zich naar binnen. Hij werpt een blik op Sofia, buigt zich naar haar toe en houdt haar teder vast alsof ze een stuk kristal is dat kan breken.

'Het is al goed, Sofia. Het was sowieso een stom idee. Ik had je niet moeten aanmoedigen.'

De koets kantelt weer – dieper deze keer – en nu wurmt Valentino zich naar binnen met een koppige uitdrukking op zijn gezicht, maar met een onberispelijk zittende das.

'Wat isse ane de hand?' Hij stelt de vraag aan mij en ik weet dat ik het antwoord zou moeten hebben, gezien mijn positie als weddingplanner, maar dat is niet zo. Er is echter één ding dat ik wel weet.

'Sofia gaat vandaag niet trouwen,' zeg ik tegen hem.

Sofia, Red en ik zijn allemaal zo ver mogelijk achteruit gekropen na deze mededeling. Valentino ademt in en in tot hij op ontploffen staat. Hij opent zijn mond om iets te zeggen, maar Sofia is hem voor. 'Het spijt me, papà,' zegt ze. 'Ik ben verliefd.'

'Ikke wete dat jij verliefd bent,' brengt Valentino met moeite uit. 'Daarom heppe ik een fortuin uite gegeven ane jouwe trouwe dag. Wete jij nog?'

'Nee, papa,' zegt Sofia. 'Niet op Red. Ik ben verliefd op Hailey.'

Ik heb wel eens gehoord van het woord 'apoplectisch' maar heb er nog nooit eerder een demonstratie van gezien. De knopen op het overhemd van Valentino doen hun uiterste best hem in toom te houden. Zijn ogen worden groot en puilen uit hun kassen. Zijn handen ballen zich tot vuisten. Zijn gezicht ziet eruit alsof ik de roze voedingsmiddelenkleurstof op hem heb gebruikt.

Met een spectaculair slecht gevoel voor timing kiest Hailey dat moment uit om de koets in te stappen.

'Ik... ik weet het al jaren,' gaat Sofia verder. 'Niet van Hailey, van mezelf bedoel ik. Eigenlijk al sinds mijn tienertijd. Maar... maar ik weet hoe je denkt over... over mensen zoals ik en ik weet dat je graag wilt dat ik trouw, net als al mijn zusters, en ik was bang om het je te vertellen en... nou, gewoon, bang.'

In de koets kun je een speld horen vallen. Niemand vertrekt een spier. Niemand haalt adem. Tot Valentino zich tot Red wendt. 'En jij?' sist hij.

Red schraapt zijn keel. 'Sofia is mijn vriendin. Ze vroeg me om hulp. Ik... ik wilde haar alleen maar helpen.'

'Maar het huwelijke isse eene institutióne!' brult Valentino in Reds gezicht. 'Een van de Heilige Sacramenten,' zegt hij en zijn stem wordt steeds hoger. 'Dat magge je niet gebruiken omme je te verbergen.' Hij draait zich om en kijkt naar het betraande gezicht van Sofia. 'Offe omme een vriendin te helpen.' Dit met een woedende blik op Red. 'Daar isse het te belangrijk voor.'

'Red kan er niks aan doen,' zegt Sofia en ze kijkt naar Red. Ondanks alles glimlacht ze hem toe. Ik moet bekennen dat het moeilijk is om dat niet te doen. 'Ik heb Red gevraagd of hij met me wilde trouwen. Hij stemde pas toe toen ik het hem smeekte. Hij dacht dat hij me een plezier deed. We zouden een halfjaar bij elkaar blijven en dan zou Red net doen of hij een affaire had waar ik dan achter kwam en dan zouden we scheiden en dan kon ik ergens rustig gaan wonen en jij zou heel goed begrijpen waarom ik nooit meer wilde trouwen en dan kon ik verder met mijn leven. En het zou helemaal goed zijn gegaan, maar toen leerde ik Hail kennen.'

Valentino torent woedend boven Hailey uit, die zo moedig is geen krimp te geven. Hoewel Valentino's gezicht niet meer zo roze is als daarnet, ziet hij er nog steeds behoorlijk intimiderend uit. Nu Valentino zo dichtbij komt, trekt alle kleur weg uit Haileys gezicht.

'Enne wat hebbe jij te zeggen?' vraagt hij haar. Even denk ik dat Hailey te bang is om een woord uit te brengen, maar dan antwoordt ze hem. Ze komt niet verder dan: 'Ik… ik ben verliefd op Sofia,' maar het is genoeg.

Nu is de beurt aan Filly om zich de koets in te wurmen. Ze past er eigenlijk niet meer bij, maar omdat ze zo klein is, lukt het haar toch. 'Heb ik iets gemist?' vraagt ze met het understatement van het jaar.

'Ik ben verliefd op Hailey, meer niet,' zegt Sofia en deze keer glimlacht ze erbij.

'Ik wíst het wel,' roept Filly en ze slaat met een hand op haar been. 'En Hailey is ook verliefd op jou zeker?' vraagt Filly, die zeker wil weten dat de liefde van Sofia wordt beantwoord aangezien ze een hekel heeft aan onbeantwoorde liefde.

'Ja, inderdaad,' beaamt Hailey met een stem als een lied. Als een feest.

'O, wat heerlijk,' zegt Filly, die gek is op een mooi einde.

'En ik ben misschien de vader van Ellen,' zegt Red plotseling en alle hoofden draaien in zijn richting in afwachting van zijn volgende woorden.

'Wie isse Ellen nou weer?' vraagt Valentino alsof het hem nu werkelijk te veel wordt.

'De baby van Scarlett,' zeggen Red, Sofia en Hailey in koor alsof ze de tafels opzeggen op school.

'Jezus, Red, jij kiest je moment lekker uit, nou vraag ik je,' zegt Sofia. 'Dit zou mijn trouwdag moeten zijn, weet je nog?

'Ik weet het,' zegt Red, 'en het spijt me echt. Ik weet dat ik het veel eerder had moeten vertellen, maar het werd allemaal zo... gecompliceerd... en...'

Het lijkt wel of de vechtlust uit Valentino verdwijnt als de lucht uit een afgezegde heteluchtballon. Even heerst er een perfecte stilte in de koets, terwijl we ons bewegen als vreemden in een lift die ergens is blijven hangen tussen de kelder en de begane grond.

Valentino wendt zich tot mij en ik krimp ineen onder zijn blik. 'Enne jij, Scarlett O'Hara?' vraagt hij en iedereen lijkt zijn adem in te houden. 'Heppe jij nietse te zeggen?'

Voor ik kan bedenken wat ik tegen Valentino moet zeggen, krijg ik een wee. Deze keer komt hij van achteren en graaft zich als een spade in mijn rug. Ik kerm, kom overeind en blijf staan alsof ik ergens op wacht, maar niet weet waarop. De pijn beweegt zich naar voren, buigt me dubbel en dan loopt er iets warms en nattigs langs mijn benen. Het vormt een plasje op de grond.

'Jezus, Scarlah, heb je in je broek gepiest?' Dat is Sofia, dolblij met deze afleiding.

De wee trekt door mijn lichaam en ebt dan weg zodat ik niet meer ben dan een vrouw die in een roze koets staat die wordt getrokken door vier roze hengsten, met een plasje water tussen haar benen.

'Nee, ik...'

'Zijn het de vliezen?' vraagt Red, die van mijn gezicht naar het plasje kijkt en weer terug. 'Jezus, je vliezen. Die horen pas te breken als...'

'Als de baby komt,' maakt Hailey zijn zin op haar zorgvuldige, rustige wijze af.

'De baby kan toch nog niet komen,' zegt Filly. 'Je bent pas 28 weken.'

'Sofia isse geboren na tweeje enne dertig weken,' doet Valentino een duit in het zakje. Hij probeert zich te bewegen, maar zit ingeklemd tussen Hailey en Red.

Het valt niet mee om dubbel te buigen in de koets, gezien de hoeveelheid mensen die zich erin bevinden, maar ik doe het toch. De wee is hetzelfde als eerder, een knijpende, knarsende pijn en ik moet mijn ogen sluiten uit angst dat ik hem anders zal zien. Mijn handen voelen voor mijn buik tot ik iemands haar te pakken krijg en ik trek eraan. Hard. Ik blijf trekken tot de wee weg is en dan doe ik langzaam mijn ogen open. 'Het spijt me,' zeg ik tegen Red terwijl ik naar adem snak. 'Ik moest iets vastpakken.'

'Er is tenminste genoeg om vast te pakken,' zegt Red, maar hij lacht niet meer. Hij kijkt bezorgd.

'De bevalling is begonnen, Letty,' zegt Filly, die het heeft opgezocht in het *Handboek voor partners bij zwangerschap*, dat ze uit haar tas heeft gepakt. 'Op bladzijde 145 staat beschreven hoe je een baby moet halen, maar dat heb ik nog niet gelezen. Ik ben verdomme pas op bladzijde 23. Jezus!'

'De bevalling kan nog niet begonnen zijn. Ik ben pas 28 weken zwanger,' zeg ik. Maar meteen kan ik niet verder praten omdat de volgende wee zich aandient en ik omrol als een golf die op weg is naar het strand. 'Ik weet niet eens hoe ik moet ademen,' hijg ik als de samentrekkingen afnemen. 'Ik ben nog niet eens begonnen met zwangerschapsgymnastiek.'

'Gewoon blijven ademhalen,' zegt Red.

'Wat bedoel je?'

'Ik bedoel in- en uitademen. Zoals iedereen. Maar concentreer je erop. Alsof je aan yoga doet. Je hebt wel aan yoga gedaan, of niet?'

'Eh, ja.' Op dit moment weet ik helemaal niet of ik wel eens aan yoga heb gedaan, maar ik zou zeggen van wel. Het is iets wat wel bij me past.

'Goed,' zegt Red. 'Iedereen eruit.'

'Maar...' begint iedereen tegelijk.

'WEG!' brult Red en deze keer doet iedereen wat hij zegt. Red maakt de lange bank achter in de koets leeg. 'Hier, Sofia, geef me je omslagdoek. Daar kan Scarlett wel op liggen.'

'Maar die is van zijde,' zegt ze tegen hem. 'Hij heeft me verdomme 435 euro gekost. Nota bene in de uitverkoop.'

'Watte heeft hij gekost?' raast Valentino als Sofia Red de omslagdoek overhandigt en toekijkt hoe hij hem over de bank legt en mij er vervolgens op manoeuvreert.

'Ik weet het, ik weet het,' zegt Sofia, 'maar het was in de uitverkoop. Ik kon hem toch niet laten liggen, zeg nou zelf.'

'Het spijt me, Sofia,' kan ik nog net uitbrengen. 'Ik zal mijn best doen om...' Er komt weer een golf water uit me in een uitermate delicate roze kleur. Sophia's omslagdoek kleurt donker.

'O, jezus, bel een ambulance,' zegt Sofia, die geen commentaar levert op haar verknoeide omslagdoek.

Filly wurmt zich de koets uit. Ik hoor haar in haar mobiel praten. '... hebben met grote spoed een ambulance nodig. Er is hier een vrouw aan het bevallen. Ze is pas 28 weken zwanger.' Er valt een pauze voor Filly weer wat zegt. 'Ja, natuurlijk is ze werkelijk, echt aan het bevallen. Dat heb ik toch net gezegd. Ik ben opgegroeid op een boerderij in Australië, moet je weten. Ik heb genoeg schapen zien bevallen. Ik weet verdomme wel hoe dat eruitziet.' Weer een pauze. 'Ik weet verdomme wel dat ze geen schaap is maar...'

Red steekt zijn hoofd uit het raam van de koets. 'Filly, dit is een noodgeval. Houd alsjeblieft op over die stomme schapen en vraag wanneer ze hier kunnen zijn.'

'Wanneer kan de ambulance hier zijn?' vraagt Filly gehoorzaam.

'Twintig minuten? Als het zo doorgaat, is de baby dan al lang geboren,' zegt Filly en hoewel het voor haar niet ongewoon is te overdrijven, ben ik bang dat ze deze keer wel eens gelijk kon hebben. Ik vouw mezelf in tweeën als er weer een wee door mijn buik dendert.

Red knielt voor me op de grond en veegt het zweet van mijn gezicht met een grote, tamelijk schone zakdoek. 'Kun je je bewegen?' vraagt hij me. 'Dan rijd ik naar het ziekenhuis. Dat zal sneller gaan dan op de ambulance wachten, oké?'

Ik open mijn ogen en knik naar hem voor de volgende wee komt. Ik kniel op de grond en wieg van voren en naar achteren. Het is de enige positie waarin de pijn draaglijk is.

'De weeën komen veel te snel,' schreeuw ik tegen hem. 'We moeten meteen weg.'

Red kijkt naar mij, kijkt op zijn Mickey Mousehorloge en lijkt een beslissing te nemen. Hij steekt zijn hoofd uit de koets. 'Holles Street,' schreeuwt hij naar de koetsier. 'En spaar de paarden niet.'

'Ik ben niet verzekerd voor te hard rijden,' zegt de koetsier.

'OPSCHIETEN NOU!' brult Red hem toe en met een schok zet de koets zich in beweging.

'Ik kan toch niet naar het ziekenhuis met paard-en-wagen,' sputter ik tegen, maar dan besef ik dat het me eigenlijk niks kan schelen. Niks kan me nog schelen. Zelfs Ellen niet, die veel te vroeg komt. Gevaarlijk vroeg. Het enige waar ik aan kan denken, zijn de weeën. De pijn is overal. Binnen in me en om me heen. Het is bijna voelbaar, als iets wat je zou kunnen aanraken en vastpakken. Ik steek mijn hand uit en houd me aan de pijn vast. Mijn hoofd vult zich met de pijn tot ik het gevoel heb dat ik er niet meer ben. Ik weet niet hoeveel tijd er verstrijkt.

Red houd mijn hand vast en gebruikt de andere hand om zijn mobiel tegen zijn oor te houden. Hij belt met het ziekenhuis.

'Ik weet het niet,' hoor ik hem zeggen. 'De weeën komen snel achter elkaar. Het lijkt wel of er helemaal geen pauze tussen zit... hoe pijnlijk? Hoe moet ik het nou weten? Het ziet er behoorlijk pijnlijk uit. Wat voor vraag is dat nou? ... oké, oké, nee, ik heb niet gekeken. Waar moet ik eigenlijk naar kijken...? O, oké, blijf aan de lijn, ik zal kijken.'

Red laat zijn telefoon op de grond vallen en legt zijn handen op mijn schouders. Ik voel de warmte door mijn blouse. De pijn ebt even weg en ik concentreer me op mijn ademhaling. 'Oké, Scarlett, ik moet je even controleren,' zegt Red snel, zonder me werkelijk aan te kijken.

'Oké,' zeg ik.

'Oké?' Het is niet het antwoord dat Red Butler verwachtte, maar ondanks alles doe ik mijn best om rechtop te gaan zitten en mijn rok tot over mijn knieën op te trekken.

Ik leun achterover op mijn ellebogen. 'Doe het snel,' zeg ik tegen hem. 'Voor de volgende wee.'

Red veegt zijn handen schoon aan zijn broek, rolt zijn mouwen op, knielt tussen mijn benen en begint mijn onderbroek over mijn dijen naar beneden te trekken.

'Scheur toch kapot,' schreeuw ik tegen zijn gebogen hoofd. Ik zie de volgende wee als een tank op me afkomen. Nu rukt Red aan het dunne materiaal en ik hoor het scheuren terwijl hij zich nog verder vooroverbuigt.

'O, jezus,' zegt hij. Hij pakt de mobiel die op de grond naast hem ligt.

'Wat is er?' schreeuw ik door de ruimte tussen mijn knieën. 'Wat is er te zien?'

Red drukt de telefoon tegen zijn oor, kijkt naar mij en zegt: 'Ik geloof dat ik het hoofdje al zie.'

Ik rol me om tot ik op handen en knieën zit. De drang om te persen komt diep vanbinnen, waar ik nog nooit ben geweest. Het is in alle eenvoud een oergevoel en ik gehoorzaam zonder geluid te maken.

'Niet persen,' schreeuwt Red. 'Nu moet je hijgen. Dat zeiden ze aan de telefoon. Niet persen. We zijn er bijna.'

Ik probeer te doen wat me gezegd wordt. Ik probeer te hijgen. Maar de drang om te persen woedt door mijn lichaam als een tornado en neemt al mijn goede voornemens mee. Ik span elke spier die ik heb. Het leunt tegen me aan. Het grijpt me als handen beet. Het overwoekert me. Ik pers met mijn hele lichaam.

Met een schok staat de koets stil. Red knielt naast me en houdt de telefoon tussen zijn schouder en zijn oor. Hij steekt zijn hoofd uit het raam van de koets. 'Ik weet niet waar we zijn,' zegt hij. 'We staan in de file. We kunnen niet sneller... Nee. Er is geen busbaan... Waar is de ambulance?' Flarden van het gesprek dringen tot me door. Ik denk dat ik toeterende claxons hoor, hinnikende paarden, schreeuwende mensen.

'Oké,' blijft Red zeggen. 'Oké.' Ik weet niet of hij het tegen mij heeft, tegen de persoon aan de telefoon of zelfs tegen zichzelf. Hij worstelt zich uit zijn jasje en overhemd en trekt er zo hard aan dat de knopen als popcorn in de hete olie alle kanten op vliegen. Ik vraag niet waarom. Dat kan ik niet. Het enige wat ik kan, is persen. De pijn is nu heet. Hij brandt als een vuur. Het persen doet pijn, maar ik kan niks anders.

Het lukt Red op de een of andere manier om me op mijn rug te leggen en zijn hoofd verdwijnt weer tussen mijn benen. 'Het hoofdje komt eraan,' schreeuwt hij in de telefoon. 'Ja, ik geloof van wel. Ik geloof dat ze naar beneden kijkt... Ja, ik heb mijn handen eronder.' Een pauze en dan kijkt hij naar me op en brult: 'Persen, Scarlett!'

'Dat kan ik niet,' zeg ik. 'Ik kan het niet meer.' Mijn stem klinkt alsof hij van ver komt. Van een plek waar ik nog nooit ben geweest.

'Nog een keer,' zegt Red en hij steekt een hand uit naar mijn gezicht en strijkt het haar uit mijn ogen. Hij glimlacht naar me. 'Je kunt het wel,' fluistert hij.

'Ik kan het niet.' Ik ben nog nooit van mijn leven zo zeker ergens van geweest. Ik heb niets meer over om te persen.

'Je kunt het. Je kunt alles wat je wilt, Scarlett O'Hara.' En alsof ik ergens een verborgen laatje in me heb opengetrokken waarin ik een reservevoorraad energie heb zitten, druk ik me op op mijn ellebogen, haal diep adem en pers nog een keer. Deze perswee is anders. Langzamer. Zachter. Ik voel iets langs mijn huid. Het lijkt op de contouren van Ellens gezicht die langs me bewegen. Door me heen, mij voorbij bewegen.

'Ik heb haar hoofd in mijn handen,' schreeuwt Red en in zijn stem hoor ik wat ik voel. Het is verwondering en ik werk me erdoorheen en nu voel ik een warme, glijdende, gladde sensatie en dan is de pijn weg en weet ik dat het Ellen is. Ze is er.

54

Het geluid valt me niet meteen op. Het bloed bonkt in mijn oren en mijn ademhaling gaat moeilijk en maakt veel lawaai. Dan hoor ik het. Het is het ergste geluid dat ik ooit heb gehoord. Het is het geluid van helemaal niks. De stilte is verstikkend en dik, als rook. Ik hijs mezelf erdoorheen tot ik zit. Ik zie Red. Hij wikkelt Ellen in zijn roze shirt. Het past heel vaak om haar heen. Haar lichaam maakt geen indruk onder de stof van het overhemd. Het enige wat ik in de stilte hoor, is het geritsel van de katoen in de handen van Red. De stilte verspreidt zich door de koets als een zonsondergang, tot hij er helemaal mee gevuld is. Praten wordt erdoor bemoeilijkt. In plaats daarvan leun ik voorover, mijn arm uitgestoken. Ik leg mijn hand op Ellen. Ze maakt geen enkel geluid. Haar ogen zijn gesloten. Haar huid voelt vochtig tegen mijn vingers. Ze is blauw.

Nu zijn er overal mensen. Sommigen met witte jassen. Sommigen met blauwe. Of met groene. Er is lawaai. Iedereen praat door elkaar heen. Het enige wat ik kan horen, is de stilte, steeds luider.

'Waarom huilt ze niet?' roep ik, maar het is als het roepen in een droom, als niemand je kan horen. Ik zie de navelstreng, kloppend tussen mijzelf en Ellen. Een vrouw in een wit uniform zet een schaar erop. 'Niet doorknippen,' schreeuw ik, harder deze keer zodat ze naar me kijkt met een eigenaardige blik, alsof ze mij nu pas ziet en zich afvraagt wat ik daar doe.

'Ik moet wel,' zegt ze tegen mij. 'We moeten de baby helpen. Ze moet naar binnen.'

'Ellen,' zeg ik. 'Ze heet Ellen.' Plotseling is het van levensbelang dat de verpleegster – en al deze mensen – haar naam kennen. 'Ellen O'Hara,' zeg ik en ik leun voorover, knijp in de hand van de verpleegster en ze glimlacht naar me en knikt. 'Komt het wel goed?' vraag ik en nu is mijn stem niet meer dan een fluistering. Kleiner nog dan Ellen. Het antwoord blijft uit.

Het hoofd van de verpleegster is gebogen, de navelstreng is doorgeknipt en Ellen wordt opgetild en van me weggedragen. Handen steken zich naar haar uit, maar het zijn niet mijn handen. Ik heb het gevoel dat ik met mijn gezicht tegen de etalageruit van mijn leven gedrukt sta. Het enige wat ik kan doen, is kijken.

De verpleegster wendt zich tot mij voor ze weggaat. 'We zullen een brancard voor je halen,' zegt ze.

'Ik ga met Ellen mee. Ik heb geen brancard nodig.' Ik worstel om overeind te komen.

'Nee,' zegt ze. Ze wendt zich tot Red. 'De placenta is nog niet gekomen, of wel?'

'Ik... ik weet het niet... ik geloof het niet...' zegt hij met de stem van de man die een placenta niet zou herkennen als die hem op een bord wordt aangeboden met een salade ernaast. Zijn gezicht is wasbleek. Zijn tanden klapperen alsof hij het koud heeft.

Als Ellen eenmaal weg is, wordt het stil in de koets en ik weet, met een wrede helderheid, dat ze het niet zal halen. Ik probeer het niet te weten, maar ik zie het. Ik zie het in het medeleven op het gezicht van de verpleegster. Ik zie het aan de manier waarop Red mijn hand vasthoudt, stevig, op een manier die pijn zou moeten doen, maar dat niet doet. Ik sluit mijn ogen ertegen, maar ik zie het nog steeds. Ik huil niet. Ook schreeuw ik niet. Ik laat me op een brancard leggen. Ik zeg niks als ze me het ziekenhuis in rijden, door gangen die allemaal op elkaar lijken, de lift in, dieper het gebouw in. Ik pers als ze zeggen dat ik moet persen en ik hoor een verloskundige zeggen: 'De placenta is geboren,' met opgewekte stem, alsof dat nog zin heeft.

Het hechten doet geen pijn. Ik wil dat het pijn doet, maar het lukt niet.

'Hoelang duurt het nog?' vraag ik de verpleegster.

'Niet lang,' zegt ze.

'Ik moet Ellen zien.'

'De artsen zijn met haar bezig,' zegt de verpleegster zonder haar hoofd tussen mijn benen op te heffen.

'Mag ik haar zien?'

'Ja, natuurlijk. Zodra je hier klaar bent, oké?' Dan kijkt ze op en ze steekt haar hand uit over de plek waar Ellen altijd zat en drukt de mijne, de hand die Red niet vast heeft.

Ik mag niet lopen. Ik ben te zwak, zeggen ze. Ik voel me niet zwak. Ik voel me leeg. En koud. Ik laat me in een rolstoel zetten. Een verpleegster duwt me. Red loopt naast me, nog steeds met mijn hand in de zijne. We zeggen niets tegen elkaar. Er valt niets te zeggen.

We zijn nu op de vierde verdieping. Het is hier rustiger en het gebouw lijkt me te omhullen. Weer een gang, dezelfde als alle andere. De verpleegster praat, een monoloog van woorden die als de staart van een vlieger achter me aan wapperen. Ik hoor niet wat ze zegt. Haar stem dreunt tegen de muren en haar woorden stijgen op en verdwijnen in het plafond, dat vergeeld is alsof het is verkleurd door alle woorden die hier eerder gezegd zijn, tegen mensen zoals ik, tegen moeders zoals ik.

Het is rustig op de zaal, de stilte is hier dieper. Dikker. Als we naar binnen gaan, verstevigt Red zijn greep op mijn hand. Er staat een verpleegster bij het raam, ze bijt op de achterkant van een pen. Ik hoor haar tanden tegen het plastic schrapen. Dan stopt ze en ze tikt op het klembord dat ze met een hand vasthoudt. Ze zegt iets tegen een dokter die naast haar staat. Hij heeft een witte jas aan en er hangt een stethoscoop om zijn nek. Hij wijst naar iets op het klembord en ze knikt en tikt er weer op. Tegelijk kijken ze op, als marionetten aan hetzelfde touw.

'Aha, jij bent zeker de moeder van Ellen,' zegt de dokter en hij glimlacht naar me en buigt een beetje voorover, alsof hij het tegen een klein kind heeft.

Ik knik. Ik ben de moeder van Ellen. Wat er ook gebeurt. Het maakt niet uit wat hij tegen me gaat zeggen. Ik ben de moeder van Ellen.

'Ze ligt daar,' zegt de verpleegster en ze wijst naar een couveuse in een rij couveuses. Mijn gevoel tast haar woorden af en probeert die te lezen als braille. Ze glimlacht naar me en knikt in de richting van de couveuse. Ik kom tot de conclusie dat ze bemoedigend klinkt en sta mezelf toe te kijken. In de richting waarin ze knikt en wijst. De couveuse is bedekt met een zachte deken. Ik denk dat hij geel is. Er staan machines naast. Met cijfers en letters en knipperende lichtjes, sommige rood en sommige groen. Er lopen draden van deze machines als slangen naar de couveuse, waar ze uit het zicht verdwijnen.

'Wat...' begin ik. Mijn stem klinkt rauw en droog, als schuurpapier.

'Ellen krijgt zuurstof door een slangetje in haar neus,' legt de dokter uit.

'Ze heeft een beetje hulp nodig met ademhalen,' voegt de verpleegster eraan toe en ze bukt zich zodat haar ogen op gelijke hoogte komen met de mijne. Ze heeft vriendelijke ogen, warm en bruin. Aan de zijkant hangen ze naar beneden en als ze niet lachte, zou ze verdrietig kijken. 'Het is heel gewoon voor baby's als Ellen om de eerste paar dagen een beetje extra zuurstof te krijgen.'

'Kunnen we haar zien?' Dat is Red, al herken ik zijn stem niet. Die is even gespannen als zijn greep op mijn hand.

'Natuurlijk,' zegt de verpleegster en ik kijk naar haar naamplaatje: Andrea. Ik herhaal haar naam in mijn hoofd als een mantra, al weet ik niet waarom. Ze duwt me dichter naar de couveuse. Mijn ogen zitten op dezelfde hoogte als een klein rond raampje in de zijkant, als een patrijspoort. Ze buigt zich over me heen en tilt de deken op.

Even lijkt het of de couveuse leeg is. Er ligt niets. Dan, als ogen die wennen aan het donker, komt Ellen in beeld. Langzaam adem ik uit. Achter haar oortjes is een plastic slangetje vastgeplakt dat naar het midden van haar gezicht wordt geleid. Ik leg mijn handpalmen tegen het glas van de couveuse. Dat is warm. Ik kijk naar haar. Ik drink haar in als kamillethee. Piepklein lijkt nog een te groot woord voor haar. Ze past in de palm van een hand. Haartjes, fijn en donzig als de draden van een spinnenweb bedekken haar gezicht. Haar borst stijgt en daalt in een tempo dat te snel lijkt voor haar kleine lichaampje. Ik zie haar ogen bewegen achter haar gesloten oogleden, alsof ze naar me zoekt, zich afvraagt waar ik ben.

'Ik ben hier, Ellen,' fluister ik haar toe. 'Ik ben hier.' Ik wend me tot verpleegster. 'Mag ik...'

'Natuurlijk mag je dat,' zegt Andrea en ze glimlacht haar warme chocoladeglimlach. Ze laat me zien waar ik mijn handen kan wassen en hoe ik ze daarna moet insmeren met een alcoholoplossing. En dan maakt ze de patrijspoort open, zorgvuldig, langzaam, alsof ze een safe opent die vol zit met goud en ze knikt me toe en ik laat mijn hand naar binnen glijden. Ik laat hem zakken tot hij boven Ellen zweeft en dan raak ik haar aan, met mijn vingertoppen en het is net alsof ik ze in de warme melk doop, zo zacht is ze. Haar huid rimpelt om haar heen, alsof er te veel van is, zodat ze eruitziet als een oud vrouwtje, zo oud als de wereld. Ze is niet meer zo blauw als daarnet, maar ook niet zo roze als de foto's van baby's in mijn babyboeken. Door de huid van mijn vingertoppen voel ik haar hartje hameren in haar borstkas.

Ik sluit mijn ogen en concentreer me op Ellen. Op haar borst, die rijst en daalt. Op haar hartje, dat klopt in haar borstkas.

'Hallo, Ellen,' fluistert Red naast me, zijn hand nog steeds in de mijne. Ik glimlach naar hem en dan til ik mijn vingers op en weg van Ellen. Ik vraag Andrea me te laten zien hoe ik de patrijspoort goed moet sluiten. Ik vraag haar naar de machines en ze vertelt me waar elke machine voor dient, wat de lampjes en het licht betekenen, de cijfers op de monitor en boven of onder welke waarde ze niet mogen komen. Ik concentreer me op elk woord dat ze zegt, probeer alles in mijn geheugen op te slaan. Hoe meer ik weet – de namen van de artsen en verpleegsters, het mechanisme achter de piepende, knipperende machines – hoe groter de kans is voor Ellen. Het slaat nergens op. Ergens weet ik dat natuurlijk wel. Maar het is net of ik zo nog iets kan doen voor haar. Het voelt goed.

Buiten in de gang hoor ik stemmen.

'... kunt daar niet naar binnen, niet meer dan twee bezoekers per baby...'

Een tweede stem, hard en scherp. '... de vader van de baby... moet ze zien.'

Pas wanneer hij mijn naam roept, weet ik wie het is.

'SCARLETT O'HARA!'

Ik duw me omhoog in de rolstoel en schuifel zo snel als ik kan naar de deur. 'John.'

Hij is buiten adem, alsof hij lang gelopen heeft. 'Scarlett. God-zijdank. Ik heb het gehoord. Ik ben zo snel gekomen als ik kon. Deze man wilde me niet binnenlaten.'

De bewaker kijkt me boos aan. 'Kent u die vent?' vraagt hij me en hij beweegt zijn hoofd in Johns richting.

John buigt zich voorover met zijn handen op zijn knieën en probeert op adem te komen.

'Jawel,' zeg ik. 'Hij is de vader.' Ik kruis mijn vingers achter mijn rug, al is het misschien niet eens een leugen.

'Ik dacht dat de vader al binnen was.' Hij wijst naar de deur van de intensive care unit.

'Dat is ook zo. Ik bedoel, hij is de vader. Tenminste, hij zou de vader kunnen zijn. We weten het gewoon niet honderd procent zeker... nog niet...' Ik maak mijn zin niet af.

'Wat doet hij daar?' vraagt John, die Red nu pas ziet.

'Red heeft Ellen gehaald. In de koets. Voor de deur van het ziekenhuis.'

'Dus jij bent verantwoordelijk voor die stomme roze paarden?' vraagt de bewaker met een blik op mij.

'Staan die hier nog?' vraag ik, want ik heb helemaal niet meer aan ze gedacht.

'Ze hebben over de hele parkeerplaats hun behoefte gedaan en er kan geen auto meer in of uit, maar voor de rest gaat het prima, hoor.' Als ik geen antwoord kan bedenken, gooit hij zijn handen in de lucht. 'Jullie zoeken het maar uit. Volgens mij hebben jullie genoeg trammelant.' Hij draait zich om en loopt hoofdschuddend en binnensmonds mompelend weg.

Ik schuifel naar John en hij drukt me tegen zich aan zonder naar me te kijken. Even zeggen we niks. We houden elkaar alleen maar vast en zoeken steun bij elkaar. Er gaat een grote troost uit van zijn solide stevigheid.

Als hij zich terugtrekt, kijkt hij me recht aan. Zijn ogen dwalen over me heen, bezorgd. 'Gaat het goed met je?' vraagt hij. 'Toen Filly belde, dacht ik...'

'Met mij gaat het prima,' haast ik me hem gerust te stellen.

'En met Ellen?' Zijn gezicht verstrakt als hij zich schrap zet.

'Het gaat prima met haar, John,' zeg ik tegen hem. 'Ze heeft een slangetje in haar neus om haar te helpen ademen en ze ligt in de couveuse en is piepklein. Ze zou in je hand passen, zo klein is ze. Maar... maar ze is er. En ze is zo mooi. Ik heb nog nooit zoiets moois gezien.' Nu zwijg ik, mijn stem onzeker.

John legt een hand op mijn arm. 'Mag ik haar zien?' vraagt hij.

'Wacht even hier,' zeg ik tegen hem. Op mijn tenen loop ik terug de intensive care op en ik leg met zo min mogelijk omhaal de situatie uit aan Andrea. Ze zegt geen woord tot ik klaar ben.

'Er mogen maar twee bezoekers per baby op de zaal,' vertelt ze me, al weet ik dat al.

'Kunnen jullie geen uitzondering maken?' vraag ik haar.

Ze fronst haar wenkbrauwen. 'Daar komt geen...' ze pauzeert en zoekt naar de juiste woorden, '... ellende van?' vraagt ze dan.

'Mijn god, nee, daar hoef je niet bang voor te zijn,' verzeker ik haar.

'Nou,' zegt ze en ze bijt met haar tanden in haar onderlip. Dan kijkt ze door het raam de gang in en vestigt haar blik op John Smith. Ze glimlacht en haar gezicht licht op als een zonsopkomst. John Smith staat op de gang en kijkt naar binnen. Hij glimlacht terug. Even zegt niemand iets. Dan beheerst Andrea zich en maakt haar blik van hem los. 'Ik denk dat we wel een uitzondering kunnen maken,' zegt ze.

Ik schuifel de zaal uit om het John te vertellen voor ze van gedachten kan veranderen.

55

Red zit op de rand van een harde plastic stoel aan de zijkant van Ellens couveuse. Ik zit aan de andere kant, nog steeds in de rolstoel, alleen omdat het met gemak de meest comfortabele stoel op de zaal is en mijn vagina nog steeds aan flarden ligt. John staat aan het hoofd van de couveuse, zijn ogen strak gericht op Ellen, alsof ze zal verdwijnen als hij de andere kant op kijkt. Ze slaapt nog en ademt haar onregelmatige, snelle ademhaling met het slangetje nog over haar gezichtje, het kleine neusje in. Hij heeft haar nog niet aangeraakt. Hij zegt dat hij bang is dat hij haar pijn zal doen.

Hij kijkt naar mij als ik mijn hand naar haar handje uitsteek. 'Hoe voelt ze?' fluistert hij.

Ik denk er even over na voor ik antwoord geef. 'Als thuis,' fluister ik terug. 'Ze voelt als thuis.'

Red knikt en glimlacht. Hij heeft Ellen aangeraakt. Hij weet dat het waar is.

De dokter vertelt ons dat Ellen haar eigen lichaam nog niet op temperatuur kan houden.

'Nog niet,' voegt Andrea eraan toe en ze klopt me met een van haar geweldig lieve gebaartjes op de schouder.

Ik wil niet dat Ellen het koud krijgt, dus beperk ik me met het openen van de patrijspoort om mijn hand op haar leggen tot eenmaal per uur. Er zit een grote wijzer op de klok aan de muur en die doet zijn best helemaal rond te komen, maar na 52 minuten kan ik niet langer wachten en wil ik haar weer voelen.

'Scarlett?' Stil als een geest is Andrea naast me komen staan.

John draait zijn hoofd om en glimlacht als hij ziet wie het is.

'Is er iets mis?' Ik ga staan en vergeet de pijn tussen mijn benen.

'Nee, nee, maak je geen zorgen. Alles gaat goed,' zegt Andrea en kalmerend legt ze een hand op mijn arm. 'Je familie is hier,' zegt ze.

'Mijn familie?'

'Ja. Declan en Maureen en Filly en Bryan. Ze staan buiten in de gang. Dat is toch je familie, of niet?' Ze kijkt me aandachtig aan en vraagt zich wellicht af of de pijn tussen mijn benen mijn hersenen heeft aangetast. Het deel dat weet wie mijn familie is.

'Maureen?' vraagt John dan. 'Is ze hier? Maar hoe moet het dan met het toneelstuk? Dat is toch vanavond, of niet?'

'Ik weet het,' zeg ik en ik slik moeilijk.

'O, ja, Maureen heeft ons er alles over verteld,' zegt Andrea en ze knikt. '*Romeo en Julia: de musical*, of niet?'

Ik knik.

'Ze zei: "Dat stuk kan me de boom in,"' vertelt Andrea ons.

We staren haar met open mond aan.

John heeft als eerste zijn stem terug. 'Heeft Maureen dat gezegd? Dat waren haar woorden?'

'Ja,' zegt Andrea.

'O, jezus.' John kijkt naar mij en we lachen elkaar nerveus toe.

'Ik had niet begrepen dat Declan O'Hara je vader was, Scarlett,' zegt Andrea. 'Ik vond hem zo geweldig in die film... Hoe heet hij ook al weer? Die ene waarin hij die homofiele kok speelt? Weet je wel? Daarin is hij getrouwd met die vreselijke vrouw die...' Het blijft even stil als Andrea woorden zoekt om het netjes te zeggen '... nogal veel de straat op gaat.'

'*Fairy Buns and Tarts*,' zeg ik tegen haar.

'Ja, die bedoel ik.' Ze glimlacht haar zachte marshmallowlach en loopt weer weg.

Buiten op de gang staat Maureen te huilen en te jammeren als een figurant in *Angela's Ashes*.

'O, Scarlett, lieveling,' zegt ze als ze me ziet en ze stort zich als een raket op me. Als ze bij me is, staat ze stil, buigt haar hoofd en rommelt in haar handtas. 'Hier,' zegt ze en ze geeft me iets wat warm en nattig is. 'Dit heb ik voor je gemaakt.' Het is een koud kompres, geloof ik, al is het na de rit naar het ziekenhuis in het handtasje van Maureen meer een lauw kompres geworden. 'En papa heeft je eigen kussen meegenomen.' Ze wuift met haar hand naar Declan, die een kussen achter zijn rug vandaan haalt.

Maureen stompt er enthousiast in. 'Dan lig je veel lekkerder,' verklaart ze en ze drukt het kussen achter mijn rug. Het kussen is net zo lekker als altijd, maar nu zitten er twee vuistgrote deuken in en voor die deuken en voor het lauwe kompres, en het feit dat ze hier is – al heeft ze een heel strakke en laag uitgesneden kaftan aan – ben ik haar zielsdankbaar. Haar gezicht, met een overdaad aan rouge en poeder, doet in de kap van de kaftan denken aan de vollemaan.

'Maar hoe moet het nou met het stuk? Nu mis je het,' zeg ik en ik kijk op mijn pols waar mijn horloge hoort te zitten. Dat moest ik afdoen om Ellen aan te raken. Ik weet niet meer waar het is en ik heb geen flauw idee hoe laat het is. Ik zou niet eens kunnen vertellen of het dag of nacht is.

'Lieverd,' zegt Maureen en ze trekt haar ontstelde gezicht. 'Hoe kan ik nou toch opgaan in de wetenschap dat... dat mijn kleindochter... worstelt... worstelt voor elke ademhaling.'

'Het gaat heel goed met haar, mevrouw O'Hara,' zegt Andrea, die de situatie leest als een prentenboek. 'Ze wordt nog een klein beetje geholpen met wat zuurstof, maar ze wordt al mooie roze.'

'Ja, maar...' zegt Maureen, die voelt dat ze de grip op het drama verliest '... ze ligt op de intensive care, of niet? Ik moest gewoonweg hier zijn.'

'Nou,' zeg ik, 'ik ben blij dat je er bent.'

'Meen je dat nou?' vraagt Maureen en het doek valt over haar ontstelde gezicht en als het weer opgaat, ziet ze er oprecht verbaasd uit.

'Ik ben zo vreselijk blij,' zeg ik en ik ga staan en loop naar haar toe. Ik moet mijn armen omhoog doen om haar te kunnen omhelzen, zo groot is ze. Even laat Maureen het gebeuren en haar armen bungelen nutteloos langs haar zij. En dan, als iemand die na twintig jaar weer op de fiets stapt, herkent ze zichzelf weer. En mij. Ze omhelst me terug. Met beide armen. Stevig. En ik snuif haar geur op. Toneelgordijnen en Rescue Remedy. Ik knijp mijn ogen dicht en adem haar in.

'Je mag wel even naar de couveuse toe als je belooft dat je stil bent,' fluister ik in haar haar.

'Is ze klein?'

'Zo klein als de My Little Pony die ik had toen ik zeven was.'

'Polly?'

'Nee,' zeg ik. 'Molly. Polly was mijn troetelbeer, weet je nog?'

'Hoeveel weegt ze, Scarlett?' vraagt Declan. Dat had Hugo hem gevraagd toen het nieuws van Ellens komst was aangekondigd en hij was ontsteld geweest toen Declan moest bekennen dat hij het niet wist.

'Iets minder dan een kilo,' zeg ik en ik bijt op mijn lip als ik denk aan de kilo suiker in mijn recept voor pavlovaschuimtaart ter gelegenheid van de scheiding. Het lijkt niet heel veel suiker.

'Hoeveel minder?' vraagt Declan, die ook op zijn lip staat te bijten. Misschien denkt hij wel aan de kilo suiker die hij nodig heeft voor een aardbeiendaiquiri.

'Niet veel,' zeg ik tegen hem. 'Kom mee. Deze kant op.'

Samen sluipen ze de zaal op, op hun tenen.

Het belletje van de lift klingelt en Filly en Bryan stappen de gang in. Om de beurt omhelzen ze ons allemaal en dan drukt Filly me een pakje chocolademelk en een KitKat in handen. 'Ik dacht dat je na alles wel wat zou lusten,' zegt ze glimlachend.

'Hoe is het met haar?' vragen ze tegelijk en ik vertel hun wat ik weet.

'Het spijt me heel erg, maar jullie mogen niet naar haar toe,' zeg ik. 'Dat mogen alleen de ouders en grootouders.'

Als Maureen en Declan de gang weer in komen, huilt en jammert Maureen weer, deze keer als een van de hoofdpersonen uit *Angela's Ashes*.

'Ze is zó... zó... zó... piepklein,' jammert ze uit alle macht zodat ze bijna niet te verstaan is. Door haar handen begrijp ik wat ze zegt. Ze houdt ze, handpalm tot handpalm, ongeveer twintig centimeter uit elkaar. Filly vraagt of John een tissue heeft en brengt die naar Maureen. Ze veegt haar tranen weg, zorgt dat ze haar neus snuit en stukje bij beetje veranderen het huilen en jammeren in zwaar ademen en hikken. Dan pas ziet Maureen Red Butler.

'Red? Ben jij dat? Hoe kom jij in vredesnaam... word jij niet geacht... Het is vandaag toch je trouwdag?'

Zoals altijd glimlacht Red voor hij begint te praten en ik kijk om me heen en het valt me op dat iedereen in de gang naar hem teruglacht. Alsof ze er niets aan kunnen doen.

'Nou…' begint hij voor Filly hem onderbreekt.

'Sofia heeft de bruiloft afgeblazen,' zegt ze tegen Maureen, wier ogen zo groot zijn als schoteltjes.

'O, mijn god,' zegt Maureen. 'Waarom in vredesnaam?' En ze kijkt naar Red met zo veel onverholen bewondering dat zelfs hij een beetje voor haar terugschrikt.

'Sofia is verliefd op Hailey, snap je,' doet Bryan, die door Filly op de hoogte is gebracht van de gebeurtenissen, een duit in het zakje.

'Hailey? Wie is dat?' vraagt Maureen, al zou ze dat niet doen als ze wist hoeveel rimpels er op haar voorhoofd verschijnen als ze oprecht verbaasd kijkt.

'Dat is de receptioniste van Extraordinary Events International,' vertel ik haar omdat ik niet wil dat het lijkt of ik, als weddingplanner van Red en Sofia, van niks weet.

'Hailey is een meisje?' Dat is Declan. 'Hoe kan Sofia nou verliefd zijn op een meisje?' Mijn vader is geen homofoob, hij is gewoon… nou ja… niet altijd even snel van begrip.

Mijn moeder zet hem op het juiste spoor. 'Declan, ze is vast zo'n, hoe heten ze ook weer? Zo'n homoseksueel.' Ze wendt zich tot Filly. 'Sofia en Hailey zijn homoseksueel, of niet soms?'

Filly knikt haar toe en haar mond is een rechte streep, wat altijd het geval is als ze probeert niet in lachen uit te barsten.

Maureen richt haar aandacht nu op Red. 'Mijn arme, lieve jongen,' zegt ze tegen hem en ze steekt haar armen naar hem uit.

'Het geeft niet, Maureen,' zegt Filly. 'Red weet het. Hij heeft het aldoor geweten, of niet soms, Red?'

'Eh, ja…'

Maureen stopt een paar centimeter voor zijn gezicht en laat haar armen zakken. 'Mijn arme, lieve jongen,' zegt ze nog eens en ze houdt haar hoofd een beetje scheef van medelijden. 'Dan moet je wel erg veel van haar hebben gehouden als je toch met haar wilde trouwen terwijl zij homoseksueel is.'

'Zou jij je niet ergens in een bar moeten zitten bezatten, mijn beste jongen?' vraagt Declan, die het zonde vindt een gelegenheid om je verdriet te verdrinken voorbij te laten gaan.

'Red heeft de baby gehaald,' zegt John.

'En hij is misschien de vader van Ellen,' voeg ik eraan toe, want ik heb bedacht dat er vast geen goed moment is om met dit nieuwtje te komen.

Maureens mond maakt wilde bewegingen. 'Maar, John...' zegt ze na een poosje, '... ben je niet boos? Wil je hem geen dreun verkopen?'

'Ik weet het al een poosje, Maureen.' John wipt ongemakkelijk van de ene voet op de andere.

'Nou?' vraagt ze. 'Wilde je hem dan geen dreun verkopen toen je het voor de eerste keer hoorde?'

'Eh, nee.'

'O.' Het gebrek aan drama lijkt haar teleur te stellen.

'Zullen we gezellig een kopje thee gaan drinken?' vraagt Filly en ze leidt Maureen voorzichtig weg, als een winkelwagentje met een gammel wiel. Bryan loopt achter hen aan en Declan sluit de rij. In ganzenpas lopen ze de gang door.

Red glimlacht naar me. 'Met Maureen in de buurt is het leven nooit saai, of wel?'

'Nee, nooit geweest ook,' zeg ik instemmend en ik loop naar de deur naar de intensive care. Ik barst van verlangen om Ellen weer te zien. Ik loop zo hard ik kan zonder echt te gaan rennen en John en Red moeten moeite doen me bij te houden.

Bij de deur blijf ik staan. Abrupt, zodat Red tegen mijn rug botst.

'Sorry,' zegt hij. 'Wat is er?' En dan ziet hij hen ook.

Drie mensen. Allemaal om de couveuse van Ellen. Een groen shirt, een blauw shirt en een wit shirt. Een van hen is Andrea en ik vestig mijn blik op haar. Met haar onderlip gevangen onder haar boventanden bestudeert ze een apparaat. Het apparaat piept en jankt en werkt op mijn zenuwen als een vingernagel over een schoolbord. Een dokter gaat met zijn stethoscoop door de patrijspoort die Andrea voor hem openhoudt. Met zijn hele lichaam luistert hij naar Ellen, zijn hoofd scheef en zijn knieën gebogen. Hij sluit zijn ogen en schudt zijn hoofd.

Pas als Red me zachtjes een duwtje tegen mijn rug geeft, besef ik dat ik me niet heb bewogen. Het is vier stappen naar de couveuse, maar het voelt als een onderneming in een droom, als je wel beweegt, maar niet verder komt. De dokter gaat rechtop staan als we bij hen staan en Andrea doet de patrijspoort dicht. Ik kijk naar Ellen. Met zoveel mensen om haar heen lijkt ze nog kleiner dan daarnet en het fijne patroon van aderen licht duidelijk op onder haar papierdunne huid. Mijn keel knijpt zich samen en ik open mijn mond om de vraag te stellen, maar er komt geen geluid uit.

'Ga even zitten, Scarlett,' zegt de dokter zacht.

Ik schud mijn hoofd en zoek Andrea's hand, die de mijne pakt. Haar hand is zacht en ik concentreer me op de warmte. Red pak mijn andere hand en knijpt erin.

'Scarlett, de ademhaling van de baby is minder stabiel geworden,' zegt de dokter.

Ik houd mijn adem in. Als ik mijn adem nu maar inhoud zolang de dokter praat, komt het goed met Ellen.

'We moeten haar intuberen.' Hij zwijgt en wacht tot ik iets zeg.

Ik kijk hem aan, met ingehouden adem.

'Bedoelt u dat ze aan de beademing moet?' vraagt John als het duidelijk wordt dat ik niks ga zeggen.

'Ja,' zegt de dokter en hij knikt.

'Waarom?' vraagt John. 'Wat is er mis?'

'Dat weten we nog niet precies,' zegt de dokter en hij kijkt op zijn klembord. 'Er zou een probleem kunnen zijn met haar longen. Misschien een infectie. We willen een paar tests doen.'

Niemand zegt iets tot Andrea in de stilte stapt. 'De beademing zal Ellen helpen makkelijker te ademen. Misschien is het alles wat ze nodig heeft. Een klein beetje hulp. Voor een poosje.' Ze wendt zich tot mij. 'Dat is helemaal niet ongewoon, moet je weten,' voegt ze eraan toe en ze glimlacht naar Ellen voor ze weer naar mij kijkt.

Mijn longen schreeuwen om lucht.

'En als het een infectie is, wat kunnen jullie dan doen?' vraagt John koppig.

'Nou,' zegt de dokter, 'dan leggen we haar aan een apparaat en doen een paar tests zodat we een beter idee hebben van wat er speelt.'

Ik knijp in Andrea's hand, maar ik haal nog steeds geen adem.

Ze duwt me zachtjes op een stoel. 'Scarlett, liefje, je moet nu echt gaan ademhalen.' Zachtjes duwt ze mijn hoofd tussen mijn benen en haar hand draait rondjes op mijn rug, zoals Phyllis vroeger deed als ik ziek was. Ik laat de adem die ik al die tijd heb vastgehouden met veel lawaai los. Even denk ik dat ik zal flauwvallen of overgeven, maar ik houd mezelf voor dat het allebei niet nodig is en geleidelijk aan herneemt mijn ademhaling haar normale gang en stopt mijn hart met als een squashbal tegen mijn borstkas te bonken.

Daarna gebeurt er van alles tegelijk. Ze maken röntgenfoto's. Ze nemen bloed af. Ze verdoven haar. Ze intuberen haar.

Ik volg Ellen overal met mijn hand plat tegen de couveuse alsof ze van me weg zal glippen als ik deze ijle band tussen ons verbreek.

Haar luier zit tot onder haar oksels. Ze zuigt op de vlezige huid onder aan haar duim. Het lijkt haar allemaal niets te doen. Alsof ze me volkomen vertrouwt. Ik heb me nog nooit minder betrouwbaar gevoeld. Ik heb het gevoel dat ik haar voortdurend in de steek laat.

'Scarlett?' De dokter staat voor me, zijn hoofd een beetje scheef. John en Red staan aan weerszijden van me. John heeft het laatste halfuur het gebruik van de beademing bij premature baby's opgezocht op Google. Hij gooit met termen als 'endotracheale buis' en 'positievedrukbeademing'. Of 'oscillator'. En 'hoogfrequent'. Hij heeft over allemaal iets te vertellen: wat ze doen; hoe ze werken. Hij leest statistieken voor, tijdschema's, mogelijke uitkomsten. Dat is zijn manier van verwerken. Ik knik, maar luister niet naar hem. Ik houd mijn hand plat tegen de zijkant van Ellens couveuse, zorg ervoor dat ik niet loslaat. Red zit naast Ellen. Hij zegt niks, maar zijn aanwezigheid is solide, als iets waarop je kunt leunen.

'Scarlett?' vraagt de dokter weer, nu met een randje ongeduld aan zijn stem.

Ik kijk op.

'Nou,' zegt hij, 'het goede nieuws is dat alle tests die we tot nu toe gedaan hebben positief zijn.'

'Wat is het slechte nieuws?' vraag ik en ik kan hem niet aankijken. Ik kijk weer naar Ellen, sluit mijn ogen en wacht op het antwoord.

'Er is eigenlijk geen slecht nieuws,' zegt hij en ik hoor zijn voeten schuiven. Ik bijt op mijn lip. 'We laten haar voorlopig even aan de beademing liggen.'

'Dus ze kan nog steeds niet zelf ademen,' zeg ik. 'Bedoelt u dat?'

Hij knikt.

'Nóg niet,' zegt Andrea, die mijn blik vangt en me haar warme, lieve glimlach schenkt.

'Hoelang moet ze aan het apparaat blijven?' vraag ik.

Red legt een hand op mijn schouder. Ik voel hem trillen. Niemand maakt een geluid terwijl we op het antwoord wachten.

'Dat is moeilijk te zeggen,' zegt de dokter. 'We kunnen alleen maar afwachten en kijken hoe het zich ontwikkelt.'

'Afwachten?' Dat lijkt veel te moeilijk. Ik schud mijn hoofd en kijk hem aan. 'Er is toch wel meer wat we kunnen doen?' vraag ik. 'Behalve afwachten en kijken hoe het zich ontwikkelt, bedoel ik.'

'Dat is het beste wat we op dit moment kunnen doen,' zegt de dokter en hij maakt aanstalten om weg te gaan.

'Sommige baby's hoeven niet zo lang aan het apparaat te blijven,' zegt Andrea. 'Soms maar 24 uur.'

'Maar soms veel langer.' De dokter werpt een waarschuwende blik in Andrea's richting. Ik weet dat hij alleen zijn werk doet. Dat hij geen verwachtingen wil wekken. Maar ik grijp me stevig vast aan Andrea's woorden: 24 uur. Dat klinkt veel beter dan afwachten en kijken hoe het zich ontwikkelt. Die 24 uur overbruggen we wel. We gaan om haar heen staan en nu liggen er drie handen plat tegen het warme glas van de couveuse.

Andrea controleert de apparaten rondom de couveuse en ik

houd haar in de gaten; haar knikjes, haar glimlach en haar hartelijkheid troosten me. Ze glimlacht naar ons drieën voor ze geluidloos wegloopt. We luisteren naar het lage zoemen van de monitoren. We concentreren ons op de lichtjes en de lijnen. We hoeven
niet tegen de slaap te vechten, want er is geen slaap om tegen te
vechten. 24 uur. We maken het ons gemakkelijk. We wachten.

56

Als je lang genoeg naar iemand kijkt, kun je veel over hem ontdekken. En 24 uur is lang genoeg. De seconden strekken zich uit tot minuten en de minuten tot uren. Als slakken bewegen we ons in deze nieuwe ruimte en ik herinner me niets van voor deze tijdseenheid en ik kan me erna niets voorstellen. Ik kijk naar Ellen. Ze slaapt. Soms zwaait ze met haar benen en armen en vingers en tenen, allemaal tegelijk. Ze lijkt te glimlachen als ze dat doet, alsof ze er plezier in heeft. Dat heb ik ook als de nacht voorbij is, of ik nu heb geslapen of niet.

Ze vindt het fijn om een hand op haar gezicht te leggen. Soms probeert ze op delen daarvan te zuigen. Meestal ligt hij plat op haar wang. Of tegen haar oor. Andrea zegt dat het haar manier is om zichzelf te troosten. Het is een goed teken, zegt ze.

Haar hartslag is te zien in haar pols en op de bovenkant van haar voet.

Ik kijk naar de klok op de muur: al zes uren voorbij. Ik probeer er niet over na te denken. In plaats daarvan maak ik een lijst van alle plekken waar ik Ellen mee naartoe zal nemen. De dierentuin. Het theater. Disneyland. De ijssalon van Maud in Howth. Dollymount Strand. St. Anne's Park. In de tuin van het huis in Clontarf is ruimte voor een schommel. Misschien ook een wip. En een zandbak.

Ik bid, al gaat het een beetje stroef. Het is eigenlijk meer wensen dan bidden. Maar deze wensen begin ik met 'Alsjeblieft, God' en dat verandert de wens in een gebed, vind ik.

Zo nu en dan gaat een van ons weg. Om naar het toilet te gaan. Om de benen te strekken. Om te kijken of Al Pacino en Blue – die onder de hoede staan van Sofia en Hailey – zich wel gedragen. Ik weet dat we iets hebben gegeten, maar ik weet niet meer wat. Artsen en verpleegsters komen en gaan, raken Ellen aan, onderzoeken haar, controleren de apparaten, glimlachen naar ons en schudden hun hoofd als we vragen of er al verandering is.

Het grootste deel van de tijd zitten we daar gewoon. Ik kijk naar Ellen. Soms steken we onze hand in de couveuse om haar aan te raken. Onze handen glijden over haar heen. Ze vindt het prettig als je over haar buikje wrijft met je vingertoppen. Heel zachtjes, zodat het geen pijn doet.

Het is een wake, deze wachttijd. We offeren deze uren op. Om Ellen te behoeden voor het kwaad. Ik weet dat het veelgevraagd is. We klagen niet over vermoeidheid of stijfheid of slapende ledematen. We nemen onze pijn en het ongemak voor lief. Het is het enige wat we in de strijd te werpen hebben.

Tijdens deze uren praten we niet met elkaar. We hebben het te druk met hopen. John leest de stapel papieren over premature baby's die zijn secretaresse op zijn verzoek door een koerier naar het ziekenhuis heeft laten brengen. Hij leest ze tot ik weet dat hij ze uit zijn hoofd zou kunnen opdreunen.

Red vertelt haar verhaaltjes over helden van lang geleden met lange haren en ruwe gezichten en grote veldslagen die worden gewonnen en ze lopen allemaal goed af.

Ik zing wiegeliedjes voor haar. Als ik de woorden niet meer weet, bedenk ik ze. Haar lievelingsliedje is 'Rock-a-Bye Baby', wat grappig is, want Phyllis heeft gezegd dat dat ook mijn lievelingsliedje was toen ik een baby was.

En dan breekt zomaar de volgende dag aan. Er zijn 24 uur voorbijgegaan.

57

Iemand schudt aan me en pas als ik mijn ogen open, besef ik dat ik heb geslapen. Ik schiet overeind in mijn stoel en kijk naar Ellen, die slaapt. Ik werp een blik op de apparaten en de draadjes en negeer de spieren in mijn lichaam die tegen me gillen alsof ik net tien rondes heb gebokst in het wereldkampioenschap weltergewicht. Ook John en Red slapen in een stoel, hun hoofd hangt onder een ongelukkige hoek en als ze wakker worden, zal het wel pijn doen. Ik kijk om me heen of ik Andrea zie. Ze is bezig bij de couveuse naast die van Ellen. Ze neemt de temperatuur op van het piepkleine baby'tje dat erin ligt. Volgens zijn kaart is hij drie weken geleden geboren na een zwangerschap van 31 weken en woog hij 2 kilo. Nu heeft hij al het gezonde gewicht van 2800 gram. Deze baby is een succesverhaal over wie ze haar familie kan vertellen als die vragen hoe het op haar werk was.

Ze kijkt op en glimlacht naar me. 'De dokter is over een kwartiertje hier,' zegt ze vriendelijk. 'Dan zal hij Ellen onderzoeken, oké?'

Ik knik en probeer terug te glimlachen. Ik heb 24 uur gewacht. Dat kwartiertje kan er ook nog wel bij. Al is het met moeite. Ik vul de tijd door Ellen alles over Blue te vertellen. Dat hij misschien in het begin een beetje jaloers op haar zal zijn. Alleen omdat hij zo lang de enige kat is geweest. Dat hij wel aan haar zal wennen. Dat hij van haar zal leren houden. Dat hij geen spelletjes doet, maar graag naar plaatjes kijkt in de bruidsmodetijdschriften en dan met zijn linkerpootje de jurken die hij erg mooi vindt aanwijst. Hij heeft veel kijk op stijl, vertel ik haar, echt waar. Verbeeld ik het me nu of luistert Ellen echt? Is de wens de moeder van de gedachte, of lijkt ze mooier roze dan eerst? Die gedachte deel ik niet met Ellen. Ik wil geen verwachtingen wekken. Ik blijf tegen haar praten. Nu vertel ik haar over Al Pacino, die de beste vriend van Blue is geworden, en dat Blue, voor hij Al Pacino kende, eigenlijk geen vrienden had. Dan denk ik maar even niet aan zijn haat-liefderelatie met Sylvester, vooral omdat dat in het gunstigste geval meer haat dan liefde was. Ik vertel haar over de kippen van Phyllis en de donzige gele kuikentjes die volgend voorjaar als zonnestraaltjes door de ren heen en weer zullen schieten.

Ik ben nog steeds aan het woord als de dokter verschijnt. Hij knikt me zwijgend toe en loopt naar Ellen. Hij opent de patrijspoort en steekt zijn hand naar binnen. Ik kijk naar zijn nagels. Vierkant en schoon en kort. Tot zover niets op aan te merken. Hij legt de ronde platte kant van de stethoscoop op Ellens borst en ik krimp in elkaar als ik me voorstel hoe koud die is op het postzegeltje dat haar borst is. Hij neemt haar bloeddruk op. Haar temperatuur. Hij onderzoekt elke vierkante centimeter en het duurt lang, tenminste zo komt het mij voor. John en Red – die nu wakker zijn – blijven in hun stoel zitten en ik merk dat ze zich erop concentreren om zich niet te bewegen, niet te spreken, niet adem te halen; ze wachten, net als ik. Wachten op Ellen.

De dokter knikt en gaat rechtop staan. Hij haalt zijn hand uit de couveuse zonder de rand van de patrijspoort aan te raken. Hij wikkelt de stethoscoop om zijn nek en schrijft iets op zijn klembord. Ik wacht tot hij klaar is. Onderzoekend kijk ik naar zijn gezicht. Er ligt een zweem van een glimlach op. Hij schrijft soepel, wat ik ook als een positief teken opvat. Hij zet de puntjes op de i en een punt achter de woorden die hij heeft opgeschreven.

Dan wendt hij zich tot mij. 'Die vitale functies van de baby zijn goed,' zegt hij.

'Goed genoeg om haar van het apparaat af te halen?' vraag ik en mijn stem klinkt hees.

Hij wacht even voor hij antwoord geeft en ik zie dat hij zijn woorden zorgvuldig uitzoekt. 'Ik denk dat we wel kunnen proberen het buisje uit haar luchtweg te halen,' zegt hij. 'Maar we weten pas hoe ze zal reageren als we dat hebben gedaan. Misschien moet ze weer terug aan het apparaat. Of niet. We kunnen het proberen, oké?' Hij kijkt me aan om te zien of ik hem begrijp, hoewel ik het niet begrijp. Het lijkt allemaal zo vaag en onvoorspelbaar. Maar zo is het systeem en er zit niets anders op dan het te proberen en te kijken hoe het gaat.

John, Red en ik staan dicht tegen elkaar aan een kant van de couveuse terwijl de dokter zijn hand uitsteekt naar Ellen. Ik sluit mijn ogen en wacht. Ik kan niet kijken. Red pakt mijn hand en knijpt er stevig in. Aan mijn andere kant hoor ik hoe John probeert zijn ademhaling onder controle te krijgen. Ik hoor de dokter zachtjes praten, alsof hij Ellen niet wil storen. 'Zo dan,' hoor ik hem zeggen. 'Heel voorzichtig... nog een klein stukje... we zijn er bijna...'

En daar is het. Nauwelijks hoorbaar, als het miauwen van een pasgeboren poesje. Ik doe mijn ogen open. Andrea heeft het ook gehoord, want ze glimlacht en knikt en kijkt naar Ellen alsof die zojuist een wonder heeft verricht. En dat is ook zo. Ze heeft haar eerste kreet geslaakt.

'Kan ze...' begin ik.

Andrea komt naar me toe en knikt. 'Ze ademt zelfstandig, Scarlett,' zegt ze en ik zie mijn gezicht weerspiegeld in haar ogen; het is het gezicht van een vrouw wier wensen zijn vervuld. Het is mijn gezicht. Ik herken het met moeite.

Er zijn eindeloos veel vragen die ik zou moeten stellen, maar ik doe het niet. In plaats daarvan sla ik mijn armen om Andrea heen en druk haar stevig tegen me aan. Ze verzet zich een beetje, misschien geschrokken door mijn ongebreidelde vertoon van genegenheid. Maar dan reageert ze en ze omhelst mij ook en ik lach en ik hoor John en Red ook lachen, een zacht intensivecarelachje, maar niettemin een lach en als ik Andrea loslaat, is het of ik een andere wereld ben binnengegaan en hier is het helder en licht en splinternieuw en ik zuig alles op en koester me erin als in de prachtige zijden omslagdoek van Sofia.

'We zijn er nog niet, hoor,' waarschuwt de dokter met een bezorgd gezicht. Hij doet een stap naar achteren, misschien is hij bang dat hij de volgende is die ik wil omhelzen. 'Haar ademhaling is nog een beetje moeizaam, dus geef ik haar nog een poosje een slangetje met extra zuurstof. Maar,' er verschijnt een voorzichtig lachje op zijn gezicht, 'ze is van de beademing af en dat is absoluut een grote stap vooruit.'

Een grote stap vooruit. Ik voel een stormvloed aan emoties die

triomfantelijk op me af komen marcheren. Eén daarvan is trots.
Ik zwel van trots. Ellen heeft een grote stap vooruit gezet. Ze zou
nog niet eens geboren moeten zijn en dit minimensje in de couveuse naast me heeft al zo'n onuitwisbare indruk op me gemaakt.
Op ons allemaal. Het is alsof ze er altijd is geweest en ik kan me
de wereld voor haar komst niet eens meer herinneren.

58

'Ik heb een cadeautje voor je,' zegt Declan als hij de zaal op komt stappen en zijn best doet de bewonderende blikken van de verpleegsters, de patiënten en zelfs een paar van de artsen te negeren. Het went nooit dat mensen zo naar mijn vader kijken. Voor mij is hij gewoon Declan. Die altijd naar de kapper moet. Die altijd om zich heen kijkt alsof hij iets kwijt is. Een ouwe zatlap. Verbleekt en versleten, als je lievelingsspijkerbroek waarvan je geen afscheid kunt nemen. Hoewel, het is alsof er iets is veranderd. Het lijkt wel of zijn vage omtrek is scherp gesteld. Filly noemt dat het Red Butlersyndroom.

'Wat is het?' vraag ik, een beetje op mijn hoede. In de loop der jaren heeft Declan allerlei cadeautjes voor me meegebracht van allerlei filmlocaties. Vaak kleren die te groot of te klein waren of boeken in een taal die ik niet kende. Eén keer was het een kikker die hij in de binnenzak van zijn jas helemaal uit Florida had meegesmokkeld. Ik noemde hem Hoppy, maar na twee dagen bezweek hij aan de gruwelijke kou van een Ierse novemberdag.

'Het is dat huis dat je wilde huren. In Clontarf. Met de kantoorruimte en de tuin.' Hij drukt me een stapel papieren in de hand. 'Zeg je niks?' vraagt hij aanmoedigend.

De zaal zoemt van de geforceerde geluiden van mensen die net doen of ze niet meeluisteren.

Ik buig me naar hem toe. 'Je kunt geen huis voor me kopen,' zeg ik ten slotte.

'Waarom niet? Dat heb je toch nodig, of niet? Nu Ellen er is.' Hij staat te stralen, zeer vergenoegd met zichzelf.

'Maar... maar... dat is toch idioot. Het moet je een vermogen hebben gekost. Dit is de slechtst mogelijke tijd om onroerend goed te kopen. Daarom wilde ik het huren.'

Declan zucht en gaat op de rand van het bed zitten. 'Het is maar geld, Scarlett,' zegt hij. 'Trouwens, ik heb vorige maand geld gekregen voor een film die ik in de jaren tachtig heb gedraaid. Ze waren vergeten me te betalen en het was mij niet opgevallen tot ze een paar weken geleden belden.'

'Welke film?'

'Hoe heet hij ook al weer?' Declan fronst zijn wenkbrauwen en strijkt een pluk haar achter zijn oor. 'Die ene waarin ik de kapper...'

'*Cutting Edge*,' zeg ik.

'Ja, die.' Hij slaat op zijn knie en kijkt opgetogen. 'Hoe dan ook, hij schijnt het nogal goed te hebben gedaan, want ze hebben me er een kapitaal voor betaald, en wat moet ik met al dat geld? Heb ik niet alles wat ik nodig heb?' Hij glimlacht naar mij en kijkt om zich heen. 'Hoe is het trouwens met Ellen?'

'Briljant,' zeg ik en nu wint mijn glimlach het van de zijne. 'Ze hebben haar vandaag helemaal van de zuurstof afgehaald.'

'Wat een doorzetter, hè,' zegt Declan en ik ben het roerend met hem eens.

'Maar, papa, hoor eens, dat kan ik toch niet aannemen,' zeg ik en ik knik naar de papierwinkel in mijn handen. 'Dat is geen cadeautje. Het is een huis. Je kunt toch niet iemand een huis geven?'

'Dat kan ik wel. Ik kan verdomme doen wat ik wil,' zegt Declan en er verschijnt een uitdrukking op zijn gezicht die Maureen koppig noemt. 'Trouwens, het is geen huis. Het is een thuis. En het is niet alleen voor jou. Het is ook voor Ellen. En ik heb er maar een schijntje voor betaald, als je het wilt weten. Mijn kwaliteiten als het op onderhandelen aankomt, zijn legendarisch. Dat weet je.'

Dat legendarische ligt slechts in zijn vertwijfeling. Door afgrijzen. We hebben het hier wel over de man die op een veiling tegen zichzelf opbood voor een vreselijk schilderij omdat hij zeker wilde zijn dat hij het kreeg. Declan zei dat het hem aan Maureen deed denken. Na die opmerking heeft ze hem een heel lange, troosteloze winter genegeerd. Het had van alles kunnen zijn: de skihelling van de hangende borsten van het model, haar uitgezakte pukkelige achterwerk of de trieste vellen die aan weerszijden van haar buik hingen. Declan zei dat hij was gevallen voor de ogen en het moet gezegd worden: die waren het mooist aan haar. Ze vielen alleen niet zo op in het geheel. Het schilderij is al lang geleden naar de zolder verbannen. Daar staat het nog in een plastic hoes omgeven door spinnenwebben alsof zelfs de spinnen het niet aan kunnen zien.

'Hoe dan ook,' zegt Declan, die de papieren van me aanpakt en ze in de koffer legt die ik aan het pakken ben. 'Ik heb het nu al gedaan en daarmee basta.'

'Maar waarom?' vraag ik. 'Waarom heb je een huis voor me gekocht?' Ik ben niet iemand die zomaar een huis krijgt. Dat zou onverantwoord zijn. Losbollig.

Declan begin mijn toiletspullen te pakken en ik laat hem begaan, al weet ik dat ik alles weer opnieuw zal inpakken als hij weg is. 'Je bent altijd zo zelfstandig geweest,' zegt hij zonder naar me te kijken. 'Je hebt nooit ergens om gevraagd.'

'Dat komt omdat ik alles had,' zeg ik tegen hem. 'Er viel niets te vragen.'

'Nou...' Hij haalt zijn schouders op en ik vermoed dat hij denkt aan de keer dat hij op de lagere school in het kantoor van de directrice werd ontboden vanwege een bijdrage in de kosten voor handenarbeid, waarmee hij jaren achterliep en wat een bedrag was geworden met vier cijfers. Het blijft een poosje stil. Dan zegt hij: 'Hoor eens, Scarlett,' en legt zijn arm om mijn schouder. Het gewicht is warm en geruststellend, als witte bonen in tomatensaus.

'Dit is iets wat ik voor jou kan doen. En voor Ellen. Iets praktisch.' Hij zegt het alsof hij het zo heeft geoefend. 'Laat mij dit nou voor jullie tweeën doen. Alleen dit. Daarna zal ik nooit meer iets doen. Ik beloof het.'

'Je had ook een rammelaar kunnen kopen voor Ellen,' zeg ik en ik verzet me tegen de verleiding van een huis met kantoorruimte en een tuin.

'O, maar dat heb ik ook gedaan,' zegt hij en hij pakt een plastic tas die groot genoeg lijkt als binnenzak voor een vuilcontainer. 'Dat was ik bijna vergeten.'

Er zitten minstens twintig rammelaars, tien linnen boekjes, vier teddyberen en twee mobiles voor boven de wieg in.

'Een van de mobiles is voor het wiegje dat ik heb gekocht. Dat heb ik George in jouw kamer laten neerzetten. In Tara. Voor wanneer jullie samen op bezoek komen.'

Ik houd mijn hoofd naar beneden en blijf kijken naar de tas waar de primaire kleuren van het speelgoed zich vermengen als een grote klont klei.

'Jezus, Scarlett. Je huilt toch niet, of wel? Maureen vermoordt me als ze hoort dat ik je aan het huilen heb gemaakt.'

Ik schud mijn hoofd, nog steeds vertrouw ik mijn stem niet.

'Maak je geen zorgen, Declan, vandaag hoort huilen erbij: het is de derde dag en dan spelen de hormonen altijd op.'

Ik kijk op en glimlach door mijn tranen heen. Het is Filly met een open boek in één hand (*Je te vroeg geboren peetdochter*) en in de andere saucijzenbroodjes (voor haar) en een pot Marmite en citroenjam (voor mij).

'Ik heb ook maanzaadbolletjes meegenomen,' zegt ze en ze schudt met de zak voor mijn neus.

Ik knik, al kan ik me niks onsmakelijkers voorstellen dan Marmite en citroenjam. Wat heeft me bezield?

Zo goed en zo kwaad als het gaat, gaat ze op de rand van het bed zitten. Gezien de hoeveelheid petticoats die ze onder haar rok aanheeft, valt het niet mee. De rok heeft dezelfde kleur als haar haar, helderoranje. Met haar smaragdgroene top en haar witte benen ziet ze eruit als een Iers vlaggetje.

'Ik heb ook wat wegwerpondergoed voor je gehaald,' zegt ze en ze gooit de verpakking op het bed.

'Eh, bedankt, Filly,' zeg ik en ik schuif de tas onder het bed.

'Je vagina is toch aan flarden, of niet?'

'Nou... ja, zo mag je het wel zeggen.'

'En deze kun je weggooien als je ermee klaar bent. Handig, vind je niet?'

Daar denk ik even over na. 'Wacht maar tot Brendan hoort over ondergoed dat je kunt weggooien.'

'Hem heb ik het niet verteld,' zegt Filly duister. 'Natuurlijk niet.'

'Je hebt je haar geverfd,' zeg ik. Ik wil het over andere dingen hebben dan over gehavende vagina's en wegwerpondergoed. 'Het is prachtig.'

'Ik had het alleen maar roze voor de bruiloft,' verklaart ze en ze biedt Declan een van de vijf saucijzenbroodjes uit de zak aan. 'Na alles wat er is gebeurd, leek het niet oké om die kleur te handhaven.'

Voor het eerst denk ik aan de ramp die zich heeft voltrokken op de bruiloft van Sofia Marzoni. Ik glimlach bij het beeld in mijn hoofd. En dan schiet ik in de lach.

Filly kijkt naar Declan. 'Dat komt door de hormonen,' legt ze uit. 'Het kan nu alle kanten op gaan.'

Declan knikt en staat op. Hij heeft het niet zo erg op wat hij 'praatjes over vrouwenzaken' noemt.

'Ik ga even koffie halen,' zegt hij en hij loopt achteruit. 'Voor bij de... eh... saucijzenbroodjes en de... de Marmite en de jam. Oké?'

'Dus,' zeg ik, 'wat is er allemaal gebeurd?'

'Zoveel,' zegt Filly, die aan haar derde saucijzenbroodje begint, al gaat dat er iets langzamer in en zie ik dat ze aarzelt over het vierde. 'Nadat Sofia en Hailey uit de kast zijn gekomen...' ze pauzeert even voor het dramatische effect, '... hebben ze in de sacristie een tête-à-tête gehad met Valentino.'

'Hebben ze geschreeuwd?'

'Niet zoveel. Maar op een gegeven moment klonk er wel een dreun.'

'Heeft Valentino ergens mee gegooid?'

'Nee, maar Hailey was er wel bang voor, dus wilde ze de kan met altaarwijn in veiligheid brengen en die liet ze toen vallen.'

'En dat was de dreun?'

'Ja,' geeft Filly toe, 'maar dat wisten we toen nog niet. Angelo, Alessandro en Augusto hebben toen de sacristie zo'n beetje bestormd. Je weet hoe gek die jongens zijn op een robbertje vechten.' Filly kijkt naar me en ik knik snel zodat ze verder kan met haar verhaal. 'Toen zijn ze er met zijn allen twintig minuten gebleven en ik kon niks horen, alleen onderdrukte stemmen en zo nu en dan een brul en een stoel die doormidden brak.'

'Iemand heeft een stoel doormidden gebroken?'

'Ja, maar dat was Angelo,' zegt Filly, die in de zak kijkt en besluit het laatste saucijzenbroodje te laten voor wat het is. 'Je weet wat een boom van een vent hij is. En een poot van de stoel zat al los. Het hele gevaarte is dus onder hem in elkaar gezakt en hij lag op de grond. Maar het mooiste was nog,' zegt Filly, die in elk scenario wel iets grappigs weet te ontdekken, 'dat hij nog steeds op de zitting van de stoel zat. Helemaal vast. Ze hebben hem er met zijn allen uit moeten trekken.'

Dat zou kunnen. Angelo heeft een achterwerk dat breed genoeg is voor twee mensen.

'Hoe dan ook, doordat de stoel brak en hij erin vast bleef zitten,' gaat Filly verder, 'begon iedereen te lachen. Ik kon ze door de deur horen. Niet dat ik stond af te luisteren, hoor.' Ze kijkt zo naar me dat ik weet dat ze niet alleen heeft staan afluisteren maar er waarschijnlijk ook nog een glas bij heeft gebruikt dat ze tegen de deur van de sacristie heeft gedrukt. 'In elk geval, ze schoten in de lach, gingen met zijn allen over op Italiaans, zelfs Hailey, en toen hoorde ik iemand huilen. Tegen die tijd kon ik het niet langer verdragen, dus deed ik de deur open en zag ze met zijn allen, met de armen om elkaar heen, huilen en jammeren en Italiaans praten en lachen tussen het gebroken glas, de geknoeide wijn en de restanten van de stoel. Het was een chaos, Scarlett. Je zou het verschrikkelijk hebben gevonden, werkelijk waar.'

'Wie moest er huilen?' vraag ik en ik buig me naar voren.

'Allemaal,' zegt Filly, verbaasd dat ik de vraag stel. 'Alle Marzoni's, bedoel ik. Hailey natuurlijk niet. Die was op zoek naar een stoffer en blik om het glas op te ruimen.'

Ik knik en glimlach. 'En toen?' vraag ik en ik ga achteroverliggen tegen de kussens, plotseling moe van alle drama's.

'Eigenlijk niet zoveel,' moet Filly een beetje teleurgesteld bekennen. 'Valentino heeft een verklaring afgelegd op het altaar, maar in het Italiaans, dus heb ik geen idee wat hij heeft gezegd. Daarna ging iedereen elkaar omhelzen en huilen, en Isabella begon te jammeren. Je weet hoe ze kan jammeren.'

Ik knik terwijl ik aan het gejammer van Isabella Marzoni denk.

'En toen zijn ze met zijn allen naar het kasteel gegaan en hebben feestgevierd en iedereen leefde nog lang en gelukkig,' besluit Filly, die haar hand uitsteekt naar de zak en besluit het laatste saucijzenbroodjes uit zijn lijden te verlossen.

'Wat?'

'Je weet dat Valentino liever geen dingen verloren wil laten gaan.'

Dat is waar. We hebben het over de man die het wijwater in de hal van zijn huis zo lang heeft laten zitten dat er mos in groeit. Misschien zelfs kikkerdril.

'En Sofia?' vraag ik. 'En Hailey? En hun homoseksualiteit en zo?'

'De Marzoni's lijken het oké te vinden. Zelfs Valentino. Hailey en Sofia zijn zo'n leuk stel. Dat heb ik altijd gevonden. Nog voor ik het wist.'

Ik knik. Dat geldt ook voor mij.

Filly verkreukelt de zak tot een bal en gooit die in de richting van de prullenbak. Ze mist en hij landt op de grond. Als ik niks zeg, werpt ze een blik op me.

'Ben je moe?'

'Nee.'

'Slaap je wel goed?'

'Niet minder dan normaal.'

'Heb je hulp nodig met pakken?'

'Nee, bedankt. Ik moet alleen even mijn toilettas opnieuw inpakken en dan ben ik klaar.'

Ik wil niet weg uit het ziekenhuis. Niet zonder Ellen. Maar zo zijn de regels. De verpleegsters drukken me nog twee dozen supersterke pijnstillers in de hand voor mijn gehavende vagina en vertellen me glimlachend dat er voor mij geen plaats is in de herberg. Ze doen het op hun lieve, zachtmoedige manier, maar het verandert niets aan het feit dat ik zonder Ellen naar huis moet. Ze laten zien hoe ik de borstpomp moet gebruiken; ze bedanken me voor de chocolaatjes en de wijn; ze zwaaien gedag en ik loop weg met mijn hoofd naar beneden omdat ik de medelijdende blikken van de andere moeders, die op een stoel naast het bed zitten met een baby op de arm alsof die aan hen vastgegroeid zit, niet kan aanzien.

Filly loopt naast me met Sofia's zijden omslagdoek, een nuance roze lichter dan eerder en stug van het stijfsel na een behandeling in de wasserette van het ziekenhuis. Op weg naar buiten loop ik langs de zaal van Ellen.

'Tot gauw,' fluister ik tegen haar. Dat klinkt beter dan tot ziens. 'Morgen kom ik terug. Heel vroeg,' beloof ik haar en ze opent haar ogen en glimlacht naar me.

'Er zit haar zeker iets dwars,' zegt een leerling-verpleegkundige, wier taak het kennelijk is me naar buiten te bonjouren.

Ik knik en draai me om, maar de herinnering aan de glimlach stop ik zorgvuldig weg en de eerste nacht haal ik die heel vaak tevoorschijn, en nog vele nachten daarna tot hij verkreukeld en versleten is, als een oude foto die je opgevouwen in je portemonnee bewaart.

59

Over vijf weken ben ik uitgerekend. Ellen is zeven weken oud. Ze weegt 2600 gram. Ze is geniaal. Ze kan zoveel schitterende dingen. Bijvoorbeeld haar eigen lichaam op temperatuur houden. En zelfstandig ademen, zonder hulp. Ze kan nu zuigen. Mijn melk druipt langs haar kinnetje. Ik hoor haar gulzig slikken. Ze vindt het fijn om de pink van mijn rechterhand vast te houden als ze drinkt. Ze is net zo roze als Sofia's bruiloft. Ze vindt het leuk als ik zachtjes op haar tenen blaas. Ze spreidt ze uit als vingers als ik dat doe. Dat is haar manier om 'nog een keertje' te zeggen. Ze vindt het heerlijk om tegen de warme huid van mijn borst te liggen met mijn blouse om haar heen vastgeknoopt. Het heet kangoeroën, zeggen de verpleegsters. Dat idee bevalt me wel. Ellen in mijn buidel. Ze is gek op verhaaltjes over Winnie de Poeh en tot nu toe is Iejoor haar favoriet, ondanks zijn pessimistische inslag.

Andrea komt nog steeds naar haar kijken, maar Ellen ligt niet langer op haar zaal. Ik merk dat de bezoeken langer duren als John er is. Ze hebben een gedeelde interesse in oude munten ontdekt en hebben al een paar keer zeldzame exemplaren meegenomen om aan elkaar te laten zien.

'Deze heb ik gevonden toen ik bij die archeologische opgravingen was waarover ik je vertelde.' Hij geeft haar een doffe bronzen munt. Hij is zo groot als een schoteltje.

Andrea houdt de munt in haar hand en staart ernaar. 'En die mocht je houden?' fluistert ze.

John knikt. 'Ze zeiden dat hij waardeloos was.'

Eendrachtig schudden ze hun hoofd over dat barbaarse woord.

'Hij is prachtig, John,' zegt Andrea met schitterende ogen.

'Ik weet het,' zegt John en hij kijkt naar Andrea.

Als ik binnenkom, concentreert Andrea zich op haar klembord en richt John zijn aandacht weer op zijn aantekeningen. Ik pak ze uit zijn handen.

'Wat doe je?'

'Ik draai ze even voor je om,' zeg ik tegen hem. 'Je was ze ondersteboven aan het lezen.'

John opent zijn mond om iets te zeggen. Hij en Andrea kleuren om het hardst. Hij sluit zijn mond en ik glimlach.

Ellen ligt nog steeds op de vierde verdieping, maar op een zaal die ze het 'tussenverblijf' noemen, waar minder apparaten staan. Een soort intensive care light.

Ik heb een bepaalde routine ontwikkeld. Ik breng mijn dagen door op de intensive care light met Ellen. 's Nachts rouleer ik tussen huizen, als een nomade met een weekendtas in plaats van een kudde. Tara is te ver van het ziekenhuis. Te ver van Ellen.

Soms slaap ik bij Filly en Brendan en dan probeert Brendan me te verleiden met allerlei soorten vlees en stopt mijn kleren in de wasmachine. Zelfs de schone.

Soms logeer ik bij Bryan. Soms is Cáit er ook. Ze lijkt echt een beetje op Sandra Bullock.

Ik ga niet naar de flat van John. Maar ik zie hem veel. Meestal in het ziekenhuis. We praten met elkaar boven de couveuse van Ellen. We lachen naar elkaar alsof we elkaar net hebben leren kennen en weten dat we elkaar wel liggen.

Op donderdag logeer ik in het nieuwe huis van Sofia, dat Valentino had gekocht als cadeau voor de bruiloft. Door de recessie op de huizenmarkt kan hij het alleen met verlies verkopen. Tenminste, dat zegt hij tegen Sofia. Hailey is er ook altijd als ik er ben. Ze is niet bij haar ingetrokken, maar in de badkamer is een plankje met haar tandenborstel en washand. Het is de enige vrouw die ik ken die een washand heeft.

Red woont er ook. Voor een poosje. Omdat hij zijn flat had opgezegd twee dagen voordat ze definitief braken met het oorspronkelijke plan – dat waarin hij en Sofia een halfjaar samen zouden wonen als man en vrouw tot Sofia hem in bed zou aantreffen met een wilde blondine – heeft hij zich moeten overleveren aan de genade van ene Sofia Marzoni, die een zacht plekje voor hem heeft en daarom hem onderdak biedt in een van haar logeerkamers terwijl hij op zoek is naar een nieuwe flat. Ze kunnen het goed vinden, dit onwaarschijnlijke trio. Red zwaait de scepter over de was – het blijkt dat hij een gave heeft voor het verwijderen van rode wijn uit een witte spijkerbroek en het strijken van de ingewikkelde randjes en kantjes van de blouses die Hailey graag draagt. Sofia kookt. Meestal pasta. Ze kan in 2 minuten en 35 seconden tomatensaus maken. Ze heeft me gevraagd de tijd op te nemen en dat heb ik gedaan aangezien ik een gehoorzame logee ben. Hailey staat aan het hoofd van de schoonmaak, al heb ik wel gemerkt dat ze niet onder de bedden zuigt en het leger porseleinen beeldjes dat Sofia op het dressoir heeft verzameld ook niet optilt als ze afstoft. Het is meer opruimen dan schoonmaken. Ze is een groot voorstander van de nederige sprietplant en elke keer dat ik er kom, heeft ze er weer een binnengesmokkeld. Op een onopvallende plek waar je ze niet ziet tot je op een dag om je heen kijkt en ze overal zijn: op de stortbak in het toilet; de vensterbank van de keuken; op boekenkasten, nachtkastjes; en een die gevaarlijk hangt aan een haak – opgehangen door Red – in de hal. Red is minder goed met doe-het-zelven dan met de was.

Het gekke is dat ik niet het gevoel heb dat ik nergens thuis ben. Ik heb juist het gevoel dat ik op veel plekken thuis ben. De plek die werkelijk mijn thuis is, staat voor me klaar, maar ik wil er nog niet wonen. Niet zonder Ellen.

Ik doe net of ik de toenemende opwinding die ik op donderdag ervaar, niet opmerk. Het gevoel dat aanvankelijk begon op donderdagmiddag, toen op donderdagochtend, maar zich nu al op woensdagavond laat voelen. Als vlinders die opvliegen, zo voelt het. Het is alsof Ellen weer binnen in me zit te schoppen. Om me te laten weten dat ze er is.

Het lijkt een fout gevoel voor iemand met een dochter op de intensive care, ook al is het intensive care light. Ook al overtreft ze de stoutste verwachtingen. Ook al glimlacht de strengste dokter als hij haar ziet. Terwijl hij probeert niet te lachen.

Donderdagmiddag duik ik op de begane grond van het ziekenhuis de toiletten in, waar een goed verlichte spiegel is, om mijn gezicht schoon te maken en een beetje make-up aan te brengen. Een klein beetje, zodat het een restant van de ochtend lijkt.

Ik wrijf wat parfum achter mijn oren. Ik poets mijn tanden en mijn tandvlees en mijn tong. Dan floss ik. Ik kijk in de spiegel en glimlach. Een wrang glimlachje. Een charmant glimlachje. Een warm glimlachje. Een vriendelijk glimlachje. Ik houd ermee op als ik besef dat ik verschillende glimlachjes aan het oefenen ben.

Ik houd mezelf voor dat ik me opfris. Maureen zou het optutten noemen. Filly zou zeggen dat ik me voorbereid op Red Butler.

Deze donderdagavond is anders dan alle andere donderdagavonden. Eigenlijk vanwege morgen. Morgen gaan we met zijn drieën naar het ziekenhuis voor de uitslag van de DNA-vaderschapstest die we maandag hebben gedaan. Ik moest ook meedoen met de test, hoewel ze, met haar zwarte haar, groene ogen en bezorgde gezichtje, het evenbeeld is van mij. Een wattenstaafje langs de binnenkant van onze wang. Zelfs van Ellen, al duurde het bij haar uren omdat ze haar lippen zo stijf op elkaar hield dat het leek of ze dichtgeritst waren. Alsof ze het niet wil weten.

Morgen is anders, ook om een andere reden. Morgen zal ik, als ik het ziekenhuis verlaat, niet alleen zijn. Dan heb ik Ellen bij me. We trekken in ons eigen huis. Er staat niets in het huis behalve een tweepersoonsbed – gedoneerd door John uit zijn logeerkamer – en het mandje dat ik maanden geleden heb besteld. Dat schattige met de zacht oranje tule in plooien eromheen, als een indianentent. En een sterilisator. Twee trouwens. Declan heeft een zending gekregen van zijn vriend Harry, 'bijna voor niks', zegt hij, maar hij wil niet vertellen wat hij ervoor heeft betaald, wat betekent dat het minstens twee keer te veel is.

Morgen is dus geen alledaagse vrijdag. Maureen noemt het Vrijheidsvrijdag, maar ik ben inmiddels gewend geraakt aan deze nomadische manier van leven en het niet-weten. Ik heb me ergens deel van gevoeld, alsof iedereen om mij en Ellen heen stond. Vooral Red. Morgen zal dat allemaal veranderen.

Pas als ik het koud krijg, besef ik dat ik stilsta voor het hek van Sofia's tuin. Ik kijk snel naar het huis of iemand me heeft gezien, maar de gordijnen zijn dicht. Ik haal diep adem, recht mijn rug, vervang de bezorgde trek op mijn gezicht door een glimlach, wat het beste is wat ik onder de omstandigheden te bieden heb, en loop door de tuin naar de voordeur.

Aanvankelijk doen we net of dit een heel gewone donderdagavond is. De zesde van een serie. Maar zodra ik door de deur ben, is het al anders. Om te beginnen ruikt het verbrand.

'Is het al zo laat?' schreeuwt Red uit de keuken. 'Ik probeer te koken, maar... ik loop een beetje achter.'

Het aanrecht ligt vol met kommen en bestek en borden en pannen en bakplaten. Er ligt een geopend kookboek met een plasje melk erop naast een omgevallen melkpak zonder dop. Reds handen zijn wit van het meel en er zit ook wat op zijn linkerwang geplakt. En in zijn haar, alsof hij er met zijn handen doorheen heeft gestreken. Op het fornuis staat een sausje dampend te borrelen. Volgens het recept zou het zachtjes moeten koken. Zonder erin te hoeven roeren, weet ik dat de boel is aangebrand. Er ligt een zak sla, en pasta, plakkerig en koud, in een vergiet in de gootsteen.

'Ik weet niet hoe laat het is,' zeg ik tegen hem, me niet bewust van de trotse ondertoon in mijn stem.

Hij houdt op met wat hij aan het doen is – met een houten lepel door de saus roeren – en kijkt me aan. 'Je weet niet hoe laat het is?'

'Nee,' zeg ik en nu glimlach ik. 'Ik heb mijn horloge afgedaan toen Ellen werd geboren en sinds die tijd kan ik het niet meer vinden.'

'En je hebt geen nieuw gekocht?'

Ik schud mijn hoofd.

'Jezus,' is het enige waar hij tijd voor heeft. Hij staat nu bij de oven en doet de deur open. Er walmt zwarte rook uit. Dat is de bron van de brandlucht. Hij haalt er iets uit wat ooit een tomatenvenkelbrood is geweest, al is dat moeilijk te zien door de zwarte korst.

'Heb je brood gebakken?' vraag ik.

'Ik ben bang dat het die benaming niet meer verdient, vind je wel?' zegt Red en hij pakt de harde bonk verbrand deeg op. Hij laat hem meteen weer vallen en blaast tegen zijn hand. Het is te merken dat hij als ik er niet was geweest, hardop had lopen vloeken en misschien wel ergens tegenaan had geschopt.

Ik loop naar hem toe, pak zijn hand en neem hem mee naar de gootsteen. 'Ik zal even de koude kraan aanzetten,' zeg ik en ik probeer de elektrische stroom die door mijn hele lichaam giert, te negeren.

Het koude water helpt. Ik houd onze handen eronder alsof ze allebei in brand staan. Hij is een paar centimeter van me verwijderd. Ik onderzoek zijn vingers. 'Even kijken of je blaren hebt,' zeg ik met moeite. Zijn vingers zijn lang en slank. Hij heeft geen blaren.

'Eh, volgens mij is er niets aan de hand,' zegt Red ten slotte en hij moet zich lostrekken uit mijn greep. 'Jemig, het spijt me van het eten. Het is verdomme een ramp.'

Ik kan me niet voorstellen dat hij aan eten denkt. Op dit moment. Terwijl het enige waar ik aan kan denken de zachte glooiing van zijn mond is en de holte onder aan zijn hals die ik – het lijkt wel honderd jaar geleden – heb gekust. Dat wil ik nog eens doen. Hij praat nog steeds over het eten. 'Ik bedoel, het is verdomme gewoon macaroni met kaas. In het recept staat dat het niet kan mislukken. En moet je die saus zien. Er zitten nog meer klonten in dan in de griesmeelpap die ik voor het dessert heb gemaakt en die is klonterig, dat kan ik je wel vertellen. En de pasta is veel te gaar. Ik bedoel, wie doet dat nou?'

Verloren. Dat woord beschrijft hem het beste. Ik moet erom lachen, deze oversized man met het meel, en de rook, en de teleurstelling. Ik doe mijn jas uit en rol mijn mouwen op.

'Juist,' zeg ik met mijn beste weddingplannersstem, al is het zo'n rommel in de keuken dat ik niet weet waar ik moet beginnen. 'Eten we met zijn vieren?'

'Ja,' zegt hij en hij zwaait in de richting van de keukentafel, die hij al heeft gedekt. Netjes gedekt, bedoel ik, met linnen servetten en kristallen wijnglazen en lange, smalle kaarsen die al branden. 'Sofia en Hailey zijn boven,' zegt hij. 'Ze oefenen het lesbienne zijn, volgens Sofia.' We nemen even de tijd om die informatie te verwerken. 'Ze zeiden dat ze om halfacht naar beneden zouden komen voor het eten.'

'Juist,' zeg ik en ik pak het Mickey Mousehorloge van Red van het aanrecht en schud het meel er af. 'We hebben twintig minuten.' Ik haal de batterijen uit het rookalarm en zet de keukendeur open om de rook te laten ontsnappen.

Het eerste wat ik doe, is de saus redden. Ik giet hem door een zeef in een andere pan zodat alle klontjes en verbrande stukjes achterblijven en er een heerlijke romige saus overblijft. Die laat ik aan Red zien. 'Zie je?' zeg ik. 'Niets op aan te merken. Moest alleen een beetje geregisseerd worden.'

'En het brood?' vraagt hij en als hij naar me kijkt, geloof ik bijna zelf dat ik het rokende, zwarte restant van het brood kan redden.

'Nou...' begin ik, want ik vind het vreselijk om hem te moeten teleurstellen terwijl hij al zoveel problemen heeft. Ik zet het mes erin en als ik klaar ben, is het brood zo groot als een krentenbol. Die snijd ik in tweeën en ik geef hem het grootste stuk. Ze zijn klein genoeg om in één keer in je mond te stoppen. We kauwen in stilte. We kauwen heel lang. Het is taai. Heel taai. Zeker het midden, dat nog naar deeg smaakt.

'Wat vind je ervan?' vraagt hij. Hij lijkt op Ellen als hij zich zorgen maakt. Ik drink veel water in een poging het deeg weg te spoelen.

'Heerlijk,' zeg ik tegen hem als ik mijn tanden eindelijk weer van elkaar kan krijgen.

'Nou ja, het was al beter dan de eerste poging,' zegt hij en hij knikt naar de vuilnisbak, waar ik de restanten van zijn eerste inspanningen zie liggen. Op de een of andere manier lukt het me om niet in lachen uit te barsten.

'Oké,' zeg ik, 'zet jij nog wat pasta op, dan maak ik de salade.'

We werken verder in een stilte die harmonieus genoemd kan worden.

Na het eten kijken Red en ik naar *Brothers and Sisters* en ik doe net of ik het vreselijk vind. We maken foto's van Blue en Al Pacino, die in een leunstoel zitten die we 'hun' leunstoel noemen. We zitten op onze gebruikelijke plek: ik op de bank met mijn benen opgekruld onder me; Red in kleermakerszit op de grond met zijn rug tegen de bank. Dichtbij genoeg om elkaar aan te raken. We raken elkaar niet aan. We gaan heel zorgvuldig met elkaar om. We praten over wat we het leukst vinden aan Ellen. Haar ogen, zegt Red, en we hebben het niet over het feit dat ze groen zijn. Zoals de zijne. Zoals de mijne.

Haar neus, zeg ik. Ze heeft een klein dopneusje dat niets weg heeft van de neus van John.

'Ik denk niet dat Kitty met Robert moet trouwen halverwege de presidentiële campagne. Hij is helemaal afgeleid,' zegt Red en hij knikt naar de televisie.

'Sorry?' vraag ik en ik draai mijn hoofd weg van het raam. Ik zat te kijken naar de blaadjes aan de bomen in de voortuin die hun greep langzaam verliezen en beginnen te vallen. Ondanks de zachte periode waarvan we enorm hebben genoten, verandert het seizoen. Maakt het zich klaar om op te stappen.

'Denk je aan morgen?' vraagt Red.

'Ja,' moet ik toegeven.

'Dat geeft niet,' zegt hij en hij zet de televisie uit. 'Ik ook.'

'En hoe zit het dan met Kitty en Robert? En de campagne?'

'Afleiding,' zegt hij en ik knik.

Zonder het geluid van de televisie lijkt het onnatuurlijk stil in de kamer.

Ten slotte doet Red zijn mond open. 'Weet je,' zegt hij, 'ik hoop echt dat Ellen van mij is.'

Ik knik. Dat weet ik. Ik kan het zien aan de manier waarop hij haar vasthoudt, zorgvuldig, alsof ze de kelk is die John heeft gevonden tijdens zijn korte opgraving in Brazilië. Het bleek een onbetaalbaar historisch stuk waar archeologen al eeuwen naar op zoek zijn.

Ik zie het aan de kleine pittenzakken die hij voor haar maakt en die hij om haar heen legt als ze slaapt. 'Dat heb ik in een boek gelezen,' legt hij uit als ik hem ernaar vraag. 'Die moeten het klimaat in de baarmoeder nabootsen. Zo voelt ze zich lekker thuis.'

De verpleegsters knikken en ik glimlach naar hem. Net als John, al doet hij zijn best om dat niet te doen. Er zit gewoon niks anders op met Red.

'Weet je,' zeg ik en ik buig me naar voren. 'De kans dat John de vader is, is veel groter.' Ik vertel hem van de wiskundige vergelijking die John heeft geformuleerd om de kans te berekenen.

Red knikt langzaam. 'Een vader hoort ook goed te zijn in wiskunde. Anders kan niemand je vragen om te helpen met... nou ja, breuken en... en... hoe zit het ook al weer met die sinus en de cosinus en zo?'

'Trigonometrie,' zeg ik.

'Ja, ik zou denken dat John alles weet over trigonometrie.'

'Dat is ook zo,' zeg ik, 'maar als ik eerlijk ben, Red, doet dat er niet echt toe. Ik bedoel, kijk nu naar mij: mijn vader weet het verschil niet tussen een wiskundige theorie en een gat in de grond en daar heb ik nooit last van gehad.'

'Nee, maar waarschijnlijk was je zelf goed in wiskunde, of niet?'

Dit lijkt me niet het moment om hem te vertellen over de tienen die ik op mijn eindlijst had voor wiskunde. Ik schud mijn hoofd. Ik heb geen idee waarom we het over wiskunde hebben.

Ik zeg hem welterusten en loop naar de deur, maar als ik er ben, blijf ik staan, mijn hand halverwege de deurkruk. Ik draai me om. 'Red?' begin ik.

Hij ligt uitgestrekt op de grond met naast zich Al Pacino, die zo nu en dan zijn hand of zijn gezicht likt. Red moet nodig naar de kapper. En zijn haar kammen. Er zitten hondenharen op zijn trui. En kaassaus. Hij heeft donkere kringen onder zijn ogen. Hij moet zich scheren. De kamer ruikt naar hond. Ik neem het allemaal in me op. Ik wil er niets van vergeten. De kameraadschap die we hebben gedeeld. Het nonchalante hangen op de vloer van Sofia's kamer op donderdagavond. Want morgen zal alles veranderen. Na morgen zal niets meer hetzelfde zijn.

Hij kijkt naar me op en glimlacht zijn brede, luie glimlach. 'Ja?'

'Ik wilde je gewoon bedanken. Ik heb je nog nooit bedankt.'

'Waarvoor?' vraagt hij en voorzichtig duwt hij de poten van Al Pacino van zijn borst en komt overeind.

'Voor Ellen. Omdat je Ellen hebt gehaald.'

'Jij hebt al het werk gedaan,' zegt hij tegen me.

'Je bleef zo kalm,' zeg ik tegen hem.

'Ik voelde me niet kalm.'

'Maar je was het wel.'

'Als ik er nog aan denk, is het het mooiste en meteen het ergste moment van mijn leven.'

Ik knik. Ik weet precies wat hij bedoelt.

'Toen ze er eindelijk uit kwam en ik haar in mijn twee handen hield, al had ze in één hand gepast, was ik doodsbang. Dat ik haar zou laten vallen. Of pijn zou doen.'

'Dat heb je niet gedaan,' zeg ik.

'Ze was zo klein. En zo stil. Even dacht ik...'

'Ik weet het,' zeg ik, want ik wil niet dat hij zijn zin afmaakt.

'En ik zag de navelstreng tussen jou en haar kloppen. Die was zo sterk. Zoiets heb ik nog nooit gezien. Het deed me denken aan mijn eigen moeder. Ik was bijna drie toen ze stierf en ik kan me niets over haar herinneren. Helemaal niets.' Hij kijkt naar me op en glimlacht om de melancholie in de woorden te verzachten.

'Ik weet zeker dat ze heel erg veel van je heeft gehouden,' zeg ik tegen hem. En dat weet ik echt zeker. Het is gemakkelijk om van hem te houden.

'Mijn vader heeft haar verlaten, moet je weten,' zegt hij tegen me zonder naar me te kijken. 'Toen ze zwanger was van mij.' Er kruipt iets akeligs in zijn stem en hij concentreert zich op de handen die Al Pacino aaien.

'Heb je ooit geprobeerd hem te vinden?' vraag ik, nog steeds bij de deur en ik overweeg de kamer weer in te lopen en te gaan zitten.

'Nee,' zegt hij en ik weet dat er meer te zeggen valt, maar hij sluit zijn mond om de woorden tegen te houden.

'Denk je dat je dat ooit zult doen?'

'Nee.' Dan staat hij op en schudt aan zijn trui in een poging de haren van Al Pacino eraf te krijgen. 'Ik ben er bang voor,' zegt hij.

Door de manier waarop hij het zegt, klinkt het als een bekentenis.

'Hoe bedoel je?'

'Ik bedoel, ik ben bang dat ik op hem lijk. Ik wil niet op zo'n man lijken. Een man die zijn gezin in de steek laat op het moment dat ze hem het hardst nodig hebben.'

'Maar zo ben jij helemaal niet,' zeg ik tegen hem en ik loop de kamer weer in. Zijn angst doet me pijn. Het is zo ongefundeerd.

'Hoe weet je dat?'

'Je bent er toch nog?' zeg ik en ik doe een stap in zijn richting. 'Na alles wat er is gebeurd. Je bent er nog steeds.'

Ik heb het gevoel dat ik balanceer op de rand van de nieuwe wereld. Ik haal diep adem en stap er helemaal in.

Ik neem niet het besluit hem te zoenen. Ik vraag niet of ik hem mag zoenen. Ik doe het gewoon. Zonder erover na te denken. Zonder toestemming te vragen.

Ik ruik zoet fruit. Bessen misschien. Als ik hem zoen, herinner ik me zijn mond en de manier waarop die op de mijne past, als de klik waarmee een sleutel draait in het slot. Hij is als een lied dat ik dacht vergeten te zijn, maar nu zing. Tot mijn verbazing ken ik alle woorden. Het is net alsof het onze eerste zoen is. Anders dan eerst. Dit is warm, zout en zacht. Als een wiegelied. Je zou in slaap kunnen vallen bij zo'n zoen. Ik trek me terug.

'Je bent helemaal niet mijn type,' zeg ik tegen hem alsof we midden in een ruzie zitten.

'En jij het mijne ook niet,' zegt hij en we kussen elkaar weer, harder nu en we bewegen ons door de kamer en botsen tegen meubelstukken op. Hij trekt me op zijn heupen en ik sla mijn benen om zijn middel en houd hem stevig vast. Zijn handen woelen door mijn haren en zijn adem is heet tegen mijn oor.

'Ik hou van je.' De woorden ontglippen me voor ik er iets tegen kan doen. Ik begraaf mijn gezicht in zijn hals en bijt hem, in de hoop dat hij me misschien niet heeft gehoord.

Maar hij heft zijn hoofd en kijkt me aan. Hij zet me boven op het dressoir. Een van Sofia's porseleinen honden wankelt even op de rand en valt dan in duizend stukjes op de grond. We merken het niet.

'Zei je nou dat je van me houdt?' vraagt hij. Zijn blik laat me geen moment los.

'Eh, ja, ik geloof het wel,' zeg ik en ik probeer op adem te komen en mijn waardigheid te herwinnen.

'O,' zegt hij en ik heb geen idee wat hij denkt en word rood van schaamte terwijl ik probeer een manier te vinden om terug te krabbelen naar de plek waar we waren voor ik alles zo nodig moest verpesten.

'Daar ben ik blij om.'

'Je bent blij?'

'Jazeker,' zegt hij en hij glimlacht naar me op die fantastische manier van hem, met zijn hele lijf. Alles aan hem glimlacht.

'Ik geloof dat ik al eeuwen van je hou,' zegt hij tegen me en hij tilt me van het dressoir en kust me nog eens. Het zachte gekriebel van zijn stoppels tegen mijn gezicht is bijna meer dan ik kan verdragen. Hij stapt over de brokstukken van de porseleinen hond en laat me op de bank zakken. Nu knoopt hij mijn blouse los, hij neemt er de tijd voor, geconcentreerd op elke knoop. Ik moet mijn handen onder mijn rug duwen en mezelf dwingen hem niet helpen.

'Waarom heb je nooit iets gezegd?' vraag ik. Hij stopt en kijkt naar me op. Ik vervloek mijn nieuwsgierigheid.

'Ik... ik was bang dat het een beetje frivool zou zijn met Ellen en... de hele situatie.'

'Het is toch niet omdat mijn vagina aan flarden ligt, of wel?' Daar heb ik me zorgen over gemaakt, al weet ik dat het onnozel lijkt terwijl er zoveel belangrijke dingen zijn om je druk over te maken. Evengoed heb ik me er druk over gemaakt.

Onder mijn handen voel ik Red schudden. Hij lacht. Of probeert niet te lachen. Ik houd van zijn manier van lachen. Hij lacht met zijn hele lijf.

'Nou?' vraag ik nog eens. Ik moet het weten.

'Jezus, nee,' zegt hij. 'En om je eerlijk de waarheid te zeggen, heb ik niet nagedacht over je vagina en of die aan flarden ligt of niet. Ik wilde gewoon zeker weten dat jij in orde was. Dat Ellen in orde was.'

'Laten we naar bed gaan,' zeg ik alsof het iets is wat ik al honderden keren heb gezegd.

'Weet je het zeker?' vraagt Red. 'En hoe zit het dan met je... eh... vagina? Ligt die nog steeds...'

'Aan flarden?' maak ik de zin voor hem af.

'Nou ja...' zegt hij aarzelend. 'Ja, ik denk wel dat ik dat zou moeten weten.'

'Nee.'

'Nee hij ligt niet aan flarden, of nee dat hoef je niet te weten?'

'Nee,' zeg ik nog eens. 'Hij ligt niet aan flarden.'

'Oké dan,' zegt hij. 'Mooi.'

Hij pakt mijn hand en neemt me mee de trap op naar zijn kamer. Ik stap over de kranten die op de grond om het bed heen liggen. Delen van de krant, niet op een bepaalde volgorde. Niet eens de krant van vandaag. Ik stap over kleren van een week die liggen waar hij ze heeft laten vallen. Ik stap over het wisselgeld dat uit zijn zakken is gevallen en her en der verspreid op de grond ligt.

'Zoen me nog eens,' zeg ik en ik trek hem aan zijn oren, die een klein stukje door zijn dikke haarbos heen steken, naar me toe.

'Wat ben jij bazig, zeg,' zegt hij.

'Je hebt geen idee,' zeg ik tegen hem.

Later liggen we als twee maansikkels dicht tegen elkaar aan. Er zijn redenen te over waarom ik niet zou kunnen slapen. Het licht bijvoorbeeld. Er schijnt een straal maanlicht door het raam; we zijn vergeten de gordijnen te sluiten.

Blue en Al Pacino bijvoorbeeld. Die willen per se op het voeteneinde van het bed slapen, al hebben ze beneden naast de kachel in de keuken elk een heerlijke mand. Ik ben gewend aan Blue in mijn bed. Maar een hond? Ik ben niet iemand die in dezelfde kamer slaapt als een hond, en zeker niet in hetzelfde bed. Of ben ik toch zo iemand? Nu kennelijk wel.

Beneden klinkt het geblèr van de televisie. Sofia en Hailey zijn grote fans van horrorfilms en door de muren en deuren en de vloer klinken het onderdrukte gekrijs en het geschreeuw van nietsvermoedende tieners wier auto's en jeeps en busjes en brommers ver van de bewoonde wereld pech krijgen.

En dan natuurlijk morgen. De uitslag. En wat die zal betekenen. Voor ons allemaal.

Maar aangezien dit donderdag is en geen alledaagse donderdag en deze donderdag anders is dan alle andere donderdagen door een veelheid aan redenen, gebeurt er iets eigenaardigs. Ik val in slaap met mijn hand in die van Red. Al Pacino likt zo nu en dan de andere en Blue ligt uitgestrekt over mijn benen. Ik slaap als een normaal mens. Onbewust. Vredig. Zonder schapen te tellen of welk ander dier dan ook. Ik word niet om vier uur 's nachts wakker. Ik slaap de hele nacht door. De hele nacht, tot het ochtend is.

60

En *jaar later*
'Goedemorgenhetspijtmedatiktelaatben,' zegt Filly en ze zet haar verontschuldiging op mijn bureau: twee bananenmilk-shakes, een zakje chips met kaas-uiensmaak (voor haar) en een brownie voor mij.

Ik kijk op mijn horloge. 'Je bent niet te laat,' zeg ik.

'Wel,' zegt ze. 'Ik ben 4 minuten en 34 seconden te laat, als je het wilt weten.'

'Je begint op mij te lijken,' zeg ik tegen haar.

'Ik weet het,' zegt ze en ze trekt een raar gezicht. 'Ik denk er zelfs over een organizer te kopen.'

'Jezus.'

'Ik weet het.'

Ze kijkt bedrukt bij dat vooruitzicht en ik besluit haar te red-den. 'Heb je al lijsten gemaakt op kleur met wat je moet doen en streep je alles af zodra je het hebt gedaan?' vraag ik haar.

'Jezus, nee,' zegt Filly, verontwaardigd bij het idee.

'Nou, dan komt het nog wel goed. Dan ben je er nog lang niet.'

Filly gaat zitten en maakt opgelucht de zak chips open. 'We zijn toch helemaal klaar voor vanmiddag, of niet?'

'Ja,' zeg ik en ik open een map op mijn laptop. 'Taart, bloemen, decoraties, muziek, tafelschikking, cadeaus, gasten, kleding...' Vol-gens mij hebben we alles.

'Ik kan bijna niet geloven dat het al een jaar geleden is,' zegt Filly en zonder een woord te zeggen staan we allebei op en lopen naar het raam, waartegen we, zoals gewoonlijk, onze neus plat-drukken.

Beneden in de tuin kruipt ze door het bloembed, ze stopt nu en dan om een blaadje van een roos, die inmiddels bijna kaal is, te plukken. Onder haar minuscule pinknageltjes zit vuil. Er zitten blaadjes tussen haar donkere haar. Ze is een schoen kwijt. Blue en Al Pacino flankeren haar. Haar bewakers. Ze gebruikt het lange haar op de rug van Al Pacino om zichzelf overeind te trekken. Dan laat ze los en valt op haar dikke luierkontje, waarbij ze Blues kop op een haar na mist. Hij blaast niet eens tegen haar. Hij laat geen millimeter van zijn nagels zien. In plaats daarvan duwt hij zijn kop tegen haar dikke handje zodat ze hem kan aaien, wat ze prompt doet.

'Hoe laat begint het feest?' vraagt Filly.

'Om vier uur,' zeg ik.

'Dan kunnen we tot die tijd nog wel wat aan de bruiloft van Chiara Marzoni werken,' zegt Filly met een zucht.

Ik knik. Langzaam. 'Dat zouden we kunnen doen.'

'Scarlett?' De stem van Red komt langs de trap naar boven.

'Ja?'

'Je hebt zeker Ellens andere schoen ook niet gezien, of wel? Die roze met de grijze olifantjes?'

'Misschien ligt hij onder ons bed. Of in jouw gymschoen. Daar liep ze vanmorgen in rond te stappen.'

Hij komt met twee treden tegelijk de trap op rennen en even overweeg ik een smoes te verzinnen zodat ik mijn hoofd om de hoek van de deur kan steken om hem in me op te zuigen als een tonicum. Maar dat hoeft niet. Zijn hoofd verschijnt al om de deur.

'Gevonden,' zegt hij tegen me. 'Bedankt.' Hij blijft staan en kijkt naar me en ik zuig hem in me op als een tonicum.

Een knipbeurt zou niet overdreven zijn. Hij moet zich scheren. Er zit een gat in zijn bruine trui, die met de kop van een rendier terwijl het pas augustus is. Hij heeft twee verschillende sokken aan en die zien eruit of ze twee jaar geleden al weggegooid hadden moeten worden. Dan glimlacht hij en het is net alsof de zon na een lange, donkere winter doorbreekt en Filly en ik zitten daar en lachen een beetje stompzinnig terug. We weten dat we eruitzien als een stelletje idioten, maar we kunnen er gewoon niks aan doen. We zijn officieel geïnfecteerd met Red Butler.

'Wij gaan naar het park, maar ik zie je straks,' zegt hij en hij draait zich om.

'Oké,' zeg ik. 'Als je maar niet vergeet dat het feest om vier uur begint.'

'Maak je maar geen zorgen. Ik heb mijn horloge om gedaan en de hele en halve uren hebben al geen geheimen meer voor me, of wel soms, Filly?'

'Ja, dat is waar, Scarlett,' zegt Filly en ze knikt. 'Volgende week beginnen we met de kwartieren en daarna is hij volleerd.'

'Waarom ben jij vandaag eigenlijk bij Ellen?' vraagt Filly. 'Ik dacht dat John haar altijd op donderdag ophaalde.'

'Dat is ook zo, maar hij had vandaag een vergadering dus heeft hij gevraagd of ik mijn dinsdag wilde ruilen met zijn donderdag.'

Ik kijk bewonderend naar mijn schema. We hebben allemaal een dag. De maandag is van mij, de dinsdag van Red, Phyllis en George hebben de woensdag, John de donderdag en Declan en Maureen (met wat hulp van Bryan als die kan) de vrijdag. We hebben allemaal deel aan haar.

De rest van de ochtend concentreren we ons op Chiara Marzoni. Ze is niet zo veeleisend als Sofia, maar het verschil is verwaarloosbaar. Het dier dat ze heeft gekozen voor haar bruiloft is de nederige lama. Twee stuks. Het probleem is Alfonso. Het mannetje. Hij is een beetje, nou ja... levendig. Dag en nacht bespringt hij Imelda (het vrouwtje) en omdat zij zo meegaand is, blijft ze gewoon staan en laat hem zijn gang gaan. En het is niet eens het paarseizoen voor lama's. Dat heb ik gegoogeld. Op een bruiloft – zeker een Marzonibruiloft – is er niets weerzinwekkender dan een stel lama's dat elkaar bespringt in een zorgvuldig geconstrueerd hok in het midden van een hotelfoyer. Filly en ik bijten tot op de punt op onze pen in een poging een oplossing te verzinnen die niets te maken heeft met castreren, wat Filly's oorspronkelijke voorstel was.

De telefoon gaat. 'Hoe gaat het met mijn favoriete peetdochter, Scarlah?' Ellen is Sofia's enige peetdochter maar ze blijft haar hardnekkig haar favoriete peetdochter noemen. Ellen heeft drie peetmoeders en twee peetvaders. Dat is ons gelukt omdat Padre Marco haar heeft gedoopt en hoewel hij beweerde dat hij het niet voor iedereen zou doen, maakte hij voor Ellen een uitzondering. Sofia, Hailey en Filly zijn de peetmoeders.

'Het gaat uitstekend met haar. Ze is naar het park met Red.'

'We halen de taart en de kaarsjes op weg naar je toe op, oké?'

'Ze wordt pas één. Ze heeft maar één kaarsje nodig,' vertel ik haar.

'O,' zegt Sofia teleurgesteld.

'Maar het geeft niet,' haast ik me te zeggen. 'Omdat ze pas één is, weet ze niet hoeveel kaarsjes er op een taart horen.' Al denk ik stiekem dat ze het misschien wel weet.

'Nou, we hebben er vijftig,' zegt Sofia, 'maar ze zijn eetbaar – van marsepein geloof ik – dus kunnen we er één aansteken en de rest opeten, wat jij?' Haar stem klinkt zo ernstig dat het lijkt of ze de voordelen van antioxidanten bespreekt.

Door de telefoon glimlach ik tegen haar. 'Fantastisch. We zien jou en Hailey wel verschijnen.'

Ik leg de telefoon neer en wend me tot Filly, die niet, zoals ze geacht wordt, nadenkt over oversekste lama's. Het blijkt dat ze aan ballonnen denkt.

'Volgens mij moeten we beginnen met ballonnen opblazen,' zegt ze. 'Ik heb er honderd meegenomen. Dat kost ons een eeuwigheid.'

De bel gaat en het zijn John en Andrea.

'De vergadering kon worden uitgesteld,' legt John uit voor ik ernaar kan vragen.

'Alleen om Ellens verjaardag?'

'Natuurlijk,' zegt hij en hij kijkt me aan alsof ik niet goed bij mijn hoofd ben.

Ik glimlach en gebaar dat ze binnen moeten komen. Ze willen graag iets doen, dus zet ik ze aan de ballonnen. Als ik de keuken in loop om te kijken hoe het gaat, zijn ze knalrood en hun wangen zo bol als van een brulkikker, maar ze zitten dicht bij elkaar en glimlachen elkaar toe boven de opzwellende roze ballonnen. Hun handen zijn verstrengeld en die laten ze met tegenzin los als er een ballon moeten worden dichtgeknoopt. John Smith is iemand geworden die in het openbaar genegenheid kan tonen. En het past bij hem. Tegenwoordig doet hij ook aan yoga. En aan pilates. Hij noemt sommige dingen 'zen'. Als Andrea geen dienst heeft in het ziekenhuis gaan ze samen naar meditatieweekenden. Toen ik op een keer onverwachts in zijn flat kwam, liep hij in een kimono. Andrea was er ook. Ook in een kimono. Een bijpassende. De flat voelde vertrouwd, als een plek waar ik eerder was geweest. Niet als een plek waar ik ooit had gewoond.

Maureen en Declan komen om halftwee en roepen dat ze 'sterven van de honger'. Tenminste, Maureen. Vandaag is ze vol van de vreugde van de lente en de zomer omdat haar stuk (*Wie is de vader?*) door het amateurtoneelgezelschap is uitgekozen voor de winterproductie. 'Het is een en al zang en dans,' zegt ze in een poging om de angel te verwijderen uit het feit dat het over mij gaat en over Ellen en John en Red. Het is melodramatisch, sensationeel en buiten alle proporties. Maureen noemt het 'magnifiek'.

Om halfvier staat iedereen paraat. Omdat iedereen er al is, besluit ik dat we wel kunnen beginnen met het feestje, al stond er vier uur *exact* in de uitnodiging. We gaan de tuin in, waar ik een schraagtafel heb neergezet met een roze tafelkleed van crêpepapier, roze glittertjes en roze confetti. Verschillende nuances roze zodat alles zichtbaar blijft. De wijnglazen zijn van roze plastic en de bordjes zijn roze met het lachende gezicht van Barbie. Wetenschapper Barbie, die er precies zo uitziet als alle andere Barbies, behalve dat ze haar haren heeft opgestoken en een bril draagt. John en Andrea hebben zich fantastisch geweerd met de ballonnen, al zien hun gezichten er opgezwollen uit en wedijveren ze erom wie het roodst is. De ballonnen – allemaal roze – zweven aan lange, roze linten die vastgebonden zijn aan de stoelen, tafels, pootjes van de glazen en de kraag van de eregasten. Dat zijn Al Pacino en Blue, die gekamd en glanzend geduldig wachten tot de taart wordt aangesneden. Ellen zit als een zoutzak in haar spiksplinternieuwe zandbak in de vorm van Iejoor. Haar duim zit vol zand, maar dat weerhoudt haar er niet van om erop te zuigen.

Declan heeft zijn laatste speeltje meegenomen. Een monsterlijke camera met een statief. 'Er stond dat het maar vijf minuten duurde om alles in elkaar te zetten,' zegt hij tegen me nadat hij er een halfuur mee heeft staan hannesen. Tot nu toe zitten er pas twee van de drie poten van het statief in elkaar. Hij heeft de tweede bladzijde van de gebruiksaanwijzing losgetrokken en houdt die nu ondersteboven op zijn knie.

'Kom, laat mij maar even,' zeg ik.

En het is waar. Het duurt 5 minuten om alles op te zetten. Minder: 4 minuten en 32 seconden.

Ik schenk voor iedereen een glas roze champagne in en we scharen ons om de zandbak, waar Ellen iets maakt wat Phyllis een 'plemptaart' noemt. Een zorgvuldige mix van water en zand.

De foto hangt in de voorkamer boven de haard. Ik kijk er veel vaker naar dan een mens geacht wordt naar familiefoto's te kijken. Dan glimlach ik, om die foto. Een beetje roze aan de rand waar de ondergaande zon versmelt met de wereld.

'Ik zie Ellen niet in de zoeker,' brult Declan vanonder de grote zwarte doek die achter de camera hangt. 'John, kun je met haar in de zandbak gaan zitten en haar op schoot nemen?' Hij zet de zelfontspanner op dertig seconden en rent naar ons toe. Hij trapt op Angelina Ballerina, die op het gras ligt.

Op het moment dat de sluiter van de camera klikt, zit Declan op de grond met zijn champagneglas hoog in de lucht zonder een druppel te morsen. Maureen steekt haar armen naar hem uit en heeft een brede glimlach op haar gezicht, wat eigenlijk een gil is omdat het er even op lijkt dat Declan in de zandbak terecht zal komen naast – of boven op – Ellen en haar vader. Iedereen zit glimlachend op het gras. Phyllis, die een stukje van George' overhemd terugstopt in zijn korte rode broek. Sofia, die een rozenknopje achter Haileys oor steekt, en Hailey met haar kleine, zorgvuldige glimlachje.

Al Pacino en Blue zitten op hun gebruikelijke plaats: Al staat met zijn kop hoog en zijn schouders naar achteren en Blue zit in de schaduw van de voorpoten van zijn vriend en scherpt zijn nagels aan een stuk steen. Filly zit naast ze en haar gespikkelde jurk ligt als een waaier om haar heen zodat ze lijkt op het spel Twister.

Red zit op het gras met zijn blote voeten in de zandbak. Ellen buigt zich naar voren om met haar neus tegen de zijne te wrijven, wat ze altijd doen. Op de foto zit er nog een klein stukje tussen. Ze zijn onderweg naar elkaar.

In de zandbak staat Ellen op de knieën van haar vader en geeft hem een dikke, natte kus op zijn neus. John kust haar terug, zijn handen om haar middel. Zo los dat ze denkt dat ze alleen staat. Vast genoeg om te zorgen dat ze niet valt. Zijn neus glinstert van het speeksel waar Ellen hem heeft gekust. Maar hij veegt het niet af. Ik denk dat hij het niet eens heeft gemerkt. In plaats daarvan toont hij hetzelfde gezicht als dat hij trok toen hij tweede werd bij het amateurdamtoernooi van heel Ierland.

Bryan en Elliot liggen op het warme gras en glimlachen de lach van mannen die hun mond vol hebben met chocolade Rice Krispies.

Ik sta achter deze kring van mensen en denk aan straks.

Straks zullen John, Red en ik Ellen naar bed brengen. We hebben allemaal een taak: John doet haar in bad, ik trek haar een pyjama aan en Red leest haar een van de honderden verhaaltjes voor die hij speciaal voor haar heeft geschreven en geïllustreerd. We staan met zijn drieën om haar ledikant en zingen voor haar tot haar oogleden zwaar worden en dichtvallen, haar duim uit haar mond glijdt en ze zachtjes begint te snurken. Dan loopt John een straat verder naar zijn appartement, waar Andrea op hem wacht in de kimono met de tekst 'zij' erop. En ik ga op de bank liggen met Red Butler; hij leest me voor wat hij vandaag heeft geschreven en ik zal hem vertellen over de verliefde lama's en hoe Ellen danst – zelfs als ze vastzit in haar buggy – als ik de herkenningsmelodie zing van *The Sopranos*. En hij komt een beetje naar beneden en ik een beetje naar boven en we zijn als twee puzzelstukjes die jaren kwijt zijn geweest en weer zijn gevonden.

Op de foto sta ik achter deze kring van mensen en ik glimlach. Ik glimlach om deze familie.

Mijn familie.

Dit is niet het idee dat ik over mijn leven had.

Het heeft niets te maken met de plannen die ik voor mezelf had gemaakt.

Nee.

Het is veel beter zo.

Dankwoord

Vanmorgen belde de postbode aan. Ik vind het heerlijk als hij dat doet, want dat betekent dat hij iets heeft wat niet door de brievenbus past. Hij heeft een pakje. Met de ongecorrigeerde proefdruk van dit boek. Het flinke gewicht in mijn handen. De geweldige septembergeur van een Nieuw Boek. Het boek waarvan ik dacht dat ik het nooit zou kunnen schrijven. Dat je één boek hebt geschreven, betekent niet noodzakelijkerwijs dat je er twee kunt schrijven, of wel? Dat vond iedereen een belachelijke gedachte. Dus die heb ik *geparkeerd,* zoals de Amerikanen zeggen. En ik heb me *erop toegelegd*, zoals mijn moeder altijd zegt. En ik heb het geschreven. En nu houd ik het in mijn handen en het lacht naar me als een jong hondje. Vandaag lijkt dus een uitstekende dag om iedereen die me heeft geholpen te bedanken.

Een GROOT dankjewel aan alle lieve lezers van *Verdronken in jou*, die me hebben geschreven en e-mails hebben gestuurd, en aan een vrouw die me in de supermarkt staande hield om me te vertellen dat zij *en haar man* hebben genoten van het boek. Lezers hebben geen idee hoeveel dat betekent en hoe dankbaar ik ben voor alle vriendelijke woorden. Dankjewel. Heel hartelijk bedankt.

Schrijven is een eenzaam beroep. Net als vuurtorenwachter of het bemannen van het klachtenbureau bij een Iers bierfeest. Het is dus heerlijk om een excuus te hebben het huis uit te kunnen, wat ik een paar keer heb gedaan onder het mom van 'research'. Zo maakte ik kennis met Caroline McCafferty, een verpleegster van de intensive care van National Maternity Hospital in Holles Street. Caroline heeft tijdens haar drukke werkzaamheden tijd gemaakt om me de hele afdeling te laten zien en de duizenden vragen die ik had te beantwoorden. Ze is een van de vergeten helden van Ierland. Een van de duizenden verpleegsters die elke dag voor een zware taak staan en met hun wijze ogen en aandachtige zorg de tijd die we in het ziekenhuis moeten doorbrengen een beetje draaglijker maken. Dankjewel, Caroline, voor je tijd en je geduld. Eventuele fouten in het verhaal zijn allemaal op mijn conto te schrijven.

Tijdens het schrijven waren er momenten – meer dan me lief waren – dat ik de behoefte had bij iemand op de bank te gaan liggen om te jammeren en te roepen: 'Ik kan het niet.' Die bank was van mijn briljante en geweldige vriendin Niamh Cronin. Dan maakte ze thee voor me zoals ik het lekker vind: in een beker met chocola erbij. Ze luisterde naar me, gaf me advies en stuurde me weer naar huis met een glimlach op mijn gezicht. Ik ben zo blij dat Niamh Cronin mijn vriendin is. Ze is iemand die me aan het lachen kan maken.

Ooit vroeg ik Breda Purdue – de managing director van Hachette Book Group Ireland – of ik bij haar op kantoor mocht werken. Het leek me een heerlijke werkplek. Iedereen is er aardig en stress is als een ver land, waar mensen wel van hebben gehoord, maar waar nog niemand zelf is geweest. (Breda zei trouwens: 'We hebben op dit moment geen vacatures.') Mijn speciale dank gaat uit naar mijn redacteur, Ciara Doorley, die dingen wéét over schrijven. Geweldige dingen. Goede dingen. En het mooiste is nog dat ze ze met mij wilde delen. Dankjewel, Ciara.

En mijn agent Ger Nichol. Met voldoende vertrouwen voor ons allebei. Dat vind ik zo heerlijk aan haar. Dankjewel, Ger. Bedankt voor alles.

En mijn redacteur in het Verenigd Koninkrijk, Carolyn Mays, en haar collega Francesca Best. Bedankt voor jullie steun en gastvrijheid en hartelijkheid.

Ik had het druk toen ik het boek schreef. Om te beginnen was ik zwanger, daarna werd mijn prachtige Grace geboren, toen werd mijn man Frank aan zijn rug geopereerd en raakte ik in paniek omdat ik dacht dat ik het boek nooit zou schrijven. Maar ik heb het wel gedaan. Door de mensen die in me geloven en van me houden. Frank om te beginnen. In het weekend bleef hij bij de kinderen – toen de rugoperatie achter de rug was natuurlijk – terwijl ik ontsnapte naar de Malahide Bibliotheek om dingen te verzinnen. Mijn fantastische ouders, Breda en Don, die op drukke middagen op mijn kinderen pasten als ik me boven terugtrok om dingen te verzinnen, en mijn geweldige zuster Niamh, die op de baby paste terwijl ik achter mijn bureau zat om dingen te verzinnen. Tijdens het schrijven van *Verdronken in jou* en *Trouw aan mij* kreeg mijn zusje haar twee fantastische jongens, Ríain en Finn. Zij is het soort moeder op wie iedereen recht heeft. En hoewel ze veel jonger is dan ik, kijk ik naar haar op. Voor alles. Ik bedank mijn kinderen – Sadhbh, Neil en Grace – die me doen schateren. En glimlachen. En zwellen van trots. Ook mag ik mijn zwager, Owen O'Byrne, niet vergeten. Hij heeft heel zorgvuldig met naald en draad de vele opzetten voor dit boek ingebonden zodat ik ze gemakkelijker kon lezen.

En ook bedank ik mijn vriendelijke en zachtmoedige schoonzuster, Niamh MacLochlainn. De eerste lezer van dit boek, van het begin tot het einde. Iedere schrijver zou een lezer als jij moeten hebben. Je weet wat ik bedoel als ik zeg dat je *Gorgio-Armani* bent.

Ook gaat mijn dank uit naar Emma McEvoy, die een eerste opzet voor het boek heeft gelezen en het soort feedback heeft gegeven waardoor ik erin kon geloven. Bedankt voor al je ondersteunende e-mails en aanmoediging. Een boek schrijven lijkt een beetje op het lopen van een marathon: je hebt mensen nodig die aan de zijkant staan te juichen en je af en toe een banaan toestoppen. Het is de enige manier waarop je kunt blijven rennen.

En ten slotte bedank ik de hardwerkende postbode, die door weer en wind de ondankbare taak had ongelooflijk lange Visarekeningen door onze brievenbus te stoppen. Maar vandaag niet. Vandaag heeft hij me Scarlett O'Hara gebracht.

Ik hoop dat je haar leuk vindt.